LAS VÍRGENES
DEL PARAÍSO

MITOS BOLSILLO

Barbara Wood
LAS VÍRGENES DEL PARAÍSO

grijalbo mondadori

Para Ahmed Abbas Ragah, con cariño y gratitud.

Título original: *Virgins of Paradise*
Traducido de la edición de Radom House, Nueva York, 1993
© 1993, Barbara Wood
© 1993 de la edición en castellano para España y América:
   Grupo Editorial Random House Mondadori, S. L.
   Travessera de Gràcia, 47-49. 08021 Barcelona
   www.grijalbo.com
Diseño de la cubierta: Luz de la Mora
Ilustración de la cubierta: *Yemen, Woman*, archivo Age Fotostock
Primera edición en Mitos Bolsillo: junio de 1998
Séptima reimpresión: febrero de 2002
ISBN: 84-397-0245-0
Depósito legal: B. 6.701 - 2002
Impreso en España
2002. - Cayfosa-Quebecor, Ctra. de Caldes, km 3.
      08130 Santa Perpètua de Mogoda (Barcelona)

Érase una puerta para la que no encontré llave;
un velo del pasado que no pude rasgar.
Alguna charla fugaz entre Yo y Tú
lo parecieron; y entonces no había Tú y Yo.

Rubbaiyat, Omar Jayyam

(...) Las mujeres tienen sobre los esposos idénti-
cos derechos que ellos tienen sobre ellas, según
es conocido; pero los hombres tienen sobre ellas
preeminencia. Dios es poderoso, sabio.

El Corán, 2, 228

Agradecimientos

Este libro no podría haberse escrito sin la ayuda de gente muy especial. Tengo que dar las gracias a mis amigos de El Cairo, en particular a la familia Ragah: Ahmed, Abd al-Wahab, Sana'a y Fatma; al doctor Jadiya Yussuf, por hacerme conocer el feminismo árabe y los derechos de la mujer egipcia actual; a Samira Aziz, por mostrarme una maravillosa visión de la vida en las aldeas del Nilo; a Humayra Ajavani, por explicarme sus experiencias de una mujer musulmana que trata de acomodarse al estilo de vivir estadounidense. Y muy especialmente a *Sahra* (Carolee Kent, de Riverside, California), danzarina del Meridien Hotel de El Cairo, por dedicarme generosamente su tiempo, por su espléndido retrato de la vida de las danzarinas en Egipto y por darme permiso para usar su descripción de la *zeffa*, la procesión de bodas. Tengo asimismo una deuda con Anne Draper, de Riverside, y mis amigas danzarinas del Oriente Próximo, por su apoyo y aportaciones. Artemis de Pacific Grove y el equipo de la librería Sisterhood de Westwood merecen mi reconocimiento por sus esfuerzos –y su éxito– por completar mis investigaciones. Finalmente, no podría haber escrito este libro sin el soporte y ánimos de mi esposo, George.

Prólogo

–Espere –le dijo Jasmine al taxista–. ¿Puede, por favor, llevarme primero a la calle de las Vírgenes del Paraíso?

–Sí, señorita –contestó el taxista árabe, mirando a su pasajera a través del espejo retrovisor y clavando los ojos por un instante en su dorado cabello.

La propia Jasmine se sorprendió. Durante el trayecto desde el Aeropuerto Internacional de El Cairo y, antes, durante el largo vuelo sin escalas desde Los Ángeles, se había prometido a sí misma no acercarse para nada a la calle de las Vírgenes del Paraíso, ir directamente al Nile Hilton, averiguar quién y por qué la había mandado volver a El Cairo, resolver el asunto que hubiera que resolver y tomar a continuación el primer vuelo de regreso a California. Consternada por su irreflexión, hubiera querido decirle al taxista que la condujera directamente al hotel, que había cambiado de idea. Pero no pudo. Aunque temiera ir a la calle de las Vírgenes del Paraíso, más miedo le daba no ir.

–Bonita calle, señorita, calle preciosa –dijo el taxista, tocando el claxon para abrirse camino entre el intenso tráfico del centro de la ciudad vieja.

Jasmine vio en su rostro una expresión de curiosidad y una mirada de extrañeza, pues los turistas raras veces visitaban la calle de las Vírgenes del Paraíso. Permaneció sentada, escuchando los petardeos del pequeño vehículo adornado con vistosas borlas, flores de papel y un ejemplar del Corán colocado sobre el tablero de instrumentos tapizado en terciopelo, mientras clavaba ansiosamente las uñas en el tejido de sus vaqueros azules. Prefería los vaqueros a cualquier otra prenda e incluso los llevaba en la clínica pediátrica y cuando efectuaba la ronda de visitas a los enfermos en el hospital...

–Eso es absolutamente impropio de una médica, doctora Van Kerk –le había dicho en broma el jefe de cirugía en cierta ocasión.

Mientras el taxi rodeaba lentamente la plaza de la Liberación, Jasmine observó a los viandantes que abarrotaban las aceras. Vio muy pocos vaqueros azules entre los jóvenes vestidos con anticuados pantalones de pata de elefante y ajustadas camisas de nailon. Algunas mujeres lucían peinados ahuecados y modernas faldas y blusas, y muchos hombres llevaban las tradicionales *galabeyas*; también había muchas jóvenes con túnica larga y la cabeza cubierta con un velo, el «atuendo islámico» del nuevo integrismo, y campesinas con las nalgas envueltas en una ajustada y modesta capa negra que contribuía a realzar los encantos que pretendía ocultar. Entre aquella muchedumbre, Jasmine trató de distinguir a la niña que antaño fuera, una chiquilla de pálida piel y rubio cabello caminando feliz y despreocupada con sus compañeros de morena tez, ajena al turbulento futuro que se estaba acercando a ella a pasos agigantados. Se inclinó hacia la ventana en la certeza de que la niña estaba todavía allí. Si la viera, saltaría del taxi, la tomaría de la mano y le diría: «Ven conmigo. Te llevaré lejos de aquí, lejos del peligro y la traición que te aguardan».

Pero el taxi avanzó tosiendo y traqueteando por delante de los peatones y Jasmine no pudo encontrar entre ellos a su propio yo infantil. De pronto, el taxi enfiló una calle tan conocida que, por un instante, el asombro la dejó sin respiración.

El taxista aminoró la marcha mientras Jasmine contemplaba los árboles de los jardines largo tiempo olvidados, pero recordados de repente con una irresistible claridad, como si hubiera abandonado Egipto justo la víspera.

Súbitamente pensó que ojalá no se hubiera trasladado a El Cairo y hubiera arrojado a la papelera la inesperada carta que había recibido en su despacho de Los Ángeles unos días atrás con aquel críptico mensaje: «Doctora Jasmine Van Kerk, ¿puede usted venir a El Cairo inmediatamente? Es urgente. Hay un asunto de su herencia que debemos discutir». Se la había enviado un abogado de un prestigioso bufete situado en una de las mejores zonas de El Cairo. Le recordaba de su infancia, cuando vivía en aquella calle llamada de las Vírgenes del Paraíso. Era el abogado de la familia y, al parecer, lo seguía siendo.

–Debes ir –le había dicho su mejor amiga Rachel, médica como ella–. Nunca podrás vivir tranquila hasta que te reconcilies con tu pasado. Tú finges ser feliz, Jas, pero yo sé que por dentro siempre estás triste. Puede que ésta sea una buena señal, una ocasión para liberarte de tus demonios.

Jasmine telefoneó al abogado para pedirle más detalles, pero éste sólo le dio una vaga respuesta:

–Lo siento, doctora Van Kerk, pero esto es demasiado complicado para discutirlo por teléfono. Por favor, ¿puede trasladarse a El Cairo? Es de la máxima importancia.

Jasmine hubiera deseado preguntarle quién había muerto, pero se contuvo porque no quería que la tragedia enturbiara su nueva vida en California. Si fuera la temida noticia de la muerte de su padre o de Amira, prefería recibirla en El Cairo, asimilarla en aquella ciudad y dejarla allí para poder regresar a los Estados Unidos y a su futuro.

–Pare aquí, por favor –le dijo al taxista, y el vehículo se detuvo bajo un dosel de viejos álamos que asomaban por encima de un impresionante muro de piedra.

Detrás del muro, apenas visible, se levantaba una enorme casa rodeada por un tranquilo jardín, un espectáculo más bien insólito en la congestionada y superpoblada ciudad de El Cairo. Mientras contemplaba la mansión de color de rosa de tres pisos, con sus ornamentados balcones y sus ventanas con celosías de madera, Jasmine experimentó una repentina oleada de emoción y pensó: «Éste es el lugar donde yo nací. Aquí exhalé mi primer respiro, derramé mi primera lágrima, reí por primera vez».

«Y aquí fui maldecida, desterrada de la familia y sentenciada a muerte.»

Contempló la casa, un monumento de piedra y argamasa al esplendoroso y decandente pasado de Egipto, y le pareció un ser viviente, momentáneamente dormido, pero peligroso cuando se despertara. Aquellas ventanas cerradas se abrirían cual si fueran ojos y en ellas aparecerían conocidos rostros que antaño ella había querido y apreciado o temido y odiado... unos rostros pertenecientes a varias generaciones de la poderosa y aristocrática familia de los Rashid, de riqueza incalculable, amiga de reyes y bajás, hermosa y mimada por la fortuna; pero, bajo la superficie, agobiada por secretos de locura, adulterio e incluso asesinato. Varias preguntas se agolparon en su mente: ¿vive la familia todavía aquí? ¿He sido llamada para asistir a un funeral? ¿De quién? ¿Mi padre? ¿Amira? «Que no sea Amira. Que ésta perdure eternamente, por lo menos en mi recuerdo.»

Empezó a recordar palabras de otros tiempos. Amira diciéndole: «Una mujer puede tener más de un marido a lo largo de su vida, puede tener muchos hermanos y muchos hijos, pero sólo puede tener un padre».

–Chófer –dijo bruscamente, apartando de su mente el recuerdo de su padre y del último y terrible día que había pasado a su lado–, lléveme al Hilton, por favor.

Mientras el taxi circulaba por una bulliciosa calle, Jasmine se dio cuenta de que estaba contemplando las escenas callejeras a través de las lágrimas. En el aeropuerto, al descender del avión, se había preparado para resistir el sobresalto del regreso y había levantado unas defensas tan firmes que no experimentó la menor emoción ni el menor sentimiento; fue como si se encontrara en cualquier aeropuerto del mundo. Pero ahora, tras haber recorrido la ciudad de su infancia y haber vuelto a ver la casa, notaba que las barreras estaban empezando a desmoronarse.

El Cairo... ¡después de tantos años! A través de las lágrimas, Jasmine observó unos cambios que la sorprendieron. Muchas de las antiguas y aristocráticas mansiones, como la de la calle de las Vírgenes del Paraíso, habían sido vendidas a grandes empresas y ahora en sus elegantes fachadas campeaban unos chillones rótulos de neón; se estaban levantando rascacielos, se veían por todas partes edificios en construcción y se oía el constante rumor de los martillos neumáticos. Cual si una guerra hubiera asolado manzanas enteras de la ciudad, éstas aparecían ahora rodeadas por vallas metálicas, mientras las perforadoras reventaban la tierra.

Aun así, Jasmine sintió que aquélla seguía siendo su amada ciudad de El Cairo, la descarada, llamativa y audaz urbe que había resistido diez siglos de invasiones, ocupaciones extranjeras, guerras, plagas y excéntricos gobernantes. El taxi rodeó traqueteando la plaza Tahrir, semejante a la pista central de un circo y destripada ahora para la construcción de una nueva línea de metro, mientras los cairotas, acostumbrados desde siempre a adaptarse a los cambios, iban a lo suyo como si tal cosa, caminando imperturbablemente serenos con sus trajes de calle o sus velos islámicos o bien sentados en las terrazas de los cafés, preguntándose a qué venía tanto afán por el progreso. Cuando vio finalmente el Nile Hilton, ya no tan fabulosamente moderno como a ella le había parecido en otros tiempos, Jasmine recordó su propia boda celebrada allí y se preguntó si el busto de bronce de Gamal Abdel Nasser todavía seguiría dominando el vestíbulo. Allí mismo, justo al lado de las oficinas de la American Express, estaba el puesto de venta de helados al que ella y Camelia, Tahia y Zacarías solían acudir de niños, un minúsculo establecimiento donde podías elegir cualquier sabor que quisieras con tal de que fuera de vainilla. Y allí estaban también los vendedores de jazmines, tan cargados de guirnaldas que no se les podía ver ni la cara, y las *fellahin* sentadas en cuclillas en las aceras, asando mazorcas de maíz, el signo anual de la llegada del verano.

Jasmine se apartó de la ventanilla. No tenía que dejarse seducir por El Cairo. Tiempo atrás había jurado no regresar jamás y tenía intención de cumplir su juramento... Aunque ahora se encontrara allí en carne y hueso para ver al abogado señor Abdel Rahman y resolver los asuntos de su herencia, no permitiría que su alma y su corazón la acompañaran. Los había dejado a salvo en California.

Cuando el taxi se detuvo frente a la entrada del hotel y el portero corrió a abrir la portezuela diciendo: «Bienvenida a El Cairo», Jasmine observó que éste contemplaba su rubio cabello con la misma expresión con que antes lo hicieran el taxista, los agentes de la aduana y los mozos del aeropuerto. Tomó mentalmente nota de que debería comprarse un pañuelo para cubrirse la cabeza, de la misma manera que, antes de bajar del avión, había recordado ponerse un jersey para cubrirse los brazos desnudos en aquel país islámico.

Se acercó un botones para hacerse cargo de su equipaje, pero Jasmine sólo llevaba una pequeña maleta, pues no pensaba quedarse mucho tiempo. Sólo un día, si podía. Y, por supuesto, no pensaba regresar a la calle de las Vírgenes del Paraíso.

Al entrar en el vestíbulo oyó música y vítores. En seguida apareció un cortejo nupcial precedido por bailarines y músicos mientras los amigos y parientes seguían a la pareja de recién casados, arrojándoles monedas para desearles suerte. Jasmine se detuvo para ver pasar a la joven novia vestida con un blanco traje cuya larga cola sostenían dos niñas. Evocó los dulces recuerdos de la noche en que su propio cortejo nupcial cruzó aquel mismo vestíbulo del recién inaugurado hotel y ella se sentía inmensamente feliz. Abrió el bolso, sacó unas cuantas monedas de diez centavos y de cuarto de dólar y se las arrojó a la pareja, musitando:

–Buena suerte. *Mabruk.*

Deseaba sinceramente que los novios encontraran juntos la felicidad.

En el mostrador de recepción, fue saludada cordialmente con el habitual «Bienvenida a El Cairo».

–¿Hay algún mensaje para mí? –le preguntó al apuesto recepcionista, que inmediatamente le dedicó la halagadora mirada de ojos oscuros y la sonrisa en las cuales son expertos los hombres egipcios.

El recepcionista miró detrás del mostrador y contestó:

–Lo siento, doctora Van Kerk, no hay ningún mensaje.

–¿Está seguro?

Había comunicado al señor Abdel Rahman la fecha de su llegada y le había dicho que tenía reservada habitación en el Hilton. En realidad, esperaba que acudiera a recibirla al aeropuerto y, al ver que no estaba allí, pensó que le encontraría en el hotel. Pero ni siquiera le había dejado un recado.

Aunque sólo llevaba una pequeña maleta, el botones la acompañó a la habitación («que mire al Nilo», había pedido al hacer la reserva) y, al entregarle ella una libra de propina, vio por su sonrisa que le había dado demasiado.

Cuando finalmente se quedó sola en la habitación, Jasmine corrió las cortinas turquesa y oro que el joven había descorrido, para no ver el río. Quería que la habitación diera al río porque no deseaba contemplar la ciudad, pero ahora sentía la atracción del viejo río cuyas aguas centelleaban bajo el sol matinal. Amira llamaba al Nilo «la Madre de todos los Ríos, la madre de todos nosotros».

Aunque estaba hambrienta y cansada, pues apenas había comido y dormido durante el vuelo, Jasmine se acercó primero al teléfono de su mesita de noche. Llamaría a Los Ángeles para decirles a todos que había llegado sin novedad y después llamaría al señor Abdel Rahman y se reuniría con él lo antes posible. Sin embargo, justo en el momento en que su mano rozaba el aparato, oyó una suave llamada a la puerta.

Pensando que sería alguien con un recado del señor Abdel Rahman o tal vez el propio abogado en persona, Jasmine abrió y dio un paso atrás, presa de un repentino sobresalto.

Vio a una mujer vestida con las prendas tradicionales de una peregrina que ha ido a La Meca, una larga túnica blanca y un velo blanco en la cabeza, cubriéndole la mitad inferior del rostro. Llevaba una bolsa de cuero en una mano y se apoyaba en un bastón con la otra. Cuando vio aquellos ojos oscuros mirándola por encima del velo, Jasmine se sintió dominada por dos emociones contrarias. ¡Amira! ¡Viva, gracias a Dios! Y después, cólera al recordar la última vez que había visto a aquella mujer.

–La paz y la misericordia de Alá sean contigo –dijo Amira en árabe.

Jasmine recordó súbitamente las fragancias de la madera de sándalo y de las lilas, la música y la vieja fuente del jardín de la casa de la calle de las Vírgenes del Paraíso y el sabor celestial de los albaricoques con azúcar en las calurosas tardes. Bellos y felices recuerdos que ella había reprimido junto con los dolorosos.

–Y contigo –contestó con incredulidad, como si estuviera hablando con una aparición–, la paz y la misericordia de Alá y todas sus bendiciones. Pasa, por favor.

Mientras Amira entraba en la estancia y sus blancos velos exhalaban una fragancia de almendras, Jasmine se sorprendió de que los años pudieran borrarse con tanta facilidad, cerrando la brecha creada por su ausencia. También se sorprendió de que pudiera recuperar con tanta lucidez el uso del árabe y de lo delicioso que le resultaba volver a hablarlo.

Amira esperó a que Jasmine la invitara a sentarse y, cuando se acomodó en un sillón, lo hizo con la gracia de una mujer acostumbrada a conceder audiencias. Sin embargo, Jasmine observó ahora que sus movimientos eran un poco rígidos. A fin de cuentas, Amira tenía ochenta y tantos años.

–¿Cómo estás? –preguntó Jasmine, sentándose en el borde de la cama mientras se le llenaban los ojos con aquella extraordinaria visión.

O sea que Amira había hecho finalmente su peregrinación a La Meca. Jasmine se alegró.

–Muy bien, gracias a Dios –contestó la mujer, quitándose el velo y dejando al descubierto la inmaculada blancura de su cabello.

–¿Cómo supiste que estaba aquí? ¿Te lo dijo el señor Abdel Rahman?

–He sido yo quien te ha mandado llamar, Yasmina.

–¿Cómo me localizaste?

–Escribí a Itzak Misrahi en California y él conocía tu dirección. Te veo muy bien, Yasmina –dijo Amira con un leve temblor en la voz–. Ahora eres médica, ¿verdad? Eso está muy bien. Es una gran responsabilidad –añadió extendiendo los brazos–. ¿No me vas a abrazar?

Pero Jasmine tenía miedo. Aquella mujer era la comadrona que la había traído al mundo; aquellas manos perfumadas con almendras habían sido su primer contacto humano. Sabía que Amira la había besado, como besaba a todos los niños que traía al mundo. Sin embargo, al contemplar aquellos oscuros ojos rasgados que parecían arder con el mismo fuego que ella había visto una vez en el corazón de un negro ópalo, Jasmine sintió que no podía arrojarse en sus brazos. Aquella mujer tenía los fuertes rasgos propios de los beduinos del desierto y la barbilla orgullosamente levantada, características ambas de todas las mujeres Rashid... unos rasgos que también poseía Jasmine Van Kerk, pues su verdadero nombre era Yasmina y aquella mujer era su abuela.

–No debemos ser enemigas, Yasmina –dijo Amira–. Tú eres la nieta de mi corazón y yo te quiero.

–Perdóname, abuela, pero estoy recordando la última vez que te vi.

–Sí, un día muy triste para todos nosotros. Yasmina, mi niña querida, algo me ocurrió cuando era pequeña y lloré tanto que pensé que me vaciaría de lágrimas como una botella se vacía de agua y entonces me moriría. Sobreviví, pero me quedó el recuerdo de aquella profunda angustia y juré que jamás permitiría que ninguno de mis hijos sufriera un dolor semejante. Sin embargo, aunque Ibrahim era mi hijo y tu padre, no pude intervenir. Según la ley, un hombre puede hacer lo que se le antoje con sus hijos porque es el amo de la familia. Pero sufrí mucho por ti, Yasmina. Y ahora has regresado.

–Dime, por favor, abuela, ¿por qué le has dicho al señor Abdel Rahman que me haga venir? ¿Es por mi padre? ¿Acaso ha muerto?

–No, Yasmina. Tu padre todavía vive. Pero es por él por quien he querido que volvieras a casa. Está muy enfermo, Yasmina. Se va a morir. Te necesita.

–Y ha pedido que me mandes llamar.

Amira sacudió la cabeza.

–Tu padre no sabe que estás aquí. Temía que, si le dijera que te había escrito y tú no vinieras, le destrozaría por completo.

Jasmine trató de reprimir las lágrimas.

–¿De qué se muere? ¿Qué enfermedad padece?

–No es una enfermedad del cuerpo, Yasmina, sino del espíritu. Su alma se muere, ha perdido la voluntad de vivir.

–¿Y cómo puedo yo salvarle?

–Porque se muere por tu causa. El día que te fuiste de Egipto, tu padre perdió la fe. Se convenció de que Alá lo había abandonado y, en su lecho de muerte, lo sigue creyendo. Escúchame, Yasmina, no puedes permitir que tu padre muera sin fe porque entonces Alá le abandonaría de verdad y mi hijo no podría morar en el Paraíso.

–Él tiene la culpa... –dijo Jasmine con la voz quebrada por la emoción.

–Oh, Yasmina, ¿acaso crees saberlo todo? ¿Crees saber por qué razón tu padre hizo lo que hizo? ¿Conoces todas las historias de nuestra familia? Por el Profeta, la paz sea con él, te aseguro que tú no conoces los secretos que configuran nuestra familia y te han configurado a ti. Pero ha llegado el momento de que conozcas esos secretos –Amira se colocó la bolsa de cuero sobre el regazo y sacó un hermoso estuche de madera con incrustaciones de marfil en cuya tapa figuraba escrito en árabe *Alá, el Misericordioso*–. Recordarás a la familia Misrahi, la que vivía en la casa de al lado en la calle de las Vírgenes del Paraíso. Abandonaron Egipto porque eran judíos. Maryam Misrahi era mi mejor amiga y ambas nos contábamos secretos. Ahora te voy a contar nuestros secretos porque eres la nieta de mi corazón y porque quiero que sane la herida entre tú y tu padre. Te contaré incluso el gran secreto de Maryam; ella ha muerto y ya no importa. Después te revelaré mi terrible secreto personal, que ni siquiera tu padre conoce. Pero no sin que antes hayas escuchado todo lo que hay que escuchar.

Jasmine contempló el estuche fascinada. Las cortinas que había corrido sobre las vidrieras correderas del balcón se movían ahora agitadas por la brisa matinal que llevaba consigo los rumores del tráfico de la orilla del río. Un extraño pensamiento cruzó por la cabeza de Jasmine; recordó de repente que, en otros tiempos, la carretera que bordeaba el río no existía y tampoco aquel hotel, porque el lugar estaba ocupado por unos cuarteles del ejército británico. Mientras su abuela abría el estuche que contenía los recuerdos de varias generaciones de una orgullosa familia, Jasmine comprendió que ella y Amira estaban a punto de embarcarse en un viaje a través del túnel del tiempo.

–Ahora te voy a contar todos los secretos, Yasmina –dijo Amira en un susurro–. Y tú me contarás los tuyos –los sabios y almendrados ojos de ónice miraron a Jasmine–. Tú también tienes secretos –añadió Amira, lanzando un suspiro–. Sí, tienes secretos. Nos los intercambiaremos y, cuando Alá oiga tu historia, rezo para que en su misericordia te otorgue la sabiduría necesaria para saber lo que tienes que hacer. El primer secreto, Yasmina, corresponde al año anterior a tu nacimiento, cuando acababa de terminar la guerra en Europa y el mundo festejaba la paz. Ocurrió una cálida y perfumada noche llena de esperanzas y promesas. Fue la noche que marcó el comienzo de la decadencia de nuestra familia...

Primera parte

1945

1

–¡Mira, princesa, allá en el cielo! ¿Ves el caballo alado galopando por el firmamento?

La chiquilla escudriñó el cielo nocturno, pero sólo vio el gran océano de las estrellas. Sacudió la cabeza y recibió un cariñoso abrazo. Mientras contemplaba el cielo, tratando de ver el caballo alado entre las estrellas, oyó en la distancia un rumor semejante a un trueno.

De pronto, se oyó un grito y la mujer que la abrazaba exclamó:

–¡Que Alá se apiade de nosotros!

Inmediatamente, unas negras sombras descendieron de la oscuridad; eran unos gigantescos caballos montados por jinetes vestidos de negro. Creyendo que habían bajado del cielo, la niña trató de distinguir sus grandes alas cubiertas de plumas.

Después, mujeres y niños corrieron a esconderse mientras las espadas brillaban bajo la luz de las hogueras del campamento y los gritos se elevaban hacia las frías e impasibles estrellas.

La niña se aferró a la mujer detrás de un enorme baúl.

–No te muevas, princesa –dijo la mujer–. No hagas ruido.

Miedo. Terror. Y después... La niña fue arrancada violentamente de los brazos protectores y lanzó un grito.

Amira se despertó. La habitación estaba a oscuras, pero ella vio que la luna primaveral había extendido su manto plateado sobre la cama. Se incorporó, encendió la lámpara de la mesita de noche y, cuando la luz se derramó consoladoramente por todos los rincones de la estancia, se comprimió una mano contra el pecho como si con ello pudiera calmar los fuertes latidos de su corazón mientras pensaba: «Ya empiezan otra vez los sueños».

Amira no se había despertado descansada porque las inquietantes pesadillas turbaban su sueño... Tal vez fueran recuerdos, aunque ella no sabía muy bien si eran acontecimientos reales o imaginarios. Sin embargo, cuando volvían los sueños, como había ocurrido en aquellos momentos, sabía que la perseguirían a lo largo de todo el día, obligándola a vivir el pasado en el presente, en caso de que fueran efectivamente recuerdos del pasado, como si se desarrollaran simultáneamente dos vidas, una de ellas perteneciente a una chiquilla asustada y la otra a la mujer que trataba de comprender racionalmente un mundo imprevisible.

Eso le ocurría porque estaba a punto de nacer una criatura, se dijo Amira mientras se incorporaba y trataba de calcular cuánto rato había dormido. La casa estaba extrañamente silenciosa.

Cada vez que se producía un nacimiento en la gran mansión de la calle de las Vírgenes del Paraíso, las visiones volvían a poblar sus sueños, como presagios de acontecimientos venideros o tal vez recuerdos de un lejano pasado. Procurando serenarse, Amira se dirigió al lujoso cuarto de baño de mármol que antaño compartiera con su marido, Alí Rashid, el cual llevaba cinco años enterrado, y abrió el grifo de oro del agua fría. Se detuvo para mirarse al espejo y vio que la luz de la luna le había decolorado el rostro. Aunque ella no se consideraba una belleza, la gente así lo creía y lo comentaba.

–Prométeme que te volverás a casar –le había dicho Alí en su lecho de muerte poco antes de que estallara la guerra en Europa–. Aún eres joven, Amira, y estás llena de vida. Cásate con Skouras, sé que estás enamorada de él.

Se lavó el rostro con agua fría y se lo secó con una toalla de lino.

¡Andreas Skouras! ¿Cómo había averiguado Alí que estaba enamorada de él? Amira creía haber ocultado cuidadosamente sus sentimientos, hasta el punto de que ni siquiera su mejor amiga hubiera podido adivinar el vuelco que le daba el corazón cada vez que el apuesto Skouras visitaba la casa. «Cásate con Skouras.» ¿Tan sencillo era todo? Pero ¿cuáles eran los sentimientos del ministro de Cultura del Rey con respecto a ella?

Alisándose el cabello y la ropa, pues se había tendido a echar una breve siesta antes del parto de su nuera previsto para aquella noche, Amira cruzó la estancia para dirigirse a la puerta. Pero la luz de la luna estaba iluminando una fotografía de su mesita de noche y el apuesto hombre del marco de plata parecía llamarla en silencio.

Tomó la fotografía de Alí y se consoló contemplándola, tal como siempre le ocurría cuando estaba preocupada.

–¿Qué significan los sueños, esposo de mi corazón? –preguntó en un susurro. La noche era tranquila y sosegada y la enorme casa, normalmente animada con el bullicio y los sonidos de las generaciones que habitaban dentro de sus muros, estaba en silencio a aquella hora tan tardía de la noche. Los únicos signos de vida, pensó, procederían de las estancias de abajo, donde vivía su nuera y donde la joven estaba a punto de traer al mundo a su primer hijo–. Dime –añadió sin apartar los ojos de la fotografía del hombre de impresionantes bigotes y nariz aguileña... Alí Rashid, rico y poderoso, el último vástago de una generación ya desaparecida–. ¿Por qué tengo estos sueños siempre que está a punto de nacer un niño? ¿Son acasos presagios o son fruto de mi propio temor? Oh, esposo mío, ¿qué me debió de ocurrir en mi infancia para que experimente semejante temor cada vez que surge una nueva vida en nuestra familia? –Amira soñaba a veces con una niña que sollozaba desesperada, pero no sabía quién era–. ¿Soy yo acaso? –le preguntó a la fotografía–. Sólo tú conoces el secreto de mi pasado, esposo de mi corazón. Tal vez sabías algo más, pero nunca me lo dijiste. Tú eras un hombre y yo era sólo una niña cuando me trajiste a esta casa. ¿Qué secretos dejamos a nuestra espalda cuando me sacaste del harén de la calle de las Tres Perlas? ¿Y por qué no puedo recordar nada de mi vida antes de los ocho años?

Sólo escuchó el susurro de las ramas de los álamos del jardín mientras una brisa primaveral soplaba sobre la dormida ciudad de El Cairo cuando dejó de nuevo la fotografía sobre la mesita. Las respuestas que pudiera tener Alí se habían ido a la tumba con él. Y, de este modo, Amira Rashid se quedó con toda una serie de preguntas sin respuesta sobre su familia, su origen y su verdadero nombre. Un secreto que ni siquiera los suyos conocían; cuando sus hijos eran pequeños y le hacían preguntas sobre su rama de la familia, contestaba evasivamente:

–Mi vida comenzó cuando me casé con vuestro padre y su familia se convirtió en la mía.

No guardaba ningún recuerdo de su propia infancia que pudiera compartir con sus hijos.

Pero soñaba...

–¿Ama? –dijo una voz desde la puerta.

Amira se volvió a mirar a la criada, una anciana que llevaba al servicio de la familia desde antes de que ella naciera.

–¿Ya es la hora? –preguntó.

–La señora está casi a punto, ama.

Dejando sus sueños y los recuerdos de Andreas Skouras a su espalda, Amira avanzó presurosa por el largo pasillo, pisando con sus chinelas las mullidas y lujosas alfombras mientras los jarrones de cristal y los relucientes candelabros de oro reflejaban su imagen y en la noche primaveral se aspiraban los perfumes de la cera y el aceite de limón.

En el dormitorio de su nuera, Amira encontró a la joven asistida por las tías y las primas que vivían en la casa y trataban de confortarla, tranquilizándola en susurros y rezando oraciones. Como siempre, la anciana astróloga Qettah ocupaba un oscuro rincón de la estancia con sus misteriosas tablas e instrumentos, disponiéndose a registrar el momento exacto del nacimiento de la criatura.

Mientras se acercaba a la cama para comprobar en qué fase del parto se encontraba la muchacha, Amira no pudo sacudirse de encima los efectos del reciente sueño. Había sido algo más que un sueño, tenía la sensación de haber estado en un campamento del desierto contemplando las estrellas y de haber sido brutalmente arrebatada de los brazos de alguien que trataba de protegerla. ¿Quién era la mujer de su recurrente sueño? ¿Pertenecían aquellos amorosos brazos a su madre? Amira no recordaba a su madre, en su sueño sólo veía una extraña noche cuajada de estrellas hasta el punto de que a veces creía no haber nacido de una mujer sino directamente de las refulgentes y lejanas estrellas.

Sin embargo, si mi sueño es efectivamente el fragmento de un recuerdo, pensó mientras tomaba un paño frío para aplicarlo sobre la frente de su nuera, ¿qué sucedió después de que me arrancaran de aquellos amorosos brazos? ¿Mataron a la mujer? ¿Fui yo testigo de su muerte? ¿Por eso sólo puedo recordar el pasado en sueños?

–¿Cómo estás, hija de mi corazón? –le preguntó a la joven esposa que estaba luchando por dar a luz un hijo; la pobrecilla sufría los dolores del parto desde las primeras horas de aquel día. Amira preparó un té de hierbas según una antigua receta que, al parecer, la madre del profeta Moisés había bebido para aliviar los dolores del alumbramiento de su hijo, y mientras animaba a su nuera a beberlo, examinó el dilatado abdomen bajo la colcha de raso y se alarmó repentinamente: algo fallaba.

–Madre... –musitó la joven apartando el rostro del té mientras sus febriles ojos brillaban como negras perlas–. ¿Dónde está Ibrahim? ¿Dónde está mi esposo?

–Ibrahim está con el Rey y no puede venir. Ahora bébete el té que tiene el poder de la bendición de Dios.

Se produjo otra contracción y la joven se mordió el labio para no gritar.

–Quiero a Ibrahim –dijo en un susurro.

Las otras mujeres de la estancia que estaban rezando en silencio por su prima, llevaban la cabeza cubierta con velos de seda, se habían rociado el cuerpo con costosos perfumes y vestían prendas muy caras, pues vivían en la casa de un hombre muy rico. En el ala reservada a las mujeres de la mansión Rashid, residían veintitrés mujeres y niños, cuyas edades oscilaban entre el mes y los ochenta y seis años. Todas estaban emparentadas y pertenecían a la familia Rashid, el fundador del clan; también estaban las viudas de sus hijos, sobrinos y primos. Los únicos varones que había en aquellos aposentos eran los niños de menos de diez años, edad a partir de la cual, según la costumbre islámica, éstos debían apartarse de sus madres y trasladarse al ala de los hombres, situada en el otro extremo de la mansión. Amira reinaba en los aposentos de las mujeres, antaño llamados el harén, donde el espíritu de Alí Rashid seguía presente desde un gran retrato que colgaba sobre la cabecera de la cama y en el cual se le veía rodeado de esposas, concubinas y numerosos hijos. Todas las mujeres se cubrían con velos y adornaban sus manos con gruesas sortijas de oro... Alí Rashid Bajá, sentado en un sillón semejante a un trono, un hombre corpulento y poderoso, vestido con túnicas y tocado con un fez, parecía un potentado del siglo pasado, cuyo nombre seguía siendo invocado cinco años después de su muerte. Amira había sido su última esposa; tenía trece años cuando se casó con él y Alí cincuenta y tres.

La boca de su nuera se abrió en un silencioso grito, pero no se oyó el menor sonido, pues el hecho de que una mujer diera muestras de debilidad durante el parto se consideraba una deshonra para la familia. Amira cambió la almohada empapada por otra seca y enjugó el sudor de la frente de la muchacha.

–*Bismillah*! ¡En nombre de Alá! –exclamó en voz baja una joven que estaba antendiendo a la parturienta con el rostro tan blanco como las flores de almendro dispuestas en todos los rincones de la estancia–. ¿Qué le sucede?

Amira retiró la colcha de raso y observó consternada que la criatura ya no se encontraba situada en la posición normal del alumbramiento sino en sentido transversal. Recordó otra noche de hacía casi treinta años en que ella, recién casada, acababa de llegar a la mansión. Una de las esposas de su flamante marido estaba de parto y el niño se presentaba al través.

Amira recordó ahora que madre e hijo habían muerto.

Para disimular su inquietud, dirigió unas tranquilizadoras palabras a su nuera y llamó por señas a una de las mujeres que estaban quemando incienso para alejar a los *yinns* y otros malos espíritus del lecho del parto. Después le explicó a su nuera en voz baja que tendrían que mover a la criatura para colocarla en la posición normal cabeza abajo. Se acercaba el momento del parto: si la criatura se quedara atascada en el canal del alumbramiento, madre e hijo podrían morir.

Como todas las mujeres de la casa, la prima tenía mucha experiencia en cuestión de partos, tanto por los suyos propios como por los de otras mujeres a quienes había asistido. Sin embargo, al contemplar el deformado vientre, se quedó petrificada: ¿en cuál de los dos extremos se encontraba la cabeza de la criatura y en cuál los pies?

Amira tomó el amuleto que previamente había colocado entre los instrumentos del parto. Era un objeto de extraordinario poder, pues había sido «estrellado», es decir, dejado durante siete noches en una azotea para que absorbiera la luz y la fuerza de las estrellas;

lo comprimió con sus manos para extraerle la magia mientras una voz en la radio, sintonizada con la lectura nocturna del Corán, entonaba:

–«Está escrito que nada nos ocurrirá que Alá no haya decretado. Él es nuestro Guardián. Que los fieles depositen su confianza en Alá.»

Con un delicado movimiento, Amira consiguió dar la vuelta a la criatura y colocarla en la debida posición, pero, en cuanto retiró las manos, observó que el vientre volvía a cambiar lentamente de forma al colocarse la criatura nuevamente de lado en el canal del parto.

–¡Rezad por nosotras! –murmuró una de las mujeres.

Al ver la expresión atemorizada de las demás mujeres, Amira dijo serenamente:

–Alá es nuestro guía. Deberemos sujetar a la criatura en la debida posición hasta que nazca.

–Pero ¿esto es la cabeza? ¿Y si la estamos colocando con los pies hacia abajo?

Amira trató de sujetar a la criatura en la debida posición, pero, a cada contracción, ésta volvía a colocarse obstinadamente de lado. Al final, comprendió lo que se tenía que hacer.

–Preparad el hachís –dijo.

Mientras un nuevo y penetrante aroma llenaba la estancia, mezclándose con el perfume de las flores de albaricoquero y los efluvios del incienso, Amira recitó un versículo del Corán y se frotó las manos y los brazos, secándoselos a continuación con una toalla limpia. Estaba utilizando los conocimientos adquiridos a través de su suegra, la madre de Alí Rashid, una sanadora que había transmitido sus artes secretas a la joven esposa de su hijo. Sin embargo, algunos de sus conocimientos se remontaban a una época anterior, al período de su estancia en el harén de la calle de las Tres Perlas.

Su nuera dio unas chupadas a la pipa de hachís hasta que se le nublaron los ojos. Después, guiando suavemente a la criatura con una mano, Amira trató de sujetarla con la otra.

–Dadle otra vez la pipa –dijo en voz baja, intentando visualizar la posición de la criatura.

La joven trató de aspirar el humo del hachís, pero el dolor le estaba resultando insoportable; apartó la cabeza y, sin poderlo evitar, emitió un grito desgarrador.

Al final, Amira se volvió hacia una de las mujeres y dijo serenamente:

–Telefonead a Palacio. Decidles que Ibrahim tiene que regresar a casa inmediatamente.

–¡Bravo! –exclamó el rey Faruk.

Como acababa de ganar un *cheval*, sus ganancias serían de dieciocho a uno, por cuyo motivo sus acompañantes se congregaban alrededor de la ruleta y estallaron en vítores.

Sin embargo, Ibrahim Rashid, el hombre que había aplaudido la victoria del Rey y le había dicho: «Os podéis arriesgar, Majestad. ¡La suerte está de vuestra parte esta noche!», no estaba de humor para las diversiones de aquella velada. Se estaba haciendo tarde y hubiera deseado telefonear a casa para preguntar cómo estaba su esposa. Pero Ibrahim no era libre de abandonar la mesa, pues formaba parte del séquito real y, en su calidad de médico personal del Rey, estaba obligado a permanecer al lado de Faruk.

Ibrahim se había pasado toda la noche bebiendo champán, un hábito al que no estaba acostumbrado, pero al que aquella noche había recurrido para calmar su inquietud. Su joven esposa iba a dar a luz su primer hijo y jamás, en sus veintiocho años de vida, recordaba haber estado tan nervioso como en aquellos momentos.

Sin embargo, en lugar de levantarle el ánimo tal como él esperaba, el champán estaba ejerciendo el efecto contrario. Cuanto más bebía y cuanto más gritaban los hombres congregados alrededor de la mesa de la ruleta, tanto más deprimido se sentía y tanto más se preguntaba qué estaba haciendo allí y por qué perdía el tiempo con diversiones que no lo divertían. Contempló a los acompañantes del Rey y vio todo un regimiento de jóvenes exactamente iguales que él. Somos como abejas obreras todas idénticas, pensó mientras aceptaba la copa que le ofrecía un camarero. Todo el mundo sabía que Faruk elegía a sus cortesanos basándose en su refinado aspecto y su elegancia, jóvenes de piel aceitunada como Ibrahim Rashid, de hermosos ojos castaños y negro cabello, todos de veintitantos o treinta y tantos años, ricos y ociosos, vestidos con esmóquines confeccionados por Savile Row de Londres, y todos hablando un afectado inglés aprendido en las escuelas inglesas en las que solían matricularse casi todos los hijos de la aristocracia cairota. Y, sin embargo, observó Ibrahim con un cinismo impropio de él, todos se tocaban con el rojo fez, el símbolo celosamente guardado de las clases altas de Egipto. Algunos lo llevaban ladeado y tan encasquetado sobre la frente que casi les rozaba las cejas. Unos árabes que procuraban no serlo, pensó con amargura Ibrahim, unos egipcios que se las daban de caballeros ingleses y no hablaban ni una sola palabra de su lengua natal, pues el árabe sólo servía para dar órdenes a los criados. Aunque Ibrahim ocupaba una posición envidiable, a veces se sentía deprimido en su fuero interno. No podía enorgullecerse de ser el médico personal del Rey, dado que el puesto se lo había conseguido su poderoso padre.

En realidad, ser el médico personal de Faruk tenía muchos inconvenientes; uno de ellos consistía en tener que pasarse las noches perdiendo el tiempo bajo unas arañas brillantemente iluminadas, escuchando las rumbas que interpretaba una orquesta mientras unas mujeres sucintamente vestidas bailaban con hombres vestidos de esmoquin. Siendo el médico del Rey, Ibrahim tenía que permanecer constantemente al lado del regio personaje o, por lo menos, estar disponible en todo momento, por cuyo motivo un teléfono de su dormitorio de la casa de la calle de las Vírgenes del Paraíso estaba directamente conectado con Palacio. Llevaba cinco años ocupando aquel privilegiado puesto, desde la muerte de su padre acaecida poco antes del estallido de la guerra, y, durante aquel tiempo, había tenido ocasión de conocer a Faruk mejor que nadie, incluida la reina Farida. A pesar de los rumores que circulaban, según los cuales Faruk tenía un pene muy pequeño y una colección pornográfica muy grande, Ibrahim sabía que sólo uno de ellos era cierto y también sabía que, a sus veinticinco años, Faruk era en el fondo un chiquillo. Le encantaban los helados, las bromas pesadas y las historietas de *Uncle Scrooge*, que importaba regularmente de los Estados Unidos. Entre sus demás aficiones figuraban las películas de Katharine Hepburn, los juegos de azar y las vírgenes, como la muchacha de diecisiete años y lechosa piel que aquella noche se aferraba al regio brazo.

El número de los que rodeaban la mesa de ruleta iba aumentando por momentos, pues todo el mundo quería codearse con el esplendor real... banqueros egipcios, hombres de negocios turcos, oficiales británicos impecablemente uniformados y varios representantes de la nobleza europea que habían huido ante los ejércitos de Hitler. Tras haberse preparado para la marcha de Rommel sobre El Cairo, la ciudad se había entregado a un frenesí de festejos; no había espacio en aquella ruidosa sala de fiestas para el rencor, ni siquiera hacia los ingleses, los cuales iban a retirar de Egipto sus fuerzas de ocupación ahora que la guerra había terminado.

–*Voisins*! –gritó el Rey, colocando sus fichas en el 26 y el 32.

Ibrahim aprovechó para echar otro furtivo vistazo a su reloj de pulsera. Su mujer entraría en los dolores del parto de un momento a otro y él quería estar a su lado para confortarla. Sin embargo, su inquietud obedecía a otra razón más vergonzosa, por lo menos, para él. Necesitaba saber si había cumplido la obligación contraída con su padre de engendrar un varón.

–Me lo debes a mí y a tus antepasados –le había dicho Alí Rashid la noche de su muerte–. Tú eres mi único hijo varón y la responsabilidad recae en ti.

El hombre que no engendraba hijos, decía Alí, no era un verdadero hombre. Las hijas no contaban para nada, tal como demostraba el viejo dicho: «Lo que hay bajo un velo sólo causa que-

26

brantos». Ibrahim recordó ahora con qué ansia esperaba Faruk que la reina Farida le diera un hijo, hasta el extremo de haberle pedido consejo sobre brebajes de la fertilidad y afrodisíacos. Ibrahim jamás olvidaría las salvas el día en que nació el primer fruto del matrimonio de Faruk; toda la ciudad de El Cairo las escuchó conteniendo la respiración y todo el mundo sufrió una amarga decepción cuando los cañonazos se detuvieron al llegar al número cuarenta y uno sin llegar al ciento uno que hubiera significado el nacimiento de un varón.

Pero, por encima de todo, Ibrahim quería estar con su esposa, la niña-mujer tal como él llamaba a su pequeña mariposa.

El Rey se apuntó otro triunfo, los presentes lanzaron vítores e Ibrahim contempló su copa de champán, recordando el día en que la había visto por primera vez. Fue en el transcurso de una fiesta en uno de los palacios reales y ella era una de las encantadoras jóvenes que acompañaban a la Reina. Le llamó la atención por su fragilidad y su belleza, pero el momento preciso del flechazo se produjo cuando una mariposa se posó en su nariz y ella lanzó un grito. Mientras todas las muchachas se apretujaban a su alrededor, Ibrahim se abrió paso con un frasco de sales y, tras romper el cerco femenino y encontrarla a ella en el centro, creyó verla llorar. Al darse cuenta de que se reía, pensó para sus adentros: «Algún día esta mariposita será mía».

Ibrahim consultó nuevamente su reloj y, mientras trataba de inventarse alguna excusa para retirarse de la presencia del Rey, se le acercó un camarero portando una bandeja de oro.

–Disculpe, doctor Rashid –dijo el camarero–, se acaba de recibir este mensaje para usted desde Palacio.

Ibrahim leyó la breve nota. Tras intercambiar unas palabras en privado con el Rey, que era muy comprensivo en semejantes cosas, Ibrahim abandonó corriendo el club casi sin acordarse de recoger el abrigo en el guardarropa mientras se envolvía apresuradamente la bufanda de seda alrededor del cuello. Cuando se sentó al volante de su Mercedes, pensó de pronto que ojalá no hubiera bebido tanto champán.

Enfilando la calzada particular de la calle de las Vírgenes del Paraíso, Ibrahim apagó el motor y contempló la fachada de la mansión de tres pisos construida en el siglo XIX. Prestó atención un instante y, al reconocer el extraño sonido procedente del interior, cruzó a toda prisa el jardín, subió la gran escalinata, avanzó por un ancho pasillo y entró en el ala de la casa ocupada por las mujeres; los llantos y gemidos eran tan desgarradores que toda la calle los hubiera podido oír.

Se detuvo al ver una cuna de mimbre vacía al pie de la cama de cuatro pilares con un abalorio azul suspendido por encima de él para alejar el mal de ojo. Su hermana se acercó y le arrojó los brazos al cuello, diciéndole entre lágrimas:

–¡Se ha ido! ¡Nuestra hermana se ha ido!

Apartándola suavemente, Ibrahim se aproximó a la cama donde su madre se hallaba sentada sosteniendo en sus brazos a una criatura recién nacida. En sus oscuros ojos brillaban las lágrimas.

–¿Qué ha pasado? –preguntó, pensando que ojalá tuviera la mente más clara.

–Alá ha liberado a tu esposa de la prueba –contestó Amira, apartando la manta que cubría el rostro de la criatura–. Pero te ha concedido este hermoso regalo. Oh, Ibrahim, hijo de mi corazón...

–¿Ya estaba de parto? –preguntó Ibrahim, aturdido.

–Le empezaron los dolores poco después de que tú te fueras a Palacio esta mañana.

–¿Y ha muerto?

Las mujeres que llenaban la estancia estaban lanzando lastimeros gritos de duelo.

–Hace unos momentos –contestó Amira–. Telefoneé a Palacio, pero ya era demasiado tarde.

Al final, Ibrahim contempló la cama. Los ojos de su joven esposa estaban cerrados y su pálido rostro marfileño aparecía tan sereno como si estuviera dormida. La colcha de raso le llegaba hasta la barbilla, ocultando las pruebas del combate a vida o muerte que había librado. Ibrahim cayó de hinojos, hundió su rostro en el raso y musitó:

–En el nombre de Alá, el Clemente, el Misericordioso. No hay más Dios que Alá y Mahoma es su profeta.

Amira apoyó una mano en la cabeza de su hijo diciendo:

–Ha sido la voluntad de Alá. Ella está ahora en el Paraíso.

Hablaba en árabe, la lengua de la casa Rashid.

–¿Cómo podré resistirlo, madre? –dijo Ibrahim en un susurro–. Me ha dejado y yo ni siquiera lo sabía –levantó el rostro surcado por las lágrimas–. Hubiera tenido que estar aquí. Tal vez la hubiera salvado.

–Sólo Alá puede salvar, ensalzado sea. Consuélate, hijo mío, pensando que tu esposa era una mujer muy piadosa y el Corán promete a los devotos que, al morir, alcanzarán la suprema recompensa de contemplar el rostro de Alá. Ven a ver a tu hija. Su estrella natal es Vega, en la octava casa lunar... una buena señal según me ha asegurado la astróloga.

–¿Una hija? –murmuró Ibrahim–. ¿He sido doblemente maldecido por Alá?

–Alá no te maldice –dijo Amira, acariciando el rostro de Ibrahim mientras recordaba cómo ambos habían crecido juntos... ella, una niña de trece años, y él, una criatura en su vientre–. ¿Acaso Alá, el Glorioso, el Todopoderoso, no ha creado a tu esposa? ¿Acaso no tiene derecho a llamarla junto a sí cuando lo desee? Alá no hace nada que no sea acertado, hijo mío. Proclama la unidad de Alá.

Ibrahim inclinó la cabeza y dijo con emoción:

–Declaro que Alá es único. *Aminti billah*. Mi confianza está en Alá –añadió.

Se levantó, miró aturdido a su alrededor y, después, tras dirigir una última y afligida mirada a la cama, abandonó apresuradamente la estancia.

Minutos más tarde, al volante de su Mercedes, se dirigió a toda velocidad al Nilo y cruzó a continuación el puente para adentrarse finalmente por los caminos que discurrían entre las plantaciones de caña de azúcar. Apenas se daba cuenta de la enorme luna primaveral que parecía burlarse de él ni del cálido viento que azotaba la arena arrojándola contra su vehículo. Conducía ciego de rabia y de dolor.

De pronto, perdió el control del volante y el automóvil empezó a dar vueltas, yendo a estrellarse contra las cañas.

Descendió tambaleándose. La cabeza le daba vueltas por efecto del champán. Avanzó unos cuantos metros a trompicones sin prestar atención al paisaje que lo rodeaba ni a la aldea situada a escasa distancia, y permaneció inmóvil un instante contemplando el cielo nocturno. Al final, emitió un amargo sollozo, levantó el puño hacia el cielo y, con voz de trueno, maldijo varias veces a Alá.

2

Cuando rompió la pálida aurora, Ibrahim abrió los ojos y vio el sol envuelto por la bruma cual una mujer cubierta por un velo. Sin moverse, trató de recordar dónde estaba; le dolía todo el cuerpo, le latía la cabeza y experimentaba una sed espantosa. Al intentar incorporarse, descubrió que se encontraba en el interior de su automóvil y que éste se hallaba inclinado en ángulo en medio de un bosque de altas y verdes cañas de azúcar.

¿Qué había ocurrido? ¿Cómo había terminado allí? ¿Y dónde estaba exactamente?

Súbitamente lo recordó: la llamada al casino, su apresurado regreso a casa donde había encontrado a su esposa muerta, su desesperada carrera a través de la noche, la pérdida de control del vehículo y...

Ibrahim lanzó un gemido. Alá, pensó. He maldecido a Alá.

Empujó la portezuela y estuvo a punto de caer sobre la mojada tierra. No podía recordar nada de lo ocurrido tras haber pronunciado aquellas encolerizadas palabras contra Alá. Se habría sentado en el asiento frontal y allí se habría quedado dormido. El champán, demasiado champán...

Y ahora estaba mareado y tan sediento que se hubiera podido beber toda el agua del Nilo.

Mientras se apoyaba en el automóvil y vomitaba, observó consternado que aún llevaba el esmoquin y la blanca bufanda de seda alrededor del cuello, como si acabara de salir del casino para aspirar una bocanada de aire fresco. Había deshonrado a su difunta esposa, a su madre y a su padre.

Cuando la bruma matinal empezó a desvanecerse lentamente, Ibrahim tuvo la sensación de que el inmenso cielo azul se abría en lo alto y su padre, el poderoso Alí Rashid, le contemplaba frunciendo las pobladas cejas con expresión de reproche. Ibrahim sabía que su padre había tomado bebidas alcohólicas algunas veces, aunque Alí jamás hubiera sido tan débil como para vomitar después. A lo largo de sus veintiocho años, Ibrahim habría tratado de complacer a su padre y de cumplir las altas esperanzas que éste había depositado en él.

–Estudiarás en Inglaterra –le había dicho Alí a su hijo, e Ibrahim se había ido a Oxford.

–Serás médico –le había ordenado su padre, y él había obedecido la orden.

–Aceptarás un puesto en la corte del Rey –había decretado Alí, el ministro de Sanidad, e Ibrahim se había incorporado al círculo de Faruk.

–Seguirás la honrosa tradición de nuestra familia –le había dicho finalmente su padre–, y me darás muchos nietos.

Ahora, todos sus esfuerzos por ganarse la aprobación de su padre, parecían haberse esfumado de golpe por culpa de aquel vergonzoso momento.

Ibrahim cayó de rodillas sobre la fértil tierra e intentó con todo su corazón pedirle perdón a Alá por haber escapado del lado de su madre, no haber rezado sobre el cuerpo de su esposa y haberse dirigido a aquel desolado lugar para maldecir con tanta arrogancia al Todopoderoso. Pero no lograba encontrar en su alma la humildad. Cuando trataba de rezar, surgía en su mente el implacable rostro de su padre, dejándole totalmente confuso. ¿Acaso todos los hijos identificaban el rostro de sus progenitores con el de Alá?, se preguntó.

Mientras miraba a su alrededor, buscando la situación del Nilo, pues necesitaba desesperadamente lavarse la cara y apagar su sed, oyó la voz de su padre retumbando entre las altas cañas de azúcar: «¡Una hija! ¡Ni siquiera has sido capaz de hacer lo que hace el más simple de los campesinos!». ¿Acaso no intenté engendrar un hijo?, hubiera querido gritar Ibrahim hacia el cielo. ¿Acaso no exulté cuando mi bella y pequeña mariposa me dijo que estaba encinta?

¿Y acaso mi primer pensamiento no fue: «Eso es algo que no me ha dado mi padre sino que yo mismo he creado por mi cuenta»?

Experimentó de nuevo una sensación de mareo, se agarró al guardabarros y vació repetidamente el estómago hasta casi expulsar las entrañas.

Mientras se incorporaba respirando afanosamente, la cabeza se le empezó a despejar y, con una sola y sorprendente revelación, vio la raíz de todas sus angustias. Y lo que vio lo dejó totalmente anonadado: «¡No es la muerte de mi esposa lo que me empuja a la locura sino el hecho de no haber podido demostrarle a mi padre lo que valgo!».

Pensó que ojalá pudiera llorar pero, como la petición de perdón, las lágrimas se negaban a obedecer sus deseos.

Mientras se apoyaba en el automóvil, tratando de calcular hasta qué extremo se hallaba hundido en el barro y cómo iba a salir de allí y si había alguna cercana aldea o algún pozo, vio de pronto una figura observándole a escasa distancia. Hubiera podido jurar que no estaba allí un momento antes; iba descalza y era tan morena como la tierra que pisaba, llevaba un largo y sucio vestido y sostenía en equilibrio sobre la cabeza una alta jarra de barro como si ella también hubiera sido creada del barro en aquel instante.

Ibrahim la contempló y vio que era una *fellaha*, una niña campesina de unos doce años todo lo más. Le miraba con unos grandes ojos más llenos de inocente curiosidad que de temor o recelo. Los ojos de Ibrahim se posaron en la jarra.

–La paz y la misericordia de Alá sean contigo –le dijo con una reseca voz que apenas pudo oír a causa de los latidos que le martilleaban la cabeza–. ¿Quieres ofrecerle un poco de agua a un forastero necesitado?

Para su asombro, la niña se adelantó, tomó la jarra que sostenía en la cabeza y la inclinó. Mientras extendía las manos para recibir la fresca agua del río, Ibrahim recordó las pocas veces que había visitado sus inmensas plantaciones de algodón en el delta del Nilo, lo tímidos que eran los campesinos que trabajaban para él y cómo las muchachas huían corriendo cuando veían acercarse al amo.

¡El agua le supo a gloria! Ahuecó las manos y bebió con avidez. Después se arrojó agua sobre la cabeza y el rostro y volvió a beber.

–He bebido el vino más caro del mundo –dijo mientras se pasaba las manos por el mojado cabello– y no se puede comparar con la dulzura de esta agua. En verdad, niña, que me has salvado la vida.

Al ver la perpleja expresión del rostro de la niña, comprendió que le había hablado en inglés. Esbozó una sonrisa, experimentó una gozosa sensación y, a pesar de su dolor, no pudo resistir el impulso de seguir hablando.

–Mis amigos me dicen que soy afortunado –añadió en inglés mientras se lavaba de nuevo las manos y se arrojaba agua fresca a la cara–. Como no tengo hermanos, he heredado toda la fortuna de mi padre, lo cual me convierte en un hombre muy rico. Bueno, tenía hermanos porque mi padre había tenido varias esposas antes de casarse con Amira, mi madre. Aquellas esposas le dieron tres hijos y cuatro hijas. Pero una epidemia de gripe se llevó a dos hijos y a una hija antes de que yo naciera. El hermano menor murió en la guerra, una de las hermanas murió de cáncer y mis dos hermanas mayores viven ahora en mi casa de la calle de las Vírgenes del Paraíso porque no están casadas. Por consiguiente, soy el único hijo varón de mi padre y eso es una gran responsabilidad.

Ibrahim levantó los ojos al cielo, preguntándose si podría ver el rostro de Alí Rashid en aquella interminable inmensidad azul mientras aspiraba el fresco aire de la mañana y sentía que el corazón se le encogía como un puño en el pecho y las lágrimas le subían por la garganta. Ella había muerto. Su pequeña mariposa había muerto. Extendió las manos y la niña le echó más agua; se frotó los irritados ojos y volvió a pasarse los mojados dedos por el cabello.

Contempló un instante a la *fellaha* y le pareció bonita, pero sabía que la dura existencia de los campesinos del Nilo la convertiría en una vieja antes de cumplir los treinta años.

–O sea que ahora tengo una hijita –añadió, reprimiendo el dolor que lo cercaba cual las olas de un océano–. Mi padre lo consideraría un fracaso. Él creía que las hijas son un insulto a la virilidad de un hombre. No prestó la menor atención a mis hermanas durante nuestra infancia... y no me refiero a las hijas de sus anteriores esposas, sino a las dos hijas que le dio Amira. Ahora una de ellas vive en mi casa y es una joven viuda con dos hijos pequeños. No creo que jamás le diera un abrazo. Sin embargo, yo creo que las hijas son un encanto. Las chiquillas son como sus madres... –la voz se le quebró a causa de la emoción–. Tú no sabes lo que digo –dijo, dirigiéndose a la niña–. Aunque te hablara en árabe, no lo entenderías. Tu vida es muy sencilla y ya la tienes organizada. Te casarás con el hombre que elijan tus padres, irás creciendo y, a lo mejor, vivirás lo bastante como para ser venerada en tu aldea.

Ibrahim se cubrió el rostro con las manos y rompió en sollozos. La niña esperó pacientemente, sujetando la jarra vacía con el brazo.

Al final, Ibrahim recuperó la compostura y examinó la situación. Tal vez con la ayuda de la niña podría sacar el automóvil del barro. Hablándole en árabe, le explicó cómo debería empujar la cubierta del motor cuando él se lo indicara.

Cuando el automóvil ya estaba situado de nuevo en el camino con el motor ronroneando suavemente como si le invitara a regresar a casa, Ibrahim miró con una triste sonrisa a la niña y le dijo:

–Alá te recompensará tu buena acción. Pero yo también quisiera darte algo.

Sin embargo, al rebuscar en su bolsillo, descubrió que no llevaba dinero. Viendo que la niña contemplaba con admiración la bufanda blanca de seda que todavía le cubría los hombros, se la quitó y se la entregó.

–Que Alá te conceda una larga vida, un buen marido y muchos hijos –le dijo con lágrimas en los ojos.

Cuando el vehículo se perdió por el camino, la pequeña Sahra de trece años dio media vuelta y corrió a la aldea; había olvidado que la jarra de agua estaba vacía y tan sólo podía pensar en el trofeo que sostenía en sus morenas manos, un trozo de tela tan pura y tan blanca como la pechuga de una oca y tan suave como la sensación del agua en los dedos. Estaba deseando ir en busca de Abdu para contarle la historia de su encuentro con el forastero y mostrarle la bufanda. Después se lo contaría a su madre y a toda la aldea. Pero primero a Abdu, porque lo más curioso de aquel desconocido era... ¡que se parecía como una gota de agua a su querido Abdu!

Mientras recorría las angostas callejuelas de la aldea donde el penetrante humo de las hogueras encendidas para preparar la comida ya llenaba el aire matinal, Sahra pensó en la suerte que había tenido. La mayoría de las niñas no sabía con qué clase de marido se iba a casar; el novio y la novia no llegaban a conocerse hasta el día de la boda. Y muchas jóvenes llevaban una existencia desdichada que soportaban en silencio, pues una esposa que se quejara era una deshonra para la familia. En cambio, Sahra sabía que no sería desdichada cuando se casara con Abdu. Su maravilloso Abdu sabía reírse con gracia, escribía poemas y le provocaba un estremecimiento interior cada vez que la miraba con aquellos ojos tan verdes como el Nilo. Abdu le llevaba cuatro años y ella le conocía desde pequeña, pero sólo a partir de la última cosecha lo había empezado a mirar de otra manera y Abdu le había empezado a prestar otro tipo de atención. Toda la aldea daba por sentado que Abdu y Sahra se iban a casar. Al fin y al cabo, eran primos hermanos.

Al llegar a la pequeña plaza de la aldea donde los campesinos exponían sus productos para la venta, la niña miró a su alrededor en busca de Abdu, el cual ayudaba a veces a alguien a transportar su cosecha. Unas mujeres entraron en la plaza, riendo y chismorreando; como estaban casadas, lucían unos holgados caftanes negros por encima de los vestidos. Sahra se sorprendió al ver a su hermana entre ellas.

Sahra observó cómo su hermana examinaba unas cebollas y se dio cuenta de que había cambiado. La víspera era una niña como ella, pero aquella mañana ya era una mujer. Sahra pensó que el cambio se debería a que su hermana se había casado la víspera y recordó cómo ésta se había sometido a la prueba de la virginidad.

–El momento más importante en la vida de una mujer –había dicho la madre de Sahra.

Tan importante que se había celebrado una gran fiesta en la que había participado toda la aldea. Pero ¿por qué razón la pérdida de la virginidad originaba tales cambios en una muchacha?, se preguntó Sahra, asombrándose de lo distinta que parecía su hermana aquella mañana. Cuando las mujeres tendieron a la novia en la cama y le levantaron la falda dejando al descubierto sus piernas, Sahra recordó una noche en que las mujeres le hicieron a ella una cosa parecida. Pero entonces ella sólo tenía seis años y estaba durmiendo sobre su estera en un rincón cuando, sin previo aviso, dos tías la despertaron y le levantaron la *galabeya* mientras su madre la sujetaba por detrás. Antes de que pudiera emitir el menor sonido, apareció la comadrona de la aldea con una navaja en la mano. Un rápido movimiento de la hoja y Sahra sintió que un agudo dolor le recorría todo el cuerpo. Más tarde, tendida sobre la estera con las piernas atadas para que no pudiera separarlas y con la terminante prohibición de moverse o tan siquiera de orinar, Sahra se enteró de que la acababan de someter a la circuncisión, un corte que les hacían a todas las niñas. Se lo habría hecho a su madre y a la madre de su madre y a todas las mujeres desde Eva. Su madre le explicó dulcemente que le habían cortado una parte impura del cuerpo para moderar su pasión sexual y para que pudiera ser fiel a su marido, añadiendo que, sin aquella operación, ninguna muchacha hubiera podido encontrar a un hombre dispuesto a casarse con ella.

Sin embargo, la víspera, en la prueba de la virginidad y honestidad de su hermana, la comadrona no estaba presente y tampoco hubo ninguna navaja. El flamante esposo de la joven novia había cumplido su deber envolviéndose el dedo con un pañuelo blanco delante de toda la familia y los invitados a la boda. La novia lanzó un grito y el joven esposo se incorporó, mostrando el ensangrentado pañuelo. Todo el mundo estalló en vítores y las mujeres empezaron a emitir el ensordecedor *zagharit*, moviendo vertiginosamente la lengua en el interior de la boca en una jubilosa muestra de alegría y exultación. La novia era virgen; el honor de la familia estaba a salvo.

Y ahora, a la mañana siguiente, la hermana de Sahra se había transformado milagrosamente en una mujer.

Sahra se dirigió corriendo al café de la aldea y miró hacia el interior del establecimiento esperando ver a Abdu, el cual ayudaba a menudo al jeque Hamid a abrir el local.

Los viejos de la aldea ya estaban allí, dando chupadas a sus narguiles y contemplando sus vasos de oscuro té. Mientras buscaba al joven, Sahra oyó la cascada voz del jeque Hamid comentando el tema de la guerra y la forma en que los ricos de El Cairo estaban celebrando la paz. Sin embargo, la suerte de los campesinos no había cambiado, dijo en tono de queja el viejo jeque, ellos no tenían nada que celebrar. El jeque bajó la voz para referirse a un tema peligroso... el de los Hermanos Musulmanes, un grupo secreto de más de un millón de hombres dispuestos a acabar con la aristocrática clase de los bajás, cuyo número, señaló Hamid, apenas alcanzaba los quinientos.

–Somos el país más rico del mundo árabe –dijo Hamid, el cual, por el hecho de saber leer y escribir y ser el dueño del único aparato de radio de la aldea, era objeto de un enorme respeto y estaba unánimemente considerado una fuente de noticias–. Pero ¿cómo se distribuye la riqueza? –gritó–. ¡Los bajás constituyen apenas el uno por ciento de todos los terratenientes y, sin embargo, son propietarios de un tercio de todas las tierras!

A Sahra no le gustaba el jeque Hamid porque, aparte de ser muy viejo, iba siempre muy sucio y desaseado. Aunque fuera un hombre culto y se hubiera ganado gracias a ello el honroso título de jeque, su *galabeya* estaba hecha un asco, su larga barba blanca estaba enredada y manchada de café y tabaco y tenía unas costumbres repugnantes. Se había casado cuatro veces y había enviudado otras tantas porque, según murmuraban las mujeres de la aldea, agotaba literalmente a sus esposas hasta matarlas. A Sahra no le gustaba su manera de mirarle el pecho cada vez que ella entraba en su local.

De pronto, recordando la bufanda que le había regalado el ricacho, la niña lo ocultó en un pliegue de su vestido. Seguramente era un bajá, un señor como aquellos contra los cuales estaba despotricando el jeque Hamid.

Al final, Sahra vio a Abdu. Al oír sus risas y contemplar la anchura de su espalda bajo la *galabeya* a rayas, trató de imaginar cómo sería la noche de bodas y se preguntó si le dolería, recordando el grito de su hermana cuando el esposo la sometió a la prueba de la virginidad. Sahra sabía que la prueba se tenía que llevar a cabo, pues de otro modo la familia no hubiera podido demostrar su honor, el cual dependía de la castidad de la muchacha. Pensó en la pobre chica de una cercana aldea que había sido encontrada muerta en un campo. La había violado un muchacho de la aldea y la familia había quedado deshonrada. Su padre y sus tíos la habían matado, como legalmente estaban autorizados a hacer, porque, como rezaba un dicho: «Sólo la sangre puede lavar la deshonra».

Sahra hizo una seña a Abdu y se alejó a toda prisa antes de que los hombres la vieran. Se dirigió al establo situado en la parte posterior de la casa que compartía con sus padres y entró en el cobertizo, cuyas cuatro paredes y techumbre estaban hechas de cañas entrelazadas con ramas de palmera y mazorcas de maíz revocadas con barro. Cuando hacía mucho calor, la búfala de la familia se tendía allí rumiando incesantemente y Sahra se sentaba a su lado. Era su lugar preferido y allí se había dirigido ahora para evocar su encuentro con el forastero y para sacarse la bufanda de entre los pliegues de la *galabeya* y acariciarla con los dedos.

Mientras se sentaba sobre la paja y contemplaba el ascenso del sol en el cielo iluminando con sus rayos el nuevo día, recordó que tenía que ir al río a llenar la jarra de agua, pero ahora necesitaba estar sola aunque fuera un momento para disfrutar de aquel maravilloso recuerdo. ¡El rico le había deseado la bendición de Alá! Rezaba para que Abdu la hubiera visto desde el café y la hubiera seguido hasta allí. Se moría de ganas de contarle su aventura. Desde que él había empezado a trabajar en el campo con su padre y ella se había visto obligada a permanecer confinada en la casa, una vez superada la infancia, ambos apenas se veían, pues ahora se habían incorporado a los grupos separados de los hombres y las mujeres. Cuando eran pequeños, jugaban a la orilla del río, solían montar juntos en un burro y Sahra rodeaba con sus bracitos a Abdu. Pero la adolescencia había puesto fin a su libertad. El comienzo del período la había obligado a ponerse un vestido largo y un pañuelo en la cabeza para ocultar el cabello; ahora tenía que observar en todo momento una conducta recatada. Ya no podía correr ni gritar, ya no le estaba permitido mostrar tan siquiera los tobillos. Tras disfrutar durante varios años de libertad, aquellas súbitas prohibiciones le resultaban casi insoportables, sobre todo cuando ella y Abdu asistían a reuniones familiares y tenían que permanecer separados.

¿Por qué los padres temían tanto por sus hijas?, se preguntó. ¿Por qué su madre la vigilaba constantemente y controlaba en todo momento lo que hacía? ¿Por qué ya no le permitía ir sola a la panadería ni al pescadero? ¿Por qué su padre había empezado a mirarla con el ceño fruncido cada noche cuando se sentaban a comer pan con judías, y la observaba con aquella expresión de furia que tanto la asustaba? ¿Qué tenía de malo hablar con Abdu o sentarse con él a la orilla del río, como hacían cuando eran pequeños?

¿Acaso tenía algo que ver con las extrañas sensaciones que ella experimentaba desde hacía algún tiempo? ¿Aquella especie de ansia indefinible que le producía una curiosa desazón y un deseo de soñar? A veces, cuando lavaba la ropa en la acequia, fregaba los cacharros o ponía a secar el estiércol en el tejado para usarlo posteriormente como combustible, se olvidaba de lo que estaba haciendo y empezaba a soñar con Abdu. Por regla general, su madre la regañaba, aunque algunas veces no se enfadaba y se limitaba a lanzar un suspiro y sacudir la cabeza.

Al final, Abdu entró en el establo y Sahra se levantó de un salto, experimentando el súbito impulso de arrojarle los brazos al cuello. Pero se contuvo y él también permaneció tímidamente apartado. Los chicos y las chicas no podían tocarse; ni siquiera era correcto que se dirigieran la palabra, excepto en las reuniones familiares. El recato había sustituido a los despreocupados juegos, y la obediencia a la libertad. Sin embargo, el anhelo seguía existiendo, por más que las normas dijeran lo contrario. Sahra permaneció de pie bajo los rayos del sol que se filtraban al interior del cobertizo a través de las grietas de la pared mientras escuchaba el zumbido de las moscas y el ocasional mugido de la búfala. Contemplando los verdes ojos de Abdu, pensó: «Hace apenas dos días me perseguía y me tiraba de las trenzas». Ahora sus trenzas estaban ocultas bajo un pañuelo y Abdu se mostraba tan circunspecto como un desconocido.

–He compuesto un nuevo poema –le dijo–. ¿Te gustaría escucharlo?

Puesto que Sahra era analfabeta como todos los demás habitantes de la aldea, Abdu jamás escribía sus poesías. Se sabía de memoria varias docenas de composiciones poéticas, a las cuales había añadido ahora la más reciente:

> Mi alma ansía beber de tu copa
> Mi corazón anhela saborear tu trébol
> Lejos de tu pecho que me alimenta, me marchito
> [y me muero,
> Como la gacela perdida en el desierto.

En la creencia de que el poema se refería a ella, Sahra se emocionó tanto que ni siquiera pudo hablar y tanto menos decir: «¡Oh, Abdu, eres tan guapo que pareces un rico!». Sin embargo, cuando ambos bajaron al Nilo para llenar la jarra de agua, le habló a su amigo del forastero con quien se había tropezado en la acequia y le mostró la bufanda tan blanca como las nubes que éste le había regalado.

Curiosamente, Abdu no pareció sentir demasiado interés. Tenía muchas cosas en la cabeza, pero no podía compartirlas con Sahra porque sabía que ella no las hubiera comprendido. Pensaba que su poema la ayudaría a descubrir los sentimientos de su corazón y el profundo amor que sentía por Egipto, pero, a juzgar por la cara de Sahra, ésta había interpretado erróneamente el significado de la composición. Abdu se sentía presa de una extraña inquietud desde el día en que un hombre se había presentado en la aldea para hablar de los Hermanos Musulmanes. Abdu y sus amigos había escuchado el apasionado discurso del forastero sobre la necesidad de conducir de nuevo a Egipto al islam y a los puros caminos de Alá, y sus almas se habían encendido de entusiasmo. Después, estuvieron hablando hasta bien entrada la noche, preguntándose cómo podían seguir trabajando la tierra de los ricos como si fueran unos burros y cómo podían postrarse sumisamente bajo el talón de los amos británicos.

–¿Acaso por el hecho de ser *fellahin* no somos hombres? ¿Acaso no tenemos alma? ¿No estamos hechos a imagen y semejanza de Alá?

De pronto, habían contemplado una visión que se extendía más allá de la aldea y de su pequeño tramo de río; Abdu comprendió que había sido creado para fines más altos.

Pero se reservaba sus nuevos pensamientos y, al final, acompañó a Sahra a la casa de sus padres. De pie en la soleada callejuela, le habló en silencio con la mirada. El amor que sentía por ella le estaba obligando a librar una batalla con un dilema interior: casarse con Sahra y vivir y envejecer a su lado o bien responder a la llamada de los Hermanos Musulmanes y servir a Dios y a Egipto. Sin embargo, Sahra estaba encantadora bajo el sol, su redondo rostro y su graciosa barbilla parecían invitarle a darle un beso y su cuerpo estaba madurando con tal rapidez que a través de la *galabeya* ya empezaban a adivinarse las redondeces de sus caderas.

Tuvo que vencer el impulso de besarla.

–*Allah ma'aki* –murmuró–. Que Alá te acompañe.

Y allí la dejó, bajo la dorada luz del sol.

Sahra entró corriendo en la casa, ansiosa de contarle a su madre su encuentro con el desconocido y de enseñarle la bufanda que éste le había regalado. Ya había decidido regalársela sabiendo que jamás en su vida había tenido ninguna cosa bonita, a pesar de que ella la había sorprendido a menudo contemplando con anhelo los hermosos tejidos que a veces vendían en el mercado. Temiendo por un instante que su madre la regañara por haber tardado tanto en regresar del río con el agua, se inventó inmediatamente la excusa de haber tenido que ir en busca de una cebra perdida. Para su asombro, su madre la acogió con una alegría desbordante.

–¡Tengo una maravillosa noticia! –le dijo–. ¡Dentro de un mes te vas a casar, demos gracias a Alá! ¡Tu boda superará incluso la de tu hermana, que, según nuestros vecinos, ha sido la mejor boda celebrada en la aldea en muchos años!

Sahra contuvo el aliento y entrelazó las manos. ¡Su madre había hablado con los padres de Abdu! ¡Al final, había accedido a la boda!

–Alabado sea Alá, es el jeque Hamid quien te ha pedido en matrimonio –añadió su madre–. Qué suerte has tenido, hija mía.

La preciosa bufanda de seda le resbaló de los dedos.

3

–¿Qué te ocurre, Amira? –preguntó Maryam mientras su amiga arrancaba hojas de romero y las guardaba en un cesto.

Amira enderezó la espalda y se quitó el velo de la cabeza, dejando al descubierto la sedosa negrura de su cabello bajo el sol. Aunque estaba en el huerto recogiendo hierbas, iba vestida para recibir a sus invitados y lucía una costosa blusa de seda y una falda negra, por respeto no sólo a su difunto marido muerto poco antes de que estallara la guerra sino también a su nuera recientemente fallecida. Pero, como siempre, iba a la última moda, pues sus modistas importaban los patrones de Londres y París. Y, como de costumbre, había dedicado algún tiempo a maquillarse... cejas depiladas y pintadas con alcohol a la usanza egipcia para resaltar los ojos, y carmín de labios rojo oscuro. Llevaba, además, un velo negro sobre los hombros por si recibiera la visita de algún varón, en cuyo caso se cubriría la parte inferior del rostro y se envolvería la mano derecha en una esquina del velo antes de estrechar la del visitante.

–Estoy preocupada por mi hijo –dijo Amira finalmente, añadiendo unas flores a su cesto–. Se comporta de una manera muy rara desde el día del entierro.

–Ibrahim llora la muerte de su esposa –dijo Maryam–. Era joven y encantadora. Y él estaba muy enamorado. Han transcurrido sólo dos semanas desde su muerte, necesita tiempo.

–Sí –convino Amira–, puede que tengas razón.

Se encontraban en el huerto privado de Amira donde ésta cultivaba las hierbas medicinales que utilizaba en la elaboración de sus productos curativos. Lo había creado tiempo atrás la madre de Alí Rashid, según el modelo del huerto del rey Salomón de la Biblia, plantando alcanfor, estoraque y azafrán, ácoro y canela, mirra y áloes. Por su parte, Amira había añadido plantas medicinales importadas: casia, hinojo, consulea y manzanilla con las cuales preparaba sus cocimientos, jarabes, elixires y ungüentos.

Era la hora de la siesta, en que todas las tiendas y comercios de

El Cairo estaban cerrados, la hora en que Amira recibía a sus visitas y en que Maryam Misrahi, que vivía en la gran mansión de al lado, solía acudir también a visitarla. Maryam, más alta que la morena Amira, no ocultaba su precioso cabello pelirrojo bajo un velo y lucía un llamativo vestido amarillo cuyo color había atraído la atención de un gracioso colibrí.

–Ibrahim lo superará –dijo–. Con la ayuda de Dios –esto último lo dijo en hebreo porque Maryam, cuyo apellido significaba «egipcio» en árabe, era judía–. Pero hay otra cosa que te preocupa, Amira. Te conozco desde hace demasiado tiempo como para no adivinar cuándo hay algo que te inquieta.

Amira se apartó una abeja del rostro con un gesto de la mano.

–No quería agobiarte con esta carga, Maryam.

–¿Desde cuándo no lo compartimos todo, las alegrías y las penas e incluso la tragedia? Nos ayudamos mutuamente a traer al mundo a nuestros hijos, Amira, somos hermanas.

Amira recogió el cesto lleno de olorosas hierbas y especias y contempló la puerta del muro del jardín; estaba abierta para que pudieran entrar los visitantes. Amira jamás salía de casa, no había puesto los pies en la calle desde que Alí la condujera a la mansión tras casarse con ella, por cuyo motivo cualquier persona que quisiera verla tenía que acudir a la casa de la calle de las Vírgenes del Paraíso. Las visitas solían ser muy numerosas. Tiempo atrás, compadeciéndose de la joven esposa cuyo marido la mantenía secuestrada, Maryam le había presentado a sus propios amigos y, a lo largo de los años, las amistades se habían multiplicado, al igual que la fama de Amira como experta conocedora de antiguos productos curativos. Raras veces pasaba una tarde sin que recibiera visitas.

–¡No te puedo ocultar ningún secreto! –dijo Amira, esbozando una sonrisa mientras ella y Maryam regresaban por el camino embaldosado. Sonreía para disimular su mentira. Maryam conocía todos sus secretos menos uno: no sabía nada sobre el harén de la calle de las Tres Perlas–. No consigo dormir bien a causa de unas pesadillas que me turban.

–¿Las pesadillas sobre el campamento del desierto y los hombres a caballo? Cada vez que nace alguna criatura en esta casa sueñas lo mismo, Amira.

–No –Amira sacudió la cabeza–. Me refiero a unos nuevos sueños que jamás había tenido, Maryam. Sueño con Andreas Skouras, el ministro de Cultura.

Maryam la miró sorprendida y, soltando una carcajada, tomó del brazo a su amiga mientras ambas caminaban bajo la sombra de los viejos árboles.

Alí Rashid Bajá había plantado tiempo atrás en su jardín muchos limoneros, limeros, naranjos y mandarinos, y también plumosas casuarinas, umbrosos sicómoros y autóctonas higueras, olivos y granados. Una fuente turca dominaba el florido jardín en medio de los lirios, las amapolas y los papiros; un ornamentado reloj de sol llevaba grabado un verso de Omar Jayyam sobre la fugacidad del tiempo; y unas parras engalanaban los muros.

–¡El señor Andreas Skouras! –exclamó Maryam entusiasmada–. Si no estuviera casada, ¡yo también soñaría con él! ¿Y eso por qué te preocupa, Amira? Llevas demasiado tiempo viuda. Eres joven y puedes tener más hijos. ¡El señor Skouras! Qué agradable perspectiva.

Amira no lograba explicar con palabras por qué razón los sueños sobre el apuesto ministro turbaban su espíritu. Si le hubieran preguntado, hubiera contestado que no esperaba que un hombre pudiera casarse con una mujer que no conocía su verdadera familia y no sabía dónde había nacido ni cuáles eran sus antepasados y su linaje. Sin embargo, analizando con más detalle sus sentimientos, Amira descubría una razón más oscura para explicar el temor que le inspiraban los sueños sobre el señor Skouras... la sombra del remordimiento era la culpable de su inquietud, un remordimiento causado por el hecho de haberse enamorado de Andreas Skouras en vida de Alí.

–¿Qué siente él por ti?

–Maryam, él no siente nada por mí. Soy simplemente la viuda de su mejor amigo. Desde que murió Alí, quiera Alá que more en su Paraíso, sólo he visto al señor Skouras cuatro veces. La última vez fue hace cuatro semanas cuando asistió al funeral. Antes le vi en la boda de Ibrahim y anteriormente en la de Nefissa. Y antes en el funeral de Alí. Cuatro veces en cinco años, Maryam. No se puede decir que me haya prestado una especial atención.

–Lo que ocurre es que respeta tu viudez y honra tu reputación. Sí, le vi aquí hace un par de semanas y me pareció que te dedicaba una especial atención, Amira.

–Porque acababa de perder a mi nuera.

–Alá le conceda la paz. Pero los ojos de Skouras te seguían por todas partes.

Amira se emocionó, pero experimentó al mismo tiempo una punzada de remordimiento. ¿Cómo podía pensar en semejantes cosas cuando su joven nuera acababa de morir y su hijo estaba tan afligido y la recién nacida se había quedado sin madre? Amira se avergonzó de pensar en un idilio. Recordó el día en que había conocido a Skouras, cuando Alí lo trajo a la casa. Amira le estrechó la mano con la suya envuelta en una esquina del velo tal como exigían las normas, pero aun así sintió el calor de su piel y le pareció que sus ojos se detenían más de lo debido en su rostro, ¿o acaso habían sido figuraciones suyas? Comprendió en aquel instante que había traicionado a su esposo, aunque sólo de pensamiento. Ahora, mientras cruzaba el soberbio jardín de Alí en compañía de su mejor amiga, pensó que estaba traicionando a sus hijos. Tenía que quitarse a Skouras de la cabeza. Tenía que encontrar la manera de acabar con aquellos turbadores sueños.

Unas palomas levantaron súbitamente el vuelo desde la azotea como si algo las hubiera asustado y se posaron ruidosamente en las ramas de los álamos que bordeaban la calle de las Vírgenes del Paraíso. Usando la mano como visera para protegerse del sol, Amira levantó los ojos y vio la silueta de alguien en la azotea de la casa, recortándose contra el sol.

–Es Nefissa –dijo Maryam levantando también la mirada–. ¿Qué está haciendo tu hija en la azotea?

No era la primera vez que Amira veía a su hija de veinte años allá arriba entre el emparrado y el blanco palomar.

–A lo mejor –añadió Maryam con una sonrisa–, la hija se halla bajo la influencia del mismo hechizo que la madre. ¿No te parece que Nefissa se comporta últimamente como si estuviera enamorada? ¡Qué románticas son las mujeres Rashid! –dijo riéndose–. Y qué bien recuerdo yo los amores juveniles.

Cabía la posibilidad de que su hija se hubiera enamorado, reconoció Amira, pero ¿de quién? Viuda desde que su joven esposo muriera trágicamente en un accidente sufrido durante una carrera automovilística, Nefissa vivía prácticamente recluida, según la costumbre. ¿A quién podía haber conocido?, se preguntó Amira. ¿Qué ocasiones había tenido de hacer amistad con un hombre? Puede que sea un amigo de la princesa, alguien a quien Nefissa ha conocido en la corte, concluyó Amira, consolándose al pensar en la imagen de un hombre acaudalado perteneciente a alguna antigua y respetada familia de la nobleza. Un hombre como Andreas Skouras...

–¿Sabes lo que tú necesitas? –dijo Maryam mientras ambas se acercaban a la glorieta donde Amira recibía a sus amistades–. Necesitas salir de la casa y distraerte. Recuerdo cuando nos conocimos; Suleiman y yo llevábamos un mes casados cuando él me trajo a esta casa de la calle de las Vírgenes del Paraíso. Tu Ibrahim tenía cinco años y mi Itzak aún no había nacido. Me invitaste a tomar el té y yo me quedé de piedra al enterarme de que jamás habías puesto los pies fuera de tu jardín. Por supuesto que muchas esposas vivían así por aquel entonces, pero, Amira, hermana mía, eso fue hace más de veinte años, ¡los tiempos están cambiando! El harén ha pasado de moda, ahora las mujeres salen a la calle y van solas a todas partes. Ven conmigo y Suleiman, nos iremos de vacaciones a Alejandría. El aire del mar te sentará bien.

Pero Amira ya había estado una vez en Alejandría cuando Alí

43

Rashid se llevó a su familia a pasar el verano en una villa al borde del Mediterráneo. El traslado desde el calor de El Cairo al fresco clima marítimo de la costa norte había sido un gran acontecimiento. Los preparativos habían durado varios días y los criados habían hecho las maletas en medio de una atmósfera de gran nerviosismo. Al final, las mujeres, bien protegidas por los velos, habían sido conducidas directamente de la casa a un automóvil y, al llegar a su destino, habían pasado a toda prisa del automóvil a la villa sin quitarse los velos. Alejandría no le había gustado. Desde el balcón de su casa de veraneo había visto en el puerto los navíos de guerra británicos y los transatlánticos norteamericanos que tal vez llevaran peligrosas costumbres a Egipto.

–La casa y todo lo que hay en ella –prosiguió diciendo Maryam– se las arreglarán muy bien en tu ausencia.

Amira sonrió y agradeció la invitación, tal como había hecho otras veces. Cada año, Maryam trataba por todos los medios de convencerla y aducía nuevas razones para que Amira se liberara de la antigua tradición según la cual las esposas debían permanecer confinadas en la casa, y cada año Amira le decía lo mismo que le estaba diciendo ahora:

–Sólo hay dos motivos en la vida de una mujer para que ésta salga de su casa: cuando abandona la casa de su padre para trasladarse a la de su marido y cuando abandona la casa de su marido en un ataúd.

–¡No hables de ataúdes! –dijo Maryam–. Eres joven, Amira, y hay un mundo maravilloso más allá de estos muros. Tu marido ya no puede mantenerte prisionera en tu casa, eres una mujer libre.

Sin embargo, no era Alí Rashid quien había convertido a su esposa en una prisionera. Amira recordó el día en que Alí le dijo:

–Amira, esposa mía, vivimos unos tiempos de cambios muy rápidos y yo soy un hombre progresista. En todo Egipto las mujeres se están quitando el velo y salen de sus hogares. Te doy permiso para que salgas de casa siempre que lo desees y sin el velo, con tal de que te acompañe alguien.

Amira le dio las gracias, pero se negó a emanciparse. Alí se sorprendió, tal como ahora se estaba sorprendiendo Maryam, de que una mujer como Amira Rashid, en la flor de la edad y con toda la fuerza y el vigor de la juventud, aceptara voluntariamente las severas limitaciones por cuya abolición llevaban tantos años luchando las egipcias liberales.

Amira sabía que su negativa a liberarse hundía sus raíces en los oscuros años de su infancia y en aquel vago temor que no podía identificar. En los perdidos recuerdos de la época anterior a su octavo cumpleaños se encontraba la causa de su zozobra. Hasta que consiguiera recuperar aquellos recuerdos perdidos y descubrir la razón de sus temores, permanecería encerrada en la seguridad de los muros de la calle de las Vírgenes del Paraíso.

–Tienes una visita –dijo Maryam al ver que alguien cruzaba la puerta.

Desde su atalaya de la azotea donde las abejas zumbaban entre las parras y las palomas arrullaban bajo los aleros, Nefissa contempló las doradas cúpulas y los alminares de El Cairo y, mientras sus ojos se posaban en las aguas del Nilo centelleando bajo el sol, pensó: «Esta vez, cuando venga, bajaré y le hablaré».

Desde la azotea de la mansión Rashid se podía ver toda la ciudad, desde el río hasta la Ciudadela y, en las claras noches de luna, se divisaban incluso las pirámides cual una espectral sucesión de triángulos en el lejano desierto. Sin embargo, esta tarde, en las somnolientas horas de la siesta, Nefissa concentró su interés en la calle situada al otro lado de los altos muros que rodeaban la casa y los jardines. Cada vez que pasaba un carruaje y los cascos de los caballos resonaban sobre los adoquines, se inclinaba sobre el parapeto y se preguntaba: ¿Será él? Y cada vez que un vehículo militar enfilaba la calle de las Vírgenes del Paraíso, sentía que el corazón le daba un vuelco en el pecho. Nunca sabía cuándo pasaría por allí ni si lo haría a pie o en automóvil.

Al ver a su madre y a Maryam Misrahi en el jardín de abajo, se apartó inmediatamente para que no la vieran. ¡Estaba segura de que no aprobarían su comportamiento!

Se había quedado viuda unos meses atrás, estando embarazada de su segundo hijo. La tradición la obligaba a llevar una vida casta y recatada. Pero ¿cómo podría hacerlo si apenas tenía veinte años y su marido era un hombre al que apenas conocía, un *playboy* amante de las salas de fiestas y el jolgorio que se había matado al volante de un bólido en el transcurso de una carrera automovilística? Nefissa se había casado con un desconocido con quien había convivido tres años y al que había dado dos hijos, y ahora tendría que pasarse un año de luto.

Pero no podía. Le era imposible. No le cabía la menor duda de que se estaba enamorando.

Había visto al desconocido por primera vez hacía algo más de un mes cuando estaba contemplando la calle a través de una pequeña abertura de la antigua celosía de madera que cubría la ventana de su habitación. Un oficial británico bajó por la acera y se detuvo junto a una farola para encender un cigarrillo. El oficial levantó la vista y los ojos de ambos se cruzaron. Fue una pura casualidad, por supuesto, pero, cuando él levantó la vista por segunda vez, Nefissa comprendió que aquello ya no había sido una casualidad. Permaneció inmóvil sosteniéndose el velo sobre el rostro para que sólo se le vieran los ojos. Y él se quedó de pie junto a la farola más tiempo del necesario, mirando a su alrededor con expresión intrigada.

Desde entonces, Nefissa vigilaba la calle en la esperanza de verle. Pasaba a distintas horas, se detenía junto a la farola, encendía un cigarrillo y la miraba durante unos prohibidos momentos a través del humo. Antes de que él reanudara la marcha, Nefissa tenía ocasión de contemplar por un instante su bello rostro... Era rubio y de tez clara, y más apuesto que ningún hombre que ella jamás hubiera visto.

¿Dónde vivía? ¿Adónde se dirigía cuando pasaba por delante de su casa y de dónde venía? ¿Qué tarea desempeñaba en el ejército británico? ¿Cómo se llamaba y qué pensaba cuando levantaba la vista hacia la ventana y veía los ojos de Nefissa enmarcados por el velo?

Si pasara aquella tarde, no la vería en la ventana, pensó Nefissa, experimentando un estremecimiento de emoción. Hoy le iba a dar una sorpresa.

Mientras le esperaba, forjando en su mente un atrevido plan, Nefissa se preguntó qué pensaría él. ¿Estaría tan sorprendido como ella de que finalmente hubiera terminado la guerra en Europa? ¿Esperaban él y sus compañeros de armas británicos que los combates se prolongaran veinte años, como se esperaba en El Cairo? Nefissa no podía creer que hubieran terminado las alarmas y los bombardeos y que ya no tuvieran que levantarse a toda prisa de la cama en mitad de la noche para correr al refugio antiaéreo que Ibrahim había mandado construir dentro de los muros de su propiedad, pues hubiera sido inconcebible que las mujeres de su familia hubieran tenido que esconderse en un refugio antiaéreo público. ¿Ocultaban aquellos seductores ojos británicos el temor de que, una vez terminada la guerra, los sentimientos antibritánicos se agudizaran en El Cairo y los egipcios exigieran la retirada de los ingleses que ocupaban Egipto desde hacía tanto tiempo?

Nefissa no quería pensar ni en la guerra ni en la política. No quería imaginar la expulsión de Egipto de su apuesto oficial. Quería saber quién era, hablar con él, e incluso... hacer el amor con él. Pero tendría que tomar muchas precauciones. Como alguien descubriera su secreto idilio, el castigo podría ser muy grave. ¿Acaso Fátima, su hermana mayor, no había sido desterrada de la familia por culpa de un terrible pecado?

Pero ella no quería preocuparse por las consecuencias, sólo le interesaban los riesgos. Hoy no permanecería sentada junto a la ventana con el rostro cubierto por un velo; hoy daría un paso más audaz.

Mientras contemplaba la calle, Nefissa se sintió invadida por una inmensa sensación de alborozo. Al final, había conseguido averiguar algo sobre su oficial.

La víspera había salido de compras con la hermana del rey Faruk, que era amiga suya, y, tras haber visitado los comercios más lujosos de El Cairo, acompañadas por el habitual séquito y los guardaespaldas de la princesa, ambas habían decidido ir a tomar el té al Groppi. La dirección del establecimiento solicitó a todos los clientes que se retiraran para que la regia comitiva pudiera disfrutar de intimidad. Mientras tomaban un té con pastas, Nefissa miró casualmente hacia la calle y vio pasar a dos oficiales británicos, vestidos con el mismo uniforme que su oficial.

–¿Qué clase de oficiales son? –preguntó a sus acompañantes con aire distraído.

Le indicaron la graduación. No era mucho, porque ni siquiera sabía cómo se llamaba, pero ya sabía algo más que la víspera.

Era un teniente, el teniente Fulano de Tal, y sus hombres le debían llamar «señor».

Contempló la calle, mirando por encima de las copas de los tamarindos y las casuarinas que crecían en el jardín de abajo y rezando para que él pasara por allí. ¡El día era espléndido y sin duda le apetecería salir a dar un paseo! Las mansiones vecinas, ocultas tras los altos muros y los frondosos árboles floridos, aparecían bañadas por el cálido sol, y la brisa del Nilo llevaba el perfume de las flores de azahar. Sólo los gorjeos de los pájaros y el rumor de las fuentes turbaban el silencio de la tarde. Soñando con su idilio, a Nefissa le pareció muy curioso que la calle donde ella vivía tuviera una leyenda fundada en el amor.

Contaba la leyenda que muchos siglos atrás una secta de santos varones había llegado a la región procedente de Arabia, tras haber recorrido los campos y los desiertos. Iban completamente desnudos y, dondequiera que fueran, las mujeres acudían a ellos en tropel porque, según se decía, el hecho de acostarse con ellos o simplemente de tocarlos curaba la esterilidad de las esposas y garantizaba a las doncellas unos maridos viriles. Al parecer, en el siglo XV, uno de aquellos varones se había presentado un día en un palmeral de las afueras de El Cairo donde había bendecido a cientos de mujeres en apenas tres días, transcurridos los cuales murió. Los testigos de la escena declararon que las vírgenes de oscuros ojos de Alá que el Corán promete a los creyentes como recompensa celestial, descendieron del firmamento y se llevaron el cuerpo del santo varón al Paraíso. De este modo, el palmeral pasó a llamarse el lugar de las Vírgenes del Paraíso. Cuatrocientos años más tarde, cuando los británicos que ocupaban Egipto en calidad de protectorado empezaron a construir sus mansiones en un nuevo barrio de El Cairo llamado la Ciudad Jardín, conservaron aquel pedazo de historia local, dando a una pequeña calle en forma de media luna el nombre de la calle de las Vírgenes del Paraíso. Y allí fue donde Alí Rashid construyó su mansión de color de rosa, rodeándola de un lujuriante jardín y de unos altos muros para proteger a sus mujeres, cubriendo las ventanas con celosías de *mashrabiya* para que sus esposas y hermanas pudieran ver sin ser vistas. Después, llenó la casa de lujosos muebles y objetos de gran valor y, por encima de la puerta principal, mandó colocar una plancha de lustrosa madera labrada que decía: «Oh, Tú Que Entras En Esta Casa, Alaba Al Profeta Elegido». Al morir la víspera del estallido de la Segunda Guerra Mundial, Alí Rashid Bajá dejó una viuda, su última esposa Amira, un hijo, el doctor Ibrahim, las hijas de sus anteriores matrimonios y toda una serie de mujeres de su familia con sus correspondientes hijos. Y Nefissa, su última hija, la que soñaba con el amor.

Nefissa vio que alguien cruzaba la puerta del jardín. Los amigos visitaban a menudo a su madre durante la hora de la siesta, pero también acudían a verla desconocidos, sobre todo mujeres que habían oído hablar de los saberes de Amira y querían pedirle consejo, remedios o amuletos. A Nefissa le encantaban las peticiones... y la gente pedía elixires de amor o afrodisíacos, anticonceptivos y medicinas para los trastornos menstruales, y remedios para favorecer la fertilidad de las mujeres estériles o curar la impotencia de los maridos.

Nefissa se reunía algunas veces con su madre y las visitas, tal como hacían las demás mujeres Rashid y las muchachas y los niños que vivían en la calle de las Vírgenes del Paraíso. Pero aquel día Nefissa no pensaba hacerlo. Si aquel día pasara su teniente, bajaría al jardín y le daría una sorpresa.

Amira y Maryam se sentaron en la glorieta, una exquisita obra de arte en hierro forjado en forma de jaula de pájaros cubierta de filigranas y rematada por una imitación de la cúpula de la mezquita de Muhammad Alí, que cada primavera se volvía a pintar de blanco para que resplandeciera bajo el sol. Sin embargo, la glorieta tenía un defecto: el diseño de la entrada era asimétrico. La imperfección era deliberada, pues los artistas musulmanes siempre dejaban un defecto en su obra, en la creencia de que sólo Alá era capaz de crear una cosa perfecta.

Una criada se acercó a la glorieta diciendo:

–Tienes una visita, mi ama.

Amira vio acercarse a una mujer a la que jamás había visto; iba muy bien vestida con zapatos de cuero a juego con el bolso y un sombrero importado de Europa con un velo que le cubría la cara... estaba claro que era una mujer adinerada.

–Te deseo un día muy próspero, *sayyida* –dijo la mujer, utilizando el tratamiento de respeto de «señora»–. Soy la señora Safeya Rageb.

Aunque la categoría de una mujer solía establecerse a través de la elegancia de su atuendo, su refinada manera de hablar el árabe, el número de criados de su casa y la posición de su marido, lo más importante era el título que utilizaba, cosa que la visitante de Amira se había apresurado a especificar. «Señora» era el tratamiento de respeto de una mujer casada. Sin embargo, Amira observó que su visitante no se había presentado como *Um*, es decir, «madre», seguido del nombre del hijo, pues el máximo honor se tributaba siempre a la madre de un varón... de ahí que *Um* Ibrahim tuviera una consideración más alta que *Um* Nefissa.

–Te deseo un día próspero y lleno de bendiciones, señora Safeya. Siéntate, por favor –dijo Amira, sirviendo el té.

Después empezó a comentar el tiempo y la excelente cosecha de naranjas que iba a haber aquel año y le ofreció a la señora Rageb un cigarrillo que ésta aceptó siguiendo el ritual, pues el hecho de que un visitante expusiera de inmediato el objeto de su visita constituía una ofensa y el hecho de que una anfitriona le preguntara a su visitante cuál era el objeto de su visita se consideraba una grosería. Amira se fijó en el curioso amuleto hecho con una piedra azul que colgaba de una fina cadena de oro alrededor del cuello de su visitante. Puesto que el azul era el color tradicional para mantener alejado el mal de ojo, Amira pensó: «Tiene miedo».

–Perdóname, *sayyida* –dijo finalmente Safeya Rageb sin apenas poder disimular su nerviosismo–. He venido a tu casa porque he oído decir que eras una *sheija* y que tienes una gran sabiduría y unos maravillosos conocimientos. Dicen que puedes curar todas las dolencias.

–Todas las dolencias –dijo Amira con un sonrisa– menos aquella de la cual una persona está destinada a morir.

–Ignoraba tu reciente duelo.

–La necesidad tiene su propias leyes. ¿En qué puedo servirte?

Al ver que Safeya Rageb miraba a Maryam con expresión turbada, Amira se levantó diciendo:

–Maryam, te ruego que nos perdones. Señora Safeya, ¿quieres acompañarme?

Nefissa avanzó pegada al muro del jardín, mirando hacia la glorieta para asegurarse de que nadie la viera. Había dos puertas en el muro: la de los peatones, que estaba abierta, y la gran puerta de doble hoja del otro lado de la calzada, que conducía a la cochera de la parte de atrás. A esta última se estaba dirigiendo Nefissa.

Acercándose a la puerta, miró a través de una rendija y contuvo la respiración...

¡Estaba allí!

Había venido y ahora estaba mirando hacia las ventanas de arriba. Nefissa percibió los fuertes latidos de su corazón. Era su oportunidad antes de que él se alejara, pero tenía que procurar que nadie la viera.

En un primer tiempo, había pensado arrojarle una nota, diciéndole su nombre y preguntándole quién era él. Pero en seguida pensó: ¿Y si él no la viera y, en su lugar, la encontrara un vecino? Después se le ocurrió algo de tipo más personal, un guante o tal vez un chal. Pero ¿y si él no pudiera recogerlo y otra persona lo encontrara y adivinara que era suyo? Se había pasado toda la mañana dándole vueltas hasta que, al final, se le había ocurrido una idea y ahora...

De pronto, se quedó petrificada.

¡La voz de su madre! ¡Se estaba acercando! Nefissa se escondió rápidamente detrás de unos arbustos ¿Y si él se marchara? ¿Y si pensara que ella ya había perdido el interés? Oh, madre, ¿qué estás haciendo aquí? ¡Camina más deprisa, madre! ¡Más deprisa!

Vio a su madre en el camino embaldosado en compañía de una mujer a la que ella jamás había visto. Hablaban en voz baja y, al parecer, Amira no se había dado cuenta de que su hija estaba escondida detrás de los arbustos.

Cuando al final pasaron de largo y se perdieron entre los mandarinos, Nefissa se acercó de nuevo a la rendija de la puerta y miró. ¡Todavía estaba allí!

Arrancando rápidamente una escarlata rosa de Siria, la arrojó por encima del muro y contuvo la respiración, mirando a través de la rendija.

¡Él no la había visto!

Pasó un camión militar cuyos enormes y polvorientos neumáticos estuvieron a punto de aplastar la flor. Sin embargo, cuando el camión se perdió calle abajo, Nefissa vio que el oficial bajaba a la calzada y recogía la flor. Después, vio que contemplaba el muro hasta que sus ojos se posaron en la puerta, justo en el lugar donde ella se encontraba. Jamás le había visto tan de cerca; tenía unos ojos del color de los ópalos con unas pestañas muy rubias y un lunar en la mejilla izquierda... ¡qué guapo era! A continuación, el oficial hizo algo asombroso: clavando los ojos en los suyos, se acercó la flor a los labios y la besó.

Nefissa creyó desmayarse.

¡Sentir aquellos labios sobre los suyos y aquellos brazos alrededor de su cuerpo! Sin duda ambos estaban destinados a algo más que unas furtivas miradas por encima de un muro. Nefissa sabía que estaban destinados a encontrarse algún día de la manera que fuera.

Un leve temor le atravesó el cuerpo. ¿Cómo reaccionaría él cuando se enterara de que había estado casada y tenía dos hijos? Las viudas y las repudiadas no eran un trofeo muy codiciado por los varones egipcios, pues las mujeres con experiencia sexual se consideraban poco aptas para un segundo matrimonio. Habiendo conocido el amor de otro hombre, era fácil que lo compararan con el del nuevo esposo. ¿Los ingleses también serían así?, se preguntó. Nefissa apenas sabía nada sobre aquella raza de tez clara que llevaba casi un siglo ocupando Egipto y que presuntamente lo hacía para «proteger» el país, aunque algunos afirmaran que, en realidad, los ingleses eran unos imperialistas. ¿Valorarían la virginidad? ¿La encontraría su apuesto teniente menos atractiva cuando supiera la verdad?

No, pensó. Él no sería así. El encuentro entre ambos sería maravilloso. Presentía que se iban a encontrar.

—¿Nefissa?

La joven se volvió.

—¡Tía Maryam, me has asustado!

—¿No te he visto arrojar una flor por encima del muro? —preguntó Maryam Misrahi esbozando una sonrisa—. Supongo que, al otro lado, debía de haber alguien para recogerla —al ver que Nefissa se ruborizaba, Maryam se rió y le rodeó los hombros con su brazo—. Apuesto a que debía de ser un galán.

Nefissa experimentó una sensación de ahogo en el pecho. Quería estar sola, contemplarlo, estar cerca de él un momento más, tal vez oír su voz. Pero entonces oyó unas pisadas alejándose al otro lado del muro.

Maryam olía ligeramente a jengibre y su cabello brillaba como el fuego bajo el sol. Había ayudado a Nefissa a venir al mundo y, por consiguiente, la quería como a una hija.

—¿Quién es él? —preguntó con una sonrisa—. ¿Le conozco yo?

La joven no se atrevía a contestar. Todo el mundo sabía que Maryam Misrahi odiaba a los británicos porque habían matado a su padre durante la revuelta de 1919. Formaba parte del grupo de intelectuales y políticos ejecutados por el delito de «asesinar» británicos. Maryam contaba por aquel entonces dieciséis años.

—Es un oficial británico —contestó Nefissa al final.

Al ver que Maryam fruncía el ceño, la muchacha se apresuró a añadir:

—Pero no te imaginas lo guapo, elegante y refinado que es, tía. ¡Debe medir un metro ochenta y tiene el cabello del color del trigo! Ya sé que tú no lo apruebas, pero todos no pueden ser malos, ¿no crees? ¡Tengo que conocerle! Todo el mundo dice que los británicos abandonarán Egipto muy pronto. Yo no quiero que se vayan, porque entonces, ¡él también se irá!

Maryam la miró con una nostálgica sonrisa, recordando las épocas en que ella también tenía veinte años y estaba locamente enamorada.

–Por lo que yo he oído decir, querida, los británicos no se van a marchar tan fácilmente.

–En tal caso habrá violencia –dijo tristemente Nefissa–. He oído comentarios. Todo el mundo dice que, si los británicos no se van, habrá disturbios y tal vez incluso una revolución.

Maryam no contestó. Ella también había oído aquellos rumores.

–No te preocupes –dijo mientras ambas se dirigían a la glorieta–. Estoy segura de que a tu oficial no le va a pasar nada.

Nefissa se animó inmediatamente.

–Sé que nos vamos a conocer. Es nuestro destino, tía. ¿Has sentido tú alguna vez algo parecido? ¿Eso de estar predestinada para alguien? ¿Sentiste eso con el tío Suleiman?

–Sí –contestó Maryam en un susurro–. Cuando Suleiman y yo nos conocimos, comprendimos inmediatamente que estábamos hechos el uno para el otro.

–Me guardarás el secreto, ¿verdad, tía? ¿No se lo dirás a mi madre?

–No le diré nada a tu madre. Nos guardaremos mutuamente nuestros secretos –dijo Maryam, pensando en su querido Suleiman y en el secreto que ella le había ocultado a lo largo de todos aquellos años.

–Mi madre no tiene ningún secreto –dijo Nefissa–. Es demasiado honrada para tener algo que ocultar.

Maryam apartó la mirada. El secreto de Amira era el mayor de todos.

–¡Tengo que encontrar la manera de reunirme con él! –dijo Nefissa, acercándose con Maryam a la glorieta donde ahora se habían congregado todas las mujeres Rashid para conversar y tomar el té mientras los niños se entretenían jugando a la pelota–. Mi madre jamás lo permitiría, por supuesto. Pero soy una mujer adulta, tía. Tengo derecho a decidir si quiero llevar el velo o no. Ahora ya casi nadie lo lleva. Mi madre es muy anticuada y se aferra muchos a las antiguas costumbres. ¿Acaso no se da cuenta de que los tiempos están cambiando? ¡Egipto es ahora un país moderno!

–Tu madre se da perfecta cuenta de que los tiempos están cambiando, Nefissa. Tal vez por eso se aferra más que nunca a las antiguas costumbres.

–¿Quién es la mujer que la acompañaba hace un momento? Me pareció que querían hablar en privado.

–Ah, sí –dijo Maryam con una sonrisa–. Más secretos...

–Eso nadie lo sabe, señora Amira –estaba diciendo Safeya Rageb–. Es un peso que soporto yo sola.

Se refería a la razón de su visita: su hija, catorce años, soltera y embarazada. Safeya había oído decir que Amira conocía secretos brebajes y remedios.

De pronto, Amira recordó su infancia en el harén y un té que a veces les administraban a ciertas mujeres que, a su juicio, no estaban enfermas. Sin embargo, tras haberlo bebido, las mujeres se pasaban un rato indispuestas. Las concubinas de mayor edad lo llamaban poleo y más tarde ella averiguó que era un abortivo.

–Señora Safeya –dijo Amira, invitando a su visitante a sentarse en un banco de mármol a la sombra de un olivo–, sé lo que has venido a pedirme y, aunque comprendo tu apurada situación, no puedo dártelo.

La mujer rompió a llorar.

Amira le hizo una seña a una criada que permanecía de pie a una discreta distancia y, momentos después, la criada les sirvió una infusión hecha con la manzanilla que Amira cultivaba en su huerto. Invitando a su visitante a beberla antes de proseguir la conversación, Amira esperó a que la señora Rageb se tranquilizara un poco.

–¿Qué me dices del padre de la muchacha? –preguntó–. ¿No sabe nada?

–Mi marido y yo somos *Sai'idi*, señora Amira. Procedemos de una aldea del Alto Egipto y nos casamos cuando yo tenía dieciséis años y él dieciseite. Tuve a mi hija un año más tarde. Aún viviríamos allí si mi marido no hubiera oído hablar de la inauguración de una Academia Militar destinada a los hijos de los campesinos. Estudió muy duro y fue aceptado. Ahora ostenta el rango de capitán. Es un hombre orgulloso, señora Amira, y valora el honor por encima de todo. No, él no sabe nada de la deshonra de nuestra hija. Fue trasladado a un puesto del Sudán hace tres meses. Una semana después de su marcha, mi hija fue seducida por un muchacho del barrio cuando se dirigía a la escuela.

Corren tiempos muy peligrosos, pensó Amira, ahora que las niñas van a la escuela y caminan por las calles sin que nadie las acompañe. Había oído hablar de un proyecto de ley que prohibiría a las mujeres casarse antes de los dieciséis años, cosa a la cual ella se oponía firmemente. Una madre sólo tenía un medio de proteger a su hija y dicho medio consistía en colocarla bajo la custodia de un marido tan pronto como le empezara la regla. De este modo, el marido evitaba que se entregara a una vida licenciosa y podía estar seguro de que los hijos que ella tuviera serían suyos. Pero últimamente la gente imitaba a los europeos y las muchachas no se casaban hasta los dieciocho o diecinueve años, con lo cual quedaban desprotegidas durante unos seis o siete años, poniendo en peligro el honor de la familia.

–Los juicios de la sociedad son a veces muy duros y a una madre le corresponde suavizarlos en bien de su familia –dijo con dulzura. Estaba pensando en Fátima, su hija perdida, expulsada de la familia porque ella, su propia madre, no había podido salvarla–. ¿Cuándo regresará tu marido del Sudán?

–Su destino es para un año. Señora Amira, mi marido y yo nos queremos intensamente, en eso he tenido mucha suerte. Pide mi consejo sobre muchas cuestiones y escucha mis sugerencias. Pero, en este caso, creo que mataría a nuestra hija. ¿Tú no puedes ayudarme?

Amira reflexionó un instante.

–¿Cuántos años tienes, Safeya Rageb?

–Treinta y uno.

–¿Has tenido relaciones últimamente con tu marido?

–La víspera de su partida...

–¿No hay ningún lugar adonde pudieras enviar a la niña? ¿Algún pariente de confianza?

–Mi hermana, en Assyut.

–Eso es lo que deberás hacer. Envía a tu hija allí. Diles a tus vecinos que se ha ido a cuidar a un pariente enfermo. Después, ponte una almohada bajo la ropa y aumenta el tamaño cada mes. Dile a todo el mundo que estás embarazada. Cuando tu hija dé a luz, mándala llamar con el niño, quítate la almohada y diles a todos que la criatura es tuya.

Safeya la miró con asombro.

–¿Crees que se puede hacer?

–Con la ayuda de Alá –contestó Amira.

Safeya Rageb le dio las gracias y se retiró. Amira se dirigió a la glorieta, pero de pronto se detuvo en seco bajo un tamarindo en flor al ver que el camino estaba bloqueado.

Contempló al hombre, de pie bajo el sol de la tarde. Andreas Skouras, el hombre que la visitaba en sueños.

Se quedó tan sorprendida de verle allí que olvidó subirse el velo para cubrirse la cabeza o envolverse la mano en una esquina de la seda antes de estrechar la suya. En otra ocasión había sentido vibrar una corriente desde la palma del hombre a la suya; sin embargo, aquella vez la tela se interponía entre ambos mientras que ahora percibía directamente el calor de su piel. Aparte Alí e Ibrahim y algunos parientes varones muy próximos, Amira jamás había tocado a otro hombre y, aunque sólo fueran las manos, el contacto le había hecho experimentar una sorprendente sensación de intimidad.

–Mi querida *sayyida* –dijo Andreas, utilizando el habitual tratamiento de respeto–. Que las bendiciones y las dádivas de Alá visiten esta casa.

Andreas Skouras, un apreciado miembro del gabinete del rey Faruk, no era un hombre especialmente apuesto, pero Amira se sintió subyugada por la forma en que la sombra y la luz del sol jugueteaban sobre su sonriente rostro y su plateado cabello. Aquel atractivo hombre moreno de ascendencia griega era sólo un poco más alto que ella, pero su vigoroso físico transmitía una impresión de fuerza y poder.

–Bienvenido a mi casa –dijo Amira sin apenas poder creer que él estuviera efectivamente allí.

Sus ojos parecían atravesarla de parte a parte y su presencia le provocaba un estremecimiento de emoción.

–Sayyida –dijo Andreas–, honro la amistad y la memoria de tu marido, Alá le conceda morar en el Paraíso. Hoy he venido porque quiero hacerte un regalo y expresarte la gran estimación que siento por ti.

Amira abrió el pequeño estuche y se quedó asombrada al ver una sortija antigua de oro sobre el terciopelo. La piedra era una cornalina y llevaba grabada la imagen de una morera, símbolo del amor eterno y la fidelidad.

–Sayyida –dijo Skouras–. Amira –añadió en voz baja–, vengo a pedirte que te cases conmigo.

–¡Casarme! ¡Alá me valga! ¡Skouras, me has pillado por sorpresa!

–Perdóname, mi querida amiga, pero lo llevo planeando desde hace tiempo y he pensado que la mejor manera de decírtelo era yendo directamente al grano. Sea yo maldito si te he ofendido.

–Me siento muy honrada, Skouras –dijo Amira con un hilillo de voz–, más de lo que pueda expresar con palabras. La verdad es que me he quedado sin habla...

–Ya sé que es una sorpresa, mi querida amiga, pues apenas me conoces.

Te conozco en sueños, pensó Amira. Me has hecho el amor, pero tú no lo sabes.

–Te pido tan sólo que pienses en mi proposición. Tengo una gran casa en la isla donde vivo solo, ahora que mis hijas se han casado y mi esposa me dejó hace ocho años, Alá le conceda el descanso. Gozo de buena salud y estoy muy bien situado económicamente. Me encargaría de que no te faltara nada, Amira.

–¿Cómo puedo dejar a mis hijos? –dijo Amira–. ¿Cómo puedo dejar esta casa?

–Mi querida Amira, no puedes pasarte toda la vida en un harén. Vivimos en la era moderna.

Amira se sorprendió. ¿Sabría Andreas que había vivido en un harén en su infancia? ¿Le habría hablado Alí de su pasado?

–Tú no me conoces, no sabes nada de mi vida antes de unirme a Alí.

–Eso no importa, mi querida amiga.

Vaya si importa, hubiera querido decir Amira. No recuerdo cómo era mi existencia antes de vivir en el harén del que Alí me rescató; los únicos recuerdos de mi infancia son los que guardo de aquel terrible lugar. No sé si mi madre era una de las desdichadas prisioneras del harén, hubiera querido gritar, ¡no sé si era una concubina, una mujer sin honor! Hubiera querido decirle a Skouras que una vez había pensado incluso en la posibilidad de regresar a la calle de las Tres Perlas para tratar de averiguar las respuestas sobre su verdadera identidad. Pero le dijeron que la casa había sido derribada hacía mucho tiempo y que las mujeres del harén se habían emancipado y habían escapado como pájaros.

–Mi hijo no tiene esposa, Andreas –dijo finalmente– y mi hija no tiene marido. Mi deber es cuidar de que estén bien atendidos.

–Ibrahim y Nefissa son personas adultas, Amira. Ya no son unos niños.

–Siempre serán mis niños –replicó Amira, evocando de pronto su recurrente pesadilla... El campamento del desierto, los hombres a caballo, la niña arrancada de los brazos de su madre, acudieron a su mente con toda claridad. ¿Es por eso por lo que temo abandonar a mis hijos?, se preguntó. ¿Porque fui arrebatada de mi madre?

Andreas dio un paso más para acercarse a ella y Amira sintió que el aliento se le quedaba paralizado en la garganta. Como la tocara en aquel jardín lleno de flores y frutos, sabía que sucumbiría. Le diría: Sí, quiero casarme contigo. Sin embargo, Skouras se limitó a decirle:

–Eres una mujer muy bella, Amira. Alá me perdone por hablarte con tanta franqueza, pero me sentí atraído por ti en cuanto te vi. Sé que Alí, que nos está viendo desde el Paraíso, me perdonará que te lo diga. Más que amigos, él y yo éramos hermanos.

Las lágrimas asomaron a los ojos de Amira y ésta se avergonzó de que, entre las lágrimas de tristeza, hubiera también algunas lágrimas de alegría. Pensó en todo lo que Alí Rashid había hecho por ella, conduciéndola a aquella mansión y convirtiéndola en su esposa. Y ahora allí estaba ella, en el jardín que él había creado, luciendo los elegantes vestidos y las joyas que él tan generosamente le había regalado, ¡deseando los besos y los abrazos de su mejor amigo!

–Estoy en deuda con mi marido más de lo que tú te imaginas. Me sacó de una existencia desgraciada y me condujo a esta casa que está llena de felicidad.

–Honro su memoria y te honro a ti, Amira. Eres una mujer de conducta irreprochable.

Amira apartó la mirada. O sea que Skouras no conocía toda la historia. No sabía que Alí Rashid no había sido el primer hombre de su vida. Para poder casarse con él, tendría que confesarle la verdad, lo cual equivaldría a deshonrar a su marido. Por eso contestó:

–Mi primera obligación son mis hijos, Skouras. Pero la proposición me honra y me halaga.

–¿No sientes por mí por lo menos un poco de afecto, Amira? ¿Puedo abrigar alguna esperanza?

No es un poco de afecto, Andreas, hubiera querido decir Amira. Lo que siento por ti es amor y lo siento desde el día en que nos conocimos. En su lugar, contestó:

–Por favor, dame tiempo para pensarlo –y, devolviéndole la sortija, añadió–: La aceptaré cuando haya aceptado tu proposición.

Después, le acompañó a la puerta del jardín y le vio subir a una negra limusina que esperaba junto al bordillo. Mientras le veía alejarse, se acercó una criada por el camino desde la casa.

–Ama –dijo la criada–, el amo ha vuelto a casa y pregunta por ti.

Amira esperó hasta que la limusina dobló la esquina de la casa y entonces se apartó de la puerta y le dijo a la criada:

–Gracias.

Al entrar en la casa, se sintió invadida por una sensación de temor. ¡Qué cerca había estado de aceptar la proposición de Andreas Skouras! Qué fácil le hubiera sido abandonar la seguridad de aquella casa e irse a vivir con un extraño por el solo hecho de desearle y de ansiar sus abrazos. Qué frágiles somos las mujeres y con cuánta facilidad nos dejamos arrastrar por nuestras pasiones. Pero Amira sabía que tenía que seguir los impulsos de la mente y no los del corazón, pues aún tenía responsabilidades en su familia. Si ella y Andreas estuvieran destinados a unirse, así sería. Pero, de momento, su principal ocupación eran sus hijos: Nefissa, dominada por unos románticos y peligrosos anhelos muy semejantes a los suyos; e Ibrahim, cuyos ojos estaban llenos de dolor y también de algo más que ella no lograba identificar, pero que la tenía muy preocupada. Pensó finalmente en su otra hija Fátima, nacida después de Ibrahim y antes que Nefissa, a quien Alí había desterrado de la casa, decretando que su nombre jamás volviera a ser pronunciado dentro de aquellos muros.

No perderé a la única hija que me queda, pensó Amira mientras subía por la soberbia escalinata que separaba el ala de los hombres de la de las mujeres. Encontraré el medio de salvarla de las pasiones que la dominan.

Que nos dominan a las dos.

Al entrar en las oscuras y lujosas estancias que antaño fueran de su marido, Amira pensó en los tiempos en que, siendo muy joven, Alí la mandaba llamar. Entonces ella lo atendía, le daba un baño y un masaje, le servía, hacía el amor con él y después se retiraba a sus aposentos hasta que él la volvía a llamar. Dentro de muy pocos años, Omar, el hijo de tres años de Nefissa, abandonaría la parte de la casa destinada a las mujeres y ocuparía un apartamento propio donde recibiría a sus amistades masculinas, tal como ahora hacía Ibrahim y antes hiciera Alí. Una vida separada de las mujeres.

Una vez en el apartamento de su hijo, Amira se sorprendió de lo mucho que había cambiado y adelgazado Ibrahim en sólo dos semanas.

–He decidido irme de casa durante algún tiempo, madre –le dijo Ibrahim en árabe.

Amira tomó sus manos entre las suyas.

–¿Crees que marcharte te va a servir de algo? –le preguntó–. La desesperación nos hace evocar la alegría, hijo. El tiempo desgasta las montañas, ¿no crees que también desgastará tu dolor?

–Sueño con mi esposa como si todavía estuviera viva.

–Escucha, hijo de mi corazón. Recuerda las palabras de Abu Bakr cuando murió el profeta Mahoma, la paz sea con él, y la gente perdió la fe. «Para aquellos de vosotros que habéis venerado a Mahoma, éste ha muerto –dijo Abu Bakr–. Para aquellos de vosotros que adoráis a Alá, está vivo y nunca morirá.» No pierdas la fe en Alá, hijo mío. Él es sabio y compasivo.

–Tengo que irme –dijo Ibrahim.

–¿Adónde irás?

–A la Costa Azul. El Rey ha decidido pasar las vacaciones allí.

Amira sintió que un cuchillo le traspasaba el corazón. Hubiera querido extender los brazos hacia él, su niño, el hijo de su corazón, borrar su dolor y convencerle de que se quedara allí, en el lugar que le correspondía. Sin embargo, se limitó a preguntarle:

–¿Cuánto tiempo estarás ausente?

–No lo sé. Pero mi alma ha perdido la paz y necesito volver a encontrarla.

–Muy bien, pues. *Inshallah*. Es la voluntad de Dios. Aunque el cuerpo se aleje un codo, al corazón le parece una legua. Que la paz y el amor de Alá te acompañen –dijo Amira, besando a su hijo en la frente en gesto de bendición.

Mientras regresaba a sus aposentos, Amira sintió que su corazón se llenaba de inquietud. Los sueños... Una niña arrancada de unos brazos protectores. ¿Sería un recuerdo o tal vez un presagio de acontecimientos futuros? ¿Por qué la angustiaba tanto la partida de Ibrahim? ¿Por qué estaba experimentando de pronto aquel temor casi irracional de perder en cierto modo a sus hijos? Nefissa estaba inquieta por causa de un amor e Ibrahim se iba a marchar de casa. Tenía que proteger a sus hijos y mantener a la familia unida. Pero ¿cómo? ¿Cómo?

No regresó al jardín; los criados estarían a punto de cerrar la puerta, pues ya eran las cuatro, la hora en que ella siempre daba por finalizada la recepción de las visitas para no perderse la oración de la tarde. Entró en sus aposentos, se encaminó directamente al cuarto de baño y realizó las abluciones rituales que precedían a la oración. Después se dirigió a su dormitorio, donde la joven esposa de Ibrahim había muerto al dar a luz a su hija. Extendió la alfombra de oración, se quitó los zapatos y se situó de cara hacia el este, en dirección a La Meca. Mientras los almuédanos llamaban a los fieles desde los innumerables alminares de El Cairo, Amira apartó de su mente todos los pensamientos terrenales y materiales y se concentró en Alá. Colocando las manos a ambos lados de su rostro, recitó:

–*Allahu Akbar*. Alá es grande.

Después recitó la *Fatiha*, el pasaje inicial del Corán:

–En el nombre de Alá, el Clemente, el Misericordioso... –a continuación, en un fluido movimiento que era el resultado de muchos años de rezos cinco veces al día, Amira se inclinó en reverencia, enderezó la espalda, se arrodilló y tocó tres veces el suelo con la frente mientras decía–: Alá es Grande. Ensalzo la perfección de mi Señor, el Altísimo –al final, se levantó y terminó su plegaria diciendo–: No hay más dios que Alá y Mahoma es su profeta.

Amira hallaba consuelo en la oración. Por eso había educado a su familia en la fe y en el poder de la plegaria. Las mujeres de la casa Rashid estaban obligadas a cumplir el ritual cinco veces al día cuando el almuédano llamaba a la oración: poco antes del amanecer, un poco después del mediodía, por la tarde, poco después de la puesta del sol y por la noche. Nunca se rezaba exactamente al amanecer o al mediodía o a la puesta del sol porque ésos eran los momentos en que los paganos solían adorar al sol.

Al terminar, Amira se sintió una vez más espiritualmente reconfortada y animada. El futuro ya no le inspiraba tantos recelos ni tantos temores. Dios proveerá, pensó. Mientras se disponía a bajar a la cocina para dar instrucciones a la cocinera, sintió que Alá le iluminaba súbitamente el entendimiento y comprendió en un instante lo que debería hacer.

Buscarle una esposa a Ibrahim y un marido a Nefissa.

Puede que entonces, con la ayuda de Alá, tomara en consideración la proposición de matrimonio de Andreas Skouras.

4

Mientras ordeñaba a la búfala, inclinándose hacia el enorme y cálido cuerpo y apoyando el rostro en su áspero costado, la pequeña Sahra de trece años experimentó un breve momento de paz. Por un instante por lo menos, olvidó los dolores y las magulladuras que le había provocado la paliza de su padre y su angustia ante el terrible matrimonio que se vería obligada a contraer.

Al día siguiente la casarían con el jeque Hamid.

Un sollozo se escapó de su garganta:

—Vieja búfala —dijo con la voz entrecortada por el llanto—, ¿qué voy a hacer?

Sahra sólo había visto a Abdu una vez en las dos semanas transcurridas desde que ayudara al forastero a sacar el vehículo de la acequia. Cuando le comunicó a Abdu la noticia de su compromiso con Hamid, el joven experimentó un sobresalto y después se puso furioso.

—¡Somos primos! ¡Tendríamos que casarnos!

—Trabajarás en el establecimiento de Hamid —le había dicho su madre, emocionada—. Hablarás con los clientes, recibirás el dinero y entregarás el cambio. ¡Vas a ser muy importante, Sahra!

Sin embargo, Sahra vio la expresión de tristeza de los ojos de su madre y comprendió que ésta procuraba destacar las ventajas de su boda con el viejo jeque para disimular los inconvenientes. Regentar un establecimiento era una actividad prestigiosa y a Sahra le hubiera gustado poder hacerlo, pero todo el mundo sabía que Hamid no tenía tan siquiera una criada, por lo que, aparte de pasarse todo el día trabajando en la tienda mientras su marido se dedicara a jugar a las tablas reales en el café de Hadji Farid, ella tendría que encargarse también de la casa, la cocina y la colada.

Sabía por qué razón su padre había dado su consentimiento a aquella boda. Se había endeudado para pagar la fiesta de la boda de su hija mayor; los padres de Sahra eran ahora una de las familias más pobres de la aldea. La niña sabía que no le comprarían ningún vestido nuevo para la fiesta de la natividad del Profeta.

Saliendo del pequeño establo, Sahra contempló los verdes campos cubiertos por la bruma matinal. Mientras el sol asomaba por encima de los tejidos de adobe, el agua de la acequia se iluminó con sus dorados reflejos. La aldea estaba empezando a despertar; el humo de las hogueras y los olores del pan caliente y las alubias fritas llenaron el puro aire de la mañana cuando el almuédano llamó a la oración a través del altavoz de la mezquita:

–La oración es mejor que el sueño.

Sahra estaba deseando hablar con Abdu. Tras haberle visto sólo una vez para comunicarle la mala noticia, no le había vuelto a ver en la aldea ni en aquel campo. ¿Dónde se habría metido?

De pronto, vio a alguien acercándose por el borde de la acequia. Era alto y de anchas espaldas y sus pies agitaban la bruma que cubría la hierba haciéndola describir unas transparentes volutas. ¡Abdu! Sahra corrió a su encuentro, pero se alarmó al ver que el muchacho se había puesto su *galabeya* de fiesta y llevaba un fardo.

Abdu la miró largo rato con sus ojos verdes como el Nilo y después le dijo:

–Me voy, Sahra. He decidido unirme a los Hermanos. Puesto que no puedo tenerte, no quiero a ninguna mujer y me dedicaré a conducir de nuevo mi país a Alá y al islam. Cásate con el jeque Hamid, Sahra, es viejo y morirá pronto. Y entonces tú heredarás la tienda y la radio y todo el mundo en la aldea te respetará y serás la viuda del jeque.

–¿Adónde vas? –preguntó Sahra con trémula voz.

–A El Cairo. Allí hay un hombre que me ayudará. Como no tengo dinero, iré a pie, pero llevo comida.

–Te daré la bufanda –dijo Sahra, notándose un nudo en la garganta. Temiendo que su padre la vendiera, había ocultado bajo su vestido la bufanda blanca de seda que le había regalado el forastero–. Te pagarán un buen precio por ella.

–Guárdala, Sahra –contestó Abdu–. Póntela en tu boda.

Al ver que ella se echaba a llorar, el joven la atrajo a sus brazos. La sensación del mutuo contacto y el calor y la firmeza de la carne que percibieron bajo la ropa les hicieron perder los sentidos.

–Oh, Sahra –murmuró Abdu.

–¡No me dejes, Abdu! ¡Me moriré sin ti!

Se hundieron en la húmera hierba y fueron engullidos por la niebla y los altos carrizos.

A la puesta del sol, Sahra y su madre bajaron al Nilo y se unieron a otras mujeres de la aldea que estaban sacando agua, aporreando la colada con pastillas de jabón y lavándose los brazos y las piernas tras haberse cerciorado primero de que no había hombres a la vis-

ta. Las mujeres llenaron las jarras de agua y empezaron a chismorrear mientras los niños jugaban y chapoteaban a la orilla del río
entre las patas de los búfalos que también habían bajado al agua.

–¡Mañana es el gran día, *Um* Hussein! –le dijeron las mujeres a
la madre de Sahra. A pesar de que el mayor de sus hijos era una
hembra, las mujeres se dirigían a ella utilizando el nombre de su
primer hijo varón–. ¡Otra boda! ¡Llevamos una semana sin comer
para prepararnos!

La madre de Sahra se echó a reír. Ella y su marido no tendrían
que pagar nada por la fiesta de la boda; el jeque Hamid se había
ofrecido a pagarlo todo de su bolsillo, lo cual constituía un gran
honor y una suerte para ellos, pues no les quedaba una piastra tras
la boda de su hija mayor.

Las amigas de Sahra, unas niñas que, como ella, acababan de
ingresar en el aterrador mundo de las mujeres adultas, se rieron y
se ruborizaron mientras le hacían comentarios sobre lo bien que
iba a dormir a la noche siguiente.

–El jeque Hamid es insaciable –dijo una niña sin comprender
muy bien lo que decía, pues se estaba limitando a repetir los picantes comentarios de las mujeres–. ¡Es justo lo que necesitas!

Las mujeres se rieron mientras sumergían las jarras en la sucia
agua del río y se las colocaban sobre la cabeza.

–¡Hazle pasar hambre a Hamid, Sahra, y vendrá a ti todas las
noches!

–Yo sé lo que tengo que hacer para que mi marido venga a mí
todas las noches –se jactó *Um* Hakim–. Solía regresar a casa pasada la medianoche hasta que me harté. Cada vez que regresaba tarde, yo le decía desde la habitación: «¿Eres tú, Ahmed?».

–¿Y eso lo hizo enmendarse? –preguntaron las demás.

–¡Pues sí! ¡Porque mi marido se llama Gamal!

Las mujeres regresaron entre risas a la aldea mientras los niños correteaban a su alrededor y los mayores conducían los búfalos con unas cuerdas. El sol poniente tiñó de anaranjado y después
de rojo las aguas del río cuando Sahra y su madre se quedaron solas junto a la orilla. Al final, la madre dijo:

–Te veo muy callada, hija de mi corazón. ¿Qué te ocurre?

–No quiero casarme con el jeque Hamid.

–Qué disparate estás diciendo. Ninguna muchacha elige a su
marido. El día en que me casé con tu padre fue el primer día que
le vi. Le tenía miedo, pero me acostumbré a él. Tú por lo menos conoces al jeque.

–No le amo.

–¡Amar! ¡Menuda tontería, Sahra! ¡Un *yinn* malicioso te habrá
metido la idea en esta cabeza tan vacía que tienes! Obediencia y
respeto es lo que puedes esperar en un matrimonio.

–¿Por qué no puedo casarme con Adbu?

–Porque es pobre... tan pobre como nosotros. Y el jeque Hamid es el hombre más rico de la aldea. ¡Llevarás zapatos, Sahra! ¡Y, a lo mejor, una pulsera de oro! Él paga la boda, no lo olvides. Es un hombre generoso y será bueno con nosotros cuando tú seas su esposa. Tienes que pensar en tu familia antes que en ti.

Sahra sumergió la jarra en el agua y rompió a llorar.

–¡Ha ocurrido una cosa terrible! –dijo.

Su madre se quedó petrificada. Después, posó la jarra sobre la hierba y asió a su hija por los hombros.

–¿De qué estás hablando? Sahra, ¿qué has hecho?

Pero ya lo sabía. Lo temía desde que su hija empezó a tener la regla. Había visto cómo Sahra y Abdu se miraban con ojos de ternero y por la noche había permanecido despierta, temiendo no poder proteger a su hija menor hasta que consiguiera casarla. Y ahora la peor pesadilla se había convertido en realidad.

–¿Es Abdu? –preguntó en un susurro–. ¿Te has acostado con él? ¿Te ha robado la virginidad?

Sahra asintió mientras su madre cerraba los ojos musitando:

–*Inshallah*, es la voluntad de Alá –estrechando a Sahra en sus brazos, su madre recitó un versículo del Corán–: «El Señor crea y después mide y después guía. Todo lo pequeño y lo grande que hacemos ya está inscrito en el libro de Alá». Es su voluntad –con la voz temblando de emoción, añadió–: Él extravía a quien quiere y Él guía a quien quiere –después, enjugó las lágrimas de Sahra y le dijo–: Ya no puedes quedarte aquí, hija de mi corazón. Debes irte. Tu padre y tus tíos te matarían si se enteraran de lo que has hecho. El jeque Hamid no encontrará la sangre de la virginidad mañana por la noche y ellos sabrán que nos has deshonrado. Tienes que salvarte, Sahra. Alá es compasivo. Él cuidará de ti.

La niña se tragó las lágrimas y miró a su querida madre que la había instruido y guiado durante toda su vida.

–Espera aquí –le dijo su madre–. No vuelvas a casa conmigo. Regresaré cuando tu padre haya cenado. Tengo una pulsera y una sortija que me regaló tu padre el día de nuestra boda y el velo que me dejó la tía Alya. Puedes venderlos, Sahra. Te traeré comida y te daré mi pañuelo. Procura que no te vea nadie y no le digas a nadie adónde vas. No podrás regresar a la aldea.

Sahra pensó en la bufanda del rico que se había anudado alrededor de la cintura bajo el vestido. También la vendería. Después, se apartó de su madre y contempló el río; unos cuantos kilómetros corriente abajo había un puente que conducía a la ciudad. Era el camino que había tomado Abdu. Ella lo seguiría.

5

Nefissa descendió del carruaje, se cubrió apresuradamente la mitad del rostro con el velo y se mezcló con la muchedumbre que estaba cruzando la antigua puerta de Bab Zuweila. Como iba envuelta de la cabeza a los pies en una *melaya*, un gran rectángulo de seda negra utilizado de tal forma que ni siquiera se podían ver las manos, no le fue difícil mezclarse con los campesinos que vivían en aquella parte antigua de El Cairo. Al pasar por delante de los talleres de los fabricantes de tiendas y cruzar la puerta que durante siglos había sido un lugar de sangrientas ejecuciones, le pareció regresar al lejano pasado.

En aquel barrio medieval donde los hombres vestidos con *galabeyas* conducían camellos y asnos, Nefissa no llamaba la atención porque no era la única mujer vestida con *melaya*. En las angostas callejuelas de la parte vieja de El Cairo, lejos de las elegantes calles donde las mujeres lucían la última moda europea, la *melaya* era utilizada por muchas mujeres a guisa de capa sobre el vestido para ocultar las formas y preservar de esta manera la modestia, aunque las más jóvenes la usaban a menudo por su capacidad seductora. Colocada sobre la cabeza y los hombros y bajando en pliegues hasta los tobillos, el borde se recogía hacia arriba y se sujetaba con el brazo, moldeando de esta forma las caderas y las nalgas, con lo cual la prenda, más que ocultar las formas, las revelaba. Y, puesto que la tela era generalmente muy fina y resbaladiza dado que solía ser de gasa de algodón, había que arreglar constantemente su colocación, cosa que algunas mujeres hacían con un depurado y provocativo estilo.

Nefissa no se detuvo ante los tenderetes donde se vendía de todo, desde verduras a alfombras de oración, y tampoco prestó la menor atención a las oscuras entradas donde los artesanos se dedicaban a sus centenarias tareas, sino que avanzó presurosa hacia una sencilla puerta que se abría en un muro de piedra sin ninguna indicación. Llamó con los nudillos, la puerta se abrió y ella la franqueó.

Una criada envuelta en una larga túnica tomó el billete de una libra que ella le entregaba y la acompañó por un pasillo débilmente iluminado, cuyas paredes de mármol estaban húmedas y en cuya atmósfera se aspiraba una embriagadora mezcla de perfume, vapor, sudor humano y lejía. Nefissa fue conducida primero a una estancia donde se quitó toda la ropa y la entregó a otra criada que le ofreció a cambio una gran toalla de rizo y un par de correas de goma. Después entró en una enorme sala con columnas de mármol y claraboyas a través de las cuales la difusa luz del sol iluminaba a las bañistas, las masajistas y las criadas que iban de un lado para otro con vasos de té de menta frío y cuencos de frutas recién mondadas. Una gran piscina con un surtidor en el centro dominaba la sala y en ella las mujeres caminaban o flotaban, riéndose, intercambiándose chismes y lavándose el cabello, algunas recatadamente envueltas en toallas y otras descaradamente desnudas. Nefissa reconoció a algunas habituales que acudían a los baños todos los días; otras estaban allí para someterse al baño ritual que se exigía después de la menstruación; y muchas querían simplemente aprovechar las virtudes de las saludables y perfumadas inhalaciones y los baños de hierbas. Aquel día se encontraba allí una novia con las mujeres de su familia, un espectáculo muy frecuente en los baños públicos, donde las mujeres preparaban a la novia para la boda, depilándole el cuerpo con cera.

Pero Nefissa no había acudido allí por ninguna de aquellas razones. Su visita a los baños tenía un ilícito y prohibido propósito.

Aquel *hammam* era uno de los centenares que había en El Cairo, su antigüedad se remontaba a mil años y su historia era muy pintoresca. Una de sus anécdotas se refería a un periodista norteamericano que cien años atrás había querido saber lo que realmente ocurría en los baños femeninos, para lo cual se disfrazó de mujer. Al descubrir su engaño, las indignadas mujeres lo inmovilizaron y lo castraron. Sobrevivió a las heridas y alcanzó una edad venerable al llegar a la cual escribió sus memorias en las que sólo hacía una breve alusión al incidente de la casa de baños de El Cairo: «Las mujeres iban todas desnudas y, cuando descubrieron que yo era un hombre, se cubrieron inmediatamente el rostro sin que les importara dejar al descubierto sus restantes encantos».

Nefissa fue conducida a una sala con mesas de masaje en las que unas masajistas se hallaban ocupadas en la tarea de hacer crujir los huesos y amasar la carne.

Quitándose la toalla y tendiéndose boca abajo, Nefissa trató de relajarse y de entregarse a los cuidados de los expertos dedos de la masajista. Sin embargo, no estaba allí para que le dieran un masaje ni para tomar un baño ni para ningún otro de los numerosos servicios que ofrecían los baños. Nefissa había acudido allí para reunirse con su teniente inglés. Cerró los ojos y rezó para que aquel día pudiera verle finalmente.

En los meses transcurridos desde que le arrojara la rosa de Siria por encima del muro, sólo había visto al teniente en muy contadas ocasiones. Las costumbres del inglés eran muy irregulares; se pasaba dos o tres semanas sin aparecer por allí y, de pronto, regresaba a la calle de las Vírgenes del Paraíso. Sin embargo, una noche en que una luna de otoño amarilla como la cera iluminaba El Cairo, Nefissa miró casualmente por la ventana y le vio de pie bajo la farola, contemplando su casa. Cuando ella pensaba que iba a reanudar la marcha, el teniente hizo algo inesperado. Sostuvo una cosa en alto bajo la farola, miró a su alrededor y, al ver a una joven mendiga, le dijo algo en voz baja, le indicó la puerta de peatones del muro del jardín de la mansión Rashid y le entregó el objeto y unas cuantas monedas. Después miró a Nefissa y dio unas palmadas a su reloj de pulsera para darle a entender que tenía que irse. Pero, antes de hacerlo, le lanzó un beso.

Nefissa bajó corriendo al jardín y, al abrir la puerta, vio a la joven mendiga con un sobre en la mano. Nefissa se quedó momentáneamente perpleja; los pobres de El Cairo raras veces se acercaban a aquel elegante barrio, y tanto menos una *fellaha* recién entrada en la adolescencia que a duras penas podía ocultar su embarazo bajo un pañolón. Nefissa tomó el sobre que le entregaba la muchacha y le dijo:

–Espera.

Regresó corriendo a la casa y bajó a la cocina, donde la cocinera se sorprendió al ver que tomaba pan, unos trozos de cordero frío, manzanas y queso y lo envolvía todo en un lienzo limpio. Antes de salir, se detuvo junto al armario de la ropa de casa y sacó una gruesa manta de lana. Entregándoselo todo a la sorprendida muchacha, le dijo:

–Que Alá te acompañe.

Tras lo cual, cerró la puerta.

Estaba deseando abrir el sobre. Bajó corriendo por el camino para dirigirse a la glorieta que se levantaba bajo la luz de la luna cual una jaula de plata. Rasgó el sobre y leyó la única frase que figuraba escrita en el papel: «¿Cuándo podemos reunirnos?».

Eso era todo. Una simple hoja de papel sin nombres para no comprometerse ni comprometerla a ella en caso de que la nota cayera en otras manos. Sin embargo, Nefissa se quedó tan extasiada como si acabara de recibir una misiva amorosa.

Se volvió loca tratando de encontrar algún medio de concertar una cita, pues raras veces salía de casa sola. Por regla general, iba de compras o al cine con alguna de sus numerosas primas y tías y siempre a instancias de su madre.

De pronto, se le ocurrió una idea. Le había oído comentar a una de las damas de honor de la princesa Faiza las prodigiosas virtudes curativas de determinados baños públicos. Fue entonces cuando a Nefissa le empezó a doler «la cabeza». Primero probó los remedios y tratamientos de su madre hasta que, al final, se preguntó en voz alta qué tal le sentarían los baños. Las primeras veces fue allí en compañía de una prima. Pero, como las visitas eran cotidianas, la prima se aburría y, al final, Nefissa empezó a ir sola. Fue entonces cuando escribió una nota: «Mi querida Faiza. Sufro dolor de cabeza y estoy siguiendo una cura en los baños de la puerta de Bab Zuweila. Llego todos los días poco después de la oración del mediodía y me paso una hora allí. Creo que a ti también te sería muy beneficioso y me encantaría que pudieras acompañarme». Firmó «Nefissa» y dirigió el sobre a «Su Alteza Real la princesa Faiza». Después, le entregó en secreto el sobre a la mendiga, que a menudo rondaba por la calle, y le dijo que se lo entregara al soldado la próxima vez que pasara por allí. Nefissa no tenía ni idea de lo que iba a ocurrir en caso de que él decidiera seguirla y reunirse con ella frente a la casa de baños. Era impensable que los vieran juntos en la calle; sabía lo que deducirían los viandantes: un soldado inglés abordando a una respetable musulmana... no saldría vivo de la calle. Cualquier otra cita que se inventaran, por muchas precauciones que tomaran, sería peligrosa.

Sin embargo, el peligro acrecentaba la emoción del idilio. Nefissa era joven y estaba locamente enamorada. Pero ahora había empezado a preocuparse. Ella acudía diariamente a los baños y el teniente aún no había aparecido. ¿Y si ya no estuviera en Egipto? ¿Y si lo hubieran enviado a Inglaterra?

Después se le ocurrió otra posibilidad todavía más temible. ¿Y si él hubiera averiguado la verdad sobre ella? Quizá, tras leer la nota, había llevado a cabo algunas investigaciones: «Se llama Nefissa y es amiga de la princesa Faiza». Y entonces quizá le había dicho que era una viuda con hijos. ¡Eso era lo que había ocurrido! ¡Y ahora él ya no regresaría jamás!

Tras someterse a un masaje con aceites de rosas, almendras y violetas que, según decían, era el secreto de belleza de la reina Cleopatra, Nefissa terminó su visita con el tratamiento al que casi todas las mujeres egipcias se sometían para conservarse bellas y deseables. La asistenta sacó un tarro de polvos rojos y espolvoreó con ellos su frente; después, le depiló cuidadosamente todas las cejas y se las pintó. A continuación, usó el *halawa*, una mezcla de zumo de limón con azúcar que se hacía hervir hasta alcanzar una consistencia pegajosa y que, aplicada a la piel, arrancaba todos los pelos. El tratamiento resultaba muy doloroso, pero eficaz. Por último, Nefissa, se sumergió en un baño perfumado para eliminar la pegajosidad residual y su cuerpo emergió tan suave y liso como el mármol.

Por último, se vistió de nuevo y salió a la calle, perfumada y refrescada. Mientras miraba a uno y otro lado de la calle antes de regresar a su carruaje, se quedó petrificada.

¡Allí estaba! Apoyado en un Land Rover aparcado bajo el arco de la puerta de Bab Zuweila.

Nefissa casi no le reconoció porque no iba vestido de uniforme. Con el corazón galopando en su pecho, echó a andar; por un instante, los ojos de ambos se cruzaron; después, Nefissa apuró el paso. Una vez en el interior del carruaje, le ordenó al cochero que se dirigiera a pie al final de la calle y le comprara una bolsita de semillas tostadas de calabaza, un encargo que a él no le extrañó y que, según los cálculos de Nefissa, le llevaría unos diez minutos. En cuanto el cochero se hubo alejado, el teniente se acercó, la miró con expresión inquisitiva a través de la ventanilla y, cuando ella se desplazó en el asiento, subió al carruaje.

Mientras la vida se arremolinaba a su alrededor y en la calle se mezclaban los rumores de la gente, los vehículos y los animales, ambos permanecieron encerrados en aquel microcosmos en el que no había espacio más que para ellos dos. Nefissa estudió con todo detalle a aquel amante fantasma de la farola que en sueños la visitaba en su cama todas las noches. Ambos se miraron aspirando el aroma de la loción *aftershave* mezclado con el perfume de las rosas y las violetas. Nefissa vio una mota oscura flotando en uno de sus ojos azul celeste. Miles de preguntas se agolparon en sus labios.

Al final, en un tono apremiante que ella jamás hubiera podido imaginar, el teniente le dijo en inglés:

–No acabo de creerme que esté verdaderamente aquí. Ni que tú estés conmigo. Pensé que te había soñado.

El corazón de Nefissa se desbocó cuando él extendió la mano para apartarle el velo de la cara. Tras una leve vacilación y al ver que ella no protestaba, el teniente le quitó el velo diciendo:

–Dios mío, qué hermosa eres.

Nefissa se sintió desnuda, como si él le hubiera quitado toda la ropa. Sin embargo, no experimentaba vergüenza ni turbación sino tan sólo un ardiente deseo. Hubiera querido manifestarle todos los sentimientos que albergaba su corazón. Se horrorizó al oír lo que decía su propia voz:

–Estuve casada. Soy viuda y tengo dos hijos.

Mejor decirlo de entrada y dejar que él me rechace ahora mismo antes de que las cosas lleguen demasiado lejos, pensó.

–Lo sé –dijo él, mirándola con una sonrisa–. Me han dicho que son tan guapos como su madre.

Nefissa estaba tan emocionada que no supo qué decir.

–Vivo muy cerca de ti –añadió él mientras ella escuchaba arrobada el timbre de su voz y su refinado acento británico–. En la residencia de la calle de más arriba, aunque estoy acuartelado en la Ciudadela. Últimamente nos han estado cambiando mucho de sitio. Temía que te cansaras de todo eso y me olvidaras.

Nefissa se sintió aturdida y creyó estar soñando.

–Pensé que te habías ido para siempre –dijo, sorprendiéndose de que pudiera hablar con él con tanta naturalidad–. Fue horrible aquella marcha de los estudiantes sobre los cuarteles británicos. ¡Cuántos muertos y heridos! Temí por ti y recé para que no te ocurriera nada.

–Mucho me temo que la situación irá de mal en peor. Por eso hoy no he salido de uniforme. ¿Podríamos reunirnos en privado en algún sitio? Simplemente para hablar –se apresuró a añadir el teniente–, para tomar el té o un café. Pienso constantemente en ti. Y ahora que te tengo aquí a escasos centímetros...

–Mi cochero está a punto de regresar.

–¿Cómo podríamos organizar un nuevo encuentro? No quisiera causarte dificultades, pero necesito verte.

–La princesa Faiza es amiga mía, ella nos ayudará.

–¿Me está permitido hacerte un regalo? Llevo bastante tiempo en El Cairo, pero no conozco muy bien las costumbres de aquí. No he querido ofrecerte algo demasiado íntimo como podría ser una joya o un perfume. Pero espero que eso sea aceptable. Perteneció a mi madre...

El teniente le entregó un pañuelo de fino lino ribeteado de encaje y bordado con pequeños nomeolvides de color azul. Nefissa lo sostuvo en la mano; todavía conservaba el calor de su bolsillo.

–Eso es muy difícil para mí –añadió el inglés en un susurro–. Estar tan cerca de ti y, sin embargo... No sé qué decir, qué me está permitido decir. La ventana con celosía desde la que contemplas la calle algunas veces, este velo que te cubre el rostro... Quisiera tocarte, besarte.

–Sí –murmuró Nefissa–. Sí. Puede que la princesa nos ayude. O tal vez yo pueda encontrar algún sitio donde podamos estar solos. Te enviaré una nota a través de la chica que a menudo ronda la puerta de mi casa.

Ambos se miraron un instante a los ojos. Después, él le rozó la mejilla y le dijo, antes de descender del carruaje y perderse entre la muchedumbre y antes de que ella se diera cuenta de que no le había revelado su nombre:

–Hasta entonces pues, mi bella Nefissa.

Maryam Misrahi estaba contando una historia.

–Un día Farid llevó a su hijo al mercado para comprar una oveja. Como todo el mundo sabe, el precio de las ovejas depende de la grasa que almacenen en la cola y, por consiguiente, al ver que Farid tocaba las colas de las ovejas, las sopesaba y las estrujaba, su hijo le preguntó:

»–Padre, ¿por qué haces eso?

»Farid contestó:

»–Eso se hace para elegir la oveja que conviene comprar.

»Unos días más tarde, cuando Farid había regresado a casa del trabajo, su hijo le salió al encuentro y le dijo:

»–¡Padre! ¡Hoy ha estado aquí el jeque Gamal! ¡Creo que quiere comprar a mamá!

Las mujeres se rieron de buena gana y también lo hicieron los músicos, ocultos detrás de un biombo por ser varones. Acto seguido, éstos empezaron a interpretar otra alegre melodía.

La fiesta se estaba celebrando en el gran salón de la casa de Amira. Las lámparas de filigrana de bronce arrojaban unos intrincados diseños de luz sobre las mujeres elegantemente vestidas que, recostadas en bajos divanes y almohadones de seda, tomaban la comida dispuesta sobre unas mesas con incrustaciones de nácar. Las alfombras turcas del suelo y los preciosos tapices que cubrían las paredes mantenían a raya la fría noche de diciembre mientras la estancia se llenaba de risas, calor y música.

Las criadas de Amira traían fuentes de picantes albóndigas, fruta natural, pastelillos y la especialidad personal de Amira, una mermelada de pétalos de rosa que ella elaboraba con rojos pétalos cocidos lentamente con azúcar y limón. Había también otro plato exquisito por el cual era famosa la cocina de Amira: unos huevos duros que, cocidos en un estofado de cordero, absorbían el sabor a través de la cáscara. Todo ello acompañado por un té de menta tan dulce que en el fondo de la taza siempre quedaba una gruesa capa de azúcar.

La fiesta se celebraba sin ningún propósito especial, por el simple deseo de pasarlo bien, y las invitadas de Amira, que eran más de sesenta, lucían sus mejores galas y joyas mientras el incienso y la fragancia de los eléboros negros se mezclaba con el aroma de los caros perfumes. Debido a la súbita demanda de algodón en el Lejano Oriente y de trigo y maíz en la Europa donde imperaba el racionamiento de productos alimenticios, Egipto estaba experimentando un gran *boom* económico posbélico, y las invitadas de Amira, cuyos maridos disfrutaban de una prosperidad sin parangón, ostentaban su riqueza en la forma acostumbrada; Amira también lucía los brillantes y las joyas de oro que su esposo Alí había tenido la generosidad de regalarle.

–¡Oye, Amira! –gritó una mujer desde el otro extremo del salón, sirviéndose otra ración de un plato a base de carne e hígados de pollo cocidos en el interior de una hogaza de pan con aceite, especias, menta y pistachos–. ¿Dónde compra los pollos tu cocinera?

Antes de que Amira pudiera contestar, Maryam se le adelantó:

–¡En la tienda de ese estafador de Abu Ahmed de la calle Kasr al-Aini no, desde luego! Todo el mundo sabe que atiborra a sus pollos de maíz antes de sacrificarlos, para que pesen más!

–Escúchame, *Um* Ibrahim –dijo una mujer de mediana edad que exhibía una gran colección de pulseras de oro en cada muñeca y cuyo marido, propietario de cinco mil hectáreas de fértiles tierras de labor en el delta, era inmensamente rico–, conozco a un hombre estupendo, un viudo muy rico y piadoso. Ha comentado que tendría mucho interés en casarse contigo.

Amira se limitó a reírse; sus amigas siempre se empeñaban en casarla con alguien. No sabían nada de Andreas Skouras, el ministro de Cultura del Rey, cuyo hermoso rostro le vino ahora a la mente. Desde la tarde en que le hiciera la proposición de matrimonio, Skouras había visitado la casa otras tres veces, la llamaba a menudo por teléfono y le enviaba ramos de flores y cajas de bombones de importación. Le había asegurado que tendría paciencia y no la atosigaría. Sin embargo, a cada día que pasaba, cuando él la visitaba en sueños con sus besos y sus abrazos, Amira se daba cuenta de que su resistencia empezaba a desmoronarse.

–¿Qué noticias tienes de tu hijo? –preguntó otra invitada, viuda del conservador del Museo Egipcio.

Al oír mencionar a su hijo, Amira recordó el sueño que había tenido la víspera y en el cual se había visto recorriendo los oscuros y silenciosos pasillos del ala de la casa reservada a los hombres con una lámpara de aceite en la mano. Al llegar al apartamento de su marido, actualmente ocupado por Ibrahim, había abierto una puerta y había visto una estancia llena de maléficos *yinns*, cabriolando entre telarañas y muebles largo tiempo olvidados. Se había despertado sobresaltada, preguntándose cuál habría sido el significado del sueño. ¿Había sido una visión del futuro o tan sólo de lo que podía ser el futuro?

–Mi hijo está todavía en Mónaco –contestó, dirigiéndose a la esposa del conservador–. Pero hace poco recibí noticias suyas, diciéndome que ya se está preparando para regresar a casa, Alá sea alabado.

Amira creyó desmayarse de alegría cuando recibió la llamada telefónica. En los casi siete meses que Ibrahim llevaba ausente, apenas había sabido nada de él. Rezaba por él todas las noches, pidiéndole a Alá que aliviara su dolor y lo devolviera a casa. Estaba deseando que regresara; le había encontrado una novia ideal: dieciocho años, discreta y obediente, pulcra y aseada. Y, por si fuera poco, perteneciente a la familia, pues era nieta de un primo de Alí Rashid.

En cambio, de momento no había conseguido encontrar un marido para su hija. Al no ser virgen, le sería más difícil casarla. No obstante, la muchacha era muy guapa y, por si fuera poco, rica, lo cual constituía un buen aliciente. Un hombre podía pasar por alto la desventaja de la experiencia sexual siempre y cuando la mujer aportara propiedades al matrimonio.

Amira miró a Nefissa que, sentada en un diván adosado a la pared, estaba dando de comer a su hijo de tres años mientras dos niñas pequeñas jugaban a sus pies: su propia hija, una dulce y cariñosa criatura de ocho meses, y Camelia, la hija sin madre de Ibrahim, una exótica chiquilla de siete meses, de piel aceitunada y ojos del color de la miel, cuyo vigor no hubiera permitido adivinar la dura prueba por la que había pasado en su nacimiento. Amira estudió el aire distraído de su hija y la desazón que dejaba traslucir su cuerpo, e intuyó una vez más que Nefissa necesitaba un idilio.

Pensando en su pasión secreta por Andreas Skouras, se identificó con los sentimientos de su hija. El amor era maravilloso, pero no quería que Nefissa sufriera. ¿Acaso el amor por un hombre inadecuado no había sido la raíz de la desgracia de su otra hija, Fátima?

Los músicos iniciaron los acordes de una popular melodía titulada *Rayo de luna* y una de las invitadas de Amira se levantó súbitamente para bailar, quitándose los zapatos y situándose en el centro del salón mientras las demás mujeres empezaban a cantar. La letra, de contenido erótico como casi todas las canciones egipcias, hablaba de prolongados besos y de caricias prohibidas. Siendo niñas y adolescentes, habían aprendido a cantarlas en los jardines y los patios de recreo sin comprender el significado de las palabras. «Bésame, bésame mucho, amado mío. Quédate conmigo hasta que rompa la aurora. Pon calor en mi cama y fuego en mi corazón...»

La bailarina se sentó a los pocos minutos y otra mujer se levantó para proseguir la danza. Calzaba zapatos de tacón y lucía uno de los nuevos modelos de Dior de los que tanto se hablaba. Cerró los ojos y extendió los brazos mientras las demás mujeres entonaban un alegre canto a la virilidad. Cuando giró graciosamente sobre sí misma, algunas de sus amigas lanzaron un *zagharit* de aprobación. Se sentó e inmediatamente la sustituyó otra mujer. La danza *beledi*, que siempre constituía una parte esencial de las reuniones femeninas, servía para dar rienda suelta a las emociones reprimidas y para expresar los secretos y prohibidos anhelos. Las mujeres no competían entre sí, no se juzgaban unas a otras y, por mal que bailara o por inexperta que fuera una bailarina, nadie la criticaba. Todas recibían elogios y alabanzas de sus compañeras.

Cuando Amira se levantó impulsivamente, se quitó los zapatos y se puso de puntillas, todas las invitadas vitorearon. Vestida con una ajustada falda negra y una blusa de seda negra, Amira empezó a mover las caderas con sorprendente habilidad, primero en un rápido bamboleo sin moverse de sitio y después contoneándolas en una lenta figura de ocho sin abandonar el rápido bamboleo. De pronto, le hizo una seña a Maryam Misrahi, la cual se levantó, se quitó los zapatos y se unió a la danza. Ambas amigas llevaban bailando juntas muchos años, desde que eran unas jovencísimas esposas, y acompasaban sus pasos y movimientos de tal forma que muy pronto las invitadas a la fiesta llenaron el aire con sus ensordecedores *zagharits*.

Amira sintió elevarse su espíritu. La danza *beledi* liberaba el alma y producía una embriaguez que muchos comparaban con la euforia del hachís. La misma alegría se reflejaba en el rostro de Maryam, la cual había cumplido recientemente los cuarenta y tres años, una semana después de haber celebrado el cumpleaños de su hijo mayor, el gran secreto que conocía Amira y que Maryam le había ocultado a su marido Suleiman.

Maryam había estado casada anteriormente cuando tenía dieciocho años. Pero su joven esposo y su hijo habían muerto como consecuencia de una epidemia de gripe que había asolado El Cairo. Estaba sola y afligida cuando conoció a un apuesto importador llamado Suleiman Misrahi, el cual se enamoró inmediatamente como una loca. Los Misrahi eran una de las familias judías más antiguas de Egipto. Cuando Suleiman condujo a su joven esposa a la casa familiar de la calle de las Vírgenes del Paraíso, le pidió a Dios que les concediera muchos hijos. Pero pasó un año y otro y finalmente un tercero sin que hubiera novedades. Maryam, angustiada y preocupada, visitó a varios médicos, los cuales le dijeron que no había motivo para que no tuviera más hijos. Comprendió entonces que la causa era Suleiman, pero sabía que, de habérselo dicho, lo hubiera destrozado. Le comentó su inquietud a su amiga Amira Rashid, que ya era madre de Ibrahim y de Fátima, y Amira le dijo:

–Alá proveerá.

Sin embargo, la solución vino de una idea que se le ocurrió a Amira en un sueño.

En su sueño, Amira vio el rostro de Mussa, el hermano de Suleiman, y observó que ambos hermanos se parecían hasta el extremo de poder pasar por gemelos. Le reveló el sueño a su amiga y Maryam tardó varias semanas en hacer acopio del suficiente valor como para ir a ver a Mussa. Éste escuchó el relato con sorprendente compasión y coincidió con ella en que el hecho de enterarse de que era estéril destrozaría a su hermano. Entonces ambos urdieron un plan.

Maryam visitó varias veces en secreto a Mussa hasta quedar embarazada. Cuando nació el niño, Suleiman creyó que era suyo. Dos años más tarde, Maryam recurrió de nuevo a Mussa y la hija nacida de aquella unión fue una vez más el vivo retrato de Suleiman. La casa de Suleiman Misrahi en la calle de las Vírgenes del Paraíso fue bendecida finalmente con el nacimiento de cinco hijos. Cuando Mussa se trasladó a vivir a París, Maryam le dijo a Suleiman que un médico le había aconsejado no tener más hijos. Y hasta la fecha sólo ella, Amira y el lejano Mussa conocían el secreto.

Cuando Amira regresó al diván riéndose casi sin aliento, se le acercó una criada y le dijo en voz baja que un visitante solicitaba verla... Un hombre.

Amira salió al pasillo y no se sorprendió de ver a Andreas Skouras; esperaba su visita algún día. Últimamente no se lo quitaba de la cabeza y se preguntaba si ello no sería una señal de que se iba a casar con él.

–Bienvenido –le dijo– y que la paz de Alá sea contigo. Pasa, por favor, y acepta mi hospitalidad.

–He venido para despedirme, *sayyida*.

–¡Despedirte!

–Como sabes, Su Majestad cambió el gabinete el mes pasado. Ya no soy ministro de Cultura. Aunque pueda parecer a primera vista que he sido víctima de la política, es posible que ello sea una bendición del cielo. Tengo intereses desde hace tiempo en varios hoteles en Europa que me dejó en herencia un tío al que apenas conocía. Ahora que Europa se está reconstruyendo, hay muchas posibilidades de que surja una nueva prosperidad. Vendrán turistas y necesitarán un lugar donde alojarse. Mañana parto hacia Roma, *sayyida*, y desde allí seguiré viaje a Atenas, lugar de origen de mi familia. No creo que pueda regresar muy pronto a El Cairo –dijo Skouras, tomando su mano y acercándosela a los labios para besarla.

–No sé qué decirte, Andreas. Me entristece la noticia, pero me alegro por ti en tu nueva actividad y rezo para que Alá te bendiga y te dé éxito. Pero dime, te lo ruego, ¿hubieras tomado esta decisión si yo hubiera aceptado tu proposición?

Skouras esbozó una sonrisa.

–No estábamos destinados a casarnos, *sayyida*. Yo abrigaba falsas esperanzas porque tu lugar está en esta casa, junto a tu familia. Te quería para satisfacer mis propias necesidades egoístas y, al final, he comprendido que, al pedirte que te casaras conmigo, te he ocasionado más disgustos que alegrías. Pero te llevaré siempre en mi corazón, Amira. Jamás te podré olvidar.

–Entra, por favor –dijo Amira, temiendo venirse abajo y echarse a llorar–. Disfruta de la hospitalidad de mi casa antes de irte.

Skouras contempló la gran puerta abierta de madera labrada del salón, a través de la cual la música y las brillantes luces se derramaban hacia el pasillo.

–Me temo que, si lo hago, *sayyida*, jamás pueda marcharme. Que la paz y las bendiciones de Alá te acompañen –Skouras juntó de nuevo las manos, comprimiendo entre ellas un pequeño estuche. Amira comprendió que contenía la sortija de cornalina–. Lúcela en prueba de amistad. Para que nunca me olvides.

Amira le miró a través de las lágrimas y, cuando se hubo retirado, se dirigió al lavabo antes de regresar junto a sus invitadas. Sacó la sortija del estuche y fue a ponérsela en el dedo, pero se detuvo. Pensó que el hecho de lucir la sortija de Andreas sería una traición no sólo a su persona sino también al significado de la sortija, pues jamás podría pensar en Andreas como en un simple amigo. La guardaría y se la pondría el día que regresara a ella no como amigo, sino como enamorado.

Cuando estaba a punto de salir del lavabo con el pequeño estuche de oro en el bolsillo, oyó la voz de un hombre en el vestíbulo.

–*Ya Allah! Ya Allah!*

Era la tradicional advertencia de que un hombre estaba a punto de entrar en los aposentos de las mujeres.

Al oír la voz, Amira pensó: ¿Ibrahim? Regresó presurosa al salón y, al verle en la puerta, lanzó un grito y corrió hacia él. Con lágrimas en los ojos, Ibrahim se fundió con ella en un fuerte abrazo.

–¡Cuánto te he echado de menos, madre! –le dijo–. ¡No sabes cuánto te he echado de menos!

Nefissa se acercó corriendo, seguida de varias tías y primas y también de los niños, mientras las demás mujeres comentaban animadamente entre sí:

–¡El doctor Rashid ha vuelto! ¡Qué velada tan propicia! ¡Alá es bueno, Alá es grande!

Cuando Maryam Misrahi salió a saludarlo, Ibrahim la abrazó pese a que no hubiera debido tocar a una mujer no perteneciente a la familia. Sin embargo, la tía Maryam era como una madre para él, le había cuidado cuando nacieron sus hermanas Fátima y Nefissa, y él había crecido con sus hijos, había asistido a la ceremonia de los *bar mitzvahs** de los varones y había participado en las comidas del sábado del hogar de los Misrahi.

–Madre –le dijo a Amira, esbozando una ancha sonrisa–, quiero presentarte a alguien.

Cuando Ibrahim se apartó a un lado y se hizo el silencio en el

* Ceremonia judía en la que un niño accede a la comunidad.

salón, apareció una joven alta y delgada que, vestida con un elegante traje de viaje, un bolso de cuero de bandolera y un sombrero de ala ancha, miró a todo el mundo con una radiante sonrisa en los labios. Sin embargo, lo que más sorprendió a las mujeres fue el hecho de que la corta melena que le llegaba hasta los hombros fuera... ¡de color platino!

–Te presento a mi familia –le dijo Ibrahim a la joven en inglés. Dirigiéndose a Amira, añadió en árabe–: Madre, te presento a mi esposa Alice.

Alice le tendió la mano a Amira y dijo en inglés:

–¿Cómo está, señora Rashid? Estaba deseando conocerla.

Unos murmullos de asombro recorrieron la estancia mientras las mujeres musitaban entre sí:

–¡Es británica!

Amira contempló la mano tendida, extendió los brazos y dijo en inglés:

–Bienvenida a nuestra casa, nueva hija mía. Alá sea loado pues nos ha bendecido con tu persona.

Tras abrazarla, Amira observó lo que las otras mujeres del salón ya habían observado: la inequívoca redondez de un embarazo.

–Alice tiene veinte años, como tú –le dijo Ibrahim a su hermana Nefissa–. Estoy seguro de que vais a ser muy buenas amigas.

Las cuñadas se abrazaron y, a continuación, las demás mujeres se congregaron alrededor de la esposa de Ibrahim, soltando exclamaciones, acariciándole el cabello y comentando lo guapa que era.

–¡No nos habías dicho nada, Ibrahim! –dijo Nefissa riéndose mientras tomaba del brazo a Alice–. ¡Os hubiéramos preparado una gran fiesta de bienvenida!

Amira volvió a abrazar a su hijo y ambos permanecieron enlazados un instante. Después, Amira contempló a su hijo entre lágrimas de alegría y le preguntó:

–¿Eres feliz, hijo de mi corazón?

–Nunca fui más feliz, madre –contestó Ibrahim.

–Ven, hija mía –dijo a Alice, extendiendo los brazos–. Bienvenida a tu nuevo hogar.

Loado sea el Eterno por las bendiciones que derrama sobre nosotros, pensó, y por haberme devuelto a mi hijo. Finalmente, pensó en Andreas Skouras y se asombró ante la misericordia de Alá que se había llevado al hombre con quien ella tal vez se hubiera casado, pero le había devuelto a su hijo.

6

Los dolores del parto de Sahra se iniciaron delante del lujoso hotel Continental-Savoy, donde ella había acudido para pedir limosna a los adinerados turistas. Estaba pensando que aún no había conseguido el cupo del día y que *madame* Najiba se iba a poner furiosa con ella, cuando experimentó el primer dolor... una aguda sensación alrededor de la cintura.

Su primer pensamiento fue que se lo había provocado el *falafel* que le había comprado aquella mañana a un vendedor callejero, gastando un dinero que no era suyo, pues *madame* Najiba contaba hasta la última piastra... pero es que estaba muerta de hambre. Sin embargo, ya habían transcurrido varias horas. ¿Cómo era posible que ahora le doliera la tripa?

Cuando experimentó el segundo dolor, más fuerte que el primero e irradiado hacia las piernas, comprendió alarmada que su hijo debía de estar a punto de nacer. ¡Pero era demasiado pronto!

–¿Cuándo fue concebido el niño? –le preguntó *madame* Najiba el día en que Sahra se incorporó a la banda de pordioseros. La muchacha no pudo contestar porque había perdido la noción del tiempo y del paso de los días y los meses mientras recorría El Cairo en busca de Abdu. Sin embargo, recordaba que, cuando ella y Abdu hacían el amor, los campos de algodón estaban llenos de flores amarillas y el maíz se acababa de cosechar. *Madame* Najiba contó con sus sucios dedos y sentenció–: Nacerá a finales de febrero, tal vez en marzo, cuando llegue el viento *jamsin*. Muy bien, pues, puedes quedarte con nosotros. Mira, a lo mejor crees que, estando embarazada, conseguirás más limosnas, pero no será así. Es un truco muy viejo y la gente suele pensar que te has puesto un melón debajo del vestido. En cambio, una chica con un niño saca mucho dinero, sobre todo si es bajita y escuálida como tú.

A Sahra no le importó que *madame* Najiba le hiciera pasar hambre para que pareciera un esqueleto porque, por lo menos, tenía un lugar donde alojarse, una estera donde dormir y la compañía de personas a las que podía llamar amigas. Otros mendigos estaban en peor situación que ella; por ejemplo, los hombres que, gozando de excelente salud, habían acudido al «fabricante de pordioseros» y se habían dejado mutilar y desfigurar voluntariamente los cuerpos para obtener más beneficios. Y las chicas que vendían sus cuerpos a los hombres. Aun siendo legal, la prostitución estaba considerada una actividad infamante. Tras pasarse varias semanas en cuyo transcurso creyó morir de hambre en la calle mientras la gente pasaba por su lado dando un rodeo, Sahra acogió con alivio aquella protección aunque viniera de un ser tan desalmado como *madame* Najiba.

Cuando un tercer dolor le traspasó el cuerpo, Sahra se apartó de la muchedumbre y examinó la posición del sol. En la aldea era fácil saber la hora que era, pero allí, con tantos edificios, cúpulas y alminares, resultaba mucho más difícil localizar el sol. Sin embargo, el cielo estaba empezando a adquirir un tinte rojizo por detrás del tejado del Club Ecuestre. Se acercaba el anochecer; su hijo nacería en aquella fría noche de enero.

Súbitamente emocionada, ya que la espera del nacimiento del hijo de Abdu se le había hecho interminable, Sahra bajó por una callejuela para no llamar la atención y, apurando el paso en la medida de lo posible, tomó la dirección del Nilo. La calleja donde vivían *madame* Najiba y su banda de mendigos y rateros estaba al otro lado, en la parte vieja de El Cairo, pero Sahra aún no quería ir allí. Primero tenía que hacer otra cosa y para ello tendría que cruzar la zona más nueva de la ciudad donde unos relucientes automóviles circulaban velozmente por las anchas avenidas y las mujeres vestidas con falda corta y calzadas con zapatos de tacón caminaban por las aceras con los brazos llenos de paquetes. Era un lugar en el que las andrajosas *fellahin* no solían ser bien recibidas.

Cuando ya estaba a punto de llegar al río, el sol se ocultó detrás del horizonte y el fugaz crepúsculo de Egipto marcó la separación entre el día y la noche. Sahra comprendió que tendría que darse prisa. Los dolores eran cada vez más frecuentes; haría lo que tenía que hacer y después regresaría a la casa de *madame* Najiba.

Tenía que andarse con cuidado. Se encontraba muy cerca de los cuarteles de los ingleses y un poco más allá estaba el gran museo a punto de cerrar sus puertas. Sahra se estremeció de frío, pues la temperatura estaba bajando rápidamente. Si en aquellos momentos estuviera en su aldea, iría a encerrar a la vieja búfala en su pequeño establo y después regresaría corriendo a la casa de adobe de su padre donde podría disfrutar del calor de la estufa.

Se preguntó qué habría ocurrido tras su partida. ¿Se habría enfurecido el jeque Hamid por haber perdido a su novia? ¿Habrían salido su padre y sus tíos en su busca para matarla? ¿Habrían golpeado a su madre para que les dijera la verdad? ¿O la vida habría seguido su curso y la desaparición de Sahra ibn Tewfik no habría sido más que una de las muchas historias de la aldea?

Sahra no quería recordar sus primeros y terribles días en El Cairo cuando estaba segura de que encontraría a Abdu. No pensaba que la ciudad fuera tan grande ni que hubiera en ella tanta gente y tantos forasteros que no le prestaban la menor atención o tocaban el claxon para que se apartara de su camino... ni que hubiera porteros que la regañarían a gritos por haberla sorprendido durmiendo en sus peldaños y vendedores callejeros que la perseguirían por haberles robado comida o un policía que le dijo que la iba a detener, pero que, en su lugar, la tuvo encerrada tres noches en su apartamento hasta que ella consiguió escapar. Y, finalmente, aquel curioso puente flanqueado de tullidos y pordioseros en el que Sahra trató de pedir limosna a los viandantes hasta que una mujer con tatuajes beduinos en la barbilla la expulsó de allí, diciéndole que aquél era su puente y que, si quería trabajar allí, tendría que cerrar un trato con *madame* Najiba.

Así empezó Sahra a trabajar por cuenta de la temible Najiba, cuyo nombre significaba «la lista», entregándole la mitad de sus ganancias del día, aunque a veces ni siquiera pudiera comprarse una cebolla para cenar. A Sahra no se le daba muy bien la mendicidad y una vez casi había estado a punto de que la echaran de la banda, pero entonces una hermosa dama que vivía en una gran casa de color de rosa detrás de un muro muy alto le regaló una manta de lana, un poco de comida y dinero, y, gracias a ello, Najiba decidió permitir que se quedara, pensando que el niño nacería muy pronto y que con él podría ganar más dinero.

Durante aquellos días y semanas, la muchacha cumplió catorce años sin celebrarlo. La vez que había estado más cerca de encontrar a Abdu fue cuando, encontrándose junto a la puerta de la gran casa de color de rosa donde vivía la generosa señora, se acercó un automóvil y de él descendió el forastero a quien ella había ayudado a sacar el automóvil de la acequia el día siguiente de la boda de su hermana, el hombre cuya bufanda de seda había tenido que entregar finalmente a *madame* Najiba. Sahra se sorprendió una vez más de que se pareciera tanto a su amado Abdu. Por eso regresaba a aquella casa siempre que podía con la esperanza de volver a ver al rico.

La segunda contracción fue tan intensa que la obligó a doblar las rodillas. Se había acurrucado en un portal donde veía pasar los automóviles y autobuses que circulaban bordeando el gran círculo de tráfico delante del complejo militar británico. Tenía que encontrar el medio de llegar hasta el Nilo.

El crepúsculo se esfumó y se encendieron las farolas. Rodeando el círculo y moviéndose bajo la sombra de los grandes edificios con sus múltiples ventanas de cristal, Sahra llegó finalmente al puente en el que se iniciaba la carretera que conducía a las pirámides. Era también el camino de su aldea, pero ella jamás regresaría allí. Bajó a toda prisa a la orilla del río, deteniéndose tan sólo cuando el dolor era demasiado intenso; en cuanto sus pies desnudos pisaron las húmeda tierra, se deslizó resbalando por ella hasta acabar entre los carrizos, la basura y los peces podridos. A su izquierda, vio unas pequeñas embarcaciones amarradas a un embarcadero y a unos pobres pescadores preparándose la cena sobre unos braseros en la proa. A su derecha, más allá del museo, los yates de los ricos se balanceaban suavemente sobre el agua con las cubiertas brillantemente iluminadas mientras la música y las risas se escapaban a través de las portillas. Al otro lado, en la gran isla llena de clubs deportivos, salas de fiesta y lujosas mansiones, ya se estaban empezando a encender las luces.

Mientras bajaba a la orilla del río, Sahra no tuvo miedo. Alá cuidaría de ella y muy pronto le permitiría abrazar al hijo de Abdu tal como meses atrás había abrazado a Abdu por unos breves instantes. Y, cuando recuperara las fuerzas, reanudaría su búsqueda, pues jamás había perdido la esperanza de encontrar a su amado. Ahora quería seguir la costumbre de las *fellahin* en trance de dar a luz, las cuales comían barro de la orilla en la creencia de que el Nilo poseía unas extraordinarias propiedades salutíferas y protegía del mal de ojo a las criaturas no nacidas. Sin embargo, los dolores eran tan intensos que apenas podía respirar. Comprendió demasiado tarde que hubiera tenido que regresar directamente a casa de Najiba. El niño estaba empezando a empujar para venir al mundo.

Permaneció tendida boca arriba contemplando el cielo y se preguntó cuándo habría caído la noche. ¡Cuántas estrellas! Abdu le había dicho que eran los ojos de los ángeles de Alá. Trató de no llorar para que la deshonra no cayera sobre ella. Pensó en Agar tratando de encontrar agua en el desierto. Si es un niño, lo llamaré Ismail.

Se concentró en las doradas y refulgentes luces de la otra orilla y se imaginó a las personas vestidas de blanco como los ángeles y, mientras contemplaba las luces en medio de su dolor, pensó que así debía de ser el Paraíso.

¡El Paraíso!, pensó *lady* Alice saliendo a la terraza del Club Cage d'Or. El Cairo brillantemente iluminado y las refulgentes estrellas que se reflejaban en el Nilo... ¡sin duda aquello era el Paraíso! Estaba tan contenta que hubiera querido ponerse a bailar allí mismo a la orilla del río. Su nueva vida había superado con creces todos sus sueños y sus expectativas. Había oído decir que El Cairo era llamado el París del Nilo, ¡pero no esperaba que tuviera un aire tan francés! Su nueva casa era como un pequeño palacio en una calle llena de embajadas y de lujosas residencias de diplomáticos extranjeros. La calle de las Vírgenes del Paraíso hubiera podido pertenecer al elegante distrito parisino de Neuilly.

Se alegraba de que la guerra hubiera terminado, a pesar de que ella no había sufrido sus efectos en la finca familiar donde su padre, el conde de Pemberton, se había ofrecido a acoger a los niños de las ciudades y poblaciones bombardeadas. Gracias a Dios, las cosas no habían llegado a semejantes extremos. Alice no hubiera sabido qué hacer con ellos.

No quería pensar en cosas desagradables como guerras y huérfanos; se negaba incluso a pensar en los rumores que circulaban sobre la posible retirada de los británicos de Egipto. Una idea impensable. ¿Qué sucedería si se fueran? ¿Acaso los británicos no habían convertido Egipto en un lugar maravilloso? Una de las cosas que más le habían gustado de Ibrahim, cuando el año anterior le conoció en Montecarlo, había sido el hecho de que a él tampoco le gustara pensar en cosas deprimentes; cuando todos los demás empezaban a discutir acaloradamente sobre cuestiones políticas o sociales, él no participaba.

Pero había otras muchas cosas que le gustaban de su flamante marido. Era amable, generoso y discreto y, por si fuera poco, extremadamente sencillo. A ella le parecía que eso de ser el médico personal de un rey debía de ser algo tremendamente emocionante, pero Ibrahim le había confesado que era una tarea muy cómoda que ni siquiera le exigía ejercer de médico en el auténtico sentido de la palabra. Había estudiado medicina sólo porque su padre era médico y, aunque en la facultad no le habían ido del todo mal las cosas y había trabajado satisfactoriamente como interno en un hospital, se alegraba de haber podido ahorrarse la molestia de montar un consultorio privado y de que, a través de su padre, hubiera conseguido entrar en el círculo del Rey y de que Faruk lo hubiera acogido con inmediata simpatía. Lo que más le gustaba a Ibrahim de su trabajo era el hecho de que apenas tuviera que hacer nada, simplemente tomar la presión real dos veces al día y recetar de vez en cuando algún medicamento para los trastornos gástricos.

A Alice no le importaba que Ibrahim no profundizara demasiado en las cosas, tal como él mismo comentaba en broma. Ibrahim se describía como un hombre tranquilo y reposado, sin odios ni pasiones especiales, sin ambiciones y sin afán de emprender cruzadas de ningún tipo, cuyo máximo orgullo consistía en su capacidad de poder ofrecerse a sí mismo y a su familia una vida cómoda y regalada. Alice le quería por todas estas cosas y por su afán de gozar de la vida y su necesidad de placeres y diversiones. Y, aparte todo esto, era un amante maravilloso aunque ella no pudiera compararle con otros hombres, puesto que era virgen cuando se conocieron.

Cuánto hubiera deseado que su madre viviera todavía. Sabía que *lady* Frances hubiera aprobado su elección, pues era muy aficionada a todo lo exótico y lo oriental. ¿Acaso no se había jactado de haber visto dieciséis veces *El caíd* y *El hijo del caíd*, nada menos que veintidós?

Por desgracia, la madre de Alice estaba aquejada de una depresión de origen desconocido... «melancolía», había escrito el médico en el certificado de defunción. Una mañana de invierno, *lady* Frances había introducido la cabeza en una estufa de gas y, desde entonces, ni el conde ni sus hijos Alice y Edward habían vuelto a hablar con ella. Al oír unas carcajadas en el club, Alice volvió la cabeza y miró a través de la puerta de cristal. Faruk estaba sentado junto a su habitual mesa de juego, rodeado de sus acompañantes de costumbre. Seguramente había ganado una partida, pensó Alice. Le gustaba el rey de Egipto. Parecía un chiquillo travieso, con aquella afición suya a los chistes y las bromas pesadas. La pobre reina Farida no podía darle un hijo y corrían rumores de que el Rey quería repudiarla por este motivo. En Egipto eso era muy fácil. Bastaba con decirle tres veces a una mujer: «Te repudio», y listo.

A Alice le parecía muy curiosa aquella obsesión nacional por los hijos varones. Por supuesto que todos los hombres aspiraban a tener hijos varones. Su propio padre, el conde Pemberton, había sufrido una decepción al ver que su primer vástago era una niña. Pero los egipcios se pasaban un poco de la raya. Alice había descubierto que en árabe no existía una palabra que designara a los hijos de ambos sexos por igual. Cuando a un hombre se le preguntaba cuántos hijos tenía, la palabra utilizada era *awlad*, que significaba «varones». Las hijas no contaban para nada y a un pobre hombre que sólo hubiera engendrado hijas se le aplicaba a menudo el humillante calificativo de *abu banat*, es decir, «padre de hijas».

Alice recordó ahora que allá en Montecarlo el interés de Ibrahim por su persona había aumentado, cuando, hablándole de su familia, ella le mencionó a su hermano, sus tíos y sus primos, añadiendo con una carcajada que la especialidad de los Westfall era, al parecer, la producción de varones. Claro que ése no era el principal motivo de su interés por ella; Ibrahim no le hubiera hecho el amor ni se hubiera casado con ella ni la hubiera llevado a su casa por el simple hecho de que fuera capaz de darle un hijo varón. Le había dicho incontables veces que la adoraba, le decía que era guapísima, bendecía el árbol con cuya madera se había fabricado su cuna y muchas veces le tomaba los pies y se los besaba amorosamente.

Ojalá su padre lo hubiera comprendido. Ojalá pudiera ella hacerle comprender que Ibrahim la amaba de verdad y sería un buen marido. Aborrecía la palabra «moro» y pensaba que ojalá su padre jamás la hubiera pronunciado. Las dos semanas de luna de miel que ella e Ibrahim habían pasado en Inglaterra habían sido un desastre. El conde se había negado a conocer a su yerno y había insinuado que desheredaría a su hija por haberse casado con él, amenazándola con despojarla de su título. Ella era *lady* Alice Westfall por ser hija de un conde. Alice contestó que no le importaba porque ahora se había casado con un bajá y su título seguía siendo «señora».

Por consiguiente, la velada amenaza de su padre no la preocupaba demasiado. Y, además, estaba segura de que su padre cambiaría de idea en cuanto naciera el niño. ¡El conde querría ver sin duda a su primer nieto!

Sin embargo, echaba de menos a su padre. Algunas veces, sentía añoranza del hogar, sobre todo durante sus primeros días en la casa Rashid en que descubrió un mundo totalmente distinto. La primera comida que le sirvieron allí, el desayuno a la mañana siguiente de su llegada, la dejó de una pieza. Acostumbrada a las silenciosas comidas que solía compartir con su severo progenitor y su circunspecto hermano, se extrañó de que el desayuno en la casa de la calle de las Vírgenes del Paraíso fuera un acontecimiento tan ruidoso. Toda la familia se acomodó en unos almohadones en el suelo y empezó a servirse directamente de las distintas bandejas. Todos hablaban a la vez, agarrando y devorando ávidamente los manjares como si estuvieran muertos de hambre, comentando los bocados y discutiendo sobre la cantidad de especias o aceite en medio de constantes invitaciones de «pruébalo, pruébalo». ¡Y menudos platos! Alubias fritas, huevos, hogazas calientes de pan, queso, limones y pimientos encurtidos. Cuando Alice alargó la mano para tomar algo, Nefissa, la hermana de Ibrahim, le dijo en voz alta:

–Aquí se come con la mano derecha.

–Pero es que yo soy zurda –replicó Alice.

Nefissa sonrió con expresión comprensiva.

–Comer con la mano izquierda es una ofensa porque esta mano la usamos para... –le explicó, murmurándole el resto de la frase al oído.

¡Le quedaban muchas cosas por aprender y tenía que familiarizarse con una etiqueta muy complicada para no ofender a nadie! Sin embargo, las mujeres Rashid eran muy pacientes y amables; incluso parecían disfrutar enseñándole cosas y Alice observó que se reían mucho y que a menudo contaban chistes. Nefissa era su preferida. El mismo día de su llegada a la casa, Nefissa presentó su nueva cuñada a la princesa Faiza y a todas las sofisticadas damas de la corte, las cuales, aun siendo egipcias, tenían modales muy europeos y vestían al estilo occidental. Fue entonces cuando Alice experimentó uno de sus primeros sobresaltos. Tras vestirse para salir, Nefissa se envolvió por entero en un largo velo negro que ella llamaba *melaya*, hasta no dejar al descubierto más que los ojos.

–¡Órdenes de Amira! –dijo Nefissa riéndose–. Mi madre cree que las calles de El Cairo están llenas de lujuriosas tentaciones y que los hombres acechan en las esquinas para robarles la honra a las muchachas. ¡Pero tú no te preocupes, Alice! Estas normas no rigen para ti, tú no eres musulmana.

Alice tuvo que adaptarse también a otras cosas. Echaba de menos el tocino ahumado de las mañanas; ya no podría comer más chuletas de cerdo ni jamón y, como la ley islámica también prohibía el alcohol, jamás podría tomar vino en las comidas ni una copa de brandy al terminar. Además, las parientes de Ibrahim hablaban constantemente en árabe y sólo de vez en cuando se acordaban de traducirle lo que decían. Sin embargo, lo más difícil para ella fue adaptarse a la curiosa división de la casa entre aposentos masculinos y femeninos. Ibrahim podía entrar en cualquier estancia que quisiera y siempre que quisiera, pero las mujeres, incluso su madre, tenían que pedir permiso para visitarle en la otra ala de la casa. Y, cuando Ibrahim invitaba a algún amigo a casa, gritaba *Ya Allah* y entonces todas las mujeres se retiraban para que no las vieran.

Finalmente, estaba la cuestión de la religión. Amira le había explicado amablemente que en El Cairo había muchas iglesias cristianas y que podría acudir a ellas siempre que quisiera. Como no había sido educada en una atmósfera demasiado religiosa, Alice sólo había ido a la iglesia en ocasiones muy especiales. Cuando Amira le preguntó cortésmente por qué había tantas religiones cristianas distintas, Alice contestó:

–Creemos lo mismo, pero hay diferencias de matiz. ¿Acaso no hay distintas sectas musulmanas?

Amira contestó que sí, añadiendo, sin embargo, que todos los musulmanes, independientemente de la secta, acudían a una misma mezquita. Al expresar Amira su curiosidad por la Biblia cristiana y preguntarle por qué razón existían varias versiones siendo así que sólo había un Corán, Alice tuvo que reconocer que no lo sabía.

Pese a todo, la familia la había aceptado y todo el mundo la llamaba «hermana» o «prima» y la trataba como si hubiera vivido allí toda la vida. La perfección sería completa cuando naciera el niño.

Ibrahim salió a la terraza diciendo:

–¡Ah, estás aquí!

–Quería tomar un poco el aire –contestó Alice, pensando en lo guapo que estaba su marido con el esmoquin–. ¡Me temo que el champán se me ha subido a la cabeza!

Ibrahim le rodeó los hombros con una estola de piel.

–Hace frío aquí fuera. Y ahora os tengo que cuidar a los dos –dijo, sosteniendo en la mano una trufa de chocolate con un núcleo de crema. Colocándosela entre sus labios, le dio un beso y compartió con ella el bombón.

–¿Eres feliz, cariño? –le preguntó, atrayéndola hacia sí.

–Más que nunca.

–¿Echas de menos tu casa?

–No. Bueno, un poquito. Echo de menos a mi familia.

–Siento mucho que tú y tu padre no seáis amigos. Siento que yo no sea de su gusto.

–Tú no tienes la culpa y yo no puedo acomodar mi vida a sus gustos.

–Pues mira, Alice, yo me he pasado toda la vida acomodándome a los gustos de mi padre, pero jamás conseguí complacerle del todo. Nunca se lo he dicho a nadie, pero siempre me he sentido un poco fracasado.

–¡Tú no eres un fracasado, cariño!

–Si hubieras conocido a mi padre, Alá le conceda la paz, comprenderías a qué me refiero. Era muy famoso, muy poderoso y rico. Yo crecí a su sombra y no recuerdo que jamás me hubiera dirigido una sola palabra amable. No era malo, Alice, pero pertenecía a una generación, a la era en que se creía que manifestarle afecto a un hijo varón era malo para el desarrollo de su carácter. A veces creo que mi padre ya esperaba que fuera un adulto el día en que nací, porque sólo tuve infancia con mi madre. Cuando crecí, por mucho que me esforzara, jamás lograba complacerle. Ésa es una de las razones por las cuales quiero tener un hijo –añadió, acariciando la mejilla de su esposa y mirándola con ternura–. Darle a mi padre un nieto será la primera hazaña de la que yo pueda enorgullecerme. Un hijo me dará finalmente el amor de mi padre.

Alice le besó suavemente y, como justo en aquel momento ambos dieron media vuelta para regresar al calor del salón, no vieron la pequeña conmoción que se había producido en la otra orilla: los pescadores del Nilo estaban comentando a gritos lo que acababan de descubrir.

7

–Tienes mucha suerte, querida –le dijo Amira a su nuera mientras ambas permanecían sentadas en la azotea bajo las estrellas, examinando las hojas de té de la copa en la que Alice acababa de beber–. Qettah me dice que esta noche es la más propicia para tener un hijo –añadió.

Alice miró a la astróloga que, sentada junto a un mesita al lado del palomar, estudiaba las cartas y gráficos y contemplaba de vez en cuando el brillante cielo nocturno. Alice se rió. Estaba embarazada de nueve meses y ya llevaba una semana de retraso.

–¡Haré todo lo posible por cumplir con mi obligación!

Nefissa, sentada bajo un emparrado de azules glicinas, se intercambió una mirada con su cuñada. Cada nacimiento en la casa Rashid iba acompañado de vaticinios, consultas astrológicas, supersticiones y magia que acrecentaban el misterio de un acontecimiento ya emocionante de por sí. Nefissa intuyó la perplejidad de Alice, la cual le había comentado que los nacimientos en su familia siempre habían revestido un carácter extremadamente discreto y sombrío.

Otras mujeres habían subido a la azotea para disfrutar de la noche primaveral y conocer las místicas previsiones de Qettah... eran tías y primas solteras de la familia Rashid y mujeres casadas con hombres de la familia y que ahora, tras haber enviudado, se encontraban bajo la protección de Ibrahim. Todos comían y chismorreaban mientras Amira y Qettah interpretaban los presagios.

Nefissa estaba vigilando a dos niñas que jugaban sobre una manta: la pequeña Camelia, de un año, cuya madre había muerto al darla a luz, y su propia hijita Tahia. Su hijo Omar, de cuatro años, había decidido irse al cine con sus tíos. Sin embargo, Nefissa no podía concentrarse ni en el inminente alumbramiento de su cuñada ni en las dos niñas. Estaba pensando en la hora que era y procurando disimular su inquietud. Aquella noche se reuniría con el teniente inglés en el palacio de la princesa y podría estar a solas con él.

Las mujeres congregadas en la azotea de la casa Rashid entretenían la espera del feliz acontecimiento comiendo dulces, bebiendo té y conversando en árabe y algunas veces en inglés para que Alice las entendiera. A Alice le encantaba la cadencia del árabe e incluso había empezado a aprenderlo. Qettah señaló con el dedo una estrella que brillaba por encima de la cúpula de una cercana mezquita, como una antorcha entre dos alminares, y dijo:

–Allí está Rigel, un signo muy fuerte.

–*Al hamdu lillah* –contestó Alice con cierta vacilación, intercambiándose una mirada con Nefissa, la cual le guiñó el ojo.

Mientras las demás mujeres animaban a Alice, diciéndole que hablaba el árabe como una egipcia, Nefissa volvió a consultar su reloj. Estaba tan emocionada que hubiera querido proclamar a los cuatro vientos desde la azotea que aquella noche se iba a reunir finalmente con su teniente. Pero temía sufrir otra decepción. Desde su encuentro en el carruaje, ambos habían concertado varias citas, todas ellas a través de la princesa, en quien Nefissa confiaba. Pero cada uno de los intentos había resultado infructuoso: en dos ocasiones el oficial no apareció; una vez Nefissa tuvo que quedarse en casa; y otra vez la princesa los dejó en la estacada.

¿Tendrían suerte aquella noche?, se preguntó. ¿Permitirían los jefes que saliera el oficial? ¿Cumpliría la princesa su palabra? Si no pudiera estar con él, tocarle y besarle, Nefissa creía que se iba a morir.

Al final, se levantó diciendo:

–Tengo que irme.

Amira la miró.

–¿Adónde vas?

–A visitar a la princesa. Me está esperando.

–¿Ahora que Alice está a punto de dar a luz?

–No importa –dijo Alice.

Estaba al corriente de la romántica cita porque Nefissa le había confesado su secreto y a ella le encantaba compartirlo.

Amira vio alejarse a su hija y se preguntó de dónde había sacado Nefissa semejante carácter. Había enseñado a sus hijos a ser obedientes, pero, por lo visto, ambos tenían una personalidad muy acusada. Fátima era igual, pensó, preguntándose dónde estaría en aquellos momentos su hija perdida y adónde habría ido tras haberla expulsado Alí de la casa.

–¡Ay! –gritó súbitamente Alice.

Todas se volvieron a mirarla.

–Creo que ya ha llegado el momento –añadió la joven, sosteniéndose el vientre con las manos.

Las mujeres se levantaron y la rodearon de inmediato.

–Alabado sea Alá –musitó Amira mientras acompañaba a su nuera al interior de la casa y Qettah se quedaba en la azotea con los ojos clavados en las estrellas del cielo.

Tratándose de una íntima amiga de la princesa muy conocida en Palacio, Nefissa fue escoltada al interior por un alto y silencioso nubio vestido con *galabeya* blanca, chaleco rojo y turbante del mismo color. Era un miembro del ejército de criados que prestaban servicio en aquel palacio de doscientas habitaciones situado en el corazón de El Cairo y cuya ocupación exclusiva era atender las necesidades y encargarse de la comodidad de la princesa y de su flamante esposo. Construido durante la dominación otomana con una exótica mezcla de arquitectura persa y árabe, el Palacio era un complicado laberinto de pasillos, salones y jardines. Mientras seguía al silencioso nubio bajo las complicadas arcadas de mármol, Nefissa oyó en la distancia los acordes de un vals vienés interpretado por una orquesta: la princesa y su marido tenían invitados.

Al final, la condujeron a una parte del Palacio que sólo muy recientemente había tenido ocasión de conocer; el criado apartó un cortinaje de terciopelo y Nefissa entró en un espacioso salón con una enorme fuente en el centro. Se trataba de la antigua sala de un harén ya desaparecido. El suelo era de un reluciente mármol tan intensamente azul que parecía el agua del mar; Nefissa casi temía pisarlo y pensó que, si bajara los ojos, vería el brillo de los peces bajo la superficie. Adosados a las paredes había unos divanes cubiertos con lienzos de terciopelo y raso; cientos de lámparas de cobre encendidas arrojaban sus reflejos sobre las columnas de mármol, los arcos y el techo cubierto de ricos mosaicos. Justo bajo el techo había unos balcones con celosías que daban a la sala desde donde Nefissa imaginó que el antiguo sultán debía de observar a sus mujeres en secreto.

Nefissa contempló los curiosos murales de las paredes en los que unas mujeres desnudas se bañaban en la fuente central, algunas de ellas entrelazadas en eróticas posturas. Las mujeres, de todas las edades y figuras, parecían estar aquejadas de una lánguida melancolía, prisioneras de su propia belleza, como aves enjauladas para el exclusivo deleite de un hombre. Contemplando con arrobo sus ojos de paloma y sus voluptuosos miembros, Nefissa se preguntó si serían retratos de mujeres que habían vivido realmente allí. ¿Eran aquéllos los rostros de mujeres que antaño habían tenido un nombre y habían soñado tal vez con la libertad y el verdadero amor? Mientras estudiaba la escena, vio que con cada una de ellas había un hombre en segundo plano, de tez más morena que la de las mujeres y vestido con una larga túnica de color azul. Se le veía extrañamente distanciado de las actividades de las bañistas, y sus

88

sensuales juegos no parecían interesarle ni suscitar su reprobación. ¿Quién sería? El sultán, por supuesto que no. Éste se hubiera representado con una figura impresionante, vestido con suntuosos ropajes y rodeado de ninfas. ¿Qué habría querido significar el artista con la inclusión de aquel extraño personaje?

Nefissa se apartó de las inquietantes pinturas y sintió que el corazón le latía violentamente en el pecho. Llevaba toda una semana esperando aquella noche. ¿Cómo sería su teniente inglés?, se preguntó mientras empezaba a pasear arriba y abajo, rezando para que apareciera. En sus fantasías le veía como un amante cariñoso y considerado. Sin embargo, en el círculo de amistades de la princesa, había oído contar historias de mujeres liberadas que mantenían relaciones con hombres extranjeros y se quejaban del poco ardor de los ingleses. ¿Se mostraría tan distante en el amor como el misterioso hombre de los murales? ¿Entraría en la sala, la tomaría en sus brazos, se acostaría con ella y se despediría después como si tal cosa?

Cuando oyó el lastimero grito de un pavo real en el jardín, Nefissa empezó a preocuparse. Se estaba haciendo tarde. Dos veces había esperado en aquel extraño harén habitado por los espectros de unas tristes prisioneras, y dos veces había sufrido una decepción.

Su desazón se transformó en pánico. El tiempo se estaba agotando, no sólo el de aquella noche, sino también el de su libertad. Trató de no pensar en los hombres con quienes su madre estaba intentando casarla, hombres ricos, solteros y físicamente atractivos. ¿Durante cuánto tiempo podría seguir inventándose excusas para no casarse con éste o con aquél? ¿Cuánto duraría la paciencia de su madre hasta que finalmente dijera: «Fulano de Tal es el que más te conviene, Nefissa, y es un hombre respetable. Tienes que volver a casarte, tus hijos necesitan a un padre».

Pero es que yo no deseo casarme, hubiera querido decir ella, todavía no puedo porque, en tal caso, se acabaría mi libertad y jamás tendría la oportunidad de saber lo que es una noche de delicioso amor prohibido.

Nefissa oyó el rumor de una puerta a su espalda, seguido de unas pisadas sobre un suelo de mármol.

Los cortinajes de terciopelo se movieron como si los agitara la brisa y, de pronto, apareció él, quitándose el gorro militar y dejando al descubierto su rubio cabello iluminado por las lámparas de cobre del techo.

Nefissa contuvo la respiración.

El teniente entró y miró a su alrededor mientras sus relucientes botas resonaban sobre el suelo de mármol.

–¿Qué es este lugar?

–Es un harén. Construido hace trescientos años...

–¡Parece sacado de *Las mil noches de Arabia*! –comentó el teniente, echándose a reír.

–*Las mil y una noches* –le corrigió Nefissa sin apenas poder creer que él estuviera allí y que ambos pudieran finalmente estar solos–. Hasta los números traen mala suerte –añadió, preguntándose cómo era posible que le saliera la voz y tuviera el valor de hablar con él–. Sherezade le contó una historia más tras haberle contado la milésima.

–Dios mío, qué guapa eres –dijo él, mirándola extasiado.

–Temía que no vinieras.

El teniente se acercó, pero no la tocó.

–Nada me lo hubiera podido impedir –dijo en voz baja–, aunque para ello hubiera tenido que ausentarme sin permiso.

Al ver que estrujaba nerviosamente su gorro militar, Nefissa se conmovió.

–La verdad es que no esperaba reunirme contigo de esta manera –añadió el teniente.

–¿Por qué no?

–Estás tan... protegida... eres como una de ellas –contestó el oficial, señalando los murales–. Una mujer envuelta en velos y mantenida prisionera tras unas celosías de madera.

–Mi madre me protege mucho. Cree que las costumbres antiguas son mejores.

–¿Y si se enterara de lo nuestro?

–No quiero ni pensarlo. Yo tenía una hermana. No sé muy bien lo que hizo, porque yo tenía catorce años y no lo comprendí. Oí que mi padre la gritaba y la insultaba. Después la expulsó de casa sin una maleta tan siquiera y, a partir de entonces, nos prohibieron pronunciar su nombre. Incluso ahora nadie menciona a Fátima.

–¿Qué fue de ella?

–No lo sé.

–¿Y ahora tú tienes miedo?

–Sí.

–No hay por qué –el teniente extendió los brazos para tocarla y las yemas de sus dedos le rozaron el brazo–. Me voy mañana –dijo–. Mi regimiento regresa a Inglaterra.

Nefissa estaba acostumbrada a las oscuras y seductoras miradas de los hombres árabes que, de una manera deliberada o no, ardían con enigmáticas promesas y desafíos. En cambio, los azules ojos del inglés eran tan limpios como el mar estival y poseían una inocencia y una vulnerabilidad que a ella la atraía mucho más que las ardientes miradas de los árabes.

–¿Entonces sólo nos queda esta hora? –preguntó.

–Disponemos de toda la noche. No me esperan hasta mañana. ¿Querrás quedarte conmigo?

Nefissa se acercó a la ventana y contempló el azul añil de la tarde en medio del cual las rosas blancas florecían en el jardín y un ruiseñor dejaba escuchar sus dulces y lastimeros trinos.

–¿Conoces la historia del ruiseñor y la rosa? –preguntó sin poder mirar a los ojos a su enamorado.

Él se le acercó por detrás y Nefissa percibió el calor de su aliento en el cuello.

–Cuéntamela.

–Hace mucho tiempo –dijo Nefissa, consciente del ardor de su cuerpo; como él la tocara, pensó, se encendería de golpe–. Hace mucho tiempo, todas las rosas eran blancas porque eran vírgenes. Pero una noche un ruiseñor se enamoró de una rosa y, cuando le cantó, el corazón de la rosa se conmovió. Entonces el ruiseñor se le acercó y le dijo: «Te quiero, rosa», y la flor se ruborizó y se volvió de color de rosa. El ruiseñor se acercó un poco más, la rosa abrió sus pétalos y el ruiseñor le arrebató la virginidad. Sin embargo, como Alá había decretado que todas las rosas fueran castas, la rosa enrojeció de vergüenza. Así nacieron las rosas rojas y rosas y hoy todavía, cuando canta el ruiseñor, los pétalos de las rosas se estremecen, pero no se abren porque Alá jamás quiso que se unieran un pájaro y una flor.

El teniente apoyó las manos sobre sus hombros y la volvió hacia él.

–¿Y qué me dices de un hombre y una mujer? ¿Qué quiso Alá para ellos?

Tomándole el rostro entre sus manos, acercó los labios a los suyos. Olía a cigarrillos y a whisky, cosas ambas prohibidas para Nefissa, pero que ésta saboreó ahora en sus labios y en su lengua.

Después, él se apartó, se quitó el cinturón y la funda de pistola Sam Brown y esperó mientras Nefissa le desabrochaba con temblorosas manos los botones de la guerrera. Para su asombro, la joven descubrió que no llevaba ninguna camisa debajo, sólo la pálida piel tensada sobre el vigoroso pecho y los brazos. Recorrió con los dedos los montes y valles de los músculos y tendones fascinada por su dureza cual si hubieran sido esculpidos en mármol. Su esposo, a pesar de su juventud, era blando y casi femenino.

Cuando le tocó el turno a él, el teniente le sacó pausadamente la blusa de la cinturilla de la falda. Estaban juntos y no tenían prisa.

–¿Por qué quieren los británicos arrebatarles Palestina a los árabes y dársela a los judíos? –preguntó un indolente joven que se encontraba bajo los efectos del hachís–. Los árabes no se la arrebataron a los judíos, sino a los romanos hace catorce siglos. Dime qué país europeo estaría dispuesto a ceder un territorio que ocupa y le pertenece desde hace mil cuatrocientos años. ¿Qué ocurriría si los indios exigieran la devolución de Manhattan? ¿Acaso los norteamericanos se lo cederían?

En la casa flotante de Hassan al-Sabir amarrada a la orilla del Nilo, varios amigos reclinados en divanes compartían un narguile y de vez en cuando alargaban la mano hacia una fuente colmada de racimos de uva y aceitunas, pan y queso. Ibrahim se encontraba entre ellos, pensando en Alice y preguntándose cuándo nacería el niño. Él y Hassan eran íntimos amigos, pues habían estudiado juntos en Oxford, donde los prejuicios raciales habían creado entre ellos un vínculo especial que se había mantenido tras su regreso a Egipto. Como Ibrahim, Hassan tenía veintinueve años y era rico y atractivo. Sin embargo, a diferencia de su amigo, ejercía la profesión de abogado y era muy ambicioso.

–Supongo que todo consiste en establecer quién estuvo en Palestina primero –contestó Hassan en tono levemente hastiado–. Pero ¿a ti qué más te da? No es asunto de nuestra incumbencia.

El joven insistió.

–No somos nosotros quienes perseguimos a los judíos durante la guerra. Reconocemos a los judíos como hermanos nuestros porque todos descendemos del profeta Abraham. Y hemos convivido en paz durante muchos siglos. ¡Este nuevo Israel no sería la patria de un pueblo perseguido sino un pretexto más para justificar la ocupación europea del Cercano Oriente!

Hassan lanzó un suspiro.

–Te estás politizando demasiado, mi querido amigo. Y me aburres.

–Ya sé lo que va a ocurrir. No vivirán como semitas entre semitas, como hermanos nuestros, sino como europeos que mirarán por encima del hombro a los desventurados árabes. ¿Acaso no es lo que ha ocurrido aquí? ¡Nosotros no podemos hacernos socios del Club Ecuestre porque no permiten el ingreso a los egipcios! Tenemos que conseguir un Egipto para los egipcios, de lo contrario, seguiremos el camino de Palestina.

–Gran Bretaña jamás abandonará Egipto –dijo un vehemente joven de pronunciados pómulos–. No lo harán porque les interesan nuestro algodón y el control del Canal.

–Pero bueno –terció Hassan, soltando una carcajada y mirando a Ibrahim, que evidentemente tampoco tenía el menor interés por aquella conversación–. ¿Por qué preocuparnos por estas cosas?

–Porque Egipto tiene el índice de mortalidad más alto del mundo –contestó el joven–. Un niño de cada dos muere antes de alcanzar la edad de cinco años. Aquí hay más ciegos que en ningún otro país del mundo, ¿y qué han hecho nuestros presuntos protectores? En los ochenta años que llevan los británicos ocupando Egipto, no se han molestado en llevar agua a nuestras aldeas ni en construir escuelas ni en establecer un servicio médico para los pobres. Puede que no nos hayan sometido a malos tratos, pero han sido indiferentes a nuestras necesidades, lo cual es tan malo como lo otro.

Hassan se levantó del diván y, haciéndole una seña a Ibrahim, salió con él a cubierta. Aunque tenía un apartamento en la ciudad donde vivían su esposa, su madre, su hermana soltera y sus tres hijos, Hassan se pasaba casi todo el día en la casa flotante, donde recibía la visita de amigos y de mujeres. Aquella noche pensó que ojalá hubiera invitado a unas prostitutas en lugar de los socios más jóvenes de su bufete de abogado.

—Lo siento, muchacho —le dijo a Ibrahim mientras encendía un Dunhill—. No volveré a invitarlos. No sabía que tuvieran esas ideas y opiniones. Por cierto, te veo muy contento.

Ibrahim dirigió la mirada hacia la Ciudad Jardín, pensando que el movimiento del Nilo era tan lento como el paso del tiempo.

—Estaba pensando en Alice y en la suerte que he tenido al encontrarla.

Hassan pensó lo mismo cuando vio por primera vez a la rubia esposa de Ibrahim, pues él también tenía preferencia por las rubias.

—Alá te ha colmado de bendiciones, amigo mío —dijo—. Por cierto —añadió, contemplando con satisfacción el reflejo de su imagen en el cristal de una portilla—, un primo del marido de mi hermana querría ocupar un puesto en el ministerio de Sanidad. ¿Podrías utilizar tu influencia y hacerme este favor?

—El sábado jugaré al golf con el ministro. Dile a tu pariente que me telefonee pasado mañana. Tendré un puesto para él.

El asistente personal de Hassan, un albanés de rostro muy serio, salió a cubierta y dijo:

—Acaban de telefonear de su casa, doctor Rashid. Su esposa ya está a punto de dar a luz.

—¡Loado sea el Señor! —exclamó Ibrahim—. ¡Espero que sea un varón! —añadió saliendo a toda prisa.

Ibrahim cerró silenciosamente a su espalda la puerta del dormitorio en el que Alice descansaba después del parto. A continuación, se dirigió al gran salón donde su madre y la astróloga Qettah estaban examinando las cartas estelares y donde la recién nacida dormía en una cuna bajo la atenta mirada de Amira. Arrodillándose para contemplarla, Ibrahim se sintió invadido por unos profundos sentimientos de ternura y amor. Parecía un querubín de una pintura europea, pensó, un angelito del cielo. Tenía la cabeza cubierta de finos cabellos color platino tan suaves como la seda. Yasmina, pensó. Te llamaré Yasmina.

Inmediatamente le remordió la conciencia por no haber recibido a Camelia con el mismo amor. Sin embargo, entonces estaba tan afligido por la muerte de su joven esposa que apenas quiso mirar a la niña. E incluso ahora, un año más tarde, no podía sentir por su primera hija el mismo amor que le inspiraba la segunda.

De pronto, su alegría quedó empañada por la imagen y la voz de Alí, diciéndole: Me has vuelto a fallar. Seis años llevo en el sepulcro y todavía no tengo ningún nieto que atestigüe mi paso por este mundo.

Por favor, no me obligues a aborrecer a esta niña, le suplicó Ibrahim en silencio a su padre. No eres más que un padre de hijas, eso es lo que eres, le replicó Alí.

Amira apoyó una mano en el hombro de Ibrahim y le dijo:

–Tu hija ha nacido bajo Mirach, la preciosa estrella amarilla de la constelación de Andrómeda, en la séptima casa lunar. Qettah dice que eso le augura belleza y fortuna –intuyendo la lucha interior de su hijo, añadió tras una pausa–: No te desesperes, hijo de mi corazón. La próxima vez será un varón, *inshallah*.

–¿Tú crees, madre? –dijo Ibrahim, agobiado bajo el peso de la culpa que se le había arrojado encima.

–Nunca podemos estar seguros de nada, Ibrahim. Sólo Alá en su sabiduría puede conceder varones. El futuro se escribió en su libro hace tiempo. Consuélate pensando en su misericordia y en su infinita bondad.

Aquella referencia a Alá acrecentó la inquietud de Ibrahim.

–Puede que nunca tenga un varón. Puede que haya atraído la desgracia sobre mí.

–¿Qué quieres decir?

Ibrahim percibió la mirada de los oscuros e impenetrables ojos de Qettah. Aunque la anciana había estado otras veces en la casa Rashid e incluso había sido testigo de su propio nacimiento, Ibrahim no lograba acostumbrarse a ella; la presencia de Qettah siempre le producía una extraña desazón.

–La noche en que murió la madre de Camelia al dar a luz, no supe lo que hacía. En mi dolor, maldije a Alá –dijo sin atreverse a mirar a su madre–. ¿He sido castigado por eso? ¿Jamás podré tener un varón?

–¿Maldijiste a Alá? –preguntó Amira.

De pronto, recordó el sueño que había tenido la víspera del regreso de su hijo desde Mónaco... un sueño de *yinns* y espíritus malignos en un polvoriento y oscuro dormitorio. ¿Habría sido una premonición del futuro? ¿Un futuro en el que los Rashid ya no serían bendecidos con el nacimiento de hijos varones y en que la familia se extinguiría?

Siguiendo las instrucciones de Qettah, Amira preparó un café muy cargado y fuertemente azucarado y se lo dio a beber a su hijo. Cuando Ibrahim terminó de beber, Qettah invírtió la taza sobre el platito y esperó a que el poso goteara formando un dibujo. Al leer el futuro de Ibrahim, la astróloga cerró los ojos.

Había visto hijas. Un futuro sólo de hijas.

Pero el poso del café contenía otro mensaje.

—Saíd —dijo respetuosamente Qettah con una voz sorprendentemente juvenil a pesar de que Ibrahim sospechaba que debía de rondar los noventa años—, en tu dolor maldijiste a Alá, pero Alá es misericordioso y no castiga a los que sufren. Sin embargo, sobre esta casa pesa una maldición, saíd. Aunque yo no puedo decir de dónde procede.

Ibrahim tragó dolorosamente saliva. Mi padre, pensó. Mi padre me maldijo.

—¿Y eso qué significa?

—Que el linaje de Alí Rashid desaparecerá de la tierra.

—¿Por mi culpa? ¿Y eso ocurrirá con toda certeza?

—Es sólo un posible futuro, saíd. Pero Alá es misericordioso y nos ha mostrado el camino para que tú atraigas de nuevo las bendiciones sobre tu familia. Tienes que salir a las calles y hacer una gran obra de caridad y sacrificio. Alá ama al hombre caritativo, hijo mío, y, a través de tu generosidad, levantará la maldición porque es clemente y misericordioso. Hazlo ahora mismo.

Ibrahim miró a su madre y después abandonó a toda prisa la casa, recordando enfurecido a su padre, el hombre que se dirigía a él llamándole «perro» porque pensaba que eso le fortalecería el carácter. Subió a su automóvil con lágrimas en los ojos sin saber adónde ir ni qué obra de caridad podría hacer. Sólo pensaba en su dulce angelito, la pequeña Yasmina, a quien deseaba amar, pero no podía a causa de las burlas de su padre. Y en Camelia, nacida la noche en que él maldijo a Alá. Sólo nacerían niñas y, al final, no quedaría ningún varón que pudiera transmitir el apellido Rashid y la familia desaparecería.

Cuando estaba a punto de salir de la calzada, pisó los frenos y apoyó la cabeza sobre el volante. ¿Qué podía hacer?

Al levantar la vista, vio a la *fellaha* con un niño pequeño en brazos. Se la había encontrado otras veces, mirándole como si le conociera de algo. Él jamás le había dicho nada y apenas le había prestado atención, pero ahora, al verla bajo la luz de la luna, recordó un amanecer de un año atrás. ¿Sería la misma que le había ofrecido agua cuando él despertó junto a la acequia?

—¿Cómo te llamas? —le preguntó.

—Sahra, mi amo.

—Tu hijo tiene mala cara.

—No come lo suficiente, mi amo.

Ibrahim contempló a la muchacha de los ojos hundidos y al pequeño que apenas tenía carne sobre los huesos, y entonces experimentó la extraña sensación de que la mano de Alá estaba sobre él. De pronto, se le acababa de ocurrir una genial idea sorprendentemente sencilla.

–Si me das a tu hijo –le dijo suavemente para no asustarla–, yo lo podré salvar. Le ofreceré una vida de riqueza y felicidad.

Sahra le miró perpleja e inmediatamente pensó en Abdu. ¿Qué derecho tenía ella a entregar a su hijo a un desconocido? Sin embargo, aquel hombre tenía un asombroso parecido con Abdu... ¿Qué significaría todo aquello? Sahra llevaba tanto tiempo pasando hambre que casi no podía ni pensar. Contempló la gran casa donde florecían los naranjos y a través de cuyas ventanas se escapaba una dorada luz, y pensó en *madame* Najiba que la obligaba a salir todos los días a la calle a pedir limosna con su hijo. Miró al hombre a quien había conocido una vez junto a la acequia y que, sin saber por qué, ella relacionaba con Abdu, y, ofreciéndole el niño, dijo tímidamente:

–Sí, mi amo.

El hombre la invitó a subir al automóvil y se puso en marcha.

Hassan le miró con unos ojos abiertos como platos.

–¿Cómo dices?

–Quiero casarme con esta chica –contestó Ibrahim, apartando a su amigo para entrar–. Tú eres abogado. Redacta el contrato. Tú representarás a su familia.

Hassan le siguió al salón principal de la casa flotante donde los criados aún no habían retirado los restos de la fiesta.

–¿Te has vuelto loco? ¿Qué es eso de que quieres casarte con ella? ¡Ya tienes a Alice!

–Mira, Hassan, no es a ella a quien quiero sino al niño. Alice ha dado a luz una niña esta noche, y la astróloga me ha dicho que Alá me exige una obra de caridad. Aceptaré a este niño como si fuera mío.

Hassan guardó silencio un instante y después, comprendiendo lo que estaba pensando Ibrahim, le dijo:

–¿Crees de veras que podrás decir que este hijo es tuyo? ¿Acaso has perdido el juicio? Estuviste casi siete meses en Montecarlo, Ibrahim. Nadie se va a creer que es tuyo.

–La chica dice que nació hace tres meses. Eso significa que fue concebido hace un año. Yo estaba en El Cairo entonces. Si declaro que este niño es mío en presencia de unos testigos, lo será según la ley.

Hassan reconoció a regañadientes que así sería en efecto y, recordando de pronto a la mujer que esperaba para antes de una hora, decidió redactar el contrato de matrimonio. Llamó a un asistente personal para que fuera testigo de su firma y de la de Ibrahim y formalizó la boda, estrechando la mano de Ibrahim. Después, puesto que la ley exigía la presencia de cuatro testigos varones para el siguiente procedimiento, ordenó que el asistente llamara al cocinero y al criado al salón, donde éstos escucharon en silencio las palabras de Ibrahim:

—Declaro que este niño es de mi carne y lleva mi nombre. Yo soy el padre y él es mi hijo.

Hassan rellenó a toda prisa un certificado de nacimiento y los testigos firmaron con una cruz.

Finalmente, Ibrahim se volvió hacia Sahra y, de conformidad con la ley y los usos islámicos, pronunció tres veces la frase:

—Te repudio, te repudio, te repudio –después tomó al niño en sus brazos y añadió–: Ahora el niño es mío ante Alá y según las leyes de Egipto. Jamás podrás reclamarlo ni decirle quién es. ¿Me has entendido?

—Sí –contestó Sahra, desplomándose al suelo desmayada.

Amira contempló al niño que Ibrahim sostenía en sus brazos y después miró con incredulidad a su hijo.

—¿Es tuyo este niño?

—Es mío y le he puesto el nombre de Zacarías.

—¡Oh, hijo mío, no puedes reclamar como propio al hijo de otro hombre! ¡Está escrito en el Corán que Alá prohíbe arrebatarle el hijo a otro hombre!

—Es mío. Me he casado con su madre y he declarado que el niño es mío. Tengo los documentos legales.

—Documentos legales... –dijo Amira–. ¡La adopción de un hijo es contraria a la ley de Alá! ¡Ibrahim, hijo de mi corazón, te lo suplico! No sigas adelante con este propósito.

Amira estaba asustada. Arrebatarle un hijo a su madre...

—Te honro y te respeto, madre mía. Qettah me ha dicho que hiciera una obra de caridad. Y la he hecho. He salvado a este niño de la miseria de la calle.

—¡A Alá no se le puede engañar, Ibrahim! ¿Acaso no comprendes que vas a atraer la desgracia sobre esta casa? Te lo ruego, hijo de mi corazón, no lo hagas. Devuélvele el niño a su madre.

—Ya está hecho –dijo Ibrahim.

—Que así sea. *Inshallah* –dijo Amira al ver la expresión de impotencia, temor y confusión en la mirada de su hijo–. Sea lo que Alá quiera. Ahora éste será nuestro secreto. Nadie deberá saber de dónde procede este niño, Ibrahim. No se lo digas a ninguno de tus amigos ni a nuestros parientes. Será un secreto entre tú y yo. Por el bien y el honor de nuestra familia. Mañana presentaremos a todo el mundo a tu nuevo hijo –añadió con la voz rota por la emoción–. Lo llevarás a la mezquita y lo circuncidarán. Y ahora, ¿qué será de la madre? –preguntó, tratando de dominar su inquietud–. ¿Dónde está?

–Me encargaré de que la atiendan.

–No –dijo Amira, presa de sus antiguos temores–, el niño tiene que estar con su madre. No podemos separarlos. Tráela a casa. La acogeré como criada. De esta manera, podrá cuidar de su hijo y éste no le será arrebatado. Te educaré como a mi nieto –añadió, tomando en sus brazos el frágil bulto–. Si el cielo te ha creado, la tierra encontrará un lugar para ti –dijo dirigiéndose al niño.

Mientras contemplaba los ojos del niño, evocó los extraños sueños del campamento del desierto y la incursión nocturna que ni siquiera Qettah había logrado interpretar, y se preguntó si habrían sido un presagio de aquella noche o bien una profecía de acontecimientos futuros. Después pensó en las criaturas que habían nacido coincidiendo con el regreso de aquellos sueños... Camelia, de un año, Yasmina, de apenas unas horas, y ahora el recién adoptado Zacarías. Al final, pensó en su propia hija Nefissa que había abandonado la casa con las mejillas arreboladas y la mirada febril y aún no había vuelto a pesar de lo tarde que era. E imaginó la poderosa mano de Alá escribiendo los destinos de los hombres en su libro.

–Escúchame, hijo mío –le dijo a Ibrahim–. Por la mañana irás a la mezquita y repartirás limosnas entre los pobres. Y rezarás para expiar lo que has hecho. Yo también rezaré, porque Alá es misericordioso.

Sin embargo, Amira tenía miedo.

Segunda parte

1952

8

–Pero, oiga, ¿qué es lo que pasa? ¿Acaso hoy es fiesta o algo por el estilo? ¿Por qué están desiertas las calles?

El taxista miró a través del espejo retrovisor al pasajero que acababa de recoger en la estación central ferroviaria y pensó que ojalá pudiera decirle al inglés que aquél era un mal día para que los tipos como él circularan por El Cairo; hubiera querido decirle: «Pero ¿es que no se ha enterado de la matanza que hubo ayer en el canal de Suez cuando los soldados de su país asesinaron a cincuenta egipcios? ¿Es que no se ha enterado del juramento que ha corrido por toda la ciudad de vengar esta afrenta? ¿No se ha enterado de que el gobierno ha aconsejado a todos los británicos que se queden en sus casas?». El taxista hubiera querido añadir: «¿No sabe por qué le ha sido tan difícil encontrar un taxi?... ¡Sólo un loco hubiera accedido a recoger a un inglés! ¿No comprende que sólo he aceptado llevarle a la calle de las Vírgenes del Paraíso porque me ha ofrecido usted un montón de dinero y hoy es un mal día para el negocio? Por consiguiente, ¿acaso no estoy yo tan loco como usted?».

Sin embargo, el taxista se limitó a mirar al pasajero encogiéndose de hombros. Estaba claro que aquel hombre ignoraba no sólo aquello, sino también muchas otras cosas como, por ejemplo, las más elementales normas de educación. Todo el mundo sabía que el hecho de que un pasajero varón viajara en el asiento posterior del taxi en lugar de hacerlo delante al lado del taxista constituía un insulto. Un pasajero era algo más que una simple carrera de taxi, era un invitado temporal del automóvil del taxista. Sin embargo, Edward Westfall, el hijo de veintiséis años del conde de Pemberton, no se daba cuenta de nada. Cualquiera que fuera el motivo de aquel extraño silencio en las calles de El Cairo en aquella preciosa mañana de sábado y cualquiera que fuera la causa del mutismo del taxista, a él le daba igual. Se lo estaba pasando tan bien con aquella «travesura de colegial», tal como la llamaba su padre, que nada podía empañar su eufórico estado de ánimo.

–He venido a visitar a mi hermana –dijo mientras bajaban por una ancha avenida del lujoso barrio de Ezbekiya. Ni Edward ni el taxista tenían la menor idea de que, justo en aquellos momentos, unos jóvenes armados con estacas y hachas se estaban reuniendo para iniciar una guerra santa–. Quiero darle una sorpresa –añadió, inclinándose hacia delante en el asiento como si con ello pudiera acelerar la velocidad del taxi–. No sabe que he venido. Está casada con el médico personal de Faruk. Incluso puede que esta noche cenemos en Palacio.

El taxista le miró como diciéndole: «No presumas de esto porque será peor para ti... nada menos que inglés y amigo del Rey. Da media vuelta y regresa a casa antes de que sea demasiado tarde». Sin embargo, pensando en el dinero, se limitó a decir:

–Sí, saíd.

–¡Estoy deseando ver la cara que pondrá! –exclamó Edward, imaginándose la feliz reunión.

¿Cuánto tiempo había transcurrido desde la última vez que se habían visto? Alice había abandonado el hogar recién terminada la guerra en junio de 1945 para visitar a unos amigos en la Costa Azul y después había regresado a Inglaterra para una breve visita con su flamante marido el doctor Rashid. Seis años y medio.

–Es la primera vez que vengo a Egipto –explicó Edward, preguntándose qué ruido sería aquel que acababan de oír en la distancia. Parecía una explosión–. Invitaré a Alice a hacer un crucero, descendiendo por el Nilo hasta el Bajo Egipto y, de este modo, podremos visitar los antiguos monumentos. No creo que haya tenido ocasión de conocerlos todavía.

El taxista le dirigió otra mirada de desprecio y pensó: «¡Lo estás diciendo al revés, atontado! Se sube por el Nilo cuando uno va al sur, al Alto Egipto. El Bajo Egipto está al norte, donde el Nilo desemboca en el mar». Pero no dijo nada porque él también había oído las explosiones y no sabía si se habían producido cerca o lejos de donde ellos se encontraban. ¿No se aspiraba olor a humo? Sin embargo, la desierta calle parecía muy tranquila.

–Oiga –dijo Edward mirando hacia delante a través del parabrisas–. ¿Qué es lo que ocurre?

En la calle acababa de aparecer una enfurecida muchedumbre con palos y antorchas.

–¡Y'allah! –exclamó el taxista pisando los frenos.

Tardó un segundo en estudiar los encolerizados rostros y los apretados puños. Después, viró hacia una calle lateral.

–¡Santo cielo! –exclamó Edward, cayendo hacia atrás contra el respaldo del asiento.

Al llegar al final de la calle, vieron un edificio en llamas a través de cuyas ventanas se elevaba una densa humareda mientras en la acera un numeroso grupo de personas contemplaba impasible el espectáculo. Curiosamente, no se veía ningún vehículo de los bomberos y los espectadores no parecían muy dispuestos a echar una mano. Edward frunció el ceño al ver caer un rótulo desde la fachada a la acera. Pudo leer de soslayo SMYTHE E HIJO, CAMISERÍA INGLESA, FUNDADA EN 1917.

Haciendo marcha atrás, el taxista retrocedió, se detuvo y después bajó a toda velocidad por una callejuela. Edward, arrojado de uno a otro lado del vehículo, preguntó a gritos:

–Pero ¿qué es lo que ocurre? ¿Por qué aquella gente no intentaba apagar el incendio? ¡Oh, Dios mío! ¡Mire allí!

Al final de la callejuela se acababa de iniciar otro incendio; unos enfurecidos jóvenes vestidos con *galabeyas* estaban arrojando trapos encendidos a través de los escaparates rotos de una peletería inglesa.

–Oiga –dijo Edward mientras el taxista maniobraba para abrirse paso entre la gente–, me parece que esto no me gusta ni un pelo.

Cuando el taxi dobló una esquina, el cabecilla del grupo levantó el puño en alto y gritó:

–¡Muerte a los infieles!

Varios centenares de compañeros le hicieron eco.

Uno de los jóvenes que se encontraban en primera fila, con los ojos encendidos de emoción, sintió la fuerza de Alá circulando por sus venas. Abdu llevaba casi siete años luchando por aquel momento, desde que abandonara su aldea... para devolver a Egipto a los caminos de Alá y a la pureza del islam. Hubiera deseado que Sahra estuviera allí para presenciar su triunfo. La graciosa Sahra de redondo rostro a quien todavía amaba y en quien siempre pensaba. Seguramente se había casado con el jeque Hamid y podría ser que ya se hubiera quedado viuda, teniendo en cuenta la edad del jeque. Abdu se la imaginó en el local de la aldea, tratada con todo respeto por los clientes de Hamid. ¿Cuántos hijos tendría?

El día en que abandonó la aldea tras haber hecho el amor con Sahra al borde de la acequia, Abdu sintió remordimiento. Le había arrebatado la virginidad; en la noche de su boda no se derramaría sangre. Sin embargo, al recordar con cuánta lujuria miraba el anciano jeque a la muchacha y cuánto dinero había ofrecido por ella a su familia, Abdu llegó a la conclusión de que Hamid era uno de aquellos hombres que, con tal de conseguir a la mujer que querían, eran capaces de recurrir a cualquier estratagema, por ejemplo, pincharse el dedo antes de envolverlo en un pañuelo... un truco más viejo que el Nilo. Cuando Abdu llegó a El Cairo y se dirigió al lugar que le habían indicado, su entusiasmo por la ciudad llamada la Madre de Todas las Ciudades y la admiración que sintió ante la pasión y la entrega de los Hermanos Musulmanes borraron de su mente cualquier otro pensamiento. Su remordimiento se desvaneció y Sahra se convirtió en un dulce recuerdo. Ahora toda su existencia anterior no era más que un lejano sueño. A veces, pensaba en aquel joven que trabajaba en los campos o jugaba a las tablas reales en el café de Hadji Farid o componía versos para Sahra, y se preguntaba quién era. No era por supuesto el Abdu que había nacido la noche en que llegó a El Cairo y empezó a escuchar por primera vez la palabra de Alá. El frágil y anciano imam de la aldea cuyos sermones semanales en la mezquita hacían bostezar de aburrimiento a casi todo el mundo, no poseía la inspiración que ardía en las palabras de los Hermanos. Cuando ellos predicaban, se basaban en el mismo Corán y transmitían el mismo mensaje sagrado, pero los Hermanos pronunciaban los versículos de tal manera que Abdu tenía la sensación no de estar oyendo simplemente unas palabras, sino de sentirlas y saborearlas hasta llenarse el alma con ellas como si fueran la carne y el pan del espíritu. Qué claro lo veía todo ahora y qué recto y angosto era el camino que conducía al Propósito definitivo. Apartar Egipto del borde del abismo y devolverle la gracia de Alá.

El cabecilla ordenó a los demás que se detuvieran, se encaramó a una farola e inició un encendido discurso. Iban a demostrar al mundo que Egipto ya no estaba dispuesto a soportar por más tiempo el dominio de su imperialista amo, dijo:

–¡Los británicos serán expulsados dentro de unos ataúdes!

Los jóvenes lo vitorearon, blandiendo sus armas de fabricación casera.

–*La illaha illa allah!* –gritaron, y Abdu más que nadie–. ¡No hay más dios que Alá!

–¡Al Club Ecuestre! –gritó el cabecilla.

Cuando los jóvenes dieron media vuelta y empezaron a bajar por la otra calle, Abdu los precedió con el corazón desbocado de entusiasmo y los verdes ojos encendidos de emoción.

El comandante en jefe del ejército británico se levantó, alzó la copa y dijo:

–¡Señores, brindo por el nuevo heredero del trono!

Mientras los seiscientos hombres que asistían al banquete brindaban por el príncipe, Hassan se inclinó hacia su amigo y le dijo en voz baja:

–Por lo que estamos brindando en realidad es por el póquer real, ¿comprendes?

Ibrahim esbozó una sonrisa.

El banquete en el palacio de Abdin se había organizado para

festejar el nacimiento del hijo varón de Faruk, y a él asistía una abigarrada mezcla de dignatarios extranjeros, altos oficiales de los ejércitos británico y egipcio y funcionarios del gobierno. Bajo las deslumbradoras arañas de cristal, el feliz acontecimiento se estaba festejando a base de espárragos, sopa fría de pepinos, pato a la naranja, sorbete de frambuesas, gacela asada y cerezas flameadas, todo ello servido en fuentes de oro y regado con vinos y coñacs de importación y un café turco fuertemente azucarado. Sin embargo, a pesar de las amables conversaciones y las risas, Ibrahim percibía una corriente subterránea de inquietud entre las mesas. Algunas risas parecían forzadas y algunas personas hablaban en tono excesivamente alto. Los árabes y los británicos se sonreían mutuamente, pero las sonrisas parecían obedecer más a la diplomacia que a una sincera amistad. Todo el mundo sabía que, debido a los desórdenes provocados por la matanza en Ismailía, muchos habían aconsejado a Su Majestad el aplazamiento de aquella celebración. Sin embargo, Faruk no había querido atender a razones. Si alguien tenía que estar preocupado, les aseguró, eran los británicos. Él no tenía nada que temer.

El Rey estaba loco de contento. Al ver que la reina Farida no podía darle un hijo, Faruk la había repudiado, pronunciando tres veces la fórmula «Te repudio» en presencia de testigos, tras lo cual se había casado con una muchacha de dieciséis años a la que había cortejado con una extravagancia de la que se habían hecho eco las revistas del corazón de todo el mundo. Cada uno de los días del noviazgo y de la luna de miel, Narriman había recibido un regalo... un día un collar de rubíes, al siguiente una caja de bombones suizos, al otro un ramo de sus orquídeas preferidas o un gatito. A cambio, ella le había dado a Faruk un hijo varón. Ni las matanzas ni los rumores de disturbios podrían empañar los festejos de aquel día.

Ibrahim estaba sentado unos asientos más abajo de Faruk en la mesa presidencial, muy cerca del Rey por si el regio personaje sufriera un repentino ataque de indigestión. Aunque apenas dieciséis años atrás Faruk era un apuesto y esbelto joven, aquella tarde de enero el Rey pesaba ciento veinte kilos y comía con una voracidad que no cesaba de asombrar a sus amigos... tres platos por cada uno que comían los demás y diez vasos de gaseosa de naranja según el último recuento.

Mientras el Rey pedía otra ración de pescado, Hassan se inclinó hacia Ibrahim y le dijo:

–Lo que yo no entiendo es cómo se las arreglan él y Narriman. En la cama, quiero decir. El vientre de este muchacho debe de sobresalir más que...

–¿Qué ha sido eso? –dijo Ibrahim, interrumpiéndole–. ¿No has oído algo?

–¿Qué?

–No sé. Parecían explosiones o algo así.

Hassan miró a su alrededor en el inmenso salón de banquetes donde los seiscientos invitados estaban disfrutando de una opulencia oriental severamente criticada en los últimos tiempos. A través de los altos ventanales enmarcados por cortinajes de brocado penetraba una suave luz invernal que iluminaba las gigantescas columnas de mármol, las paredes revestidas de terciopelo y los marcos dorados de los cuadros. Al ver que ninguno de los presentes parecía haber oído nada insólito, Hassan comentó:

–Habrán sido cohetes en honor del príncipe –Hassan reflexionó un instante–. Tú no crees que vaya a haber disturbios por lo de Ismailía, ¿verdad?

Estaba pensando en la alarmante cadena de acontecimientos que se habían producido desde la humillante derrota de Egipto en la guerra de Palestina cuatro años atrás. Primero había sido asesinado un comandante de la policía, después el gobernador de la provincia de El Cairo y, finalmente, el primer ministro había sido tiroteado cuando se disponía a entrar en el ministerio del Interior. En las calles se sucedían las manifestaciones, las huelgas y los disturbios para protestar por la continuada presencia británica en Egipto. El año anterior varias personas habían resultado muertas durante una manifestación ante la embajada británica. Y la víspera se había producido la terrible matanza de Ismailía.

Ibrahim tranquilizó a su amigo con una sonrisa.

–Aunque los egipcios seamos una raza apasionada y a veces irracional, no estamos tan locos como para salir a atacar por ahí a los ciudadanos británicos. Además, todo esto que se dice de la revolución no es más que un vano ejercicio. Egipto lleva más de dos mil años sin ser gobernado por los egipcios y no creerás que la situación vaya a cambiar ahora. Mira, Su Majestad no está nada preocupado y ahora ya tenemos un heredero del trono. Los desórdenes terminarán, no son más que un capricho pasajero. Mañana la gente armará un alboroto por otra cosa.

–¡Tienes razón! –dijo Hassan, apurando la copa de champán que inmediatamente le volvió a llenar el lacayo que se encontraba a su espalda.

Las necesidades individuales de cada uno de los seiscientos invitados eran atendidas por un ejército de lacayos, silenciosos criados que permanecían de pie con sus largas *galabeyas* blancas, sus feces rojos y sus guantes blancos.

–No sé si ya se habrán recibido los resultados de los partidos de críquet –añadió Hassan, tomando una rebanada de crujiente pan francés que untó con un suave queso de Brie caliente–. Manchester salía como favorito...

Pero Ibrahim no le escuchaba. Estaba pensando en la deliciosa sorpresa que le tenía preparada a Alice: un viaje a Inglaterra.

Alice echaba mucho de menos a su familia y especialmente a su hermano Edward con quien estaba muy unida. Desde la pérdida de su segunda hija a causa de unas fiebres estivales, Alice estaba tan deprimida que Ibrahim ya no sabía qué hacer para animarla. Incluso la había llevado consigo durante la luna de miel de Faruk, considerada la luna de miel más extravagante de la historia, pues sesenta hombres habían viajado en el yate real, todos ellos vestidos con *blazers* azules, pantalones blancos y gorras marineras. En los puertos donde hacían escala utilizaban una impresionante flota de Rolls-Royce y se alojaban en los mejores hoteles. Faruk obsequiaba a su nueva reina con preciadas joyas, obras de arte, platos de alta cocina y prendas de alta costura y seguía entregado a su afición por el juego. Una noche, el productor cinematográfico norteamericano Darryal F. Zanuck le había ganado 150.000 dólares en el casino de Cannes. Todo el mundo estuvo pendiente de aquel viaje de fábula, pero el embarazo que Ibrahim esperaba no se produjo.

Hassan se inclinó hacia él y le dijo:

–Alegra esta cara, muchacho, ahí viene el vástago real.

Una niñera entró con el niño envuelto en una manta de chinchilla y, cuando los seiscientos dignatarios y funcionarios se pusieron en pie para honrar al heredero del trono de Egipto, Ibrahim pensó en su hijo Zacarías.

Nadie había hecho el menor comentario a propósito de la repentina aparición del niño; los hombres tenían a menudo esposas sin que nadie lo supiera. Incluso Hassan había sucumbido, casándose con una rubia que no le permitía tocarla a no ser que estuvieran casados y a la que ahora tenía en su casa flotante sin que su esposa egipcia supiera nada de ella. Ibrahim se había limitado a decirle a la gente que había repudiado a la madre del niño y que Amira había acogido a Sahra como criada de la casa. Ahora el pequeño Zakki tenía seis años y era un precioso aunque frágil chiquillo de temperamento soñador. Sin embargo, lo que más asombraba a Ibrahim era el vago parecido que el niño tenía con él, lo cual contribuía a confirmar su creencia de que Alá le había guiado la noche en que decidió adoptarlo a pesar de los recelos de Amira. Prefirió no prestar atención a las advertencias de su madre... no era posible que pesara una maldición sobre la familia Rashid, precisamente ahora que el algodón egipcio se estaba vendiendo a un precio récord y sus plantaciones estaban produciendo unas cosechas tan buenas que apenas podía seguir el ritmo de la rápida multiplicación de sus cuentas bancarias, lo cual había dado lugar a que muchos llamaran al algodón el «oro blanco». La familia gozaba de buena salud y era feliz, e Ibrahim disfrutaba de una existencia llena de lujos y comodidades que incluso sobrepasaba el fastuoso tren de vida de su padre.

Muy pronto él y Alice emprenderían viaje a Inglaterra. Tal vez llevaran consigo a Yasmina. Al fin y al cabo, la niña tenía allí un abuelo y varias tías y primos. Sí, pensó Ibrahim, alegrándose súbitamente de que se le hubiera ocurrido aquella idea e imaginándose lo bien que lo iban a pasar él y su hija de cinco años a bordo del barco.

Un emisario entró en el salón de banquetes e intercambió unas palabras en voz baja con el Rey y su comandante en jefe. Ibrahim se preguntó si habría ocurrido algo o si habrían estallado disturbios en la ciudad. Pensó en Alice, que se había quedado en casa, temiendo que los ciudadanos particulares pudieran ser objeto de venganza dada la atmósfera antibritánica que se respiraba en El Cairo.

Apartó los temores de su mente pensando que tal cosa jamás podría ocurrir, y volvió a deleitarse imaginando la alegría de Alice cuando le diera la noticia del viaje a Inglaterra.

Mientras el taxi de Edward doblaba otra esquina, vieron entre el fuego y el humo que muchos hombres rompían escaparates y arrojaban bombas incendiarias y que otros edificios habían sido incendiados. Tras haber probado distintos caminos para llegar a la Ciudad Jardín y encontrarlos todos bloqueados, el taxista dijo finalmente:

–Le voy a llevar a un lugar seguro, saíd –bajó por una angosta callejuela y, un minuto más tarde, se detuvo delante del Club Ecuestre–. Aquí todo es inglés –añadió alargando el brazo por encima del asiento para abrirle la portezuela a Edward–. Aquí estará usted a salvo.

–Pero yo le he pedido que me llevara a la calle de las Vírgenes del Paraíso. ¿Qué demonios pasa aquí? ¿Ha estallado una revuelta?

–¡Entre, por favor! ¡El Cairo es un lugar muy peligroso para usted! Entre y estará protegido. *Inshallah!*

Edward bajó un poco a regañadientes, aspirando el olor del humo en el aire. Contempló por un instante la entrada del Club Ecuestre y después, pensando que lo mejor sería ir a casa de su hermana, se volvió para subir de nuevo al taxi. Pero éste ya se había apartado del bordillo y estaba doblando una esquina. Con todo su equipaje dentro.

Cuando una cercana explosión le sacudió, Edward subió a toda prisa los peldaños del club y descubrió que dentro reinaba un desconcierto absoluto. Los socios se estaban congregando en el vestíbulo, derribando a su paso muebles y macetas de plantas. Los hombres lucían pantalones blancos de franela de jugar al críquet y las

mujeres iban en traje de baño y llevaban sombreros para protegerse del sol. Hasta los mozos nativos con sus largas *galabeyas* y sus
feces estaban intentando salir de allí.

Mientras Edward se abría paso entre pisotones y empujones,
tratando de localizar al encargado, vio que un jeep se detenía frente a la entrada; de él saltaron unos hombres que inmediatamente
subieron los peldaños con bidones de gasolina y palancas. Edward
observó horrorizado cómo prendían fuego a los muebles y cortinajes tras haberlos rociado con gasolina. Cuando ya todo estaba
ardiendo, incluso los ventiladores del techo, irrumpieron otros al-
borotadores que empezaron a golpear con barras de hierro a los
aterrorizados socios del club que intentaban escapar. Los gritos
llenaron el aire y la sangre empezó a correr.

Edward trató de avanzar entre el humo, esquivando los fragmentos de vidrio que volaban por el aire tras el estallido de las botellas de bebidas alcohólicas que había en el bar. Al final, consiguió
llegar al desierto mostrador de recepción y, desde allí, pudo ver a
los bomberos en la calle con las mangueras. Sin embargo, en cuanto el agua empezó a caer sobre el edificio en llamas, los alborota-
dores atacaron las mangueras con sus navajas, cortándolas hasta
lograr que no saliera agua.

Mientras trataba desesperadamente de avanzar entre el humo,
Edward vio a varios británicos con sus elegantes atuendos deportivos tendidos en el suelo en medio de grandes charcos de sangre.
Buscó una salida, procurando dominar su creciente histeria. La
entrada principal estaba bloqueada por la chusma y los cortinajes
estaban ardiendo. ¡La piscina!, pensó de pronto. Pero, mientras cruzaba el vestíbulo para salir a la terraza, un joven egipcio vestido con
una larga *galabeya* le cerró el paso. Edward vio unos ojos verdes
que ardían por efecto de algo más que los reflejos de las llamas. Por
un instante, pensó que tal vez podría discutir y llegar a un entendimiento con aquel joven, pues él no era un residente británico, sino
un simple turista que acababa de llegar a la ciudad. Sin embargo,
unas manos morenas le rodearon inmediatamente la garganta.
Empezó a forcejear con el desconocido, pensando que todo aquello era totalmente absurdo.

Al final, su atacante tomó un jarrón y, cuando se lo estrelló contra la cabeza, a Edward sólo se le ocurrió pensar que Alice iba a sufrir una decepción.

La espaciosa y soleada cocina de paredes y suelo de mármol estaba lo suficiente caldeada como para que no se notara el frío de
enero. La cocinera, una libanesa de coloradas mejillas y cabello al-
borotado, supervisaba la labor de sus cuatro ayudantes en las dos

cocinas y los tres grandes hornos. El número de habitantes de la mansión de la calle de las Vírgenes del Paraíso variaba de año en año a medida que las muchachas se casaban y se iban, los ancianos morían, llegaban nuevas esposas y nacían niños. Aquel fresco sábado de enero había en la casa veintinueve miembros de la familia Rashid, desde niños a viejos, más doce criados que vivían en unos cuartos de la azotea, por lo que en la cocina se trabajaba día y noche, preparando la comida sin descanso. Las mujeres charlaban animadamente entre sí mientras la radio, sintonizada con una emisora musical, llenaba el aire con las canciones de amor interpretadas por la conocida voz de Farid Latrache. En medio de aquel ajetreo, Amira estaba preparando unos vasos de limonada para llevarlos al jardín donde varias mujeres y niños estaban disfrutando del sol invernal. Mientras inspeccionaba los vasos para cerciorarse de que todos estuvieran impecablemente limpios, Amira experimentó una profunda sensación de bienestar. Acababa de celebrar su cumpleaños y no recordaba haber gozado jamás de tanta salud y tanto vigor.

Añadió un cuenco de bolas azucaradas de albaricoque a la bandeja y observó que Sahra miraba a través de la ventana mientras formaba aplanadas hogazas de pan con la masa de harina. Sabía lo que estaba mirando. En los casi seis años transcurridos desde que Ibrahim se presentara en la casa con Zacarías, Sahra contemplaba al niño siempre que podía. Aunque la *fellaha* había prometido no decirle jamás a nadie que ella era la madre del niño y que Ibrahim no era su padre, el peligro seguía existiendo. Por eso Amira la sometía a una estrecha vigilancia.

Mientras bajaba los peldaños del jardín portando la bandeja, Amira levantó los ojos al cielo. ¿Era un trueno lo que acababa de escuchar? Sin embargo, el cielo estaba despejado. A lo mejor, era una salva para celebrar el nacimiento del hijo del Rey.

Sacó los refrescos al jardín, donde Alice estaba leyendo un libro mientras vigilaba a los niños. Camelia, de seis años y medio, bailaba con los ojos cerrados al son de una música que sólo ella podía escuchar.

–¿No te parece bonito que Alá nos haya dado el baile, *Umma*? –le preguntó una vez a Amira.

Amira pensaba a menudo que dentro de aquella chiquilla morena de ojos claros como el ámbar se agitaba un espíritu de libertad; Camelia bailaba como un pájaro que revoloteara o como los pétalos de una flor agitados por la brisa. Amira ya había decidido que la niña recibiría lecciones de baile cuando creciera un poco más.

Yasmina, con su blanca tez y su cabello rubio oscuro, estaba tendida sobre la hierba, profundamente enfrascada en un libro ilustrado. A los cinco años y medio, mostraba un enorme afán de aprender y en cierta ocasión había comentado que los libros eran estupendos porque, cada vez que pasabas una página, aprendías algo nuevo que antes no sabías. Yasmina estaba más adelantada que sus hermanos en el *alif-ba's* a pesar de ser la más pequeña.

Tahia, de la misma edad que Camelia, jugaba sobre la hierba con sus muñecas. Ya había dicho que, cuando fuera mayor, quería tener muchos hijos. A diferencia de su madre, pensó Amira, preguntándose si Nefissa se volvería a casar alguna vez.

Finalmente estaba Zacarías, un precioso niño que en aquellos momentos estaba contemplando ensimismado el vuelo de una mariposa. Amira se sorprendía a menudo de que, por un misterioso designio de Alá, aquel niño se pareciera tanto a su padre adoptivo. Sin embargo, el parecido era sólo físico; Zacarías no compartía la afición de Ibrahim a la vida regalada y las conversaciones intrascendentes sino que con frecuencia contemplaba el cielo y se preguntaba cómo serían Alá y el Paraíso. Un niño extrañamente devoto que, a sus seis años, ya era capaz de recitar veinte *suras* del Corán. Alguien le decía:

–Zakki, recita la cuarta *sura*, versículo treinta y cuatro.

Y él contestaba de inmediato:

–«Los hombres están por encima de las mujeres porque Dios ha hecho a unos superiores a otros.»

De pronto salió al jardín Omar, un regordete niño de diez años que andaba constantemente tramando travesuras. Amira procuraba tener paciencia con él, pues el chiquillo no tenía la culpa de que su madre no le hubiera enseñado debidamente la disciplina. Amira lanzó un suspiro. Otra razón para que Nefissa no volviera a casarse.

–Madre Amira –dijo Alice, hincando el diente en una bola azucarada de albaricoque–, ¿no hueles a humo?

Omar empujó súbitamente al pequeño Zacarías, derribándolo al suelo sobre la grava del sendero. Camelia y Yasmina se levantaron inmediatamente para recogerle. ¡Si hubiera más niños!, pensó Amira. En una casa de aquel tamaño, hubiera tenido que haber más niños jugando en el jardín. Amira ansiaba tener más nietos. Pero Nefissa no quería volver a casarse a pesar de los muchos hombres adecuados que ella le había buscado, y, hasta la fecha, Alice sólo le había dado una niña a Ibrahim sin contar la que había muerto.

–¡Mírame! –gritó Camelia, caminando con unos tallos de papiro secos a la espalda–. ¡Soy un pavo real!

Amira se quedó petrificada. Acababa de ver un pavo real... no la imitación que estaba haciendo su nieta sino un pájaro de verdad, vivo y deslumbradoramente azul como si estuviera realmente allí, exhibiéndose delante de ella.

Era un recuerdo. Estaba evocando un pavo real de un lejano pasado.

Rápidamente tuvo que sentarse. Nunca sabía cuándo le vendrían a la memoria los recuerdos, ya fuera en sueños o bien despierta como en aquellos momentos, sentada en el jardín mientras el pasado regresaba súbitamente a ella en grandes oleadas como las que una vez había visto desde su casa a la orilla del mar en Alejandría. Cada vez ocurría lo mismo: un inesperado recuerdo surgía de pronto e iluminaba un fragmento de su pasado con tal lujo de detalles que, por un instante, ella lo creía real. Después, el recuerdo se esfumaba y la dejaba momentáneamente sin respiración.

Cada vez que le ocurría, Amira imaginaba que su mente era un profundo pozo con burbujas atrapadas en su fondo. De vez en cuando, sin motivo aparente, una burbuja se escapaba y emergía a la superficie de su mente, estallando y liberando el fragmento de recuerdo que contenía. A veces, eran recuerdos que ella ya conocía, como el del día en que conoció a Alí Rashid en el harén de la calle de las Tres Perlas, pero otras veces eran retazos olvidados de su pasado... un rostro, una voz, un súbito estremecimiento de terror o de júbilo. O un pavo real. A medida que pasaban los años, los fragmentos iban formando un mosaico incompleto de su existencia, pero aún faltaban muchas cosas: su vida anterior a la incursión en la caravana del desierto. Ahora ya estaba segura de que ella era la niña que aparecía en su sueño, pero no sabía cuándo ni dónde había tenido lugar la incursión ni qué había sido después de su madre. ¿Qué debía de ser aquella extraña torre cuadrada que a veces veía en sueños?

Amira se sorprendía de que hubiera podido olvidar unos acontecimientos tan importantes de su vida. ¿Conseguiría recordarlos totalmente alguna vez?, se preguntó mientras la visión del pavo real se iba esfumando poco a poco. ¿Cuál había sido la causa de que olvidara aquellos recuerdos de su primera infancia?

–Niños –dijo–, venid a tomaros una limonada.

Yasmina abrió enormemente los ojos al ver las bolas de albaricoque... eran sus preferidas, por eso la llamaban *Mishmish*, que en árabe significaba albaricoque. Pero, antes de que pudiera acercarse al cuenco, Omar la empujó y tomó un buen puñado para él. Por suerte, Amira había procurado que hubiera suficiente para todos. Mientras los niños sostenían los vasos de limonada en sus manitas y se llenaban la boca de bolas de albaricoque, Amira sintió el calor del sol sobre sus hombros, aspiró la fragancia del jardín y se llenó súbitamente de alegría. Estaba viendo el futuro: así que pasaran diez o quince años, aquellos niños se casarían y la casa volvería a llenarse de chiquillos. ¡Entonces seré bisabuela y aún no habré cumplido los sesenta!, pensó con una sonrisa. Se sentía tan feliz que, si hubiera levantado los pies, estaba segura de que hubiera flotado directamente hasta el cielo. *Alabado sea Alá, Señor del universo, por su generosidad y munificencia. Ojalá las cosas sigan siempre igual*...

De repente, Amira frunció el ceño. El olor de humo era cada vez más intenso. ¿Qué podía ser? Consultó su reloj. Maryam y Suleiman estarían a punto de regresar de la sinagoga; les preguntaría si habían visto algo raro en la ciudad.

De pronto, percatándose de que el humo no procedía de una hoguera normal, se levantó.

–Vamos, niños –dijo–. Ya es hora de entrar y de volver a las clases.

–Oh, *Umma* –protestaron ellos–. ¿Por qué?

–Tenéis que aprender a leer –contestó Amira, examinando la rodilla que Zacarías se había arañado al caer al suelo empujado por Omar–. Porque entonces podréis leer el Corán. La palabra de Alá es fuerza. Cuando tengáis un perfecto conocimiento del Corán, estaréis armados para enfrentaros con cualquier cosa que ocurra en la vida. Cuando uno conoce la Ley, nadie puede aprovecharse de él ni causarle el menor daño.

–Son muy pequeños, madre Amira –dijo Alice riéndose mientras recogía sus herramientas de jardinería.

Amira sonrió para disimular su creciente inquietud... el olor a humo era cada vez más fuerte y, además, ahora se oían gritos en la calle.

–Vamos, rápido. Hoy estudiaréis y mañana iremos a comer a la tumba del abuelo.

Los niños se alegraron al oír sus palabras y entraron riendo en la casa porque un día en el cementerio era siempre muy divertido. Una vez al año Ibrahim llevaba a los niños a la Ciudad de los Muertos donde ponían flores en las tumbas de Alí Rashid, de la madre de Camelia y de la hija muerta de Alice. Tras lo cual, almorzaban allí mismo. Al regresar a casa, Amira les explicaba cómo el espíritu ascendía al Paraíso cuando el cuerpo era depositado en el sepulcro. A Zacarías le gustaban muchísimo las descripciones del Paraíso y estaba deseando subir allí cuanto antes. En cambio, las niñas tenían sus dudas algunas veces. Si el Corán prometía tantas recompensas a los hombres en el más allá, entre otras cosas vírgenes y jardines, había preguntado Camelia una vez, ¿cuál sería la recompensa para una niña? Amira la abrazó entre risas y le contestó:

–La recompensa de una mujer es servir a su marido por toda la eternidad.

Una criada salió corriendo al jardín.

–¡Mi ama! ¡La ciudad está ardiendo!

Todo el mundo subió a la azotea, desde donde se podían ver el humo y las llamas.

–¡Eso es el fin del mundo! –gritó la cocinera.

Amira no daba crédito a sus ojos... la ciudad ardía por todas partes y el Nilo, reflejando las llamas, también parecía arder. Las explosiones se sucedían sin cesar y se oían rápidas descargas de artillería como si estuvieran en zona de guerra.

–¡Proclamemos la unidad de Alá! –gritó la cocinera.

–¡El Señor sea ensalzado!

Zu Zu salió caminando con la ayuda de un bastón. Sus viejos ojos se abrieron con expresión de espanto mientras gritaba:

–¡La compasión pertenece sólo a Alá! ¡La ciudad está en llamas!

Los criados empezaron a gemir y a rezar.

–¿Nos están atacando? ¿Todo el país está en llamas?

Alice estaba tan blanca como su jersey de lana.

–¿Por qué no hace nada el gobierno? ¿Dónde están la policía, los soldados?

Amira contempló los penachos de negro humo que se elevaban a unos dos kilómetros y medio de distancia y trató de establecer qué era lo que estaba ardiendo. Años atrás, Alí Rashid había subido con ella a la azotea y le había indicado distintos puntos de interés para que por lo menos supiera algo de la ciudad en la que vivía, pero que jamás había visto. El humo procedía del sector en el cual Alí le había dicho que los británicos habían construido sus hoteles de lujo y sus cines. Buscó ansiosamente el palacio de Abdin donde Ibrahim estaba asistiendo a un banquete y trató de distinguir si también estaba ardiendo.

Ya era muy tarde y las llamas se elevaban todavía hacia el cielo nocturno cuando la familia se reunió para esperar ansiosamente alguna noticia de Ibrahim. Maryam y Suleiman Misrahi habían regresado hacía un rato, tras haber acudido a toda prisa al almacén de Importaciones Misrahi, temiendo que también lo hubieran incendiado. Al parecer, el almacén del lucrativo negocio de importación de Suleiman no había sufrido daños, pero el espectáculo que habían visto era increíble: cientos de edificios habían sido incendiados, casi todos ellos británicos. Y ahora, en el gran salón de Amira, mientras la familia permanecía reunida bajo las parpadeantes lámparas de aceite de cobre y las agujas del reloj se acercaban a la medianoche, una voz de la radio fue leyendo solemnemente la lista de los edificios destruidos:

–El Banco Barclay's, el hotel Shepheard's, el Metro Cinema, el Palace de l'Opéra, el Groppi...

Cuando el reloj estaba dando las doce, una sombra apareció en la puerta. Doreya fue quien primero le vio.

–¡Alá es misericordioso! ¡Ibrahim! –exclamó corriendo hacia él seguida por todos los demás.

Mientras lo abrazaban y besaban, empujándolo al interior del salón, Ibrahim les aseguró que estaba bien y no había sido atacado. Después, se volvió hacia Suleiman y le dijo:

–¿Me puedes echar una mano?

Ambos se retiraron y regresaron al cabo de un momento, sosteniendo entre los dos a un joven con la cabeza vendada. Al verle, Alice lanzó un grito.

–¡Eddie! ¡Dios mío, Eddie! –dijo, arrojándole los brazos al cuello–. ¿Qué estás haciendo aquí? ¿Cuándo llegaste? ¡Estás herido! ¿Qué te han hecho? ¿Qué ha pasado?

–Quería darte una sorpresa –contestó Edward con un hilillo de voz–. Y creo que lo he conseguido.

–Oh, Eddie, Eddie –dijo Alice entre sollozos mientras Ibrahim les contaba a los demás lo que había sucedido en el Club Ecuestre.

–Le llevaron al hospital Kasr al-Aini y me telefonearon a Palacio cuando él consiguió convencerles de que estaba emparentado conmigo. –Ibrahim se sentó, lanzando un suspiro–. Os presento a todos a Edward, el hermano de Alice.

Amira lo saludó con un beso en cada mejilla y le dio la bienvenida, examinando el vendaje.

–Siento que hayas llegado en un día tan triste. Ven a sentarte. ¿Te han curado bien la herida en el hospital? No me fío de ellos. Prefiero echarle un vistazo.

Una criada entró con una jofaina, jabón y una toalla y, tras examinar la herida de Edward, Amira comprobó que no era grave, la lavó, le aplicó un ungüento de alcanfor que ella misma elaboraba y se la volvió a vendar, cambiando la gasa. Después ordenó que prepararan en la cocina un té medicinal con manzanilla para los nervios y diente de león para favorecer la cicatrización.

–¿Qué está ocurriendo ahora? –le preguntó Suleiman a Ibrahim–. ¿Se han controlado los incendios?

–La ciudad aún está en llamas –contestó Ibrahim en tono cansado–. Y se ha decretado el toque de queda. El populacho ha llegado a unos mil metros de Palacio.

–Pero ¿quién es el responsable de todo eso? –preguntó Amira.

–Se dice que una de las fuerzas que están detrás de los disturbios son los Hermanos Musulmanes –le contestó Ibrahim.

Todo el mundo recordó aquel terrible día de cinco años atrás en que, en protesta por la confiscación por parte de los británicos de unas tierras pertenecientes a los árabes palestinos, los Hermanos Musulmanes habían hecho saltar por los aires unas salas cine-

matográficas que exhibían lo que ellos llamaban «películas ameri-
canas controladas por los judíos».

–Pero ¿han derribado al gobierno? –quiso saber Maryam–. ¿Ha
habido un golpe?

Ibrahim sacudió la cabeza, desconcertado. No había habido el
menor intento de derribar al gobierno ni de destronar a Faruk. Pese
a todo, no cabía duda de que habían sido unos disturbios muy bien
planificados y organizados. La única pregunta era: ¿quién está detrás y por qué?

–¿Qué va a hacer el Rey? –preguntó Suleiman.

Ibrahim no contestó. Sabía que la política de Faruk sería no
hacer nada. Al fin y al cabo, como el propio monarca decía a menudo, los disturbios no iban dirigidos contra él, sino contra los británicos. Faruk sabía que él tenía muy buena imagen en comparación con los odiados ingleses, y estaba plenamente convencido de
que al final se convertiría en un héroe.

De pronto se oyó una voz a través de la radio haciendo una solemne lectura del Corán, ritual que habitualmente se utilizaba para
anunciar el fallecimiento de algún alto dignatario. Mientras escuchaban, todos los reunidos en el gran salón de Amira aprovecha-
ron para meditar acerca de sus respectivos temores.

Edward tomó la decisión de sacar a su hermana de allí y llevársela a Inglaterra.

Ibrahim pensó en la sorpresa que le iba a dar a Alice con los pa-
sajes de barco a Inglaterra. Sin embargo, a causa de los recientes
acontecimientos, sabía que Faruk no le autorizaría a salir del país.

Tendría que aplazar el viaje hasta que se apaciguaran los ánimos, cosa que no tendría más remedio que ocurrir.

Suleiman, tomando la mano de su esposa, pensó en los comercios judíos que también habían sido incendiados durante los disturbios.

Y, finalmente, Amira se preguntó qué sería de su hijo y de toda
su familia en el caso de que la revuelta se volviera contra el Rey.

9

En la calurosa noche de julio se aspiraban los perfumes de los innumerables jardines de El Cairo y los fértiles efluvios de las perezosas aguas del Nilo. Los cairotas paseaban tranquilamente por las aceras tras haber salido del cine o de los restaurantes, que ya se disponían a cerrar. Una joven familia en particular, tras haber disfrutado de una película y unos helados, estaba llenando el aire estival con sus risas. Al llegar a casa, la familia encontró un mensaje urgente para el marido. Éste lo leyó rápidamente, lo destruyó y, poniéndose su uniforme militar, se despidió con un beso de su mujer y sus hijos y les pidió que rezaran por él, pues no sabía si volvería a verlos. Después salió corriendo a la noche y se dirigió a la peligrosa cita concertada tiempo atrás. Su nombre era Anuar al-Sadat y la revolución acababa de empezar.

Nefissa estaba tratando de refrescarse en la bañera de mármol empotrada de su cuarto de baño privado, envuelta en una deliciosa nube de almendras y rosas. Por primera vez en su vida tenía que soportar las calurosas noches estivales de El Cairo, dado que Ibrahim había anulado el viaje anual de la familia a Alejandría. Desde el comienzo de los disturbios en enero, en el llamado Sábado Negro, la tensión había aumentado en la ciudad y los estallidos de violencia eran cada vez más numerosos. Ibrahim pensó que no era un buen momento para viajar y dejó a toda la familia en casa cuando él se reunió con Faruk en su palacio de verano de Alejandría. Sin embargo, Nefissa iría a Alejandría tanto si a Ibrahim le gustaba como si no. Y no iría sola.

Echó la cabeza hacia atrás, cerró los ojos, aspiró profundamente las embriagadoras fragancias de su baño y pensó en Edward Westfall, que, al día siguiente, iba a ser su compañero de viaje por carretera a la costa.

Mientras se llenaba la mente con la imagen de su rubio cabello ondulado, sus opalinos ojos azules y el hoyuelo de su barbilla, levantó las rodillas y percibió la sedosa suavidad del agua cayendo en cascada sobre su piel. Tomó un frasco de cristal de aceite de almendras, se echó una pequeña cantidad en la mano y empezó a acariciarse delicadamente el cuerpo. En el baño, Nefissa llegaba a veces casi al borde de un delicioso precipicio físico y tenía la sensación de que al otro lado tenía que haber algo extremadamente dulce y sublime. Pero nunca conseguía alcanzarlo del todo. Conservaba un vago y lejano recuerdo del momento en que, siendo niña, descubrió un sorprendente placer mientras se exploraba el cuerpo. Creía recordar que posteriormente se había entregado a menudo a aquella turbadora sensación hasta que llegó la noche del corte... la circuncisión. Amira le explicó entonces que le habían quitado la impureza y que ahora era una niña «buena». Y, desde entonces, Nefissa no había podido recuperar aquella curiosa sensación.

Mientras tomaba una esponja marina y se enjabonaba con un cremoso jabón de almendras, observó que el placer se le seguía escapando y que tan sólo podía experimentar un atisbo de lo que hubiera podido ser. Se preguntó por qué razón se mutilaban las mujeres. ¿Cuándo había empezado la práctica del corte? Amira decía que se remontaba a la madre Eva, pero, en tal caso, ¿quién había llevado a cabo la operación siendo ella la primera mujer? ¿Debió de hacerlo Adán? ¿Por qué las circuncisiones de los niños se llevaban a cabo en pleno día y acompañadas de una gran fiesta mientras que las de las niñas se hacían en mitad de la noche y después ya nadie volvía a hablar de ello? ¿Por qué era un motivo de orgullo para los chicos y de vergüenza para las chicas?

Nefissa suspiró con inquietud mientras tomaba una jarrita de vidrio soplado de color azul. Se echó unas cuantas gotas de aceite en la palma de la mano y se aplicó la esencia de flores de azahar sobre el pecho y el vientre mientras sus pensamientos volaban de nuevo hacia Edward Westfall.

No estaba enamorada del hermano de Alice y ni siquiera creía que le gustara especialmente. Pero le recordaba tanto a su apuesto teniente que, siempre que le miraba o hablaba con él, experimentaba una extraña sensación en lo más hondo de su ser.

¡Cómo se deleitaba pensando en aquella noche en el viejo harén del palacio de la princesa en que ella y su teniente inglés habían hecho el amor hasta el amanecer! Le parecía que había sido ayer; recordaba con todo detalle cada uno de los momentos... la pequeña cicatriz de su muslo derecho, el salado sabor de su piel y la maravillosa forma en que le había hecho el amor. Mientras las mujeres de tristes ojos los contemplaban desde los murales y el ruiseñor le cantaba a la rosa en el jardín, Nefissa había experimentado un éxtasis y una pasión que a buen seguro la mayoría de las mujeres jamás hubieran podido imaginar.

Cuando se despidieron y su guapo oficial la besó por última vez bajo la luz de la aurora prometiendo escribirle y regresar algún día, Nefissa experimentó un breve instante de súbita intuición y supo que jamás volverían a verse.

En medio de todos los besos, caricias y dulces palabras, él no le había dicho ni una sola vez su nombre; la noche había sido una pura fantasía y ellos habían sido casi tan irreales como las concubinas del sultán, petrificadas para siempre en las paredes. En todos los años transcurridos, no había tenido la menor noticia de él. Lo único que Nefissa conservaba de él era el pañuelo de fino lino bordado con minúsculos nomeolvides. Era de su madre, le había dicho el teniente.

Salió lánguidamente de la bañera y se secó con la suave toalla de rizo fabricada con el excelente algodón de las plantaciones de su hermano. Mientras se aplicaba una cremosa loción hidratante a base de lanolina, cera de abejas e incienso, elaborada con las hierbas del huerto de Amira, Nefissa pensó en su teniente. ¿Estaría todavía en Inglaterra, se habría casado tal vez? ¿Pensaría alguna vez en ella?

La juventud se le escapaba de las manos; tenía veintisiete años y el paso del tiempo la seguía como una sombra. Pese a constarle que Amira estaba deseando que volviera a casarse y tuviera más hijos y pese a los numerosos ofrecimientos que había recibido de muchos egipcios acaudalados, Nefissa no tenía el menor interés. Quería recuperar lo que antes había tenido. Por eso había empezado a fijarse en Edward. Haciendo un pequeño esfuerzo, se lo podía imaginar vestido con el uniforme de su teniente, encendiendo un cigarrillo bajo la farola de la calle. No lo amaba, jamás amaría a un hombre como había amado al otro. Pero, si lo mejor no estaba a su alcance, se conformaría con una copia.

Mientras se deslizaba bajo las frescas sábanas perfumadas con esencia de lavanda, Nefissa trató de entusiasmarse pensando en el viaje a Alejandría que emprendería con Edward al día siguiente. Aunque no sintiera por él la menor pasión, era un inglés rubio y de piel clara, y tal vez en la oscuridad de una alcoba podría casi creer que estaba haciendo de nuevo el amor con su soldado perdido...

Bajo la cálida luna de julio las sombras se movían en silencio por las desiertas calles de la ciudad dormida mientras las columnas blindadas salían de los cuarteles de Abbasseya con sus cañones, tanques y jeeps. Inmediatamente bloquearon los puentes del Nilo y todas las salidas de El Cairo y tomaron el Cuartel General Militar, interrumpiendo una reunión nocturna en cuyo transcurso los miembros del Alto Estado Mayor habían decidido por votación el arresto de los dirigentes revolucionarios que se autodenominaban los Oficiales Libres. Se apoderaron de inmediato de la centralita telefónica y en seguida ordenaron que todos los oficiales de estado mayor y los comandantes de tropa se presentaran urgentemente en el cuartel general donde los mantuvieron bajo custodia y los encerraron. Una división blindada fue enviada a la carretera del canal de Suez para interceptar las tropas británicas que era posible que intentaran acercarse desde el Canal. Dondequiera que fueran, los militares revolucionarios eran recibidos con muy poca o ninguna resistencia.

A las dos de la madrugada, El Cairo ya se encontraba bajo el control de los Oficiales Libres. Ahora lo único que les faltaba era llegar a Alejandría, donde estaba el Rey.

Edward Westfall contempló el arma que sostenía en la mano. La había utilizado en otra ocasión durante la guerra: no temía volver a usarla. Estaba a punto de amanecer y a través de las persianas abiertas de las ventanas de su dormitorio penetraba el cálido viento matinal y se oía la llamada a la oración de los múltiples alminares de El Cairo. Edward sopesó en su mano el revólver Smith & Wesson del 38 y rezó en silencio su propia oración: «Ayúdame, Dios mío. No permitas que sucumba de nuevo a mis debilidades, te lo suplico. Me estoy dejando arrastrar y no puedo evitarlo. Te lo ruego, Dios mío, sálvame de este vicio que me domina y me está destruyendo sin que yo pueda luchar contra él».

Edward le había dicho a todo el mundo, e incluso se lo había dicho a sí mismo, que el motivo de que todavía permaneciera en Egipto seis meses después de su llegada era su preocupación por la seguridad de su hermana. Lo mismo le había dicho a su padre el conde cuando le escribió en enero para pedirle que le enviara algunas cosas porque un taxista sin escrúpulos le había robado el equipaje.

«No puedo sacar a Alice de Egipto –había escrito– porque existe una anticuada ley según la cual una mujer necesita el permiso de su marido para abandonar el país. E Ibrahim no se da cuenta del peligro.» También le había pedido a su padre que le enviara el revólver de reglamento de la guerra, el Smith & Wesson del calibre 38 que Gran Bretaña había distribuido entre sus tropas cuando se le agotaron las existencias de Enfields.

Y lo cierto era que Edward tenía efectivamente intención de rescatar a Alice y Yasmina de aquel peligroso lugar, pero de eso hacía muchos meses y ahora la razón de su permanencia allí era otra. Su verdadero motivo era un secreto que ni siquiera se hubiera atrevido a confesarle a su hermana, un motivo que ni siquiera quería reconocer en su fuero interno.

Evocaba recuerdos de turbadores sueños, visiones de unos oscuros y líquidos ojos, de unos carnosos labios sensuales y de unos largos y finos dedos que le acariciaban lugares secretos... De día, cuando estaba despierto, apartaba de su cabeza aquellos impuros pensamientos prohibidos, pero de noche sus pensamientos lo traicionaban y se burlaban de él.

¿Qué iba a hacer? ¿Cómo podía un hombre mantenerse casto en aquella cultura que parecía obsesionada por el sexo y, sin embargo, lo rechazaba? No se podía pasear por una calle de El Cairo sin ver anuncios de películas de amor, oír las radios de los bares emitiendo canciones cuyo tema eran los apasionados abrazos o escuchar sin querer atrevidas conversaciones sobre la virilidad y la fertilidad. El comedido Edward pensaba que el sexo, el amor y la pasión estaban tan intrincadamente entretejidos en el tapiz cotidiano de El Cairo como el café, el polvo y los ardientes rayos del sol. Y, sin embargo, los goces terrenales, incluso los inocentes coqueteos o el simple hecho de tomarse cariñosamente de la mano, estaban estrictamente prohibidos, a no ser que se tratara de personas virtuosamente casadas, en cuyo caso tales efusiones debían limitarse a la intimidad de la alcoba. Aquello era mucho peor, pensaba Edward, que el puritanismo de su educación victoriana. Ciertamente, las reglas del comportamiento sexual eran tan estrictas en Inglaterra como en Egipto: la virtud y la castidad eran alabadas y la fornicación y el adulterio, condenados. Pero, por lo menos, la sociedad británica no le restregaba constantemente a uno por la cara aquello que no podía tener. Inglaterra no había creado a las mujeres que se cubrían el rostro con velos y que, sin embargo, te desnudaban con sus ojos tentadores. Inglaterra no se había inventado la provocativa danza del vientre o *beledi*, tal como la llamaban. ¡Y por supuesto que ninguna familia inglesa exhibía la sangre virginal de la novia a la mañana siguiente de la noche de boda! La lavanda inglesa Yardley's era una recatada fragancia femenina; en cambio, las mujeres de Oriente asaltaban el olfato con los agresivos aromas femeninos del almizcle y el sándalo. Por si fuera poco, la comida era más picante, la música más viva, las risas más sonoras y los ánimos más exaltados. Santo cielo, ¿serían también las relaciones sexuales más salvajes y apasionadas en Egipto? ¿Cómo podía un hombre conservar el equilibrio y controlar sus apetitos?

Edward apenas había podido pegar el ojo en toda la noche. Evocaba las embriagadoras fragancias de la madreselva y el jazmín, y el calor le había obligado a prescindir de las sábanas y a dormir desnudo mientras la perfumada brisa le besaba el cuerpo. Ahora el amanecer ya anunciaba un nuevo día rebosante de seducciones sensuales y Edward aspiraba los deliciosos aromas de los huevos y las judías fritas, el queso caliente y el dulce café.

Dejó sobre la mesilla el arma y tocó a regañadientes el timbre para llamar a su criado. Había accedido a acompañar aquel día a Nefissa a Alejandría, pero tenía miedo.

Empezó a sudar y notó que se le aceleraban los latidos del corazón. Era un insensato y no hubiera tenido que acceder a semejante locura. ¡No se había trasladado a Egipto para caer de nuevo en sus vicios! Al fin y al cabo, ésta había sido una de las razones por las cuales había viajado a aquel país. No lo había hecho simplemente para visitar a Alice y ver los antiguos monumentos sino también para escapar de unas desastrosas relaciones antes de que su padre se enterara. Al menor asomo de escándalo, el conde lo hubiera dejado sin un céntimo. Y ahora estaba nuevamente a punto de lanzarse de cabeza a otro abismo sexual.

La brisa que penetraba a través de las persianas llevaba la dulzura del azahar y el jazmín. Cuando oyó que el chófer en la calzada de abajo abría la puerta de la antigua cochera convertida en garaje y ponía en marcha uno de los automóviles, recordó el largo viaje a Alejandría que estaba a punto de emprender con Nefissa y evocó una calurosa y sofocante noche de unas semanas atrás en que, durante una cena, su codo rozó accidentalmente otro codo. Sus ojos se cruzaron con otros y comprendió en aquel instante que estaba perdido.

Al oír a los criados en el pasillo, adivinó que su asistente entraría de un momento a otro con el té, el brandy y el agua caliente para afeitarse. Se puso la bata de seda y se dirigió al lavabo. Se miró al espejo. La herida sufrida en el Club Ecuestre había cicatrizado sin dejarle ninguna señal. Su aspecto era excelente y se encontraba en perfecta forma gracias a los cuidados que Amira le había dispensado, a las tonificantes bebidas y también al saludable ejercicio. Se alegraba de que los disturbios de enero no hubieran llegado hasta la Isla de Gezira, un elegante club donde los británicos seguían entregándose a sus privilegiadas aficiones, aunque con más discreción. Edward se había hecho socio del club y allí acudía diariamente para jugar al tenis, practicar natación y mantenerse en forma. Se sabía guapo y también sabía que, cuando las mujeres le miraban, no veían tan sólo unas hermosas facciones regulares coronadas por un pálido cabello rubio, sino un físico perfecto bajo su impecable atuendo de elegante caballero inglés.

Los oscuros y líquidos ojos surgieron de nuevo en su mente. Se preguntó qué debían de ver cuando le miraban.

Soltó un gruñido. Estaba sudando profusamente, no a causa del calor de julio sino de la lujuria. Quería sucumbir a la tentación y, sin embargo, temía hacerlo. Recordó lo que Alice le había dicho:

—No sé quién soy ni dónde me corresponde estar.

Él también se sentía atrapado entre dos mundos y no encajaba del todo ni aquí ni allí. Pobre Alice, traicionada por el hombre al que amaba, incapaz de vivir con él y sin poder regresar a Inglaterra. ¿No habría caído él en la misma trampa? ¿Enamorado sin querer estarlo, ansiando regresar a casa, pero sin poder hacerlo por culpa del deseo sexual que lo encadenaba allí?

¿Cómo había podido acceder a viajar a Alejandría con Nefissa? En Alejandría la seducción sería completa y él se hundiría una vez más en el abismo. Hubiera tenido que quedarse allí, en la calle de las Vírgenes del Paraíso. Entre las estrictas normas de conducta moral de Amira se sentía a salvo.

Cuando entró el asistente, Edward guardó rápidamente el revólver en su maleta. Era una medida de protección con vistas al viaje de doscientos kilómetros por carretera. Mientras el criado le preparaba la crema de afeitar, Edward se bebió el brandy, rechazó el té y pidió más brandy, tomando la copa con trémula mano.

Amira acababa de dirigir la oración matinal de las mujeres, incluidas las criadas y las niñas. Al terminar la última plegaria, volviendo la cabeza hacia atrás para decirles a los ángeles de la guarda: «La paz y la misericordia de Alá sean con vosotros», las criadas regresaron a sus quehaceres domésticos y las demás mujeres bajaron a desayunar, seguidas por Zacarías y Omar. Amira se quedó en los dormitorios con Yasmina, Camelia y Tahia, las cuales, a pesar de tener tan sólo seis y siete años, ya estaban aprendiendo a hacer las camas como parte de su adiestramiento para cuando fueran mayores y se casaran; las niñas hicieron primero sus camas y después las de sus hermanos; a continuación, recogieron la ropa y los juguetes desperdigados por el suelo y ordenaron la habitación que compartían ambos niños. Trabajaban muy rápido porque tenían apetito; los deliciosos aromas del desayuno llenaban la casa, pero ellas no podrían bajar a comer sin antes haber terminado aquellas tareas.

–Tenemos criadas, *Umma* –dijo Tahia, que, con sus siete años y dos meses, era la mayor de las niñas–. Ellas pueden hacer las camas.

–¿Y qué ocurrirá si no tienes criadas cuando te cases? –replicó Amira alisando la colcha de la cama de Omar–. ¿Cómo cuidarás entonces de tu marido?

–¿Tía Alice y tío Edward son malos porque no rezan con nosotros? –preguntó Camelia.

–No, es que ellos son cristianos... gente del Libro como nosotros. Ellos rezan a su manera.

Amira oyó que el asistente personal de Edward subía la escalera del ala de la casa reservada a los hombres, portando la habitual bandeja de té y brandy. Por primera vez desde que se construyera la casa, se había introducido alcohol en aquella mansión. Amira protestó como la vez en que Alice había pedido que sirvieran vino en las comidas. En aquella ocasión, Amira había conseguido imponer su criterio. Pero esta vez, tratándose de un deseo del cuñado de su hijo, había tenido que ceder.

La anciana Zu Zu entró en la estancia renqueando con su bastón. Unas oscuras ojeras rodeaban sus ojos. No había dormido bien, explicó, y sus sueños estaban llenos de premoniciones y malos presagios.

–He soñado una luna roja como la sangre y he visto *yinns* jugando en nuestro jardín. Todas las flores se habían marchitado.

Amira mandó retirarse a las niñas temiendo que la anciana las asustara con sus comentarios y después dijo:

–Está escrito que nada nos podrá ocurrir más que lo que Alá haya decretado. Él es nuestro amigo y protector. No te preocupes, tata. El Rey e Ibrahim están en buenas manos.

Pero Zu Zu, que había sido una joven atolondrada en los tiempos de los grandes jedives de Egipto, replicó:

–También está escrito que Alá no cambia a las personas si ellas mismas no se cambian primero. Se acercan calamidades, *Um* Ibrahim, y no es bueno que tu hijo esté lejos. ¿Para qué sirve un hombre, sino para proteger a su familia?

Cuando Zu Zu le suplicó a Ibrahim que esta vez no acompañara al Rey a Alejandría, él le aseguró alegremente que no ocurriría nada. ¿Cómo podía estar tan ciego? En los seis meses transcurridos desde el Sábado Negro, el rey Faruk había cambiado tres veces la composición de su gobierno y corrían rumores de que tenía intención de colocar al frente del gabinete a su cuñado, un hombre despreciado por el ejército. De este modo, la tensión había vuelto a apoderarse de El Cairo.

–Tengo miedo –dijo ahora Zu Zu–. Temo por la seguridad de tu hijo y por la de esta familia. Estando él en Alejandría, ¿qué protección tenemos nosotros aquí?

Zu Zu dio media vuelta y siguió a los niños, que se dirigían a la sala del desayuno.

En la sala del desayuno de la planta baja, donde la familia estaba atacando ruidosamente las bandejas de huevos con judías, Nefissa permanecía de pie junto a una ventana abierta, esperando la aparición del automóvil. Lucía un ligero traje de viaje de lino y llevaba un maletín de maquillaje de piel de cocodrilo del Nilo.

Alice se acercó a ella y le dijo:

–He hecho una cosa para ti.

Era un precioso ramillete de flores carmesí que hacían juego con los rojos labios de Nefissa y encendieron un destello en sus grandes ojos oscuros.

Nefissa miró a Amira, que estaba dando de comer a dos niños pequeños, y le dijo a Alice en un emocionado susurro:

–¡Si ella lo supiera! ¡Mi madre me encerraría en una habitación y arrojaría la llave al Nilo! –Nefissa tenía intención de cometer una escandalosa locura: pensaba rechazar los servicios del chófer y conducir ella misma el automóvil hasta Alejandría. Varios meses de clases secretas de conducir le habían otorgado finalmente una libertad y un poder que jamás había conocido anteriormente–. Ya es grave que me haya negado a ponerme el velo y a vestirme de negro –añadió mientras se prendía el ramillete al vestido de lino–, ¡como *Umma* se enterara de que voy a conducir...! ¿Sabe Edward que pienso ponerme al volante?

–¡Mi pobre hermano no tiene ni idea! Cree que serás escoltada por un chófer. ¿Piensas hacer alguna parada por el camino?

Alice estaba tan deseosa como Nefissa de que se consumara la seducción. Hubiera sido capaz de cualquier cosa con tal de que Edward se quedara en Egipto.

De pronto, oyeron el insistente sonido del timbre de la puerta principal. Momentos después, una criada hizo pasar a Maryam Misrahi a la estancia.

–¿Tienes la radio puesta, Amira? –preguntó Maryam–. ¡Ponla en seguida! ¡Ha estallado una revolución! ¡De noche, mientras dormíamos!

–¿Qué? Pero ¿cómo?

–¡No lo sé! ¡Las calles del centro están llenas de tanques y soldados!

Sintonizaron con Radio El Cairo y se oyó una voz desconocida perteneciente a un hombre del que jamás habían oído hablar, un tal Anuar al-Sadat, el cual les estaba diciendo a los egipcios que ya era hora de que finalmente se gobernaran a sí mismos. Otras personas entraron en la sala para reunirse en torno al receptor, Doreya y Rayya con sus hijos, Haneya con su hijito, Zu Zu apoyada en su bastón y todas las demás mujeres y criadas de la casa.

–No habla para nada del Rey –dijo Rayya escuchando con atención el discurso de Sadat–. No dice qué han hecho con él.

–Van a matar al Rey –gritó Doreya–, ¡y también a Ibrahim!

De pronto, todas las mujeres se asustaron y empezaron a abrazarse unas a otras entre gritos y lamentos mientras la pequeña Tahia se echaba a llorar. Amira, procurando disimular su inquietud, dijo serenamente:

–No tenemos que dejarnos vencer por el miedo. Recordad que Alá es comprensivo y que nos ponemos bajo su protección. Telefonea a todo el mundo y diles que vengan –añadió, volviéndose hacia Rayya–. Seguiremos las noticias desde aquí y rezaremos juntos.

Doreya, reúne a todos los niños. Procura entretenerlos con·juegos y tranquilízalos.

Después dio orden a la cocinera de que empezara a calentar el agua para el té y preparara gran cantidad de comida, pues pronto empezarían a llegar los parientes para esperar las noticias de Ibrahim. Finalmente, le dijo a Nefissa:

–Hoy no irás a Alejandría.

–Eso es absurdo –dijo el rey Faruk, rechazando con un gesto de la mano lo que le estaba diciendo Sadat–. ¿Cómo puede usted decir que ha habido una revolución si sólo se han disparado unos cuantos cañonazos y apenas ha habido derramamiento de sangre?

Sin embargo, era cierto que la revolución había sido casi incruenta. En sólo tres días tras la toma de El Cairo, los Oficiales Libres habían asombrado al mundo apoderándose del control de todas las comunicaciones, organismos del gobierno y medios de transporte, y dejando el país prácticamente paralizado. Faruk había quedado aislado; los británicos no podían enviar ayuda porque el ejército revolucionario controlaba los trenes, los aeropuertos, puertos y principales carreteras, y, aunque el agregado militar de la embajada de los Estados Unidos en El Cairo había exigido una explicación sobre lo que estaba ocurriendo, no hubo por parte norteamericana el menor ofrecimiento de ayuda militar. Faruk estaba indefenso. Se habían intercambiado algunos disparos entre la Guardia Real y las fuerzas revolucionarias que rodeaban el Palacio, pero el Rey ordenó finalmente que la Guardia se retirara y mandó cerrar todas las puertas. Más tarde, uno de los Oficiales Libres, Anuar al-Sadat, dirigió un ultimátum al Rey: abandonar el país a las seis de aquella tarde o atenerse a las consecuencias.

Ante las protestas del Rey, Sadat le recordó cortésmente los disturbios del Sábado Negro en cuyo transcurso todos los locales cinematográficos, casinos, restaurantes y grandes almacenes de la zona europea de El Cairo había sido incendiados... más de cuatrocientos establecimientos en total. Se decía que, si Faruk hubiera tomado medidas apenas dos horas antes y no hubiera estado tan ocupado en sus propios placeres, todo ello se hubiera podido evitar. Pero ahora, añadió amablemente Sadat, el Rey era un hombre muy poco popular.

Faruk conocía también otro dato sumamente inquietante, es decir, que la mayoría de los Oficiales Libres querían ejecutarle y que se había salvado por un solo voto, el de Gamal Abdel Nasser, el cual no quiso que hubiera derramamiento de sangre.

–La historia le juzgará –había dicho Nasser.

Faruk llegó a la conclusión de que, cuanto más tiempo permaneciera en Egipto, tanto más breve sería su vida.

Inmediatamente le comunicó su decisión a Sadat.

Ibrahim cayó en la cuenta de que aquélla sería quizá la última vez que estuviera en aquel palacio o en la compañía de Faruk, lo cual le parecía algo increíble tras haberse pasado tantos años viviendo bajo la sombra real. ¿Sería posible que ya no le llamaran a medianoche al palacio de Abdin donde solía encontrar al monarca chismorreando a través de uno de los teléfonos que tenía en su mesilla de noche? Faruk jamás había leído un libro, ni escuchado música, ni escrito una carta; su única diversión eran las películas y los chismes por teléfono a todas horas de la noche. En su calidad de médico personal del Rey, Ibrahim era una de las pocas personas que sabían que Faruk había sido criado hasta los quince años en un harén donde una madre de férrea voluntad lo había mimado en exceso, por cuyo motivo siempre había sido como un niño que prefería los juguetes a la política y no estaba preparado en absoluto para sobrevivir. Cuando, días atrás, le advirtieron sobre los movimientos de los Oficiales Libres, se había encogido de hombros calificando a estos últimos de «rufianes», y la misma noche del golpe, cuando le comunicaron los insólitos movimientos de tropas en El Cairo, no había atribuido la menor importancia a la noticia. Los oficiales revolucionarios tenían razón, ya era hora de que Egipto tuviera un verdadero gobernante.

Unos extraños y confusos pensamientos se agolparon en la mente de Ibrahim. ¿Sería aquél, efectivamente, el final del reinado de Faruk? ¿Quién iba a ocupar su lugar? ¿Y dónde encajaría ahora el médico real? Ibrahim contempló los pesados cortinajes de terciopelo negro que cubrían el arco de una puerta y pensó con asombro: «Así de negro será mi futuro».

Al final, trajeron el documento de abdicación. En una vasta y soleada sala de mármol que parecía sacada de un palacio de la antigua Roma, con gigantescas columnas e impresionantes frisos, Faruk examinó estoicamente el documento, que contenía dos frases en árabe: «Nos, Faruk I, que siempre hemos deseado la felicidad y el bienestar de nuestro pueblo...». Casi al borde de las lágrimas, el Rey sacó su pluma de oro. Ibrahim observó cómo Faruk firmaba los documentos de abdicación y vio que la firma resultaba casi ilegible de tanto como le temblaba la mano. Cuando a continuación firmó en árabe, Faruk escribió erróneamente su nombre, pues jamás había aprendido a escribir el idioma del país que gobernaba.

Ibrahim ayudó al Rey a bañarse y a vestirse para el último viaje con su blanco uniforme de almirante de la armada. Después, Faruk se sentó por última vez en el trono cuajado de joyas del palacio de Ras al-Tin y se despidió de sus más estrechos amigos y asesores. A Ibrahim le dijo en francés:

–Te echaré mucho de menos, *mon ami*. Si tú o tu familia sufrierais algún daño a causa de vuestra asociación conmigo, suplico perdón a Dios. Me has servido fielmente, amigo mío.

Ibrahim bajó con él la gran escalinata de mármol y le acompañó al patio del palacio donde, bajo el cálido sol de la tarde, la banda real interpretó el himno nacional de Egipto y fue arriada la bandera verde Nilo de Egipto con la media luna, la cual se dobló después y se entregó al Rey como regalo de despedida.

Pero Ibrahim se quedó al pie de la pasarela cuando Faruk subió a la cubierta del *Mahroussa*. Por primera vez en muchos años no estaría cerca del Rey. Eso le hizo sentirse curiosamente desnudo y a la deriva.

Faruk hizo un sereno y solemne gesto de despedida acompañado de las tres princesas sus hermanas, su esposa de diecisiete años y su hijo de seis meses. Se soltaron las amarras y, cuando el yate empezó a deslizarse sobre el agua, una cercana fragata disparó veintiuna salvas de ordenanza.

Mientras el *Mahroussa* se alejaba, Ibrahim sólo pudo evocar los buenos recuerdos, como cuando llevó a Camelia, Yasmina, Tahia y Zacarías a Palacio para presentarlos al Rey y Faruk les regaló golosinas y caramelos y les cantó su canción preferida, *Los ojos de Texas están sobre ti*. Recordó el día de la boda de Faruk en que millones de campesinos afluyeron a El Cairo para festejar el feliz acontecimiento. La figura del Rey despertaba tanto afecto y simpatía que los rateros de la ciudad insertaron anuncios en los periódicos proclamando la moratoria de un día en sus hurtos, en honor de la regia pareja. Y recordó también una lejana noche de 1936 en que los Rashid veraneaban en Alejandría e Ibrahim presenció la llegada del nuevo monarca que iba a ocupar el trono del país, por aquel entonces un esbelto joven de exótica apostura a bordo de un yate rodeado de una flotilla de miles de embarcaciones y falúas brillantemente iluminadas. Aquel día todo Egipto enloqueció por Faruk, cuyo nombre significaba «el que sabe discernir entre el bien y el mal».

Finalmente, mientras el *Mahroussa* abandonaba lentamente el puerto, Ibrahim recordó el día en que Hassan le había presentado al joven soberano y él se ganó la inmediata simpatía de Faruk, el cual decidió nombrarle médico real.

Se sentía embargado por una profunda tristeza y las lágrimas le escocieron en los ojos al comprender que el *Mahroussa* había zarpado con algo más que el depuesto monarca de Egipto. El yate se llevaba sus recuerdos, su pasado y toda la razón de su existencia. La imagen de los pesados cortinajes de terciopelo negro acudió de nuevo a su mente.

10

Alice no podía dar crédito a lo que veían sus ojos.

Acababa de salir al jardín con un cesto, unas herramientas de jardinería y un sombrero de paja de ala ancha para protegerse el rostro del sol de Egipto y, al ver lo que había junto al muro oriental, no pudo reprimir un grito.

–¡Dios bendito! –exclamó, cayendo de rodillas e inclinándose hacia delante para examinarlo con más detenimiento... por si acaso la vista la hubiera engañado.

Pero no era una ilusión óptica. En el extremo superior de unos altos tallos verde oscuro, unos minúsculos capullos estaban empezando a abrirse y tres de ellos ya se habían convertido en unas preciosas y grandes flores de color carmesí. ¡Al final! Tras cuatro años de fallidos intentos, de cuidados, riegos y constante eliminación de malas hierbas, de construcción de un umbroso cobertizo, de vigilancias y esperas, de arrancar los fracasos y de volver a empezar... después de tanto trabajo y tantas esperanzas, cuando ya empezaba a temer que jamás podría cultivar flores inglesas en aquel cálido jardín mediterráneo, Alice había conseguido finalmente que floreciera el ciclamen carmesí, su flor preferida.

Estaba deseando mostrárselos a Edward. Eran como los que había en su jardín de Inglaterra. Sin embargo, mientras regresaba a la casa, Alice recordó que su hermano había salido aquella mañana con Ibrahim y Hassan para ir a ver un partido de fútbol y no regresaría hasta la tarde. A ella no la habían invitado, por supuesto, porque las mujeres no asistían a tales acontecimientos. Pensó para sus adentros que no le importaba. Era una de las muchas costumbres a las que había tenido que adaptarse cuando se instaló en la calle de las Vírgenes del Paraíso y, aunque a veces contemplaba desde el jardín los altos muros que rodeaban la casa más para mantener encerradas a sus ocupantes que para impedir la entrada de los intrusos, y lamentaba tener que permanecer con las mujeres en una habitación mientras Ibrahim y Eddie se reunían con los hombres en otra, pensó que el hecho de acostumbrarse a la sociedad egipcia no le había sido tan difícil como al principio imaginaba.

«Tengo mucha suerte –le había escrito a su mejor amiga en Inglaterra–, ¡estoy casada con un hombre maravilloso y vivo en una enorme y preciosa mansión con más criados de los que hay en casa!»

Mientras contemplaba los rojos capullos de ciclamen entre las hojas de color verde oscuro, tratando de descubrir alguna mala hierba, Alice oyó la voz de una chiquilla cantando. Prestó atención y, reconociendo la voz de Camelia, esbozó una sonrisa. Aquella niña llevaba la música en la sangre, pensó mientras trataba de entender la letra árabe de la canción. Al cabo de siete años, Alice se enorgullecía de los progresos que había hecho en el aprendizaje del árabe y, aunque le costaba un poco comprender todas las palabras de la canción, entendía su significado. Se refería al amor, como casi todas las canciones egipcias: «Apoya la mano en mi cálido pecho y traspásame con tu flecha de amor».

Cuando oyó la voz de Yasmina uniéndose a la canción, Alice no se sorprendió. Aunque se llevaban un año, ambas hermanas estaban tan unidas como si fueran gemelas, siempre iban juntas a todas partes y ella había observado, incluso, alguna noche en que había entrado en la habitación para ver a su hija, que ambas dormían juntas en la misma cama.

Para su asombro, la voz de su hija le hizo experimentar nostalgia de Inglaterra. De pronto, sintió la necesidad de contemplar la ancestral mansión de estilo Tudor de los Westfall y la verde y brumosa campiña; echaba de menos los paseos a caballo con sus amigos rodeada de sus perros y las compras en los almacenes Harrod's; estaba deseando volver a saborear el tocino ahumado y la cerveza, las empanadas y las salchichas; echaba de menos las semanas de lluvia incesante y los recorridos por la ciudad en los rojos autobuses de dos pisos. Y echaba de menos a sus amigos que le habían manifestado su propósito de ir a verla a Egipto, pero cuya promesa se había ido esfumando a medida que pasaban los meses hasta que, al final, en sus cartas ya no mencionaban para nada su intención de visitarla. Sólo su amiga Madeline le había escrito con toda franqueza: «Es demasiado peligroso viajar a Egipto en estos momentos. Sobre todo para los ciudadanos británicos».

Pero, estando aquí, yo soy feliz, pensó Alice. Mi vida con Ibrahim es muy satisfactoria y tengo una niña encantadora.

Sin embargo, una extraña desazón provocada por la voz de Yasmina empezó a socavar su certidumbre. Alice miró a su alrededor como si entre las flores y los arbustos del jardín pudiera descubrir la causa de su nueva inquietud. Examinó su vida y llegó a la conclusión de que no le importaba que ella e Ibrahim durmieran en alas separadas de la casa; sus propios progenitores habían tenido dormitorios separados durante buena parte de su vida matrimonial. Tampoco le importaba que Ibrahim asistiera a veces a acontecimientos sociales sin ella, como, por ejemplo, el partido de fútbol de aquel día. Sin embargo, en aquella calurosa mañana del mes de agosto, Alice se dio cuenta por primera vez de que le faltaba algo, aunque no sabía qué.

Dejando las herramientas de jardinería, Alice miró a través de una frondosa hortensia y vio a Camelia y Yasmina al otro lado, jugando bajo el sol. La sonrisa se le quedó congelada en la boca al ver lo que estaban haciendo.

Envueltas en sendas telas de seda negra, ambas niñas estaban intentando ponerse unas *melayas* y procuraban cubrirse con ellas la cabeza y la parte inferior del rostro, tal como hacían todas las mujeres en El Cairo. Para su asombro, las chiquillas de seis y siete años respectivamente estaban imitando a la perfección los gestos de las mujeres adultas, su forma de andar contoneando las caderas y la constante necesidad de rectificar la colocación de la resbaladiza prenda.

–Hola, niñas –dijo saliendo de detrás de la hortensia.

–¡Hola, tía Alice! –dijo Camelia, dando vueltas con su *melaya*–. ¿No te parecen bonitas? ¡Nos las ha regalado tía Nefissa!

Los velos que Nefissa rechazaba, pensó Alice, recordando el cambio que se había operado en su cuñada tras su secreta noche de amor con el oficial británico.

–Ya no quiero vivir como vive mi madre –había dicho Nefissa–. Quiero ser una mujer libre.

Tras lo cual, Nefissa le había anunciado audazmente a Amira que ya no pensaba volver a ponerse el velo para salir a la calle. Para asombro de Alice, Amira no había protestado.

Y ahora las niñas estaban jugando a «vestirse» con las *melayas* tal como ella solía hacer en su infancia con los vestidos de su madre. Pero había una diferencia: los anticuados trajes de noche de *lady* Frances eran simplemente prendas de vestir, no un símbolo de represión y esclavitud.

Alice experimentó de pronto un nuevo y extraño temor. Desde el derrocamiento de Faruk y el establecimiento del gobierno revolucionario, se venía hablando de la expulsión de los británicos de Egipto y de la necesidad de que el país recuperara sus antiguas costumbres. Hasta aquel momento, no se había preocupado por el significado de aquellas palabras. ¡Recuperar las antiguas costumbres! Recordó las numerosas estancias de la mansión Rashid llenas de retratos de antepasados: hombres de viril apariencia tocados con turbantes y feces y acompañados por mujeres sin rostro, ocultas bajo unos velos. Mujeres, pensó Alice ahora, sin más identidad que la del hombre al que acompañaban.

Mujeres, pensó con tristeza, que habían soportado en silencio la afrenta de que su marido tomara otras esposas.

Al despertar a la mañana siguiente del día del nacimiento de Yasmina, le fue un poco difícil al principio aceptar que Ibrahim tuviera otra esposa cuya existencia ella ignoraba y enterarse de que el hijo de aquella unión iba a ser educado en la casa. Cuando Ibrahim le explicó que la otra esposa no significaba nada para él, que se habían divorciado por mutuo acuerdo y que era ella, Alice, la mujer a quien amaba, Alice trató de convencerse de que Ibrahim no tenía la culpa y de que todo formaba parte de su cultura. Y él así se lo confirmó.

Pese a ello, algunas veces miraba al pequeño Zacarías o escuchaba sus risas resonando en la casa, y volvía a experimentar el antiguo dolor: Ibrahim ya tenía una esposa cuando se casó conmigo...

Ahora le vinieron a la mente otras imágenes: los tés ingleses a los que había asistido con otras esposas inglesas, las danzas y bailes a los que acudía con Ibrahim y en los que hombres y mujeres alternaban libremente, los espectáculos de marionetas a los que llevaba a Yasmina y los parques de recreo infantiles donde se reunía con niñeras inglesas que vigilaban a unos niños semejantes a su propia hija. ¿Y si los británicos abandonaran Egipto?, pensó ahora. ¿Desaparecerían también todas aquellas costumbres inglesas?

Después vislumbró fugazmente un futuro aterrador en el que las mujeres se cubrían con velos y tenían que permanecer encerradas en sus casas, soportando la humillación de que sus maridos tomaran otras esposas. Alice había aprendido a conformarse con sus limitadas libertades, sabía que no podía ir a ningún sitio sin que la acompañaran, no podía abandonar el país sin la autorización de su marido y tenía que reunirse exclusivamente con mujeres cuando ella e Ibrahim visitaban a sus amigos egipcios... incluso consiguió aceptar, no sin cierto esfuerzo, el hecho de que Ibrahim ya tuviera una esposa cuando ambos se casaron en Montecarlo... pero la posibilidad de regresar a las antiguas costumbres le parecía impensable.

Ahora, contemplando a su hija de seis años inocentemente envuelta en el arcaico velo negro que ocultaba su cuerpo y su identidad, Alice experimentó un temor que jamás había sentido. ¿Cómo sería el futuro de aquella niña, cómo la tratarían, qué posibilidades tendría en aquella cultura en cuya lengua la palabra *fitna* se empleaba indistintamente para designar el «caos» y también a una «bella mujer»?

Las niñas le habían hablado en árabe y ella les había contestado en el mismo idioma, pero ahora, sentándose en un banco de piedra y atrayendo a Yasmina hacia sí, les dijo en inglés:

–Ahora mismo estaba trabajando en el jardín y he recordado una historia muy divertida de cuando era pequeña. ¿Queréis que os la cuente?

–Oh, sí –contestaron ambas niñas al unísono, sentándose inmediatamente sobre la hierba.

Le hablaré a Yasmina de Inglaterra, pensó Alice mientras rebuscaba en su mente algún recuerdo. Le llenaré la cabeza con mis vivencias para que, si este futuro llegara a producirse, mi hija esté preparada para afrontarlo.

–Cuando yo era pequeña –dijo–, vivía en una casa muy grande en Inglaterra. Era una casa preciosa que le había regalado a mi familia muchos siglos atrás el rey Jacobo y, como era muy antigua, había muchos ratones. Un día vuestra abuela se dio cuenta de que un ratón había entrado en la cocina durante la noche y...

Yasmina la interrumpió:

–¿Quieres decir *Umma*? –preguntó, haciendo referencia a Amira.

–No, cariño mío. Tu otra abuela, mi madre, la abuela Westfall.

–¿Y dónde está ahora?

–Ha muerto, cariño. Se fue a vivir con Nuestro Señor Jesucristo al cielo. Bueno pues, la abuela Westfall les tenía mucho miedo a los ratones y entonces les dijo al abuelo y a tío Eddie que buscaran por todas partes aquel ratón. ¿Dónde se habría escondido? Buscaron y buscaron, pero no pudieron encontrar el ratoncito. Una mañana, mientras tomaba el té, la abuela vio un largo rabo de color rosa asomando por debajo de la cubierta de lana de la tetera. ¡La abuela lanzó un grito y cayó desmayada al suelo!

Yasmina y Camelia batieron palmas riéndose.

–¡El ratoncito vivía en la cubierta de la tetera!

–¡Y la abuela se había pasado varias semanas levantando la cubierta de la tetera sin saber que el ratoncito estaba allí!

Mientras Camelia imitaba al ratón entre risas, Alice oyó una voz:

–¡Hola! Buenos días a todas.

Vio el pelirrojo cabello de Maryam Misrahi antes de ver a su propietaria.

–Hola, tía Maryam –dijeron las niñas.

Inmediatamente, Camelia se levantó y se envolvió en la *melaya*.

–Siempre haciendo payasadas –dijo Maryam riéndose mientras acariciaba primero la mejilla de Camelia y después la de Yasmina. Volviéndose hacia Alice, le preguntó–: ¿Qué tal estás esta mañana, cariño? Te veo muy bien.

Mientras le contestaba, Alice se percató por primera vez de lo distintas que eran Maryam y Amira. Sabía que ambas eran amigas desde hacía muchos años y que se veían casi a diario, pero no se le había ocurrido pensar hasta entonces que Maryam, tan desenvuelta y llamativa (siempre lucía prendas de vivos colores), contrastaba fuertemente con la madre de Ibrahim, mucho más retraída y conservadora. Pero Maryam tenía una activa vida social fuera del hogar en tanto que Amira, para gran asombro de su nuera, jamás había puesto los pies en la calle más allá de la puerta de su casa.

Alice no acertaba a comprender cómo era posible que Amira pudiera hallar la felicidad en aquella vida tan enclaustrada. Y, sin embargo, la propia Amira le había confesado una vez que vivía de aquella manera por su propia voluntad. Se lo dijo el día en que recibió una carta de su viejo amigo Andreas Skouras desde Atenas, comunicándole su boda con una griega. Aquel día, Amira se había mostrado insólitamente comunicativa y le había confesado que a veces lamentaba no haberse casado con el señor Skouras cuando éste le hizo una proposición de matrimonio. Al enterarse de aquella relación de su suegra con el ex ministro de Cultura, Alice empezó a ver a Amira bajo una nueva luz y se dio cuenta de que ésta era una mujer muy joven, lo cual hacía todavía más incomprensible su decisión de vivir una existencia tan recluida.

Mientras Camelia y Yasmina seguían jugando con los velos, Maryam dijo:

–Hoy he recibido noticias de mi hijo Itzak.

–¿El que vive en California?

–Me ha enviado unas fotografías. Ésta es su hija Raquel. Es una niña preciosa, ¿no te parece?

Alice contempló el grupo de personas posando alegremente en una playa con palmeras al fondo.

–Tiene unos años menos que tu Yasmina. Cómo pasa el tiempo –añadió Maryam, lanzando un suspiro–. Yo nunca la he visto, ¿sabes? Cualquier día de éstos Suleiman y yo tendremos que buscar un poco de tiempo para visitar a nuestro hijo. Ah, mira, ésta es la que yo quería enseñarte. Le pedí a Itzak que me la enviara porque es la única que tenemos. Fue tomada hace años en el *bar-mitzvah* de Itzak. Mira, ¿reconoces a alguien?

Era otra foto de grupo tomada bajo un antiguo olivo. Alice reconoció a Maryam y Suleiman Misrahi, más jóvenes; a su hijo Itzak, a Alí Rashid, el marido de pecho abombado de Amira cuyo retrato dominaba casi todas las estancias de la casa y que, curiosamente, ahora también parecía dominar aquella fotografía. Finalmente vio a Ibrahim, un joven de no más de dieciocho años. Dos cosas le llamaron especialmente la atención: lo mucho que Yasmina se parecía a él y el hecho de que Ibrahim no estuviera mirando a la cámara sino a su padre Alí.

–¿Quién es esta niña? –preguntó Alice.

–Es Fátima, la hermana de Ibrahim.

–Nunca he visto una fotografía suya. ¿Sabes qué fue de ella? Ibrahim no me lo quiere decir.

–Tal vez algún día te lo cuente –contestó evasivamente Maryam–. Voy a ver si puedo sacar unas copias de esta foto. Itzak la quiere tener, pero yo también, y estoy segura de que a Amira le gustará incluirla en sus álbumes –Maryam soltó una carcajada–. Con la de álbumes que ella tiene. Ojalá yo tuviera su paciencia. Sigo guardando las fotografías en cajas.

–Maryam –dijo Alice mientras Maryam se acercaba a los ciclámenes en flor–. En los álbumes no hay fotografías de la familia de Amira... de sus padres, hermanos y hermanas. ¿Por qué?

–¿Se lo has preguntado a ella?

–Sí, y siempre me dice que, cuando se casó con Alí, la familia de su marido se convirtió en la suya. Pero, aun así, tendría que conservar alguna fotografía de ellos, ¿no lo crees así? En realidad, nunca habla de sus padres.

–Bueno, tú ya sabes lo que ocurre a veces entre los padres y los hijos. Las cosas no siempre marchan como la seda.

Pensando en su propio padre, el conde de Pemberton, que todavía seguía empeñado en no hablar con ella, Alice asintió diciendo:

–Sí, tienes razón.

Esperaba que el conde recapacitara cuando nació Yasmina, pero, aparte el regalo navideño anual que le hacía a la niña, una generosa suma depositada en un fondo a su nombre, su padre no había dado a entender en ningún momento que a ella la siguiera considerando su hija tal como consideraba hijo a Edward.

Alice se preguntó si habría ocurrido lo mismo entre Amira y sus padres.

De pronto, le vino a la mente otra cosa que jamás había comentado con ningún miembro de la familia, pero que ahora decidió comentarle a Maryam, con la cual se sentía completamente a sus anchas.

–Tampoco hay fotografías de la madre de Zacarías en ninguno de los álbumes. ¿Tú la conociste?

–No. Nadie sabía nada de ella. Pero eso no es insólito entre los musulmanes.

–¿Sabes cómo se llamaba o dónde está ahora?

Maryam sacudió la cabeza.

–Maryam –dijo Alice en voz baja, intuyendo que tal vez aquélla sería la única ocasión que tendría de hablar con franqueza con la única persona de fuera de la familia en quien podía confiar–, ¿tú crees que yo he encajado bien aquí?

–¿Qué quieres decir con eso? ¿Acaso no eres feliz?

–Soy feliz, no se trata de eso. Es que... es muy difícil de explicar. A veces, me siento como un reloj que funciona a una velocidad distinta de todos los demás, o un piano desafinado, como si no estuviera bien sincronizada con los que me rodean. ¿Te parece que eso tiene sentido? A veces, por la noche después de cenar, cuando todos estamos reunidos en el salón, miro a mi alrededor y tengo la impresión de que la familia de mi marido está un poco desenfocada, como si la escena estuviera en cierto modo torcida. Y no es culpa suya, por supuesto, porque ellos están donde les corresponde. Soy yo. A veces me siento una clavija cuadrada que pretende encajar en un agujero redondo. Aquí soy feliz, Maryam, y quiero adaptarme. Pero algunas veces...

–¿Qué es lo que quieres, Alice? –preguntó Maryam sonriendo–. Dices que eres feliz y lo parece, pero a veces quieres algo más, ¿no es cierto? Esto no es Inglaterra, lo sé, y también sé que tuviste que hacer un gran esfuerzo de adaptación cuando viniste aquí. Pero tiene que haber algo que te inquieta aunque tú no sepas lo que es.

Alice contempló la casa de color rosa bajo el sol que estaba ascendiendo en el cielo, y le pareció ver las múltiples estancias de su interior a través de los gruesos muros de piedra.

–En este momento –dijo en voz baja, como hablando consigo misma–, Amira está recorriendo la casa y haciendo inventario de todo... las sábanas, la porcelana y demás.

Maryam soltó una carcajada.

–¡Amira es la mujer más exigente que conozco en los asuntos domésticos y siempre quiere saber exactamente dónde está cada cosa! Le he dicho que venga a contar las sábanas en mi casa. ¡Dios sabe que no tengo ni la más remota idea de lo que hay en algunos armarios!

–Sí, pero eso es lo que yo quiero hacer, Maryam –dijo Alice. Se imaginó a su suegra yendo de habitación en habitación con un cuaderno en la mano y seguida de una criada, contando la ropa de cama, apartando a un lado las fundas de almohada que había que remendar y amontonando cuidadosamente las almidonadas sábanas con las iniciales bordadas–. La envidio –añadió.

Al experimentar aquella punzada de envidia comprendió de repente qué le faltaba en la vida. Y, tras comprender que lo que más ansiaba en aquellos momentos era tener un hogar propio, Alice comprendió también otra cosa sobre sí misma y sobre sus nuevos temores a propósito de Yasmina e Ibrahim. En el caso de que los británicos abandonaran Egipto y se reinstauraran las antiguas costumbres, le sería más fácil luchar contra las antiguas tradiciones, evitar convertirse en esclava de ellas y salvar a su hija de aquel peligro estando en su propia casa.

Mientras entraba con Maryam en la mansión, Alice pensó emocionada: «Esta noche se lo comentaré a Ibrahim. Es necesario que tengamos nuestro propio hogar».

Todo El Cairo se encontraba en efervescencia a causa de las sensacionales noticias recién divulgadas acerca del derrocado Rey. La familia de Ibrahim, reunida en el salón después de cenar, no fue una excepción.

–¿Quién hubiera podido pensar que Sus Majestades fueran tan extravagantes? –comentó una prima soltera mientras hacía calceta.

Dado que Faruk y su familia habían tenido que emprender urgentemente el camino del exilio llevando consigo tan sólo lo que habían podido sacar de su residencia de Alejandría, las quinientas habitaciones del palacio de Abdin y las cuatrocientas del de Qubbah pudieron revelar todo el alcance de las excentricidades del monarca. Bañeras empotradas de malaquita, enormes guardarropas con miles de trajes a la medida, colecciones de piedras preciosas y monedas de oro, cámaras de seguridad repletas de objetos eróticos, películas norteamericanas y tebeos. También había una colección secreta de llaves de cincuenta apartamentos de El Cairo, cada una de las cuales llevaba una etiqueta con el nombre de una mujer y una clasificación de sus habilidades sexuales.

Se habían encontrado, además, numerosos efectos personales de la reina: el traje de novia de Narriman bordado con veinte mil brillantes, cien camisones de encaje hecho a mano, cinco abrigos de visón, zapatos con tacones de oro macizo...

El Consejo Revolucionario había mandado llamar a unos expertos de la galería Sotheby's de Londres para que lo valoraran todo y después organizaran una subasta cuyo producto se destinaría a los pobres. Se calculaba que el valor de los bienes confiscados a la familia real superaría los setenta millones de libras egipcias.

–No me gustan todos estos comentarios –le dijo Nefissa en voz baja a Ibrahim, sentado a su lado en el diván mientras toda la familia tomaba café después de la cena–. La princesa era mi amiga.

Ibrahim no contestó; tenía demasiadas cosas en que pensar.

–Eso de que lo echen a uno de su propia casa –añadió Nefissa mientras acariciaba con aire ausente el cabello de su hijo Omar, que ahora ya era un fornido muchacho de once años–, y que después exhiban públicamente sus objetos personales... No he podido averiguar si Faiza se encuentra todavía en Egipto.

Al pensar en la princesa, Nefissa evocó los dulces recuerdos de su romántica noche en el antiguo harén, la Noche del Ruiseñor y la Rosa, tal como ella gustaba de llamarla en su fuero interno. Desde aquel recuerdo, sus pensamientos se dirigieron hacia Edward, el hermano de Alice cuyos ojos azules y rubio cabello tanto se parecían a los del teniente.

Nefissa se preguntó si Edward estaría decepcionado por no haber podido hacer con ella el viaje a Alejandría dos semanas atrás. ¿Estaría deseando intentarlo de nuevo? Nefissa no quería darse por vencida. Si no podían ir al norte por carretera, irían al sur. Sabía que Edward estaba interesado en los antiguos monumentos y que aún no había visitado las pirámides de Saqqara, a treinta y dos kilómetros de El Cairo. Aquella misma noche, cuando tuviera ocasión, le sugeriría la posibilidad de hacer una excursión de un día ellos dos solos.

Ibrahim no contestó a los comentarios de su hermana; a él tampoco le gustaban todos aquellos chismorreos sobre el Rey. Al fin y al cabo, ¿quién mejor que él conocía a Faruk? Pero ¿cómo no hablar de aquella extraña y silenciosa revolución que había tenido lugar mientras Egipto dormía, organizada por unos hombres previamente desconocidos, pero que ahora encabezaban el nuevo Consejo del Mando Revolucionario? Lo que más sorprendía a Ibrahim y a toda su familia era el hecho de que Faruk no hubiera sido ejecutado sino que, por expreso deseo de Gamal Abdel Nasser, se le hubiera perdonado la vida. No obstante, se estaban practicando detenciones en todo el país y se sometía a interrogatorio a cualquier persona sospechosa de haber tenido la más mínima conexión con el ex monarca. Y empezaban a circular rumores de torturas, secretas ejecuciones sumarias y condenas a cadena perpetua. ¿Qué iba a ser, se preguntó Ibrahim, del médico personal del Rey? ¿Quién podía haber estado más cerca de Faruk que su propio médico?

¿Corremos yo y mi familia peligro por culpa del cargo que ocupé en Palacio, un cargo que yo no busqué, sino que me fue impuesto por mi padre?

De pronto, una voz masculina gritó desde el pasillo:

–*Y'allah*! ¿Hay alguien en casa?

Ibrahim se alegró de ver entrar a su amigo Hassan al-Sabir, vestido de esmoquin y con un fez encasquetado al sesgo en la cabeza.

Los niños se le acercaron gritando:

–¡Tío Hassan!

–¿Cómo está mi pequeño albaricoque? –dijo Hassan riéndose y levantando en brazos a Yasmina. Después, saludó a las mujeres, empezando por Amira–. ¿Quién es esta mujer que oscurece con su belleza a la luna? –añadió en árabe, sabiendo que Amira prefería que se hablara dicho idioma en su hogar.

–Bienvenido a esta casa –contestó cortésmente Amira–. Alá te bendiga.

Mientras Hassan saludaba a todos los presentes y se erigía, como siempre, en el centro de la atención de todo el mundo, Ibrahim observó la sombría mirada de Amira. Ibrahim siempre había intuido que a su madre no le gustaba Hassan al-Sabir. No comprendía por qué, tratándose de un joven de tan arrolladora simpatía.

A pesar de los ventiladores del techo y de estar las ventanas abiertas, el calor de agosto resultaba insoportable. Ibrahim le indicó por señas a un criado que trajera cigarrillos y café y salió con Hassan a un balcón para refrescarse un poco con la brisa del Nilo.

–¿Qué noticias hay? –preguntó en voz baja mientras el criado le encendía el cigarrillo y se retiraba discretamente–. He oído decir que el nuevo gobierno va a expropiar muchas tierras. Mis amigos de la Lonja del Algodón dicen que todos los acaudalados terratenientes van a tener que desprenderse de sus propiedades y que los grandes latifundios se van a parcelar y repartir entre los campesinos. ¿Tú crees que eso es cierto?

Hassan, cuya riqueza no procedía de la tierra, sino de una herencia, se encogió de hombros.

–Serán rumores, supongo.

–Tal vez. No obstante, se habla mucho de las detenciones. He oído decir que han condenado al barbero de Faruk a quince años de trabajos forzados.

–Su barbero era un bribón que se dedicaba a mangonear y sobornar en los tribunales de justicia. Tú eras su médico. No tienes nada que ver con los manejos políticos. Mira –dijo Hassan, sacudiendo la ceniza del cigarrillo desde la barandilla del balcón–, a mí, esos Oficiales Libres no me dan miedo. Sé la clase de gente que son... campesinos todos ellos. El padre de su máximo dirigente, este tal Nasser... es cartero. Y el segundo de a bordo, Sadat, es un *fellah* nacido y criado en una aldea tan pobre que hasta las moscas huyen de ella. Y, además, tiene una piel más oscura que la noche –añadió en tono despectivo–. No conseguirán consolidarse. El Rey volverá. Ya lo verás.

–Espero que sea cierto –dijo Ibrahim, muy preocupado desde la tarde en que el Rey zarpara hacia el exilio.

Hassan volvió a encogerse de hombros. Dondequiera que soplaran los vientos, él tenía intención de seguirlos. Además, le estaba sacando mucho provecho a la revolución por su condición de abogado y sus conexiones con los tribunales. Jamás había tenido tantos casos y nadie se quejaba del incremento de las minutas. Mientras durara la revolución, Hassan al-Sabir le sacaría partido.

–Mira, muchacho, tú lo que necesitas es divertirte un poco. ¿Qué te parece si nos damos un paseo por la calle de Muhammad Alí? –dijo, refiriéndose a una zona de la parte vieja de El Cairo donde abundaban los cafetines de mala muerte con danzarinas, músicos y mujeres complacientes–. Conozco a cierta dama que es una acróbata en la cama. Puede ser tuya esta noche, si quieres.

Ibrahim sacudió la cabeza.

–Soy completamente feliz con Alice –dijo contemplando a través de la puerta vidriera abierta el salón profusamente iluminado, cuyas luces parecían rodear como un halo el cabello de su mujer.

Pensando que él no necesitaba para nada la calle de Muhammad Alí, decidió invitar a Alice aquella noche a sus aposentos privados.

–Pero ¿te basta con Alice? Somos hombres de muchos apetitos, Ibrahim. ¿Por qué no tomas una segunda esposa como hice yo? Incluso el Profeta, Alá le conceda la eterna paz, comprendió las necesidades de los hombres.

Mientras Hassan hacía una pausa para exhalar una nube de humo a la calurosa noche de agosto, la tranquilidad del balcón quedó súbitamente interrumpida por una cantarina voz.

–¡Papá!

Ibrahim tomó a Yasmina en brazos, la levantó en alto y después la sentó en la barandilla de hierro forjado que rodeaba el balcón.

–¡Tía Nefissa nos acaba de contar un acertijo! –dijo–. ¡A ver si lo adivinas!

Mientras contemplaba cómo Ibrahim se convertía de inmediato en esclavo de la niña y le prestaba toda su atención, sonriendo como un colegial, Hassan recordó las muchas veces que Ibrahim le hablaba de Yasmina, contándole lo que había hecho o dicho últimamente y presumiendo de ella de la misma manera que casi todos los hombres presumían de sus hijos varones, y se sorprendió de lo mucho que envidiaba a su amigo. Él no mantenía una relación tan estrecha ni mucho menos con sus hijas, a las que había enviado a estudiar a un internado a Europa. A veces, las cartas y las postales eran su único vínculo de unión con ellas. Contemplando a Ibrahim con su hija, Hassan comprendió que Yasmina, con su cabello rubio y sus ojos azules, se convertiría algún día en una belleza como su madre. Se la imaginó diez años más tarde cuando tuviera dieciséis años y ya estuviera madura para el matrimonio.

Justo en aquel momento, Hassan vio entrar a Edward en el salón y detenerse en la puerta; al observar con cuánto anhelo miraba a Nefissa, Hassan estuvo a punto de soltar una carcajada. Pobre Edward, seducido por Egipto.

De pronto, le pareció oír el timbre de abajo y se preguntó si alguien interesante habría acudido a visitar a los Rashid. Después vio que un criado con el rostro desencajado entraba en el salón y le decía algo en voz baja a Amira.

Amira palideció y asintió con la cabeza. El criado regresó de inmediato con cuatro hombres uniformados y armados con rifles. Venían a detener a Ibrahim Rashid, dijeron, por sus delitos contra el pueblo egipcio.

–Alá nos valga –exclamó Hassan, siguiendo a su amigo al salón.

–Sin duda se tratará de un error –le dijo Ibrahim al oficial que ostentaba el mando–. ¿No sabe usted quién soy? ¿No sabe quién era mi padre?

Los hombres se disculparon, pero insistieron en que tenía que acompañarlos.

–Un momento, por favor –dijo Hassan, pero Ibrahim le impidió seguir hablando.

–Es evidente que tiene que ser un error y supongo que no hay más que un medio de aclararlo. No te preocupes, madre –dijo, besando a Amira–. No me ocurrirá nada –añadió, volviéndose hacia Alice para darle un beso.

–Te esperaré levantada –contestó Alice con el rostro intensamente pálido.

Mientras los soldados se llevaban a su marido, recordó lo que había visto en el jardín aquella mañana y que tanto la había asustado: Yasmina y Camelia jugando a vestirse con las negras *melayas*.

11

Ibrahim se sobresaltó al ver que Sahra, la niña de la cocina, entraba en la parte de la casa reservada a los hombres, tomando de la mano a Zacarías. Iba descalza y llevaba el sencillo vestido propio de las campesinas. Vio por primera vez que era bonita y se dio cuenta también de que no era una niña, sino una mujer.

–¿Qué estás haciendo aquí? –le preguntó.

La muchacha abrió la boca para hablar, pero, para ulterior asombro de Ibrahim, lo que de ella surgió fue la voz de Alá:

–Intentaste engañarme, Ibrahim Rashid, y me maldijiste. El niño no es tuyo sino de otro hombre. No tenías ningún derecho a quedarte con él. Has quebrantado mi sagrada ley.

–¡No lo entiendo! –gritó Ibrahim, y entonces su propia voz le despertó y lo primero que notó al recuperar el conocimiento fue un agudo dolor en la parte posterior de la cabeza. Lo segundo fue un hedor insoportable.

Intentó ponerse de pie, pero experimentó un mareo. Aturdido, trató de distinguir las sombras y formas que lo rodeaban, pero tenía la visión borrosa. Emitió un gemido. ¿Dónde estaba? Se sentía atontado y no podía pensar. Se dio cuenta de que se hallaba sentado sobre una superficie de piedra en medio de un intenso calor y un incesante zumbido. Respiró hondo y le entraron ganas de vomitar. El hedor no se podía aguantar... unas miasmas de sudor humano, orina y heces, agravadas por una temperatura de cerca de cuarenta grados.

Pero ¿dónde estaba?

Entonces lo recordó todo: los soldados que le habían arrestado en su casa, el traslado al cuartel general del centro de la ciudad y sus protestas de inocencia hasta que uno de los hombres lo golpeó con la culata de su rifle. Pensaba que lo iban a conducir a la presencia de uno de los Oficiales Libres, pero, en su lugar, lo empujaron al interior de un pequeño y sucio despacho donde un sargento con muy malas pulgas le hizo dos preguntas:

–¿Qué actos subversivos tenían lugar en Palacio? Diga los nombres de las personas que participaban en ellos.

Ibrahim recordó que había intentado dialogar con aquel hombre y explicarle que debía de tratarse de un error, hasta que, al final, perdió los estribos y exigió entrevistarse con el jefe. De pronto, advirtió un fuerte y repentino golpe en la cabeza y después... nada.

Mientras se palpaba la dolorida protuberancia de la parte posterior de la cabeza, se le empezó a aclarar la vista.

–Santo cielo –musitó sin poder creerlo.

Se encontraba en una vasta celda de altos muros de piedra y mugriento suelo de piedra, pero no estaba solo. La celda albergaba a un número de hombres muy superior a su capacidad, casi todos ellos vestidos con raídas *galabeyas*; algunos paseaban hablando solos y otros permanecían apoyados contra las paredes en estado letárgico. No había sillas ni bancos y las camas eran unos simples catres de mohosa paja. Tampoco había lavabo sino unos cubos llenos a rebosar de excrementos y orines humanos. El calor era tan sofocante que la celda parecía un horno.

¿Estaría soñando? En caso afirmativo, la pesadilla era muy real.

Se miró y descubrió que aún llevaba el esmoquin, aunque sus zapatos de piel de cocodrilo habían desaparecido, lo mismo que su reloj de pulsera de oro, dos sortijas de brillantes y sus gemelos de perlas. Cuando se introdujo las manos en los bolsillos, los encontró vacíos. Ni siquiera le habían dejado el pañuelo.

Al ver una ventana en la pared del otro lado, se levantó como pudo y se acercó a trompicones a ella. Pero la ventana estaba a una altura excesiva para que un hombre pudiera alcanzarla y, aunque el ardiente sol de agosto penetraba a raudales a través de ella, no había modo de adivinar qué lugar era aquél. ¿Le habrían conducido a la Ciudadela, en las afueras de El Cairo? ¿O estaba lejos de la ciudad, en algún lugar del desierto? A lo mejor, se encontraba a varios kilómetros de distancia de la calle de las Vírgenes del Paraíso.

Cuando, al final, se le despejó la cabeza y sus pies recuperaron en parte la estabilidad, cruzó la celda procurando evitar el contacto con los demás prisioneros, que no parecían sentir el menor interés por él, y se acercó a los barrotes de la puerta a través de los cuales se podía ver un oscuro pasillo de piedra.

–Oiga –gritó en inglés–, ¿hay alguien ahí?

Primero oyó el tintineo de unas llaves y después vio aparecer a un joven vestido con un sudado uniforme caqui y un revólver militar remetido en el cinto, del cual pendía un llavero. El joven le miró con rostro inexpresivo.

–Mire –le dijo Ibrahim–, eso tiene que ser un error.

El joven le miró fijamente sin decir nada.

–¿No me ha oído lo que le he dicho o es que está usted sordo?

Al notar unas palmadas en el hombro, Ibrahim dio un respingo. Un corpulento sujeto barbudo vestido con una sucia *galabeya* de color azul lo miró con una sonrisa y le dijo en árabe:

–Aquí no hablan inglés. Y, si lo hablan, como si no. Se acabó el inglés desde la revolución. Ésa es la primera lección que tienes que aprender, por Alá.

–Ah –dijo Ibrahim–. Te digo que esto es un error –le explicó al soldado en árabe–. Soy el doctor Ibrahim Rashid y exijo hablar con el jefe de aquí.

El guarda le dirigió una mirada displicente.

–Eso dicen todos.

–Mira –añadió Ibrahim, procurando no perder la paciencia–, tienes que decirle a tu supervisor que deseo hablar con él.

El guarda se retiró con paso cansino.

Ibrahim miró a su alrededor y se dio cuenta, consternado, de que necesitaba orinar. Después observó que el barbudo se encontraba todavía a su lado.

–La paz sea contigo, amigo –dijo el hombre–. Me llamo Mahzuz.

Ibrahim estudió con expresión dubitativa su raída *galabeya*, su boca desdentada y las cicatrices de su rostro.

Mahzuz significaba en árabe «afortunado».

El hombre esbozó una sonrisa.

–Me impusieron el nombre en tiempos mejores.

–¿Por qué estás aquí? –le preguntó Ibrahim.

–Soy tan inocente como tú –contestó Mahzuz, encogiéndose de hombros.

Ibrahim se alisó la chaqueta y descubrió que su corbata pajarita también había desaparecido.

–¿Tienes alguna idea de cómo se puede uno comunicar con alguien que no sea ese guarda?

Mahzuz se encogió de hombros.

–Alá elegirá el momento de tu liberación, amigo mío. El destino está en manos del Eterno.

Ahora que ya no estaba atontado y la cabeza sólo le pulsaba levemente, Ibrahim analizó la situación. Sabía que el mejor lugar para él estaba cerca de la puerta, pues sin duda el guarda regresaría con alguien de más autoridad. Por desgracia, la puerta parecía ser el lugar preferido por todos y ya no quedaba ni un centímetro de espacio libre. Cuando se disponía a cruzar la celda para situarse en un punto desde el cual se podía ver perfectamente la puerta, oyó el tintineo de las llaves en el pasillo y pensó: ¡Al final!

Para su horror, antes de que pudiera dar un solo paso, todos los prisioneros parecieron cobrar vida de repente y se abalanzaron hacia la puerta. Los más viejos y débiles fueron apartados a un lado y un hombre lanzó un grito de dolor mientras los demás lo inmovilizaban contra los barrotes de la puerta. Ibrahim se quedó donde

estaba y observó cómo sus compañeros de celda apresaban las re-
banadas de pan que les estaban repartiendo. Cada hombre recibió
una sola rebanada de pan que después utilizó a modo de cuchara
para recoger las alubias de una enorme olla.

La estampida duró sólo unos segundos; después, los guardas se
retiraron y los prisioneros se congregaron alrededor de la olla, tra-
gando ávidamente y peleándose entre sí cuando caía un poco de
comida al suelo.

Mahzuz cruzó lentamente la celda comiendo con una indiferencia casi exagerada y, cuando le tuvo más cerca, Ibrahim vio gu-
sanos en las alubias.

–Mira, amigo mío –dijo Mahzuz con la boca llena–, tendrías que
haber comido un poco. Pasarán muchas horas antes de que nos
vuelvan a dar algo. Te voy a dar un consejo –añadió, echando un
vistazo al elegante esmoquin de Ibrahim–. Vas mejor vestido que el
comandante de esta prisión. Y eso no le va a gustar ni un pelo.

Ibrahim se apartó. El dolor de la vejiga le devolvió a la realidad.
Dominado por una mezcla de vergüenza e indignación, se dirigió
muy a pesar suyo al rincón más oscuro de la estancia, contuvo la
respiración para no aspirar el hedor y orinó. Después se sentó en
el pringoso suelo y apoyó la espalda en la pared, en una de cuyas
piedras alguien había grabado el nombre de Alá. Con los ojos clavados en los barrotes de la puerta y el oído atento al menor sonido,
Ibrahim se tranquilizó pensando que, antes de que el sol se alejara
de la alta ventana, él ya estaría libre.

Un codazo en su hombro lo despertó bruscamente. Por un instante, no pudo recordar dónde estaba. Cuando miró hacia la alta
ventana, vio que la oblicua luz del sol estaba adquiriendo un tinte
amarillo ámbar. Le extrañó que hubiera podido quedarse dormido. Después se dio cuenta de que Mahzuz estaba sentado a su lado.

–No pareces muy preocupado, amigo.

Ibrahim movió los anquilosados hombros para que recupera-
ran un poco la elasticidad.

–Es sólo cuestión de tiempo, mi familia hará gestiones para
que me liberen.

–Eso siempre y cuando esté escrito en el libro de Alá –dijo
Mahzuz.

Ibrahim se preguntó si se estaría burlando de él.

Con la espalda apoyada en la pared y los ojos fijos en la puerta,
Ibrahim se percató de que no había oído la llamada a la oración, lo
cual significaba que la prisión estaba fuera de la ciudad. ¿Acaso
aquellos funcionarios pretendían que los hombres olvidaran su obligación de rezar? ¿Cómo se podía calcular la hora, si no? Ibrahim

se alejó mentalmente de la pesadilla en la que se hallaba inmerso, pensando que él no tenía nada que ver con toda aquella mugre ni con las ratas que se paseaban por los catres de paja y el hombre que se había levantado la *galabeya* y se estaba despiojando el cuerpo desnudo o el otro que estaba vomitando en un rincón.

Aparecieron los carceleros con más pan y alubias, pero Ibrahim se quedó donde estaba. Descubrió que el calor de la celda no había disminuido al caer la tarde y aspiró el olor de su propio cuerpo. En verano, tenía por costumbre bañarse dos o tres veces al día y ahora necesitaba desesperadamente un cepillo de dientes, una navaja de afeitar, agua caliente y jabón. Cuando la luz del día desapareció de la alta ventana, Ibrahim se prosternó para rezar la cuarta oración, pidiéndole perdón a Alá por no haber podido realizar primero las rituales abluciones.

Al final, la celda quedó sumida en la oscuridad y los hombres se tendieron para dormir. Mientras se removía sobre el duro suelo de piedra, tratando infructuosamente de encontrar una posición más cómoda, Ibrahim se consoló pensando que la llegada del amanecer le traería la libertad por obra de Hassan. Se quitó la chaqueta del esmoquin y la dobló para que le sirviera de almohada. Al despertar a la mañana siguiente, la chaqueta había desaparecido y le extrañó ver a dos prisioneros tomando café y fumando cigarrillos. Se moría de hambre, pues llevaba más de veinticuatro horas sin comer, desde la reunión familiar en su casa. Pensó que ojalá hubiera tomado más cordero con arroz y no hubiera rechazado la dulce *baklava*.

Se acercó de nuevo a la puerta y, pegando el rostro a los barrotes, trató de mirar arriba y abajo del pasillo.

–¡Eh, vosotros! –gritó en árabe–. Sé que me estáis oyendo. Tengo un mensaje para vuestro jefe. Decidle que se arrepentirá de haberme tenido encerrado aquí.

El insolente guarda apareció de repente con una sonrisa en los labios.

–Óyeme bien –le dijo Ibrahim sin molestarse en disimular su irritación–. Se ve que no sabes con quién te la juegas. Yo no soy como ésos –añadió, señalando con un gesto a los demás prisioneros de la celda–. Dile a tu jefe que se ponga en contacto con Hassan al-Sabir. Es mi abogado. Él le explicará que se trata de un error.

El guarda se retiró, mascullando algo por lo bajo.

–¿No sabes quién soy yo? –le gritó Ibrahim.

Estaba a punto de añadir: «Ya verás cuando se entere el Rey...». Pero el Rey ya no estaba.

Permaneció apoyado contra los barrotes sin saber qué hacer.

Trató de imaginarse a Hassan en la misma situación. La natural arrogancia de su amigo inspiraba respeto; seguro que él hubiera conseguido hacerse escuchar en un santiamén. En cambio, Ibrahim no sabía ser arrogante. Jamás había tenido que avasallar a nadie; el servilismo de los demás era algo que daba por descontado.

Bueno, de todos modos estaba seguro de que, en cuestión de horas, saldría de allí. Su familia habría tardado algún tiempo en localizar a las autoridades correspondientes, averiguar en qué prisión se encontraba detenido y sortear todo el habitual papeleo burocrático. Aun así, hubieran tenido que dispensarle un mejor trato. Aunque las autoridades creyeran haber practicado un arresto legal, a un detenido de su categoría no se le encerraba de cualquier manera con los pordioseros y los vulgares ladrones. ¡Si, por lo menos, le facilitaran un cepillo de dientes, un poco de jabón y agua caliente! Y una comida civilizada; le dolía tremendamente el estómago.

Mientras regresaba a su sitio procurando no rozar a ninguno de los demás prisioneros, Ibrahim se preguntó qué estaría haciendo Alice en aquel momento. Debía de estar muy preocupada. ¿Y la pequeña Yasmina? ¿Habría preguntado por él? ¿Se habría asustado al ver que los soldados se llevaban a su padre?

Los guardas aparecieron con la comida, provocando una nueva e inhumana estampida. El estómago le estaba pidiendo alimento, pero él se negaba a comer las alubias podridas y el pan que tan ávidamente devoraban los demás. Sabía que su madre le estaría preparando en aquellos momentos una fiesta de bienvenida y estaba seguro de que aquella misma noche podría saborear su plato preferido de albóndigas de carne de cordero rellenas de huevo duro. A lo mejor, incluso tomaría una copita de brandy de Edward como resconstituyente medicinal.

Mientras los prisioneros consumían ruidosamente el desayuno, Ibrahim se acercó de nuevo a los barrotes y trató de llamar a los guardas antes de que se retiraran, pero éstos no le hicieron caso y desaparecieron pasillo abajo.

–Es deprimente, ¿verdad? –se volvió y vio a Mahzuz rebañando con un trozo de pan los restos de comida de sus labios antes de metérselo en la boca–. Por mucho que lo intentes –añadió Mahzuz–, nunca te hacen caso. Esos perros sólo conocen un idioma –dijo, frotando entre sí las yemas de los dedos de una mano.

–¿Qué quieres decir? –preguntó Ibrahim.

–*Bakshish*. El soborno.

–Pero si no tengo dinero. Me lo han quitado.

–Llevas una camisa estupenda, amigo. Apuesto a que es de mejor calidad que la que usa nuestro nuevo dirigente Nasser. ¿Cuánto te costó?

Ibrahim no tenía ni idea. Su contable se encargaba de las facturas del sastre. Se apartó de Mahzuz sin decir nada más y cruzó la celda para regresar a su sitio, presa de una creciente irritación.

Cuando minutos más tarde se oyó el cencerreo de las llaves en el pasillo anunciando una visita inesperada de los guardas, Ibrahim se levantó junto con los prisioneros más fuertes y sanos y trató de abrirse paso entre ellos.

–¡Estoy aquí! –les gritó a los guardas–. ¡Soy el doctor Ibrahim Rashid! ¡Estoy aquí detrás!

Pero no habían venido a buscarle a él sino a otro cuya sonrisa sólo podía significar que lo iban a soltar o bien a trasladar a una celda mejor. Mahzuz le había explicado que aquello era muy frecuente: la familia de un recluso sobornaba a los funcionarios de la prisión y conseguía que lo alojaran en mejores condiciones.

Ibrahim se quedó perplejo. En tal caso, ¿qué estaba haciendo su familia?

Después se preguntó, alarmado: «¿Y si nos han detenido a todos?».

Pero eso no era posible. Había muchos Rashids y sólo unos cuantos de ellos habían tenido relación con el Rey. Además, estaban las mujeres, sobre todo su madre, a las que en modo alguno habrían detenido. Y ella debía de estar haciendo gestiones para que lo liberaran.

Trató de tranquilizarse una vez más pensando que saldría de allí antes del anochecer, pero su confianza era cada vez más escasa.

Cuando se despertó al amanecer del tercer día, llegó a la conclusión de que ya estaba harto.

En presencia de unos compañeros que apenas le prestaban atención, pues muchos de ellos, como Mahzuz, llevaban tanto tiempo allí que ya estaban medio atontados, se acercó a los barrotes y empezó a gritar para que le oyeran los guardas. Se sentía muy débil porque aún no había comido nada y se notaba calambres en el vientre a causa del esfuerzo que estaba haciendo para reprimir las necesidades de los intestinos. Orinaba en el rincón porque no tenía más remedio, pero no pensaba agacharse como un animal sobre aquellos cubos.

–¡Tenéis que soltarme! –gritó a través de los barrotes–. ¡Soy íntimo amigo del primer ministro! ¡Hablad con el ministro de Sanidad! ¡Jugamos al polo juntos!

Empezó a entrarle miedo. ¿Dónde estaban sus parientes, sus amigos? ¿Dónde estaban los británicos? ¿Cómo podían permitir que aquella mascarada de la revolución siguiera adelante?

–¡Lo pagaréis caro si no hacéis lo que os digo! ¡Me encargaré de que os despidan a todos! ¡Haré que os envíen a las minas de cobre! ¿Me habéis oído?

Se volvió y vio a Mahzuz a su lado, mirándole con un destello de burla y compasión en los ojos.

—De nada te va a servir, amigo. Tus amistades importantes les importan un rábano. Recuerda lo que te he dicho antes. *Bakshish* —dijo Mahzuz, frotándose la yema del pulgar con las de los dedos índice y medio de una mano—. Y te aconsejo que comas algo. Al principio, todo el mundo prefiere morirse de hambre. Pero, si te mueres, ¿qué vas a ganar?

Cuando los guardas volvieron con la comida, Ibrahim esperó hasta el último momento para tomar una rebanada de pan. Vio que el pan había sido cocido con restos de paja.

—No pensaréis que me voy a comer eso, ¿verdad?

—Por mí, te lo puedes meter en el trasero —replicó el guarda, alejándose.

Ibrahim arrojó al suelo la rebanada de pan y otros se apresuraron a recogerla. Mientras regresaba con paso vacilante a la pared del fondo, pensó: «Tengo que sobreponerme. Todo se arreglará. Eso no puede durar mucho...».

Tuvo pesadillas, pero, al despertar, vio que aún estaba viviendo una pesadilla. No encontraba alivio ni dormido ni despierto. La siguiente vez que repartieron comida, tomó un poco de pan, lo introdujo en la olla de alubias y comió con avidez. Y, cuando llegó el momento, se agachó sobre uno de los cubos.

Al llegar el séptimo día, los guardas sacaron a otro recluso, pero éste no sonreía. Cuando, más tarde, lo devolvieron a la celda, estaba inconsciente. Lo llevaban a rastras y lo dejaron tirado en el suelo.

Mahzuz se acercó a Ibrahim y le dijo:

—Me dijiste que eras médico. ¿Puedes ayudar a este hombre?

Ibrahim se acercó a él y lo examinó sin tocarlo. Lo habían torturado.

—¿Puedes ayudarle?

—Yo... no.. no sé —contestó Ibrahim.

Jamás había visto heridas como aquéllas. Y llevaba años sin curar una lesión o tratar una enfermedad.

Mahzuz le miró con desprecio diciendo:

—Menudo médico estás hecho.

Aquella noche, cuando los guardas se presentaron para llevarse el cuerpo, Ibrahim corrió hacia ellos.

—Por favor, tenéis que escucharme.

Al ver que uno de los guardas miraba la camisa de su esmoquin, para entonces ya muy sucia y sudada, Ibrahim se la quitó y se la arrojó.

–Toma. Puedes quedarte con ella. Te costaría el salario de un mes –dijo sin tener ni idea de cuánto debía de ganar al mes aquel hombre–. Envíale un mensaje a Hassan al-Sabir. Es un abogado. Su bufete está en Ezbekiya. Dile dónde estoy. Dile que venga a verme.

El guarda tomó la camisa en silencio, pero, al ver que pasaban varios días sin que apareciera Hassan, Ibrahim se dio cuenta de que lo había engañado.

Empezó a rezar con fe, diciéndole a Alá que se arrepentía de la maldición que le había lanzado la noche en que nació Camelia y de haber adoptado a Zacarías, incumpliendo el mandamiento divino de no quedarse con el hijo de otro hombre. Se arrepentía de todo corazón. «Te suplico que me saques de aquí.»

De las súplicas a Alá pasó a las súplicas a los guardas.

–Escuchadme bien, soy un hombre muy rico. Podréis tener lo que queráis si me sacáis de aquí.

Pero a ellos sólo les interesaba lo que pudiera darles en aquel momento. Lo único que le quedaba a Ibrahim eran la camiseta y los calzoncillos, los pantalones del esmoquin y la faja que le ceñía la cintura.

Soñó que estrechaba a Alice en sus brazos y que los niños jugaban a sus pies. Y lo más curioso era que pensaba en ellos, asociándolos con distintos sabores: Alice era un helado de vainilla, Yasmina sabía a albaricoque, Camelia sabía a densa y oscura miel y Zacarías estaba hecho de chocolate. ¿Cómo era posible que un hombre soñara con comerse a su familia?

Al despertar, se percató con angustia de que había perdido la cuenta de los amaneceres. ¿Era el decimotercero o acaso el decimotercero había sido la víspera? Debían de estar en septiembre o casi a primeros de octubre. Menos mal que el sofocante calor de agosto ya había quedado atrás.

Ibrahim se rascó la barba y trató de quitarse los piojos que se habían instalado en ella. A pesar de que ya se había acostumbrado a comer el pan con alubias y a usar el repugnante cubo, procuraba conservar su dignidad y se repetía a menudo que él no era como los demás. Un baño caliente, un buen afeitado y ropa limpia le devolverían a su antiguo estado. En cambio, por mucho que se bañaran y se pusieran ropa limpia, sus compañeros de celda seguirían siendo unos desgraciados.

Una mañana se dio cuenta de que Mahzuz ya no estaba allí.

¿Se lo habían llevado durante la noche? ¿Lo habrían soltado

mientras él hacía la siesta? ¿Y si lo hubieran torturado y hubiera muerto?

Muchos de los prisioneros ya habían sido sometidos a interrogatorio. Ibrahim no comprendía por qué razón los guardas todavía no habían venido a buscarle a él. En tal caso, hubiera podido dar explicaciones y hablar con el jefe de aquellos insolentes guardas. Observó que los guardas no seguían ningún orden determinado para llevarse a los prisioneros, pues algunos de los que sacaban para conducirlos al cuarto de los interrogatorios acababan de llegar. Algunos días no sacaban a nadie; otros se llevaban a rastras a tres o cuatro. Y, cuando los devolvían, él intentaba ver qué podía hacer por sus heridas, pero no podía hacer nada. Pensó que, aunque hubiera tenido los medios necesarios, quizá no hubiera podido ayudarlos, pues apenas recordaba lo que había aprendido en la facultad de medicina.

Se preguntó si Faruk habría regresado a Egipto. ¿Estaría la revolución todavía en marcha? ¿Pensaba su familia que había muerto? ¿Vestiría Alice de luto? ¿Habría regresado a Inglaterra con Edward?

Ibrahim rompió a llorar. Nadie le hizo el menor caso. Todos se venían abajo en algún momento.

¿Quién hubiera podido imaginar que echaría de menos al mugriento Mahzuz?

Después vino su peor pesadilla: su padre Alí Rashid le miró enfurecido y sacudió la cabeza como diciendo: «Me has vuelto a decepcionar».

Los prisioneros que acababan de llegar dijeron que la natividad del Profeta se había celebrado pocos días atrás, lo cual significaba que Ibrahim llevaba exactamente cuatro meses en la cárcel, en cuyo transcurso nadie había acudido a verle ni había preguntado por él ni le había llevado comida o ropa o cigarrillos, y él no había salido de la celda para nada, ni siquiera para ser interrogado.

Estaba medio atontado. Su vida se reducía al espacio de celda del que se había apropiado junto al trozo de pared donde alguien había grabado en la piedra la palabra «Alá»; se creía el dueño de aquel espacio y del montón de paja que usaba como colchón. Era todo su mundo, el territorio del hombre olvidado. Ya no le importaba que apenas tuviera carne sobre los huesos o que la barba le hubiera crecido hasta el pecho. Sus sueños, a pesar de ser tan estrambóticos como la realidad, ya no le inquietaban. Ya no echaba de menos su bata de seda y su narguile, ya no deseaba visitar la casa flotante de Hassan ni jugar a las cartas con sus alegres amigos. Ni siquiera le apetecía fumar cigarrillos o beber café. Lo que más ansiaba ahora era ver el cielo, sentir la hierba de la orilla del Nilo bajo sus pies, hacer el amor con Alice y llevar a Yasmina al parque y mostrarle las maravillas de la naturaleza. Su vida estaba limitada al básico ciclo del despertar por la mañana y preguntarse si aquel día le traería la libertad; abalanzarse para tomar la rebanada de pan y las alubias; visitar los cubos de excrementos; prestar atención por si oyera el ruido de las llaves de los guardas; y esperar hasta que, al caer la noche, le vencía el sueño y se tendía a dormir sobre la paja. Hacía tiempo que ya no rezaba cinco veces al día.

El día en que ingresó en la celda un joven prisionero, Ibrahim estaba dándole vueltas a algo en la cabeza. No sabía muy bien lo que era, pero se había despertado pensando que estaba a punto de averiguar algo muy importante. Se pasó el día tratando de descubrir qué sería, pero no logró identificarlo. Sabía que su capacidad de raciocinio estaba muy mermada a causa de la mísera dieta a base de pan con alubias rancias y que la desnutrición y la deshidratación le habían privado del ingenio que necesitaba para intuir la revelación que estaba a punto de penetrar en su conciencia. Cuando entró el joven con el cuerpo devastado por la enfermedad y las torturas, Ibrahim no supo que tenía al alcance de la mano su epifanía personal.

El joven fue arrojado al interior de la celda y abandonado. Los demás prisioneros no le hicieron el menor caso, pero Ibrahim se acercó a él y se arrodilló a su lado, más para conocer algún detalle sobre el mundo exterior que a fin de interesarse por su estado.

Se pasaron un rato hablando, en cuyo transcurso el joven permaneció tendido en el suelo porque se sentía demasiado débil para sentarse. Ibrahim averiguó que no era un nuevo prisionero sino que había sido detenido casi un año antes, durante los disturbios del Sábado Negro. Desde entonces, explicó el joven con un hilillo de voz, lo habían trasladado de una celda a otra y lo habían torturado repetidas veces. Era miembro de los Hermanos Musulmanes, explicó, y sabía que no tardaría en morir.

–No te inquietes por mí, amigo –añadió–. Me iré junto a Alá.

Ibrahim se extrañó de que alguien pudiera morir por las propias creencias.

Los verdes ojos del joven se posaron en él.

–¿Tienes algún hijo?

–Sí –contestó Ibrahim pensando en el pequeño Zacarías–. Un niño precioso.

El joven cerró los ojos.

–Eso está muy bien. Es bueno tener un hijo. Mi único dolor, que Alá me perdone, es tener que abandonar este mundo sin dejar un hijo que siga mis pasos.

En el momento de exhalar el último suspiro, Abdu evocó la aldea de su infancia y a la joven Sahra con quien había hecho el amor, y se preguntó si tal vez ella se reuniría algún día con él en el Paraíso.

Ibrahim apoyó la mano en el hombro del joven y recitó en un susurro:

–Declaro que no hay más dios que Alá y Mahoma es su profeta.

Después recordó el sueño que había tenido sobre Sahra y Zacarías la primera vez que se despertó en aquel lugar. Y, de pronto, vio con absoluta claridad la idea que no había conseguido identificar en todo el día. Ahora lo comprendía todo. Aquello era un castigo de Alá por haberse apoderado de Zacarías. No estaba allí por error; tenía que estar allí. Era el lugar que le correspondía. Con la rendición vino la aceptación y una curiosa sensación de paz.

Fue entonces cuando los guardas se presentaron para llevárselo. Ya era hora de que empezara su interrogatorio.

12

Se inició la llamada a la oración, primero por el almuédano que la pronunció desde el alminar de la mezquita de al-Azhar y después por el de otra mezquita y otra y otra, hasta que todas las voces se mezclaron sobre las cúpulas y las azoteas de la ciudad, y las llamadas se ensartaron como perlas en el cielo de la mañana invernal.

Los reunidos en la mansión Rashid, sobre todo los hombres, no se extrañaron de que la oración la dirigiera una mujer. No se trataba de una mujer corriente sino de Amira, la viuda de Alí Rashid, cabeza del clan Rashid desde la misteriosa detención de su hijo cuatro meses atrás. Amira los había reunido a todos en la casa de la calle de las Vírgenes del Paraíso y era ella quien los mantenía unidos en medio de aquella crisis familiar. El gran salón se había convertido en un puesto de mando en el que cada miembro de la familia desempeñaba una tarea... contestar al teléfono, hacer llamadas telefónicas, imprimir peticiones para repartirlas, preparar artículos y declaraciones a la prensa y escribir cartas a cualquier persona que pudiera ayudar en la causa de Ibrahim Rashid. Amira era el centro de todo y era la que organizaba todas las cosas y la que daba las órdenes:

–Acabo de enterarme de que el padre del director de *al-Ahram* era íntimo amigo del abuelo Alí. Jalil, ve a la redacción del periódico y explícale la desgracia que nos ha ocurrido. Si su padre vive todavía, puede que nos ayude.

Los miembros varones de la familia cumplían sus encargos y regresaban para comunicarle los resultados mientras las mujeres preparaban grandes cantidades de comida y la servían al elevado número de personas que ahora se alojaban en la casa. Todos los dormitorios estaban ocupados, puesto que muchos parientes que vivían nada menos que en Luxor y Assuan se habían desplazado a El Cairo para trabajar por la causa de la liberación de Ibrahim.

Cuando los primeros rayos del sol asomaban por encima de las colinas orientales, el teléfono empezaba a sonar y se oía el tecleteo de las máquinas de escribir. El nieto de Zu Zu, un apuesto joven que trabajaba en la Cámara de Comercio, entró en el salón, aceptó la taza de té que le ofrecían y se sentó al lado de Amira.

–Los tiempos han cambiado, *Um* Ibrahim –dijo con aire abatido–. El apellido de un hombre ya no significa nada. Ni su honor ni el honor de su padre tienen la menor importancia. A los funcionarios sólo les interesa el *bakshish*. Unos miserables burócratas que antes no hubieran podido sentarse a la misma mesa con nosotros son los que ahora lucen uniforme, se exhiben como pavos reales y exigen enormes sumas de dinero a cambio de su ayuda.

Amira le escuchó pacientemente y vio en sus ojos lo mismo que veía en los ojos de todos los tíos y sobrinos Rashid... confusión, frustración y mirada perdida. Las clases sociales estaban desapareciendo; los aristócratas como los Rashid ya no llevaban fez, el orgulloso símbolo de su condición. Ya nadie sabía qué lugar le correspondía; la clase dominante ya no podía utilizar el título de bajá, y los vendedores de periódicos y los taxistas se mostraban groseros con aquellos ante los cuales antaño se habían inclinado en reverencia. Los inmensos latifundios pertenecientes desde muchas generaciones a acaudaladas familias se estaban expropiando y repartiendo entre los campesinos; las grandes instituciones e incluso los bancos se estaban nacionalizando. Los militares gobernaban el país y ya nadie podía detenerlos, ni siquiera los británicos, cuya presencia en Egipto tenía los días contados. Ahora se hablaba de socialismo en todos los cafés de El Cairo y una oleada de igualitarismo estaba barriendo violentamente el país.

Amira no podía comprenderlo y no disimulaba su incapacidad. Pero, si los cambios eran la voluntad de Alá, que así fuera. Sin embargo, ¿dónde estaba Ibrahim? ¿Por qué había sido víctima de aquellos trastornos? ¿Y por qué ella no podía encontrarle?

La preocupación y la falta de sueño se habían cobrado su tributo en Amira, la cual había adelgazado considerablemente y mostraba unas leves arrugas en su tersa frente. Había empezado a vender algunas de sus joyas y a utilizar sus ahorros personales para pagar los elevados sobornos que exigían los funcionarios. Rezaba más que nunca y recurría a los procedimientos mágicos que la madre de Alí Rashid le había enseñado tiempo atrás para alejar de la casa de la calle de las Vírgenes del Paraíso la racha de mala suerte que estaba asolando Egipto.

Incluso había mandado llamar a la astróloga Qettah para que le dijera la buenaventura de Ibrahim, pero Qettah se había limitado a sacudir la cabeza diciendo:

–La estrella de su nacimiento es Aldebarán, *sayyida*, el astro del valor y del honor. Pero no puedo decirte si tu hijo vivirá con valor o morirá con honor.

Mientras llegaban otros visitantes con informes, noticias y

rumores, se presentó corriendo el hijo del hermano mayor de Alí Rashid.

–¡Ibrahim aún está vivo! ¡Está recluido en la Ciudadela!

–*Al hamdu lillah* –exclamó Amira–. Loado sea el Señor.

Todo el mundo se arracimó alrededor de Mohssein Rashid, un estudiante universitario que había interrumpido sus estudios para poder participar en la búsqueda de su primo. Todos hablaban a la vez, pero fue Amira la que se impuso.

–Mohssein, ¿por qué lo tienen encerrado allí? ¿Cuál fue el motivo de su detención?

–¡Dicen que tienen pruebas de traición, tía!

–¿De traición?

Amira cerró los ojos. Era un delito que se castigaba con la muerte.

–Dicen que tienen testigos que han declarado bajo juramento y han revelado las cosas que él dijo.

–¡Embusteros! –gritaron todos los demás–. ¡Embusteros que han sido sobornados!

Amira levantó la mano y dijo serenamente:

–Alabado sea el Eterno porque hemos encontrado a Ibrahim. Mohssein, ve a la Ciudadela y averigua todo lo que puedas. Tú le acompañarás, Salah. Tewik, ve en seguida al despacho de Hassan al-Sabir en Ezbekiya. Le interesará conocer la noticia.

Mientras Nefissa entraba con una nota entregada por alguien que conocía a un hombre, el cual conocía a su vez a otro hombre que, a cambio de una tarifa, podría facilitarles la comunicación con Ibrahim, llegó Suleiman Misrahi. Parecía más viejo, se le había caído mucho pelo y tenía los ojos húmedos en las órbitas. Aunque los revolucionarios aún no habían tocado su lucrativo negocio de importación, la expropiación lo tenía muy preocupado. Además, había oído decir que el gobierno revolucionario estaba construyendo nuevas empresas egipcias para fabricar productos tales como automóviles y maquinaria agrícola, cosas ambas que en aquellos momentos se importaban de otros países. Suleiman negociaba sobre todo con artículos de lujo como chocolate y encajes; ¿le nacionalizarían también la empresa?

–Gracias por venir, Suleiman –le dijo Amira, recibiéndole en un saloncito aparte reservado para las reuniones privadas con sus visitas.

Apreciaba profundamente a Suleiman porque era un hombre bueno, amable y servicial. Recordó ahora la angustia de Maryam años atrás, al descubrir que no era ella la responsable de su esterilidad sino él, y su negativa a decirle la verdad. Amira se preguntaba algunas veces si Suleiman se hubiera enojado realmente de haberse enterado de que sus hijos no habían sido engendrados por él sino por su hermano Mussa.

–La situación es dramática, Amira –dijo Suleiman, pasándose las manos por el ralo cabello–. He asistido a algunos juicios. ¡Más que juicios son números de circo! Todos acusan a todos. Si denuncias a alguien que ha cometido un delito más grave que el tuyo, te sueltan. La revolución se ha convertido en una farsa y me avergüenzo de decir que soy egipcio.

Suleiman sacudió la cabeza de desesperación. Corrían malos tiempos. La película norteamericana *Quo Vadis*, anteriormente prohibida porque el personaje de Nerón le recordaba demasiado a Faruk su propia persona, se estaba exhibiendo ahora y era el mayor éxito de El Cairo. Miles de personas acudían a verla y, cada vez que el actor Peter Ustinov aparecía en la pantalla interpretando el personaje de Nerón, la gente gritaba:

–¡A Capri! ¡A Capri! –el lugar donde Faruk se había exilado.

Suleiman introdujo la mano en el bolsillo superior de su chaqueta y sacó un trozo de papel.

–Me ha costado bastante tiempo y un considerable *bakshish*, pero al final he conseguido lo que me habías pedido, Amira. Aquí tienes la dirección de uno de los miembros del Consejo Revolucionario.

En agosto, tras la detención de Ibrahim y la imposibilidad de averiguar su paradero a través de los cauces legales normales, Amira había solicitado una lista de los miembros del Consejo Revolucionario, integrado por los autodenominados Oficiales Libres. Se enteró de que todos eran jóvenes, por debajo de los cuarenta, y, cuando Suleiman le leyó sus nombres, le pidió que averiguara la dirección de uno de ellos en particular.

–No ha sido fácil encontrar su dirección– le dijo ahora Suleiman, entregándole el trozo de papel–. Ahora los Oficiales se han convertido en el objetivo de los contrarrevolucionarios. Al final, recurrí a un amigo que me debe un favor y que a su vez es amigo del hermano de este hombre. ¿Qué vas a hacer con esta información? ¿Quién es ese hombre, Amira?

–Puede que sea una señal de esperanza que nos envía Alá.

–Amira –dijo Maryam–, tienes que dejar que te acompañe. Llevas treinta y seis años sin abandonar esta casa. ¡Te vas a extraviar!

–Encontraré el camino –contestó serenamente Amira, cubriéndose la cabeza con el negro velo y envolviéndose el cuerpo con él–. Alá guiará mis pasos.

–Pero ¿por qué no usas un automóvil?

–Porque es una misión que tengo que cumplir yo sola y no puedo poner en peligro la vida de otra persona.

–¿Adónde vas? ¿Me quieres decir eso por lo menos? ¿A la dirección que te facilitó Suleiman?

Amira siguió envolviéndose en la negra *melaya* hasta que no se le vieron más que los ojos.

–Mejor que no lo sepas.

–Pero ¿sabes cómo llegar al sitio adonde te diriges?

–Suleiman me ha facilitado instrucciones.

–Tengo miedo, Amira –dijo Maryam en un susurro–. Los tiempos que vivimos me dan mucho miedo. Mis amigos me preguntan cuándo vamos a trasladarnos a Israel Suleiman y yo. ¡Jamás se nos había pasado por la cabeza semejante idea!

Maryam sacudió tristemente la cabeza. Cuando tres años atrás se había divulgado la noticia de que 45.000 judíos habían abandonado el Yemen para trasladarse a Israel en un éxodo llamado *Operación Alfombra Mágica*, los amigos le habían empezado a preguntar a Maryam por qué no se iban ellos también. Pero ¿por qué hubieran tenido que irse? Egipto era su casa. Incluso su apellido Misrahi significaba «egipcios». Sin embargo, otros judíos estaban abandonando Egipto y ahora la asistencia a la sinagoga se había reducido considerablemente.

–Maryam –dijo Amira–, no me va a pasar nada. Alá es mi fortaleza.

Antes de salir, Amira se detuvo ante la fotografía de Alí que tenía en su mesita de noche.

–Ahora voy a la ciudad. Si existe alguna posibilidad de salvar a nuestro hijo, es ésta. Alá me ha iluminado. Él guiará mis pasos. Pero tengo miedo. Esta casa ha sido mi refugio. Aquí siempre he estado a salvo.

Cuando Amira llegó finalmente a la puerta del jardín, el sol invernal le acarició suavemente los hombros. Muchos años y muchos recuerdos atrás, había cruzado aquella misma puerta para entrar en la casa. Miró a través de los naranjos y vio a Alice trabajando en el jardín. Estaba empeñada en cultivar claveles ingleses en suelo egipcio. A su lado estaban los niños, jugando sin hacer ruido. Debido al encarcelamiento de Ibrahim, la natividad del profeta Mahoma se había celebrado sin demasiada alegría y ahora todo parecía indicar que tampoco se podría celebrar con júbilo la natividad de Jesús, el profeta que Alice reverenciaba, para la que sólo faltaban dos semanas. Nuestra casa está de luto, pensó Amira.

Cerciorándose de que la negra *melaya* de seda la cubriera por completo sin mostrar tan siquiera las manos o los tobillos, respiró hondo, abrió la puerta y salió a la calle.

Te lo suplico, Dios mío, rezó Alice mientras cavaba la tierra. Devuélveme a Ibrahim y te prometo ser una buena esposa para él.

Le amaré, le serviré y le daré muchos hijos. Olvidaré su engaño con la madre de Zakki. Pero devuélvelo sano y salvo a casa.

Ya ni siquiera Edward la podía consolar. Cuanto más tiempo permanecía en Egipto, tanto más malhumorado se mostraba su hermano. Estaba muy taciturno y parecía perennemente enfrascado en sus pensamientos como si estuviera obsesionado por algo. Alice había pensado al principio que quizá fuera el amor, la devoradora pasión que sentía por Nefissa. Pero ahora ya no sabía lo que era. Llevaba constantemente el revólver y decía que era para salvaguardar la seguridad de todos, puesto que los británicos se habían convertido en el blanco de la ira de los nuevos radicales. Pero ¿qué le pasaba?

Levantó los ojos de su tarea y vio a Yasmina de pie a su lado con los ojos del mismo color que las campanillas que se derramaban en cascada por el muro de piedra.

–Mamá –dijo la niña–, ¿cuándo volverá papá a casa? Le echo de menos.

–Yo también le echo de menos, cariño.

Alice tomó a su hija en brazos. Al ver a Camelia y Zacarías mirándola con expresión desvalida, pues no sólo estaban sin padre en aquellos momentos, sino que, además, carecían de madre, extendió los brazos y ambos niños corrieron a refugiarse en ellos.

Estaba a punto de decirles que fueran a la cocina a ver si quedaba un poco de helado de mango de la víspera cuando vio salir al jardín a Hassan al-Sabir. De entre todos ellos, el amigo de Ibrahim era el que menos afectado parecía por los recientes acontecimientos. Puede que incluso se le viera más satisfecho. Alice se puso en pie de un salto.

–¿Tienes alguna noticia de Ibrahim?

Hassan la miró parpadeando con sus ojos oscuros al tiempo que pensaba que, desde hacía cuatro meses, eso era lo primero que ella siempre le decía al verle.

–He visto salir al dragón. ¿Adónde iba?

Alice se quitó los guantes de jardinería.

–¿El dragón?

Hassan sospechaba que Amira no lo apreciaba, pero no sabía por qué.

–La madre de Ibrahim. Pensaba que nunca salía de casa.

–¡Yo también lo pensaba! Cielo santo, ¿adónde crees que puede haber ido madre Amira? Niños, entrad en la casa, quiero hablar con tío Hassan en privado.

Hassan miró a su alrededor.

–Tampoco he visto a Edward ni a Nefissa.

–Nefissa aún está tratando de averiguar si la princesa Faiza se encuentra todavía en Egipto o se fue con la familia real. Si Faiza todavía estuviera aquí, tal vez podría ayudarnos a encontrar a Ibrahim. Y supongo que Edward debe de estar en su habitación –añadió Alice lanzando un suspiro. Su hermano estaba bebiendo más de la cuenta y ella temía que regresara a Inglaterra. No podía soportar la idea de perderlo también a él tras haber perdido a Ibrahim–. ¿O sea que no tienes ninguna noticia?

Hassan alargó la mano y apartó un mechón de rubio cabello de la mejilla de Alice.

–Si he de serte sincero, creo que deberías prepararte para lo peor. No creo que Ibrahim regrese jamás a casa.

–No digas eso.

Hassan se encogió de hombros.

–Corren tiempos muy inseguros. Los que ayer eran tus amigos son hoy tus enemigos. Tú sabes lo mucho que me he esforzado por conseguir su liberación. No he podido averiguar tan siquiera dónde será juzgado. Ni yo estoy en condiciones de hacer nada, y eso que soy uno de los pocos hombres de la ciudad que todavía conservan sus influencias. Me temo que los ciudadanos que fueron leales al Rey no serán tratados con demasiada benevolencia.

Al ver que Alice se echaba a llorar, Hassan la rodeó con sus brazos diciendo:

–No debes temer nada estando yo aquí.

–¡Pero es que yo quiero que Ibrahim regrese a casa!

–Todos lo queremos –Hassan le acarició el cabello y la atrajo un poco más hacia sí–. Pero no podemos hacer más de lo que estamos haciendo, el resto está en manos de Alá –colocó un dedo bajo su barbilla y le levantó el rostro–. Te debes de sentir muy sola –añadió.

Cuando intentó besarla, Alice se echó hacia atrás.

–¡Hassan!

–Mi preciosa Alice, tú sabes que te he querido desde la primera vez que nos vimos en Montecarlo. Tú y yo estábamos hechos el uno para el otro. Pero, por no sé qué razón, te casaste con Ibrahim.

–Quiero a Ibrahim –dijo Alice retrocediendo.

Pero Hassan la tenía fuertemente sujeta por el brazo.

–Ibrahim ha desaparecido, querida. Ya es hora de que te enfrentes con los hechos. Eres viuda, una viuda joven y hermosa que va a necesitar a un hombre.

Estrechándola en sus brazos, Hassan juntó la boca con la suya.

–¡No, por favor! –dijo Alice, apartándose y golpeándose contra el tronco de un granado.

Hassan la inmovilizó contra el árbol y la volvió a besar mientras ella forcejeaba e intentaba gritar.

–Tú sabes que me deseas tanto como yo a ti –dijo Hassan, tratando de introducir la mano bajo su blusa.

–No te deseo –replicó Alice entre sollozos.

–Pues claro que sí –Hassan soltó una carcajada–. Llevo ocho años esperando esta oportunidad.

Alice consiguió zafarse de su presa y tropezó con el cubo donde había colocado las herramientas de jardinería. Al ver que Hassan se acercaba a ella, giró en redondo y, tomando un rastrillo, se lo acercó a la cara.

–Te juro que pienso usarlo.

Al ver las afiladas púas a escasos centímetros de su rostro, la sonrisa de Hassan se esfumó.

–No hablarás en serio.

–Hablo completamente en serio –dijo Alice–. Me repugnas. Eres un monstruo y, si me tocas, te dejaré convertido en un monstruo para que todo el mundo lo vea.

Hassan contempló el rastrillo, miró a Alice y volvió a contemplar el rastrillo. Después, esbozó una súbita sonrisa y se apartó de ella con las manos en alto.

–Te valoras mucho, querida, si crees que alguien puede correr el riesgo de que le desfiguren el rostro por ti. Y lo malo es que no tienes ni idea de lo que te pierdes. Te hubiera hecho el amor de tal forma que jamás hubieras querido regresar junto a tu marido aunque éste volviera a casa. Tras pasar una hora conmigo, jamás querrías a ningún otro hombre. Pobre Alice –añadió Hassan, soltando una carcajada–. Lo que tú no sabes es que algún día vendrás a mí y me lo pedirás de rodillas. Pero ya no volverás a tener otra oportunidad conmigo. Recordarás esta tarde. Y vivirás para lamentarlo.

Amira se había extraviado. Su destino era una dirección de Shari al-Azhar y Suleiman le había facilitado unas instrucciones muy claras para llegar hasta allí.

–Dirígete al norte por Kasr al-Aini hasta que llegues al gran nudo de tráfico que hay delante de los cuarteles británicos. Eso era antes la plaza Ismail, pero ahora se llama la plaza de la Liberación. Verás dos tiendas, una pastelería y otra de artículos de viaje. Esas tiendas marcan la entrada de la calle que te llevará al edificio central de Correos. Sigue al este por la calle hasta que llegues a otra plaza donde verás el edificio de Correos. Shari al-Azhar se bifurca al este de dicha plaza... síguela hasta que llegues a la Gran Mezquita. La dirección se encuentra en una callejuela al otro lado de la mezquita. La puerta está pintada de azul y hay una maceta de geranios rojos en los peldaños.

Temiendo que alguien descubriera el papel que le había dado Suleiman, Amira se había aprendido de memoria las instrucciones y había destruido la nota.

Pero no había contado con dos posibilidades: la de que se desorientara y la de que el cielo encapotado le impidiera determinar la posición del sol. Y ahora, dos horas después de haber cruzado la puerta de su jardín, Amira se dio cuenta de que se había equivocado y no sabía dónde estaba el este y dónde el oeste.

Trató de no pensar en el plomizo cielo que se cernía sobre ella. Aunque se había pasado muchas tardes y noches en la espaciosa azotea de su casa, donde tenía un emparrado y criaba palomas, el cielo que cubría la casa de la calle de las Vírgenes del Paraíso era distinto... allí se sentía protegida mientras que fuera se sentía amenazada.

Permaneció de pie en la esquina de la transitada calle mientras la gente pasaba presurosa por su lado y los automóviles circulaban velozmente por la calzada. Contempló los altos edificios que la rodeaban. Desde su jardín de la azotea, conocía la ciudad y sabía identificar todos los alminares, cúpulas y azoteas. Pero ahora estaba abajo y la ciudad se le antojaba extraña y aterradora.

¿Hacia dónde dirigirse? ¿Dónde estaba Shari al-Azhar? ¿Dónde estaba la calle de las Vírgenes del Paraíso?

Le había resultado muy difícil llegar hasta allí. ¡Con la gente que había en El Cairo! Se veían tanques en las calles y soldados por todas partes. Mientras caminaba sujetando recatadamente la *melaya* alrededor de su cuerpo, le pareció que todo el mundo la miraba pensando: «Ahí va Amira Rashid. ¡Su marido Alí la está mirando con expresión de reproche desde el Paraíso!». Varias veces se había asustado al llegar a los cruces y ver las luces verdes y rojas y los agentes de tráfico indicándoles a los automóviles que se dirigieran hacia aquí o hacia allí o bien que se detuvieran. Al bajar de un bordillo, un vehículo había estado a punto de atropellarla. Los vendedores callejeros de verduras, pollos y especias agitaban agresivamente sus mercaderías delante de su rostro y en las esquinas de las calles los hombres discutían o regateaban o se reían a propósito de algún chiste. Había visto a mujeres tomadas del brazo, riéndose y haciendo comentarios sobre los artículos de los escaparates de las tiendas. No podía creerlo. Su hijo estaba en la cárcel o quizá ya había muerto y, sin embargo, la ciudad seguía como si tal cosa.

Y ella se había extraviado.

Sintiéndose demasiado visible en la esquina de la calle, como si todos los ojos estuvieran clavados en ella, decidió seguir adelante, pero entonces se dio cuenta de que se encontraba en la misma calle por la que antes había bajado. El corazón le empezó a latir violentamente en el pecho. ¡Se estaba moviendo en círculo!

De pronto, vio entre dos edificios algo que le infundió esperanza: el apagado brillo metálico del Nilo.

Caminando por la acera para no tener que cruzar de nuevo la calle, descubrió que se estaba acercando a un puente. Allí los viandantes eran de otro tipo: campesinos vestidos con *galabeyas* empujando carros de mano cargados de verduras, mujeres enfundadas en largas túnicas negras llevando bultos sobre la cabeza y estudiantes vestidos a la europea con libros bajo el brazo. Sin embargo, nada de todo aquello le llamó la atención... sus ojos no podían apartarse del río. Sólo lo había visto desde la azotea de su casa, una cinta de seda de cambiantes colores. Le parecía algo lejano y artificial. Pero ahora, de pie sobre el ojo del puente, contempló el agua y se sintió abrumada por el peso de los sentimientos y las sensaciones. Y por un recuerdo: ¡había visto aquel río en otra ocasión! ¿Dónde? ¿Cuándo? ¿Mucho tiempo atrás, cuando, siendo niña, la robaron de una caravana del desierto...?

El río la hipnotizaba con su incesante corriente y sus fértiles olores que le hacían evocar los alumbramientos. La superficie parecía lenta y tranquila, pero ella tenía la impresión de estar viendo las rápidas y peligrosas corrientes del fondo. Le vino a la memoria otro recuerdo: tenía catorce años y estaba embarazada de su primer hijo al que impondría el nombre de Ibrahim. Su marido Alí le estaba diciendo con su habitual gravedad:

–El Nilo es único. Discurre de sur a norte.

–¿El río es una mujer? –preguntó ella.

–Es la Madre de Egipto, la Madre de Todos los Ríos. Sin él, no tendríamos vida.

–Pero la vida nos la da Alá.

–Alá nos da el Nilo, que es nuestro sustento.

Amira contempló el ancho y poderoso río que reflejaba el color peltre del cielo y las blancas velas triangulares de las falúas que surcaban su superficie y le pareció oír de nuevo la voz de Alí: «Discurre de sur a norte».

Contempló la corriente y la siguió con la mirada hasta que se perdió doblando una curva. Aquél es el norte, pensó.

Entonces supo que a su izquierda estaba el oeste y a su derecha, el este. Y comprendió que todo aquello era un signo de Alá.

Ya no tenía miedo cuando volvió sobre sus pasos en el puente y, enfilando a su izquierda la primera calle que encontró, echó a andar por ella sin apartar los ojos del Nilo. Al llegar al nudo de tráfico situado frente a los cuarteles británicos, comprendió que ya no estaba perdida. Evocando mentalmente el Nilo mientras giraba al este, avanzó con paso decidido por la bulliciosa calle, pasando por delante de los lujosos escaparates de las tiendas mientras su negra *melaya* se mezclaba con las faldas cortas y los zapatos de tacón de otras mujeres hasta llegar a otra plaza desde la cual, levantando la vista, reconoció uno de los alminares de la mezquita de al-Azhar que Alí le había mostrado desde la azotea de su casa muchos años atrás.

Al final, llegó a la puerta azul con la maceta de geranios rojos en los peldaños.

Tocó el timbre y abrió una criada. Amira se presentó, diciendo que deseaba ver a la esposa del capitán Rageb. Tras hacerla pasar a un saloncito junto a la entrada, la criada se retiró. Mientras esperaba, Amira rogó que no se hubiera equivocado y aquélla fuera la persona que ella creía que era.

La criada regresó al poco rato y la acompañó a un elegante salón del piso de arriba muy parecido al de su casa, aunque un poco más pequeño. En cuanto la mujer la saludó, Amira dio mentalmente gracias a Alá, se quitó el velo y, tras los saludos de rigor, dijo:

–Señora Safeya, ¿te acuerdas de mí?

–Por supuesto que sí, *sayyida* –le contestó la mujer–. Siéntate, por favor.

La criada entró con el té y unas pastas y la señora Rageb le ofreció a Amira un cigarrillo que ésta aceptó de buen grado.

–Me alegro de volver a verte, *sayyida*.

–Y yo a ti. ¿Tu familia está bien?

Safeya señaló las fotografías de unas jóvenes en la pared.

–Mis dos hijas –dijo con orgullo–. La mayor tiene ahora veintiún años y está casada. La menor está a punto de cumplir siete –Safeya miró directamente a los ojos a su visitante–. Le puse por nombre Amira. Nació mientras mi esposo el capitán se encontraba en el Sudán. Pero tú ya lo sabes.

Amira recordó el collar que lucía la señora Rageb el día en que había acudido a visitarla a la calle de las Vírgenes del Paraíso siete años atrás... una piedra azul con cadena de oro para alejar el mal de ojo. Y recordó también que ello le había hecho comprender que la mujer estaba asustada. Observó ahora que la señora Rageb ya no lucía aquel collar.

–Dime, por favor –le rogó Amira–, ¿recuerdas nuestra conversación en mi jardín siete años atrás?

–Jamás la olvidaré. Aquel día te prometí que siempre estaría en deuda contigo. Si has venido a pedirme algo, señora Amira, mi casa y todo cuanto poseo están a tu disposición.

–Señora Safeya, ¿tu marido es el capitán Yusuf Rageb, miembro del Consejo Revolucionario?

–En efecto.

–Una vez me dijiste que tu marido te quería y te consideraba su igual y escuchaba tus consejos. ¿Eso sigue siendo cierto?

–Más que nunca –contestó Safeya en un susurro.

–Entonces he venido a pedirte un favor –dijo Amira.

13

Alice permaneció inmóvil en la cama, preguntándose qué la habría despertado. Últimamente se despertaba con facilidad porque su preocupación por Ibrahim le impedía dormir profundamente. Mirando el reloj que tenía en la mesita, vio que era pasada la medianoche. Prestó atención en medio del silencio de la casa y se sobresaltó al oír unas pisadas delante de su puerta. Cuando poco después oyó otras pisadas, comprendió qué era lo que la había despertado: había gente caminando a toda prisa por el pasillo.

Pero no oyó voces ni gritos de alarma. Se levantó de la cama, se acercó a la puerta, la abrió y alcanzó a ver a Nefissa y a una prima doblando la esquina al final del pasillo. Al parecer, se dirigían a la habitación de los niños.

Alice se puso una bata y las siguió.

A Camelia no le gustaba que la despertaran antes de hora; le encantaban los sueños y la comodidad de la cama. Al notar que una mano la sacudía suavemente, pensó que era su hermana *Mishmish* que a veces la despertaba durante la noche porque tenía una pesadilla o temía que su papá jamás regresara a casa. Sin embargo, cuando la pequeña Camelia de siete años abrió los ojos, se sorprendió de ver a su *Umma* inclinada sobre ella.

–Ven, Lili –le dijo cariñosamente Amira–. Ven conmigo.

Camelia se frotó los ojos y siguió medio adormilada a su *Umma* hasta el cuarto de baño. Al volver la cabeza, vio a Yasmina todavía dormida en la cama. Después entró y *Umma* cerró la puerta.

La intensa iluminación del cuarto de baño le molestaba la vista; la niña se extrañó de ver a tía Nefissa y a la prima Doreya y a Raya e incluso a la anciana tía Zu Zu.

–Yo la sujetaré –dijo Nefissa, extendiendo los brazos hacia Camelia y mirando a la niña con una sonrisa tranquilizadora–. Esta noche seré su mamá.

Camelia, que todavía estaba medio dormida, no preguntó qué

estaban haciendo las mujeres: se sentó sobre una gruesa toalla que tía Nefissa había extendido en el suelo y se reclinó hacia atrás, sostenida por los brazos de su tía. Sin embargo, cuando Doreya y Raya intentaron separarle las piernas, Camelia empezó a oponer resistencia.

–¿Qué estamos haciendo, *Umma*? –preguntó.

Amira actuó con rapidez.

En el dormitorio a oscuras, Yasmina veía en sueños grandes cuencos de dorados albaricoques; todos se los iba a comer ella. Acurrucada en la cama con los brazos alrededor del osito de felpa que su tío Edward le había enviado desde Inglaterra, se consoló con un delicioso sueño en el que papá regresaba de sus largas vacaciones y la casa volvía a ser feliz. Se estaba celebrando una gran fiesta y mamá lucía su traje de noche de raso blanco y sus pendientes de brillantes y *Umma* sacaba de la cocina grandes cuencos de natillas y muchos albaricoques entre risas.

Después vio a Camelia bailando y llamándola entre risas.

–*Mishmish! Mishmish!*

Yasmina abrió los ojos. El dormitorio estaba a oscuras y sólo unas finas cintas de luz de luna se filtraban a través de las persianas cerradas. Prestó atención. ¿Había soñado que su hermana la llamaba? ¿O la había llamado de verdad...?

Un grito rasgó el aire.

Yasmina se levantó de un brinco y corrió a la cama de su hermana, pero la encontró vacía y con el cobertor doblado hacia atrás.

–¿Lili? –dijo–. ¿Dónde estás?

Entonces vio luz por debajo de la puerta del cuarto de baño.

Se acercó corriendo y, justo en el momento de llegar allí, se abrió la puerta y salió *Umma* llevando en brazos a una llorosa Camelia.

–¿Qué ha pasado? –preguntó Yasmina.

–Nada –contestó Amira, colocando a la niña de siete años en su cama, arropándola y enjugándole las lágrimas–. A Camelia no le pasa nada.

–Pero ¿qué...?

–Vamos, Yasmina –dijo cariñosamente Nefissa–. Vuelve a la cama.

De pronto se abrió la puerta del dormitorio y apareció Alice envuelta en una bata y con el cabello enmarañado y los ojos todavía hinchados por el sueño.

–¿Qué ha pasado? He oído un grito. Me ha parecido que era Camelia.

–Ya pasó –dijo Amira, acariciando el cabello de Camelia.

–Pero ¿qué ha pasado?

Alice observó que las demás mujeres iban completamente vestidas a pesar de que era de noche.

–Todo va bien. Camelia se curará en cuestión de pocos días.

Mientras las demás mujeres la miraban sonriendo y le aseguraban que todo iba bien, Alice vio la navaja ensangrentada en la pila del cuarto de baño.

–¿Se curará? Pero ¿qué le ha pasado?

–Ha sido su circuncisión –dijo Nefissa–. Dentro de unos días lo habrá olvidado todo. Ven a tomar el té con nosotras.

–¿Su qué? –preguntó Alice mientras una de las mujeres le murmuraba a otra:

–Los ingleses no lo hacen.

Amira apoyó una mano en su brazo y le dijo:

–Ven, querida, yo te lo explicaré. Nefissa, ¿quieres encargarte de vigilar a Camelia, por favor?

En cuanto las mujeres abandonaron el dormitorio y tía Nefissa se dirigió al cuarto de baño, Yasmina se levantó sigilosamente de su cama y se acercó a su hermana, la cual estaba sollozando muy quedo con el rostro hundido en la almohada.

–¿Qué te ha pasado, Lili? –le preguntó–. ¿Estás enferma?

–Me duele mucho, *Mishmish* –contestó Camelia, enjugándose las lágrimas de los ojos.

Echando la manta hacia atrás, Yasmina subió a la cama y rodeó a Camelia con sus brazos.

–No llores. Ya has oído a *Umma*. Te pondrás bien.

–Por favor, no me dejes –dijo Camelia mientras Yasmina tiraba de la manta hacia arriba para que ésta las cubriera a las dos.

En su dormitorio, Amira tenía dispuesto un servicio de té de plata. Mientras llenaba dos tazas, preguntó:

–¿Es cierto que los ingleses no practican la circuncisión?

Alice la miró, perpleja.

–A los niños, a veces... creo. Pero... madre Amira, ¿cómo se puede circuncidar a una niña? ¿Qué les hacéis?

Cuando Amira se lo explicó, Alice la miró, horrorizada.

–Pero eso no es lo mismo que la circuncisión de un niño. ¿No es perjudicial?

–En absoluto. Cuando Camelia crezca, sólo le quedará una pequeña cicatriz. Yo he cortado sólo la puntita. Por lo demás, está igual que antes.

–Pero ¿por qué lo hacéis?

–Se hace para preservar la honra de las niñas cuando sean mayores. Se elimina la impureza y con ello se consigue que sean esposas castas y obedientes.

–¿Quiere esto decir que no podrá gozar del sexo? –preguntó Alice frunciendo el ceño.

–Por supuesto que podrá –contestó Amira con una sonrisa–. Ningún hombre quiere tener en su casa a una mujer insatisfecha.

Alice contempló el reloj de la mesita de noche de Amira. Eran casi las dos de la madrugada. La casa, el jardín y la calle de las Vírgenes del Paraíso estaban a oscuras y en silencio.

–Pero ¿por qué practicáis la circuncisión a esta hora y tan en secreto? –preguntó–. Cuando circuncidaron a Zacarías, se celebró una gran fiesta.

–La circuncisión de un niño tiene un significado distinto de la de una niña. En el caso de un niño, significa que ha ingresado en la familia del islam. En cambio, en el de una niña, supone una vergüenza y por eso se hace de una manera rápida y en secreto. Es un ritual al que se someten todas las niñas musulmanas –añadió Amira al ver la expresión de desconcierto de Alice–. Ahora Camelia podrá encontrar un buen marido porque éste sabrá que no se excita fácilmente y que, por tanto, puede fiarse de ella. Es por eso por lo que ningún hombre como es debido se casa con una mujer incircuncisa.

El desconcierto de Alice era cada vez mayor.

–Pero tu hijo se casó conmigo, ¿no?

Amira se sentó y tomó la mano de Alice entre las suyas.

–Sí, es cierto. Y porque te casaste con el hijo de mi corazón, tú eres la hija de mi corazón. Lamento muy de veras que eso te haya disgustado tanto. Hubiera tenido que prepararte primero, explicártelo y después invitarte a participar. El año que viene, cuando le toque el turno a Yasmina...

–¿A Yasmina? ¡No estarás pensando hacerle eso a mi hija!

–Ya veremos lo que dice Ibrahim.

Alice contempló la taza de té y, de repente, no pudo beber.

–Voy a ver a las niñas –dijo en tono vacilante.

Nefissa estaba sentada junto a la cama, bordando en un pequeño tambor.

–Las dos están dormidas –le dijo a Alice con una sonrisa, indicándole a las dos chiquillas cubiertas por la manta.

Alice miró primero a Camelia, cuyo negro y húmedo cabello aparecía desparramado sobre la almohada, y después a su hija, cuyos rubios bucles se mezclaban con los más oscuros de su hermana. Apoyando la mano sobre la frente de Yasmina, recordó el juego de las niñas vistiéndose con la *melaya* y vislumbró un futuro aterrador en el que Egipto volvería a sus antiguas costumbres y seguiría circuncidando a las mujeres y cubriéndolas con velos.

«No permitiré que eso te ocurra a ti, mi pequeña», le juró en silencio a Yasmina. «Te prometo que tú siempre serás libre.»

De pronto, experimentó la necesidad de hablar con su hermano. Besando a cada una de las niñas, le dio las buenas noches a su cuñada y después cruzó la inmensa y silenciosa mansión, llegó al gran salón y subió por la gran escalinata para dirigirse al ala de la casa reservada a los hombres. Eddie lo comprenderá, pensó. Me ayudará a encontrar un apartamento. Me llevaré a Yasmina y viviremos los tres juntos hasta que Ibrahim regrese a casa.

Fue a llamar con los nudillos a la puerta de su hermano, pero, recordando que éste tenía un sueño muy profundo y no la oiría, entró con la intención de sacudirle suavemente por el hombro y despertarle.

Sin embargo, al abrir la puerta, vio las luces del salón encendidas. Había dos hombres. Alice no comprendió al principio qué estaban haciendo: Edward inclinado hacia delante y Hassan al-Sabir detrás de él, ambos con los pantalones bajados hasta los tobillos.

Los hombres levantaron la vista, sobresaltados.

Alice lanzó un grito y escapó corriendo.

Bajó a trompicones los peldaños de la gran escalinata y, mientras corría pisando el reluciente suelo del vestíbulo, resbaló y cayó. Entre lágrimas, trató de encontrar algo a lo que agarrarse y, cuando estaba a medio levantarse, notó que una mano le apresaba el brazo. Era Hassan. Trató de huir, pero Hassan la obligó a volver el rostro hacia él bajo el charco de luz de luna que penetraba a través de una ventana.

–¿Es que no lo sabías? –le preguntó con una sonrisa–. No, por la cara que pones; yo diría que no tenías ni la más remota sospecha.

–Eres un monstruo –dijo Alice entre jadeos.

–¿Yo? Vamos, querida, el monstruo es tu hermano... Hacía el papel de mujer, es él quien tiene que avergonzarse.

–¡Lo has corrompido!

–¿Que yo lo he corrompido? –Hassan soltó una carcajada–. Mi querida Alice, ¿de quién crees que partió la idea? Edward me quiere desde que llegó aquí. Tú pensabas que quería a Nefissa, ¿verdad?

Alice trató de apartarle, pero Hassan se acercó todavía más y le dijo con una amarga sonrisa:

–Pareces estar celosa, Alice. Pero me pregunto de quién de nosotros dos estás celosa.

–¡Me das asco!

–Sí, ya me lo dijiste. Entonces pensé que, como no podía tener a la hermana, me conformaría con el hermano. Supongo que, desde este punto de vista, sois bastante parecidos.

Alice consiguió zafarse de su presa y echó a correr.

14

Aquel ventoso día de enero de 1953 reinaba tanto ajetreo en la cocina que la cocinera y sus ayudantes chocaban constantemente entre sí. Dada la enorme cantidad de amigos y parientes que se habían congregado en la casa para dar la bienvenida a Ibrahim, los hornos estaban en marcha noche y día y en ellos se introducían sin cesar fuentes, asados, panes y empanadas.

A Sahra le habían encomendado la misión de picar la carne de cordero para hacer albóndigas, tarea que ella había aprendido a hacer en las fiestas de la aldea y que ahora estaba cumpliendo con inmensa alegría. ¡El amo regresaba a casa! Era el hombre que los había salvado a ella y a su hijo de una vida de miseria y privaciones y que había adoptado a Zacarías, ofreciéndole una existencia de príncipe. Hasta ella había sido durante un minuto la esposa de un médico, lo cual era mucho mejor que pasarse la vida siendo la esposa de un tendero. Y le habían permitido amamantar a su hijo durante tres años y sostenerlo y acunarlo en sus brazos, aunque nunca pudiera reconocerlo como propio. Y ahora ambos habían celebrado otro cumpleaños juntos bajo el techo de aquella casa tan bonita: Sahra tenía veintiún años y Zakki, siete.

Sahra comprendía ahora que todo había formado parte del plan de Alá... concebir el hijo de Abdu junto a la acequia, abandonar la aldea y finalmente llegar a aquella lujosa mansión que parecía un palacio. ¿Acaso no le había dicho su madre, la noche en que ella huyó de la cólera de su padre y sus tíos, que estaba en manos de Dios? Abdu, dondequiera que estuviera, se alegraría si lo supiera. ¡Y ahora el amo había vuelto y la casa volvería a ser feliz!

Los invitados se hallaban reunidos en el gran salón de recepciones... los Rashid, muchos vecinos de la calle de las Vírgenes del Paraíso y los numerosos amigos que tenía Ibra-him en las salas de fiestas y los casinos, todos ellos vestidos con sus mejores galas y todos deseosos de acogerle de nuevo en el redil. Había estado seis meses ausente.

Cuando se oyó el estampido del motor de un vehículo, los niños corrieron a una ventana y empezaron a gritar al ver el auto-móvil de su tío Mohssein enfilando la calzada.

–¡Ya está aquí papá! –gritaron, saltando arriba y abajo–. ¡Ha llegado papá!

La barahúnda en el salón de recepciones creció de pronto cuando se oyeron las pisadas de los dos hombres subiendo por la gran escalinata. Nadie había visto a Ibrahim desde el mes de agosto; no le habían permitido recibir visitas, ni siquiera tras serle entregada una carta en la que se le anunciaba su liberación en cuestión de unas semanas. Por eso la imagen mental que todos conservaban no encajó con la que ahora aparecía en la puerta, cuando Mohssein entró en compañía de su primo en el salón.

Todo el mundo enmudeció y contempló con espanto al desconocido de cabello y barbas grises. Ibrahim Rashid parecía un esqueleto; sus ojos eran unos oscuros huecos y el traje le colgaba por todas partes.

Amira se adelantó y le rodeó con sus brazos.

–Bendito sea el Eterno que ha devuelto a mi hijo a casa.

Todos se acercaron con lágrimas en los ojos y le sonrieron mientras le daban la bienvenida y alargaban las manos para tocarle. Nefissa estaba llorando a lágrima viva cuando Alice se acercó lentamente a su marido con el rostro tan pálido como el vestido de seda que lucía. En el momento en que lo estrechó en sus brazos, Ibrahim rompió en sollozos.

Los niños se aproximaron tímidamente sin estar muy seguros de quién era aquel hombre. Sin embargo, cuando él extendió los brazos y los llamó por sus diminutivos, *Mishmish*, Lili, Zakki, reconocieron la voz y lo recordaron. Ibrahim abrazó a sus dos hijas, Camelia y Yasmina, hundiendo el rostro en su perfumado cabello, pero, al ver que entonces se acercaba Zacarías, se levantó antes de que el niño pudiera tocarle y extendió la mano hacia el brazo de Amira.

–Me parece imposible que esté en casa, madre –dijo con un hilillo de voz–. Ayer, pensaba que me iba a pasar toda la vida en la cárcel. Esta mañana me he despertado y me han dicho que me podía ir. No sé por qué me encerraron allí ni por qué me han liberado.

–Alá lo ha querido –dijo Amira con lágrimas en los ojos. Ni siquiera Ibrahim conocería jamás su pacto secreto con la esposa del oficial libre–. Ahora estás en casa y eso es lo que importa.

–Madre –dijo Ibrahim en voz baja–. El rey Faruk jamás volverá. Egipto es ahora un lugar distinto.

–Eso también está en manos de Alá. Tu destino ya está escrito. Ahora ven y siéntate a comer.

Mientras le acompañaba al diván de honor, tapizado en brocado de oro y terciopelo rojo, Amira disimuló su inquietud al percibir el escuálido brazo de su hijo bajo la tela de la manga y contemplar la extraviada mirada de sus ojos. Sabía que lo habían torturado en aquel horrible lugar; fue la única información que pudo facilitarle Safeya Rageb. Pero su misión sería ahora devolverle la salud y la felicidad y ayudarle a encontrar su sitio en el nuevo Egipto.

–¿Dónde está Eddie? –preguntó Alice, mirando a su alrededor.

Los niños se levantaron de inmediato diciendo:

–¡Vamos a buscarle, es un dormilón!

Tras lo cual, los cinco abandonaron corriendo el salón entre gritos y risas.

Regresaron al cabo de un momento.

–No podemos despertar a tío Eddie –dijo Zacarías–. ¡Le hemos sacudido, pero no hay quien despierte a esta marmota!

–Tiene pupa en la frente –dijo Yasmina–. Aquí –añadió, señalándose el entrecejo.

Amira abandonó el salón en compañía de Alice y Nefissa.

Encontraron a Edward sentado en una silla, impecablemente vestido con un *blazer* azul y unos pantalones blancos, recién afeitado y con el cabello alisado con gomina. Cuando vieron el limpio orificio de bala entre sus ojos y el revólver del 38 en su mano, comprendieron que no habían oído el estampido del motor de un automóvil al llegar Ibrahim a la mansión. En el momento en que una vida regresaba a la casa de la calle de las Vírgenes del Paraíso, otra vida se había alejado de ella.

Alice fue quien primero vio la nota. La leyó como si leyera el periódico de la mañana, sin la menor emoción ni el menor sentido de la realidad. Leyó las frases que la perseguirían como una pesadilla durante toda la vida. «Hassan no tuvo la culpa. Yo le amaba y pensé que él me amaba a mí. Ahora sé que fui el instrumento de su venganza contra ti, mi querida hermana. Para hacerte daño a ti, Alice, me destruyó a mí. Pero no llores por mí. Ya estaba condenado el día en que llegué aquí. Me fui de Inglaterra para huir de mi vicio. Sabía que, si nuestro padre lo hubiera descubierto, hubiera sido la ruina de nuestra familia. Ya no puedo seguir viviendo con esta vergüenza».

Después añadía una frase para Nefissa: «Perdona que te engañara».

Alice no se dio cuenta de que había estado leyendo en voz alta hasta que, al terminar, se percató del repentino silencio que reinaba en la estancia. Amira tomó la nota y, utilizando el encendedor de Edward, le prendió fuego. Cuando la nota quedó convertida en negra ceniza en la papelera, le dijo a Nefissa que buscara una caja de municiones y esparciera sobre el escritorio las balas y todo el material que Edward hubiera podido utilizar para limpiar el arma.

Después añadió, volviéndose hacia Alice:

–Eso no tiene que saberlo nadie, ¿me entiendes?... ni Ibrahim ni Hassan ni nadie. ¿Alice? ¿Nefissa? ¿Me habéis comprendido?

Alice contempló a su hermano.

–Pero ¿y si...?

–Haremos que parezca un accidente –contestó Amira mientras Nefissa dejaba sobre el escritorio una gamuza, un frasco de aceite y unas balas–. Estaba limpiando el arma y ésta se disparó accidentalmente. Eso es lo que les diremos a todos. Ahora me tenéis que prometer que vosotras diréis siempre lo mismo.

Nefissa inclinó la cabeza en silencio y Alice dijo en un susurro:

–Sí, madre Amira.

–Ahora llamaremos a la policía.

Sin embargo, antes de abandonar la estancia, Amira se detuvo, apoyó suavemente una mano sobre el cabello pulcramente peinado de Edward, le cerró los ojos y dijo en un susurro:

–Declaro que no hay más dios que Alá y Mahoma es su profeta.

Tercera parte

1962

15

Mientras contemplaba a la seductora danzarina en la pantalla, Omar Rashid sólo pensaba en una cosa: en acostarse con su prima.

La danzarina se llamaba Dahiba y evolucionaba en la pantalla con zapatos de tacón alto y un traje de noche a lo Rita Hayworth, moviendo las caderas, el busto y las largas piernas de tal forma que al joven Omar, de veinte años, se le encendió la sangre hasta casi no poderlo resistir. Pero el objeto de su pasión no era Dahiba sino su prima Camelia, de diecisiete años, sentada a su lado en el local a oscuras, rozándole el brazo con el suyo y embriagándole con las vaharadas de su almizcleño perfume. Omar deseaba a su prima desde la noche en que la familia asistió a un recital de su academia de ballet y Camelia bailó delante de todo el mundo vestida con un tutú y con las piernas enfundadas en unas mallas blancas. La niña tenía entonces quince años y fue la primera vez que Omar se dio cuenta de que ya no era una chiquilla.

–Qué guapa es Dahiba, ¿verdad? –dijo ahora Camelia sin apartar los ojos de la pantalla.

Omar no pudo contestar. Estaba ardiendo a pesar de no tener la menor idea de lo que era hacerle el amor a una mujer, dado que en el islam el sexo estaba prohibido fuera del matrimonio. Un muchacho sólo podía gozar de las relaciones íntimas cuando tenía una esposa, sublime acontecimiento que, tal como ocurriría en el caso de Omar, no se producía hasta que el joven terminaba sus estudios y conseguía un trabajo que le permitiera asumir las responsabilidades de una familia. Como muchos de sus amigos, Omar no podría casarse antes de los veinticinco años. Y, puesto que la sociedad prohibía que los jóvenes solteros de ambos sexos se tomaran tan siquiera de la mano, Omar buscaba alivio de vez en cuando en los baños públicos, donde se reunía con jóvenes tan sexualmente frustrados como él; sin embargo, la satisfacción que alcanzaba en medio del vapor de aquellas salas de mármol era simplemente transitoria. Además, lo que él necesitaba era una mujer.

–Bismillah! Dahiba es una diosa –exclamó Camelia, lanzando un suspiro.

La película era una típica producción egipcia: una comedia musical de enredo en la que los personajes se confundían, abundaban los amores contrariados y una pobre campesina acababa casándose con un millonario. El cine estaba lleno a rebosar de espectadores que cantaban al ritmo de la música y batían palmas al compás de las danzas de Dahiba mientras los vendedores ambulantes recorrían los pasillos repartiendo bocadillos, albóndigas fritas y gaseosas. Cuando el villano aparecía en la pantalla (el fino bigote y el fez permitían catalogarlo automáticamente como el malo) el público profería insultos. Y cuando Dahiba, interpretando el papel de la virginal Fátima, rechazaba sus proposiciones deshonestas, la gente lanzaba tales gritos que el techo del cine Roxy de El Cairo parecía a punto de desplomarse.

Era un jueves y se podía salir por la noche porque al día siguiente no había clase. Dado que Egipto era el segundo país del mundo en volumen de películas producidas y allí se podía ir al cine cada día del año y ver una película distinta cada vez, casi todo el mundo iba al cine los jueves por la noche. Especialmente los primos Rashid: Omar y su hermana Tahia, Camelia y su hermano Zacarías. Yasmina no les acompañaba aquella noche. Los cuatro iban vestidos con sus mejores galas, Omar y Zacarías con camisas y pantalones hechos a la medida y oliendo a agua de colonia, y Tahia y Camelia también perfumadas y vestidas con blusas de manga larga y faldas por debajo de la rodilla. Aunque en Europa las faldas se estaban acortando, las chicas Rashid eran muy recatadas en el vestir.

Al terminar la película, las dos mil personas que ocupaban las butacas y los pasillos del cine se levantaron para escuchar el himno nacional egipcio mientras el sonriente rostro del presidente Nasser aparecía en la pantalla. Al abandonar el cine y salir a la perfumada noche primaveral, comentando entre risas las incidencias de la película, cada uno de los cuatro primos Rashid estaba pensando en cosas distintas. Zacarías, de dieciséis años, trataba de recordar la letra de las preciosas canciones que acababa de escuchar; Tahia, de diecisiete, pensaba que los idilios amorosos eran lo más bonito del mundo; Camelia había decidido convertirse algún día en una famosa bailarina como Dahiba; y Omar se estaba preguntando dónde iba a encontrar a una chica que le permitiera acostarse con ella. Al ver su imagen reflejada en la luna de un escaparate, sintió crecer su confianza. Omar sabía que era muy guapo. Se le había fundido la grasa infantil y ahora tenía un físico esbelto y anguloso y poseía unos oscuros ojos de penetrante mirada y unas cejas finamente dibujadas que se juntaban sobre su nariz. En aquellos momentos estaba estudiando ingeniería en la universidad de El Cairo, pero, cuando obtuviera el título y consiguiera un trabajo en el gobierno y entrara en posesión de la suma de dinero que le había dejado su padre, fallecido en el transcurso de un accidente automovilístico cuando él contaba apenas tres años, Omar sabía que no habría en todo Egipto ni una sola mujer que se le resistiera.

Pero eso era un futuro todavía lejano; la realidad en aquellos momentos era su condición de estudiante que vivía todavía con su madre en la calle de las Vírgenes del Paraíso y dependía de su tío Ibrahim en lo económico. ¿Qué mujer podía mirarle con buenos ojos en semejante situación?

Por otra parte, tenía a su lado a su prima Camelia que le estaba enviando al rostro vaharadas de perfume mientras agitaba su larga melena negra y le miraba con sus brillantes ojos dorados como la miel. A diferencia de todas las demás mujeres de Egipto, cabía la posibilidad de que Camelia no estuviera totalmente fuera de su alcance.

–¡Estoy muerta de hambre! –dijo Camelia al llegar a un cruce–. Vamos a comer algo antes de volver a casa.

Los cuatro jóvenes, tomados del brazo y con las chicas protectoramente en medio, cruzaron velozmente la calle y se acercaron a los vendedores que, vestidos con sus *galabeyas*, expendían *kebabs*, helados y fruta a los hambrientos espectadores que acababan de salir de los cines. Omar, su hermana y su prima Camelia se compraron unos bocadillos de *shwarma*, un plato típico consistente en unas tiras calientes de carne de cordero y trozos de tomate entre un pan de pita abierto por la mitad; en cambio, Zacarías se compró un boniato caliente y un zumo de tamarindo. No había vuelto a comer carne desde el día en que presenció un horrible espectáculo a la edad de siete años. El día de la fiesta de *Aid al-Adha*, que conmemoraba la fiel obediencia del profeta Abraham dispuesto a sacrificar a su hijo Isaac, Zacarías presenció cómo un carnicero preparaba un cordero para la fiesta. Tras haber degollado al animal y haber recogido su sangre mientras entonaba la frase «En el nombre de Alá», el carnicero bombeó aire al interior del cuerpo del cordero para separar la piel de la carne. Zacarías observó horrorizado cómo el cordero iba aumentando progresivamente de tamaño mientras el carnicero lo golpeaba con un bastón para que el aire se distribuyera uniformemente bajo la piel. El chiquillo de siete años lanzó un grito y desde entonces no había vuelto a comer carne.

Los primos empezaron a comer, procurando que la gente que abarrotaba la acera no los empujara de un lado al otro. Zacarías estaba preocupado por un detalle de la película que acababa de ver. La «mala» era una divorciada de costumbres disolutas, un estereotipo que aparecía en casi todas las películas egipcias. Le extrañaba no saber nada de su madre y que su padre se negara a hablarle de ella. No podía creer que su madre fuera como una de aquellas divorciadas que salían en las películas. Al fin y al cabo, tía Zu Zu, muerta un año atrás, también se había separado de su marido y, sin embargo, había sido toda la vida una mujer muy devota y virtuosa.

Zacarías ya se imaginaba cómo debía de ser su madre, aunque, como en el caso de la desventurada tía de quien nadie podía hablar, no hubiera ninguna fotografía suya en los álbumes de fotos de la familia. Debía de ser muy guapa, religiosa y casta, pensó. Como la santa Zeinab, cuya mezquita visitaba la familia una vez al año el día de su fiesta. Zacarías disfrutaba imaginando su salida en busca de su madre y el emocionante encuentro entre ambos. Omar le había dicho cruelmente en cierta ocasión:

–Si tu madre es tan maravillosa como dices, ¿por qué nunca viene a verte?

La única respuesta que se le ocurrió a Zacarías fue decir que debía de estar muerta. O sea que no sólo era santa sino también mártir. Al bajar del bordillo, Zacarías tomó a Tahia por el codo. Tratándose de su prima, le estaba permitida aquella libertad. Sin embargo, la descarga que le recorrió el cuerpo al percibir la tibia piel bajo la manga de la blusa distó mucho de obedecer a un sentimiento propio de un primo. A diferencia de Omar, el cual sólo había empezado a fijarse en Camelia dos años atrás, Zacarías estaba enamorado de la hermana de Omar desde que era muy pequeño y todos jugaban juntos en el jardín. Tahia le recordaba a la madre de sus sueños; era un modelo de virtud y castidad musulmanas. El hecho de que, a los diecisiete años, tuviera casi un año más que él, no le preocupaba; era una joven menuda y delicada que, a pesar de sus ocho años de estudios en una escuela privada, seguía siendo conmovedoramente inocente y no sabía nada del mundo. A diferencia de Omar, cuyas aspiraciones no iban más allá de un rápido y apasionado encuentro, Zacarías pensaba en el matrimonio y en los aspectos espirituales del amor. Él y Tahia eran primos y por ello estaban destinados a casarse. Mientras caminaban por la acera rebosante de juventud y felicidad, Zacarías compuso mentalmente un poema: «¡Ay, si tú fueras mía, Tahia! ¡Haría que ríos de felicidad discurrieran bajo tus pies! ¡Ordenaría a la luna que te hiciera ajorcas de plata! ¡Le ordenaría al sol que te enviara collares de oro! La verde hierba bajo tus escarpines sería de esmeraldas; las gotas de lluvia sobre tu cuerpo se convertirían en perlas. Obraría prodigios para ti, amada mía. Prodigios sin fin».

Tahia no oyó el poema, por supuesto, y, además, se estaba riendo de un comentario que Omar acababa de hacer a propósito de los lúgubres rostros de los rusos que poblaban las calles de la ciudad, un espectáculo muy corriente desde que los soviéticos se habían instalado en el país para colaborar en la construcción de la gran presa de Asuán. Los establecimientos de El Cairo vendían artículos rusos y exhibían letreros escritos en ruso, pero los egipcios no sentían la menor simpatía por aquellas personas a las que ellos calificaban de «sangre espesa».

Zacarías empezó a entonar una canción de amor titulada *Ya lili ya aini*, «Tú eres mis ojos», y los demás le hicieron coro. Ebrios del poder de su juventud, bajaron corriendo por la calle, esquivando a los demás transeúntes y deteniéndose para contemplar los escaparates de las tiendas y regatear con los vendedores de guirnaldas de jazmines. Las calles estaban brillantemente iluminadas y a través de las puertas abiertas se escapaba el sonido de la música. En las aceras, las *fellahin*, envueltas en sus negras *melayas*, asaban mazorcas de maíz sobre unas hogueras, señal de que el verano ya estaba cerca. El cálido aire estaba lleno del humo de las hogueras que se encendían al aire libre para preparar la comida, de los aromas de las carnes y los pescados asados a la parrilla y de las súbitas y embriagadoras oleadas de perfumes de los árboles en flor. Era grande ser joven y estar lleno de vida en El Cairo.

Cuando los cuatro llegaron a la plaza de la Liberación, al otro lado de la cual, en el lugar antaño ocupado por los cuarteles de los británicos, se estaba levantando el nuevo y faraónico hotel Nile Hilton, Camelia no se percató de la posesiva forma en que Omar la estaba sujetando del codo. Pensaba en la gran Dahiba y en la película que acababan de ver. Todo Egipto adoraba a Dahiba; ¡qué maravilla tener tanto arte y ser tan famosa!

Camelia sabía que había nacido para el baile. Recordaba lo fácil que le resultaba en su infancia imitar a las mujeres que bailaban el *beledi* en las fiestas de *Umma*. Al final, su abuela, de acuerdo con su padre Ibrahim, había decidido enviarla a la escuela de ballet al cumplir los ocho años. Ahora, diez años más tarde, Camelia Rashid era la alumna más aventajada de la academia y se había hablado incluso de su posible incorporación al Ballet Nacional. Pero a Camelia no le interesaba el ballet clásico. Ella tenía otros planes. Unos planes secretos tan maravillosos que estaba deseando regresar a casa para revelárselos a su hermana Yasmina.

Omar se fijó en la forma en que los jóvenes de la calle miraban a Camelia de soslayo y después apartaban rápidamente los ojos al ver que iba acompañada de parientes varones. Una mirada prolongada o una atrevida palabra de saludo hubieran sido suficientes para que Omar y Zacarías cubrieran de improperios al ofensor y se liaran a puñetazos con él. Precisamente el mes anterior, cuando los cinco primos Rashid habían salido para comprarle un regalo de cumpleaños a su *Umma* y Yasmina estaba examinando los artículos de otra sección de la tienda, un joven le rozó el busto con la mano y ella lo reprendió severamente, pero fueron Omar y Zacarías quienes lo empujaron a la calle y lo llenaron de insultos y golpes hasta que otros peatones se unieron al ataque y el avergonzado muchacho tuvo que huir corriendo por una callejuela. En su fuero interno, Omar no le reprochaba al chico aquella acción. Un lugar público como un mercado o un autobús era la única ocasión que se le ofrecía a un joven de sentir el contacto con una chica. El propio Omar era culpable de cometer tales acciones «accidentales». Incluso a veces había seguido a alguna chica con la esperanza de que la suerte le sonriera. Hasta entonces, había salido bien librado. Ningún hermano o primo se le había echado encima, acusándole de mancillar el honor de la familia. Mientras cruzaban la plaza de la Liberación, esquivando los taxis y los autobuses, a Omar se le ocurrió pensar que Camelia era un blanco ideal. Al fin y al cabo, él era el primo en aquel caso. ¿Ante quién se podría ella quejar?

Ante su padre, por supuesto que no, teniendo en cuenta que Omar conocía el secreto de su tío Ibrahim. Al pensarlo, le entraron ganas de reír.

–¿Cómo te hiciste estas cicatrices?

Ibrahim se apartó de la mujer y alargó la mano hacia la cajetilla de cigarrillos de la mesita de noche. Lo de las cicatrices siempre se lo preguntaban después de haber hecho el amor con él, cuando le examinaban más detenidamente el cuerpo. Al principio le molestaba, pero ahora la respuesta era automática.

–Durante la Revolución –contestaba él en un tono que normalmente conseguía callarles la boca.

Pero ésta era más insistente.

–No te he preguntado cuándo sino cómo.

–Con un cuchillo.

–Sí, pero...

Ibrahim se incorporó y se cubrió los muslos y las ingles con la sábana para ocultar las huellas de las torturas sufridas en la cárcel. Sus torturadores se divertían mucho cuando le hacían aquellos cortes y simulaban que lo iban a castrar, deteniéndose a escasos centímetros cuando él se ponía a gritar y les suplicaba que no lo hicieran. Nadie, ni su madre ni Alice, sabía nada acerca de los interrogatorios especiales a los que había sido sometido en la cárcel.

La mujer le rodeó la cintura con su brazo y le besó el hombro, pero él se levantó, se envolvió en la sábana cual si fuera una toga y se acercó a la ventana. Las brillantes luces y el tráfico de El Cairo le azotaron el rostro. La ventana estaba cerrada, pero se oía el rumor de la calle tres pisos más abajo, una cacofonía de cláxones de automóviles, aparatos de radio de los cafés, músicos callejeros, carcajadas y discusiones.

Ibrahim se asombraba de lo mucho que había cambiado Egipto en los diez años transcurridos desde la Revolución. Recordó ahora la explosión de orgullo nacional egipcio que había tenido lugar después de la guerra de Suez, en la que Egipto había sido derrotado por Israel merced a la ayuda prestada por Francia y Gran Bretaña a este último país. El lema «Egipto para los egipcios» había barrido el país desde el Sudán al delta como una enorme marea del Nilo, provocando un éxodo masivo de extranjeros. Ahora el rostro de El Cairo estaba cambiando. Todos los restaurantes, tiendas y negocios estaban en manos de ciudadanos egipcios y tanto los dependientes como los camareros y los oficinistas eran egipcios. Se observaban otros signos más sutiles de la ausencia de los antiguos protectores: las aceras estaban agrietadas y nadie las arreglaba, la pintura se desprendía de las fachadas y las tiendas habían perdido su elegante aire europeo. Pero a los egipcios les daba igual. Estaban entusiasmados con su nueva unidad y su libertad y se sentían borrachos de orgullo nacional. El héroe de aquella curiosa revolución múltiple era Gamal Abdel Nasser, y a los egipcios les encantaban los héroes. La fotografía de Nasser se exhibía en todos los escaparates de los comercios, en los quioscos de periódicos, en las vallas publicitarias e incluso en la marquesina del cine Roxy situado en la acera de enfrente del consultorio de Ibrahim. A un lado del título de la película se podía ver el sonriente rostro de Nasser y, al otro, el de otro héroe, el presidente norteamericano John Kennedy, muy estimado por los habitantes del norte de África y del Oriente Próximo por haber llamado la atención del mundo sobre las torturas y los encarcelamientos de argelinos por parte de los franceses.

Mientras contemplaba cómo los peatones de la calle de abajo se desbordaban desde las aceras a la calzada obstaculizando el tráfico de vehículos, Ibrahim reconoció a los miembros de la «nueva» aristocracia: los militares y sus esposas. Los bajás tocados con feces habían desaparecido y ahora los nuevos señores de Egipto vestían de uniforme y acompañaban a unas mujeres que intentaban imitar la forma de vestir de las actrices cinematográficas norteamericanas. Aquella nueva clase, arrogante y engreída, hablaba con desprecio de la desaparecida aristocracia, pero acudía en tropel a las subastas públicas de las propiedades de la nobleza exiliada. Las esposas de los prósperos militares se abalanzaban sobre los objetos de porcelana y cristal, los muebles y los trajes pertenecientes a importantes familias de rancio abolengo; cuanto más famoso y «antiguo» fuera el nombre, tanto más apetecibles eran los objetos. Ibrahim se preguntaba a veces qué hubiera ocurrido con la finca Rashid si él hubiera permanecido en la cárcel o hubiera sido ejecutado o si su familia hubiera abandonado Egipto, tal como algunos amigos les habían aconsejado hacer. ¿Las joyas de su madre, pertenecientes a la familia desde hacía más de doscientos años, hubieran adornado en aquel momento a alguna de aquellas mujeres que calzaban zapatos de tacón? ¿Y los abrigos de pieles de Nefissa hubieran abrazado los hombros de la hija de algún fabricante de quesos?

Por el bien de su madre y su hermana, Ibrahim le agradeció a Alá que le hubiera inspirado el deseo de permanecer en el país, pues, una vez superados la incertidumbre y el temor de los años revolucionarios, ahora los Rashid disfrutaban de una nueva prosperidad. A pesar de las leyes de expropiación gubernamental de los grandes latifundios, por las cuales la propiedad de cada familia quedaba limitada a una superficie máxima de cien hectáreas, Ibrahim y otros de su clase habían conseguido sortear la ley gracias a un subterfugio técnico: las cien hectáreas correspondían a cada uno de los miembros de la familia. Debido al tamaño del clan Rashid, sus extensas plantaciones algodoneras habían permanecido casi intactas y, gracias a ello, tanto Amira como las demás mujeres de la casa seguían conservando sus criados, sus joyas y sus automóviles. De eso, por lo menos, Ibrahim se alegraba.

–¿Doctor Rashid?

Ibrahim vio el reflejo de la mujer en el cristal. Aún estaba tendida en la cama, esbozando un seductora sonrisa. Pero él ya había terminado. Le pagaría y jamás volvería a verla. A la semana siguiente, se buscaría otra prostituta.

–Ahora tienes que irte –le dijo–. Estoy esperando a una paciente.

La vio a través del cristal de la ventana envolviendo su voluptuoso cuerpo en una ajustada falda y un jersey, y retocarse después el ahuecado peinado y el maquillaje de los ojos ante el espejo del tocador. No era mentira. Estaba esperando a una paciente. Había programado deliberadamente la visita a aquella hora para poder librarse de la mujer sin mentir. Además, no era nada insólito que recibiera a algún paciente a aquella hora de la noche; acudía tanta gente a su consultorio que recibía a los pacientes a todas horas.

Después de su liberación de la cárcel, Ibrahim se había pasado dos años viviendo en un discreto segundo plano. En lugar de salir y reanudar los contactos con sus antiguos amigos, se había dedicado a estudiar textos de medicina para recuperar sus antiguos conocimientos y poder ejercer la profesión atrofiada por falta de uso durante los años en que se había servido al rey Faruk. Cuando se consideró preparado, alquiló un local integrado por una salita de espera, una sala de exploraciones, un despacho y un apartamento privado contiguo en el que poder descansar entre las visitas.

Durante algún tiempo, su práctica se mantuvo bastante estancada, pero, de pronto, su vida adquirió un irónico e inesperado sesgo que le convirtió en un médico de moda.

Contempló las bombillas de la marquesina del cine Roxy de la acera de enfrente y vio a la mujer a través del cristal recogiendo el dinero que él había dejado en la mesita, contándolo y guardándoselo bajo el jersey. Echando una mirada final a Ibrahim, la mujer se retiró y él se quedó solo.

Cuando salió tímidamente al mundo y abrió un consultorio médico a dos pasos de la plaza de la Liberación, Ibrahim procuró por todos los medios ocultar su pasado; nadie debería conocer su antigua alianza con la Casa Real. Sin embargo, los rumores se extendieron a pesar de todo y pronto se supo en todo El Cairo que el médico personal del rey Faruk estaba ejerciendo ahora la práctica privada. Lejos de dañar su fama, tal como él temía que ocurriera, su pasado le había convertido ahora en un personaje famoso. Las mismas esposas de militares que compraban los bienes de la aristocracia exiliada, acudían ahora al antiguo médico del Rey para que les curara sus dolencias. El doctor Ibrahim Rashid estaba muy solicitado.

Y no es que fuera especialmente hábil como médico ni que, de pronto, se hubiera despertado en él un repentino amor a la medicina. Ibrahim era tan indiferente a su profesión como cuando estudiaba en la facultad y cursaba la carrera por el mero hecho de haber sido la de su padre. Había regresado a la medicina para poder dar un sentido a su vida.

La gente empezó a salir del cine. Al ver a los cuatro primos Rashid, Ibrahim recordó que era un jueves por la noche. Mientras los contemplaba, hablando y riendo entre sí, Ibrahim recordó su lejana adolescencia antes de su entrada al servicio del rey Faruk y de su posterior encarcelamiento. Entonces era un joven feliz, optimista y despreocupado. Como lo eran ellos ahora: los preciosos hijos de Nefissa, el presumido Omar y la tierna Tahia, y su propia hija, la dulce Camelia, cuya forma de andar era más flexible y elegante que la de la mayoría de la gente. Buscó entre la muchedumbre a Yasmina, su preferida, pero entonces recordó que los jueves su hija menor trabajaba como voluntaria en la Media Luna Roja.

También había visto a Zacarías, por supuesto, pero sus ojos no se habían detenido demasiado en aquel muchacho que tanto dolor le causaba. Zacarías era el hijo bastardo de una *fellaha* de quien él, en su arrogancia, se había apoderado. ¿Tendría razón Amira al decir que se había burlado de Alá? No pasaba un día sin que Ibrahim pensara que ojalá pudiera retroceder en el tiempo y regresar a aquella fatídica noche.

Se apartó de la ventana y apagó la colilla del cigarrillo. Ya era hora de que empezara a prepararse para recibir a la señora Sayeed y sus piedras en la vesícula.

Yasmina entró casi sin resuello en el gran salón donde la familia se había reunido para escuchar el concierto mensual de *Um* Jalsum a través de la radio.

–¡Siento llegar tarde! –dijo, quitándose la bufanda y agitando la rubia melena.

Primero besó a Amira y después a su madre, la cual le preguntó:

–¿Tienes apetito, cariño? No has cenado.

–Hemos parado para tomarnos un *kebab* –contestó Yasmina, sentándose en el diván entre Camelia y Tahia.

El jueves por la noche era la única ocasión de la semana en que ambos sexos se reunían, los niños y los hombres a un lado del salón y las mujeres y las niñas al otro. Los diecinueve miembros de la familia Rashid se estaban acomodando alrededor de la radio con sus bocadillos y sus vasos de té. Mientras esperaban el comienzo del concierto, Amira decidió entretenerse ordenando los álbumes familiares de fotos en los que ya no había espacios en blanco en los lugares antaño ocupados por las fotografías de su desventurada hija Fátima. Amira había ido llenando poco a poco los espacios con fotografías de otros miembros de la familia. Mientras pegaba una fotografía en el último espacio en blanco que quedaba, Amira pensó: «Fátima tendría ahora treinta y ocho años».

–*Mishmish* –dijo Zacarías llamando a su prima desde el otro lado del salón–. ¡Esta tarde hemos visto una nueva película de Dahiba!

Omar le dirigió a Yasmina una insolente mirada.

–¿De dónde vienes?

–De la Media Luna Roja. Ya lo sabes.

–¿Quién te ha acompañado a casa?

A Yasmina no le importaba que Omar le hiciera aquellas preguntas; estaba en su derecho por ser un pariente varón y ella tenía la obligación de contestar.

–Mona y Aziza. Me han acompañado hasta la puerta.

Omar no hubiera tenido que preocuparse; a Yasmina jamás se le hubiera ocurrido ir sola por la calle, pues los chicos solían insultar y arrojar piedras contra las muchachas que se atrevían a hacerlo. Se preguntó si sería cierto lo que decía *Umma* de que tal cosa jamás ocurría en los tiempos en que las mujeres se cubrían con el velo.

–¡Oh, *Mishmish*! Hubieras tenido que ver cómo bailaba Dahiba –dijo Camelia levantándose, colocándose las manos detrás de la cabeza y empezando a mover lentamente las caderas.

Omar estuvo a punto de que se le saltaran los ojos de las órbitas.

–¿Por qué has vuelto tan tarde, cariño? –le preguntó Aliçe.

–¡Porque fuimos a un hospital! –contestó Yasmina emocionada.

En junio terminaría sus estudios de bachillerato y en septiembre se matricularía en la universidad... aunque no en la de El Cairo, donde estudiaba Omar y donde pronto se matricularía Zacarías. Yasmina se matricularía en el mismo centro donde estudiaba Camelia, la prestigiosa Universidad Americana que, a pesar de ser mixta, era pequeña y privada y ofrecía mejores garantías para la seguridad de una muchacha. Sabía exactamente lo que iba a estudiar: ciencias.

Cuando Ibrahim entró en el salón, toda la familia lo saludó respetuosamente. Ibrahim besó primero a su madre y después a Alice.

–¿Dónde está tío Hassan? –le preguntó Camelia.

Desde que se divorciara de sus dos esposas, Hassan tenía la costumbre de escuchar el concierto mensual de *Um* Jalsum en la casa de los Rashid. Pero Hassan también ocupaba ahora un importante cargo en el gobierno y tenía muchas responsabilidades.

–Esta noche tiene trabajo –contestó Ibrahim.

Camelia apenas pudo disimular su decepción. El cariño que sentía por el amigo de su padre cuando era pequeña se había transformado en un amor adolescente.

–Hoy hemos ido al hospital –le explicó Yasmina a su padre, acercándose un poco más a él.

–¿De veras? –dijo Ibrahim mirándola con una sonrisa.

–Hemos visitado la sala de pediatría y, cuando han pedido una voluntaria para hacer una demostración, ¡yo he levantado la mano!

–Qué inteligente es mi niña. Así me gusta. Si una persona quiere estudiar no puede ser tímida. Puede que algún día trabajes conmigo en mi consultorio. ¿Te gustaría?

–¡Más que nada en el mundo! ¿Cuándo empezamos?

Ibrahim soltó una carcajada.

–¡Cuando termines el bachillerato! Te enseñaré a ser una buena enfermera. Ya, ya empieza el concierto.

Um Jalsum era una cantante tan popular que el mundo árabe se detenía cada cuarto jueves del mes cuando todas las televisiones y las radios desde Marruecos hasta Irán retransmitían su concierto, fenómeno del que se aprovechaba a menudo el presidente Nasser, programando sus discursos para minutos antes de que se iniciara el concierto. Al oír su voz, Amira apartó a un lado el álbum de fotos. Le gustaba el carismático presidente egipcio y había votado por él seis años atrás, no porque supiera algo acerca de su persona sino porque era la primera vez que se concedía el derecho al voto a las mujeres en Egipto y Amira había querido ejercer orgullosamente aquel derecho. Le gustaba no tanto por su política, por la que no sentía el menor interés, cuanto por el hecho de ser un egipcio de humilde origen. Gamal Abdel Nasser, hijo de un funcionario de Correos, desayunaba a base de alubias como todo el mundo y acudía a rezar a la mezquita todos los viernes.

Aquella noche, sin embargo, el presidente dejó al mundo boquiabierto de asombro con un discurso destinado a pasar a la historia. Los Rashid parecieron escandalizarse cuando Nasser abordó el controvertido tema de la planificación familiar.

Debido a las mejoras de los programas sanitarios por parte del gobierno socialista, explicó Nasser, la mortalidad infantil había disminuido, menos personas fallecían de cólera y viruela y, por encima de todo, el índice de mortalidad había bajado. Y la población había aumentado, añadió Nasser en tono solemne, de 21 millones en 1956 a 26 millones en 1962. De seguir así las cosas, dijo, Egipto se hundiría bajo el peso de su propia población. Había llegado el momento de practicar un estricto control de la natalidad, una medida, les aseguró a sus millones de oyentes, que contribuiría en último extremo a mejorar la situación de la familia, que era la institución más importante del mundo árabe.

Amira contempló con orgullo a su familia reunida en el salón y rezó mentalmente una oración de acción de gracias a Alá por las bendiciones que había derramado sobre ella; tenía cincuenta y ocho años, disfrutaba de excelente salud y pronto podría ser bisabuela.

Mientras escuchaba el discurso del presidente y contemplaba a su «hijo» sentado en el diván, Ibrahim se avergonzó de sus propios pensamientos. Zacarías era un buen chico a quien todo el mundo apreciaba, pero él no podía evitar sentirse incómodo a su lado.

Cuanto más hablaba Nasser de la anticoncepción, tanto más crecía la irritación de Ibrahim contra toda aquella historia de impedir el nacimiento de los hijos. Cuando Nasser explicó que, para aliviar la situación de la mujer, e incluso aunque sólo fuera para librarla de la angustia causada por otro embarazo, el islam permitía el control de la natalidad, y llegó al extremo de citar un versículo del Corán: «Está escrito que "Alá desea que seas feliz. No quiere que sufras penalidades y no te ha impuesto ninguna carga en religión"». Ibrahim pensó: «¿Y qué me dices de los derechos de un hombre que no tiene un hijo varón?».

Miró a Alice y contempló sus blancas y finas manos, asombrándose de que fueran tan suaves y delicadas, teniendo en cuenta que no había pasado ni un solo día de los nueve años y medio transcurridos sin que ella trabajara en su jardín. Mientras Alice pasaba las páginas de su catálogo de semillas, se la imaginó acariciando su cuerpo y experimentó una punzada de deseo. Desde su salida de la cárcel no sentía el menor interés por su mujer. Pero, de pronto, se le ocurrió pensar que él tenía cuarenta y cinco años y estaba en la flor de la edad y que Alice tenía apenas treinta y siete.

Aún podrían tener hijos. Volvió a prestar atención a la radio y se preguntó cómo no se le habría ocurrido antes: aún podía ser padre de un hijo. Cuanto más lo pensaba, tanto más se animaba. Esbozó una sonrisa al pensar en la ironía de que el discurso de Nasser en favor del control de la natalidad le hubiera dado la idea de incrementarla.

Mientras Nasser proseguía su discurso, algunos de los presentes escuchaban arrobados sus palabras. Tahia pensaba que el presidente era románticamente apuesto y le encantaba que su esposa también se llamara Tahia. A su lado Yasmina pensaba que el control de la natalidad tendría que estar al alcance de todas las mujeres. Sin embargo, otros no escuchaban para nada al presidente. Zacarías estaba componiendo mentalmente otro poema para Tahia, y Camelia había tomado la determinación de encontrar el medio de entrevistarse con la gran Dahiba.

Mientras escuchaba el discurso de Nasser sobre la explosión demográfica, Omar se enfureció. ¡Con la cantidad de niños que estaban naciendo y a él, Omar Rashid, nadie podría acusarle de ser el culpable! Al mirar a Camelia, observó que ésta se había quitado los zapatos y que, a través de las medias, se le veían las uñas pintadas de los dedos de los pies. Sintió un fuego que lo quemaba por dentro y ya no le cupo ninguna duda. De la manera que fuera, la tendría.

16

Nefissa calculó que el joven y apuesto camarero debía de tener unos veinte años, más o menos la edad de su hijo, lo cual significaba que no era posible que la estuviera galanteando y que todo debían de ser figuraciones suyas. Y, sin embargo, cuando le sirvió el té, le pareció ver en él unos gestos más afectados de lo necesario y vio en sus ojos oscuros el mismo fulgor que había visto en ellos en el momento de sentarse. Estaba perpleja.

Mientras el camarero se alejaba con unos garbosos andares que a ella se le antojaron un tanto exagerados, Nefissa se echó un poco de azúcar en el té y contempló las embarcaciones que surcaban las aguas verde jade del Nilo. Era un típico día de junio en el que no hacía tanto calor como en pleno verano y en el que la suave temperatura invitaba a sentarse en la terraza del club Cage d'Or mientras el tiempo pasaba tan despacio como las aguas del río.

Había dedicado el día a ir de compras en los pocos comercios de lujo que quedaban en El Cairo. Dado el nuevo afán patriótico de comprar artículos fabricados en Egipto, no resultaba nada fácil adquirir prendas de calidad, por cuyo motivo la excursión le había llevado varias horas; y lo peor de todo era que había tenido que desplazarse en taxi porque los Rashid habían prescindido de su chófer, conscientes de que la nueva sociedad socialista no veía con buenos ojos semejante ostentación.

Incluso el lugar donde ahora estaba tomando el té había cambiado. El Cage d'Or era en otros tiempos un local de lujo, al que sólo tenía acceso la aristocracia y, por supuesto, la familia real. Mientras contemplaba a las mujeres de los pescadores en la otra orilla, encendiendo hogueras de carbón y limpiando pescado, Nefissa recordó los tiempos en que ella solía acudir allí formando parte del séquito de la princesa Faiza. Entonces su marido, piloto de carreras, aún vivía y su hijo Omar era sólo un bebé. Eran jóvenes, ricos y guapos y se pasaban toda la noche jugando en las mesas de la ruleta del Cage d'Or. Ahora el club era un salón de té durante el día y una sala de baile por la noche, abierta a cualquier persona que pudiera pagar la entrada, principalmente, a juzgar por lo que Nefissa estaba viendo, a los militares y a sus ordinarias esposas. Los de su clase ya no visitaban el local.

Nefissa tomó un sorbo de té y lanzó un suspiro. Los maravillosos tiempos del lujo y los privilegios habían terminado. Nasser lo había abierto todo al público... los jardines reales eran un parque y los palacios de Faruk se habían convertido en museos. Ahora la gente corriente podía visitar las cámaras privadas en las que Nefissa solía hacer compañía a la princesa Faiza. La propia princesa se había ido, al igual que casi todos los representantes de las clases adineradas, los cuales, temiendo las decisiones del nuevo régimen, se habían trasladado a Europa o América en busca de mejores perspectivas. El número de amistades de Nefissa se había reducido; ya ni siquiera podía contar con Alice. El vínculo que la unía al principio con su cuñada se había roto la noche del suicidio de Edward.

–¿Desea la señora alguna otra cosa?

El camarero la asustó. Nefissa no le había oído acercarse. Le miró entornando los ojos; el sol que le iluminaba a su espalda, creaba una aureola a su alrededor. Se estaba acercando demasiado a la mesa y su sonrisa era excesivamente familiar. Nefissa le había visto servir a los clientes de otras mesas y comportarse con ellos con respetuosa eficiencia. ¿Qué interés podía sentir por ella?

–No, muchas gracias –contestó, percatándose de que había tardado demasiado en responder.

Buscó en su bolso y sacó una pitillera de oro con sus iniciales grabadas en una esquina y un pequeño brillante debajo de la «R». Antes de que pudiera sacar el encendedor, el camarero le acercó una cerilla encendida y, mientras le ofrecía fuego, Nefissa se preguntó qué tal sería hacer el amor con un joven tan apuesto como aquél.

Y volvió a recordar su soledad.

Ahora que Omar y Tahia ya eran mayores, raras veces la necesitaban, pues siempre andaban ocupados con sus amigos, sus intereses y las actividades que los prepararían para el futuro.

Nefissa distraía su ocio yendo de compras, acudiendo a la peluquería y chismorreando por teléfono. Se pasaba interminables horas sentada ante su tocador, probando nuevos cosméticos y perfumes, haciéndose la manicura y cuidando su piel como si la búsqueda de la belleza ideal fuera una causa sagrada. Se decía a sí misma que se maquillaba con esmero, vigilaba su peso y elegía cuidadosamente el vestuario porque se sentía orgullosa de su propio aspecto. Pero en el fondo sabía qué razón la impulsaba a hacer todo aquello. Quería volverse a enamorar.

Había rechazado los múltiples pretendientes que su madre le había buscado, algunos de ellos muy ricos y apuestos, porque anhelaba encontrar el verdadero idilio que antaño viviera con su teniente inglés. Pero no lo había encontrado y los años habían pasado sin que ella se diera cuenta hasta que se despertó finalmente una mañana y se percató de que tenía treinta y siete años y era madre de dos adolescentes. ¿Qué hombre podría quererla?

–Dahiba bailará aquí a partir de mañana por la noche –dijo el joven camarero con una sonrisa.

Nefissa pensó que ojalá se retirara. Su sola presencia y su sonrisa llena de insinuaciones parecían burlarse de ella.

–¿Quién es Dahiba?

–*Bismillah*! –exclamó el joven, poniendo los ojos en blanco–. ¡Nuestra más famosa danzarina! Eso significa, señora, que no sale mucho por las noches. Lo cual me sorprende en una dama tan rica como usted –añadió en voz baja.

Conque era eso... no le interesaba ella sino su dinero. El joven le inspiraba una leve repulsión y, sin embargo, para su vergüenza, la atraía hasta cierto punto. Se estaba preguntando si le parecería guapa... y confiaba en que sí.

–Yo trabajo aquí también por las noches –prosiguió diciendo el camarero–, está misma noche precisamente. Trabajo hasta las tres de la madrugada y después me voy a mi apartamento, muy cerca de aquí.

Nefissa le miró, preguntándose por qué toleraba su insolencia. El hecho de que se le ofreciera tan descaradamente por dinero era un insulto. Cuando los ojos de ambos se cruzaron por espacio de tres latidos del corazón, Nefissa apartó súbitamente el rostro y alargó la mano hacia su bolso. Tenía que recordar quién era, nada menos que una íntima amiga de la familia real; las mujeres Rashid no pagaban el amor.

Omar había estado esperando el momento oportuno desde la noche de cuatro semanas atrás en que, escuchando el discurso del presidente Nasser, había tomado la determinación de poseer a Camelia de la manera que fuera. No era fácil, porque ella siempre estaba con alquien y él también y porque, viviendo tantas personas en la casa, era imposible organizar un encuentro casual a solas. Omar no necesitaba mucho tiempo; sabía que todo sería muy rápido. Si la pudiera sorprender en la escalera o detrás de los arbustos del jardín, terminaría antes de que nadie lo descubriera. No estaba preocupado por la resistencia que ella pudiera oponer. Aunque los diez años de ballet la habían convertido en una muchacha muy fuerte y Camelia poseía un cuerpo esbelto y musculoso, Omar sabía que él era más fuerte. Y, además, en cuanto empezara, puede que ella le encontrara gusto y cediera.

Al ver que la abuela Amira salía y echaba a andar por la calle de las Vírgenes del Paraíso envuelta en su negra *melaya*, comprendió que no podía perder aquella ocasión. Desde el encarcelamiento de tío Ibrahim, *Umma* se había acostumbrado a salir, aunque no lo hacía con mucha frecuencia. Jamás iba de compras ni a los restaurantes o al cine como sus tías y primas; *Umma* visitaba las mezquitas de los santos Hussein y Zeinab en los días de su fiesta, y una vez al año acudía al cementerio para rezar ante la tumba del abuelo Alí. Aquel día era el destinado a su visita anual al puente que unía la isla de Gezira con la ciudad; nadie sabía por qué motivo *Umma* hacía aquella pequeña peregrinación al río en solitario y por qué arrojaba una flor a sus aguas, pero Omar podía contar por lo menos con media hora de libertad, lejos de su mirada perennemente vigilante. Le bastarían quince minutos.

Ahora tenía que rezar para que Camelia regresara a casa de su clase de ballet a la hora acostumbrada y no se entretuviera en algún sitio con las amigas.

¡Allí estaba, cruzando la puerta del jardín!

Omar lo tenía todo previsto: la atraería con engaño a la parte de atrás de la glorieta, la inmovilizaría y le cubriría la boca. Si más tarde ella lo acusara, él lo negaría. Todo el mundo le creería a él y no a ella, pues la declaración de una mujer valía la mitad que la de un hombre, según el Corán.

–¡Oye, Camelia! –la llamó al verla acercarse por el sendero–. ¡Ven aquí! ¡Quiero enseñarte una cosa!

–¿Qué es?

–¡Ven a ver!

La joven le miró con expresión dubitativa y después, picada por la curiosidad, dejó los libros y le siguió a la parte de atrás de la glorieta, donde crecía un arbusto de rosa de Siria.

Omar la asió y la empujó al suelo, arrojándose encima de ella.

–*Y'allah*! –gritó Camelia–. Pero ¿qué haces, atontado?

Omar trató de taparle la boca, pero ella le mordió la mano. Cuando fue a bajarse los pantalones, ella le propinó un fuerte empujón que lo dejó tendido en el suelo.

Cuando la joven iba a levantarse, contemplando con el ceño fruncido las manchas que la hierba había dejado en su blusa, Omar se le volvió a echar encima, tratando de empujarla hacia atrás y de levantarle la falda, pero ella le arreó un puñetazo en el esternón y Omar lanzó un grito de dolor y cayó sentado sobre el trasero. Camelia se levantó de inmediato y le miró, enfurecida.

–¿Te has vuelto loco, Omar Rashid? ¿Acaso un *yinn* se ha apoderado de ti?

–Por la misericordia de Alá, pero ¿qué es lo que pasa aquí?

Ambos jóvenes se volvieron y vieron a Amira rodeando la glorieta, envuelta en la negra *melaya*.

–¡Omar! –gritó Amira indignada–. ¿Qué te proponías hacer?

El joven retrocedió a gatas en el suelo para apartarse del camino de su abuela.

–*Umma*! Yo... es que...

–¡Vamos, quítate de mi vista, atontado! –dijo Camelia alisándose la falda. Después, se inclinó hacia delante y le dio a su primo unas palmaditas en la cabeza–. ¡*Mahalabeya*, budín de arroz! –añadió recogiendo sus libros–. Tú y yo no estamos comprometidos ni nunca lo estaremos. Por consiguiente, no se te ocurrra volver a intentarlo.

Dicho lo cual, Camelia se alejó sin más.

Omar se levantó del suelo y permaneció tímidamente de pie delante de su abuela.

–Con el debido respeto, *Umma*, pensé que te habías ido al río.

–Allá iba, pero, al llegar al final de la calle, me he dado cuenta de que había olvidado las flores.

No dijo nada más. Omar permaneció inmóvil, mirando el suelo. Sentía encima suyo la mirada de Amira y el poder de su reproche.

Incapaz de soportar por más tiempo el silencio, levantó los ojos y, al contemplar los oscuros e inteligentes ojos de su abuela, le vino súbitamente a la memoria un recuerdo: tenía ocho años y *Umma* le había sorprendido en el jardín arrancándole las alas a una mariposa. No la había oído acercarse. Amira le soltó un manotazo tan fuerte que le hizo caer redondo hacia atrás. Fue la única vez en su vida en que alguien le puso la mano encima.

Amira le miró enfurecida mientras la brisa de junio agitaba unos mechones del negro cabello que llevaba recogido en la nuca. Era su abuela, pero, aun así, Omar pudo verla tal como los demás la veían: una bella mujer cuya fuerza de carácter resultaba evidente en sus cuadradas mandíbulas y sus penetrantes ojos negros.

Tragó saliva con la garganta seca y dijo:

–Perdóname, *Umma*.

–El perdón sólo puede concederlo Alá. Omar –añadió Amira, compadeciéndose de él–, lo que has hecho está muy mal.

–Pero es que ardo por dentro, *Umma* –dijo el joven en voz baja.

–Todos los hombres arden por dentro, nieto de mi corazón. Tienes que aprender a dominarte. No debes volver a tocar a Camelia.

–Pues, entonces, ¡deja que me case con ella!

–No.

–¿Por qué no? Somos primos. ¿Con quién, si no, se iba a casar?

–Hay algo que tú no sabes. Cuando murió la primera esposa de tu tío, tu madre amamantó a Camelia. Pero aún te estaba amamantando a ti. Está escrito en el Corán que la unión entre dos personas amamantadas por el mismo pecho está prohibida. Es un incesto, Omar.

–¡Yo no sabía nada de todo eso! –exclamó Omar, consternado–. Entonces, ¡Camelia es mi hermana!

–Y no puedes casarte con ella.

–*Bismillah*! –dijo Omar con lágrimas en los ojos–. ¿Qué voy a hacer entonces?

Amira apoyó una mano en su hombro y le contestó con una dulce sonrisa:

–No eres tú quien debe decidirlo, Omar. Tu destino ya está escrito en el libro de Alá. Ofrece una oración al Eterno. Confía en su providencia.

Omar rezó una plegaria, pero, en cuanto Amira abandonó el jardín, empezó a propinar fuertes puntapiés a unos lirios hasta arrancarlos y destrozarlos. Después entró corriendo en la casa, se dirigió al apartamento de su madre e irrumpió hecho una furia en la estancia sin llamar.

–Quiero casarme ahora mismo –le dijo.

Sobresaltada, Nefissa le miró desde su tocador.

–¿Quién es ella, cariño?

–No hay ninguna. La que sea. ¡Búscame una esposa!

–Pero ¿y tus estudios? ¿Y la universidad?

–He dicho que quiero casarme. No he dicho nada de abandonar los estudios–. Puedo ser estudiante y marido al mismo tiempo.

–¿No puedes esperar hasta que saques el título?

–¡Me quedan tres años por delante, madre! ¡Antes me moriré de asco!

Nefissa lanzó un suspiro. La impaciencia de un muchacho de veinte años. ¿Había sido ella así alguna vez?

–De acuerdo, cariño –Nefissa se levantó y se acercó a su hijo, acariciando con los dedos su abundante cabello negro. Evocó la imagen del camarero del Cage d'Or, un joven de la misma edad de Omar. Súbitamente se asustó al pensar en la posibilidad de que su querido hijo, en su desesperación, pudiera recurrir a una mujer rica y de más edad que él para satisfacer sus necesidades–. Hablaré con Ibrahim.

Silbando de contento, Hassan subió con el criado por la escalinata para dirigirse al ala de la casa reservada a los hombres. Llevaba mucho tiempo planeando la visita que le iba a hacer a Ibrahim aquel día; se moría de impaciencia, pero sabía que tenía que actuar con cautela. Ibrahim ya no era el mismo amigo de antes; los seis meses en la cárcel lo habían cambiado. Por consiguiente, no podía predecir cuál sería su reacción, pero ahora pasaba por períodos de depresión y melancolía durante los cuales no quería ver a nadie y se encerraba en un mutismo absoluto. Por consiguiente, tendría que tratarle con muchas precauciones, pues el asunto por el que había acudido a verle aquel día era extremadamente delicado.

¿Qué demonios le habría ocurrido a su amigo en la cárcel?, se preguntó Hassan mientras subía por la gran escalinata. Ibrahim se negaba a hablar de ello; en los nueve años y medio transcurridos desde su liberación, no había dicho ni una sola palabra al respecto. Hassan se preguntaba a menudo cómo era posible que lo hubieran puesto en libertad, habida cuenta de que todas las gestiones de la familia Rashid y las suyas propias habían fracasado. A pesar de que todos los canales estaban bloqueados, Ibrahim había sido liberado de pronto sin que ni él mismo supiera por qué.

El criado llamó con los nudillos, abrió la puerta y Hassan entró en el cómodo y conocido apartamento de Ibrahim. Ambos amigos se saludaron efusivamente y Hassan aceptó el ofrecimiento de café que le hizo Ibrahim. Hubiera preferido un trago de whisky, pero, al morir Edward, el whisky había desaparecido de aquella casa.

Pobre Eddie, pensó Hassan, acomodándose en un diván. ¿Habría sido su muerte efectivamente accidental? ¿Cómo era posible que un hombre se hubiera pegado un tiro tan preciso entre los ojos mientras limpiaba su arma? Sin embargo, el informe de la policía había calificado la muerte de accidental, y Amira, que era la que había descubierto el cuerpo, insistía en que así había sido. Pero Hassan no se fiaba mucho de ella. Sospechaba que aquella mujer era capaz de encubrir cualquier cosa con tal de proteger el honor de su familia.

—Cuánto me alegro de verte –dijo jovialmente Ibrahim.

Hassan pensó que la suerte lo iba a acompañar aquel día. Estaba seguro de que Ibrahim respondería afirmativamente a su propuesta.

—Yo también me alegro mucho de verte a ti, hermano –contestó, observando con satisfacción que Ibrahim le ofrecía un cigarrillo de marca inglesa. Hassan, el perfecto caballero inglés, ya no existía, y las expresiones como «muchacho» y «a propósito» habían desaparecido de su vocabulario. Ahora sólo hablaba en árabe y punteaba sus frases con los tradicionales latiguillos de dicha lengua. Tras comentar brevemente los precios del algodón y la marcha de las obras de la presa de Asuán, Hassan añadió–: ¿Me permites manifestarte el objeto de mi visita, querido amigo? Vengo con un gozoso propósito. Hoy es el día de los días para nosotros, Ibrahim. He venido a pedirte la mano de tu hija.

Ibrahim le miró extrañado.

—Me pillas por sorpresa. No tenía ni idea de que ésa fuera tu intención.

—Llevo casi tres años divorciado. Un hombre necesita una esposa, tal como tú mismo me has dicho a menudo. Y, dado que el alto cargo que ocupo en el gobierno me exige asistir a muchos acontecimientos sociales e incluso a ser yo mismo el anfitrión de algunos de ellos en ciertos casos, una esposa me es imprescindible. Por supuesto, he esperado a que ella celebrara su cumpleaños hace unas semanas. De lo contrario, hubiera sido demasiado joven.

Ibrahim le miró.

–¿Cómo? Ah, sí, demasiado joven. No sé. Tú tienes cuarenta y cinco años, Hassan.

–¡Tan joven como tú, amigo mío!

Lo cual sólo era cierto desde el punto de vista de la edad cronológica. Hassan conservaba todo el vigor juvenil y podía pasar por un hombre mucho más joven mientras que Ibrahim aparentaba más años de los que tenía. Conservaba las hebras grises que le habían salido en la cárcel y jamás había recuperado la fuerza de antaño.

–Supongo que podríamos por lo menos discutir el asunto –contestó Ibrahim–. Habíamos hablado de la posibilidad de que Camelia ingresara en la compañía de ballet, pero nunca...

–¿Camelia? ¡Por la cabeza de saíd Hussein! Yo me refería a Yasmina.

Ibrahim miró fijamente a su amigo.

–¿Yasmina? ¡Pero si tiene apenas dieciséis años!

–Por supuesto, esperaremos a que cumpla los dieciocho para celebrar la boda, pero no veo ninguna razón para que no accedas a nuestro compromiso ahora.

Ibrahim frunció el ceño.

–¿Yasmina? No, no podría dar mi consentimiento.

Hassan esperó sin decir nada. No podía permitir que su impaciencia lo estropeara todo. Tenía que conseguir a Yasmina... tan bella como un rayo de luna.

–Ella quiere ir a la universidad –dijo Ibrahim.

–Todas las chicas quieren estudiar últimamente. Estos tiempos modernos hacen que las chicas olviden la misión para la que fueron creadas. Sin embargo, en cuanto se quedan embarazadas, abandonan la idea de los estudios.

–Pero ¿por qué Yasmina?

Hassan tardó un momento en contestar. No podía decir: «Porque siempre he querido a Alice y, como no puede ser, me conformaré con la hija».

–¿Y por qué no Yasmina? –replicó–. Es joven y guapa. Es serena y reposada y ha sido esmeradamente educada. Y, por si fuera poco, es obediente. Posee todas las virtudes que busca un hombre en una esposa.

Además, añadió mentalmente, no me caso para tener hijos, ya tengo cuatro. Esta vez me caso para pasarlo bien en la cama. La

197

educación sexual de la pequeña y encantadora Yasmina será sin duda una delicia.

Mientras reflexionaba sobre la cuestión, Ibrahim se dio cuenta de que la inesperada propuesta de Hassan no le desagradaba del todo. Yasmina tendría que casarse algún día y él no hubiera dado fácilmente su consentimiento a cualquier cosa... ¿qué hombre podía ser más digno de su hija preferida sino Hassan, que era amigo suyo desde sus tiempos de estudiante?

–Oh, no ha sido una decisión precipitada por mi parte –añadió cautelosamente Hassan–. Llevo mucho tiempo pensándolo. Tú y yo somos como hermanos, mi querido amigo. ¿Cuántos años hace que nos conocemos? Yo siempre me he sentido un miembro de tu familia. ¿Recuerdas la vez que tú, Nefissa y yo embarcamos en aquella falúa y zozobramos en el Nilo?

Ibrahim soltó una carcajada, cosa insólita en él.

–¿Por qué no oficializar mi pertenencia a esta familia? –prosiguió diciendo Hassan–. Para ti será un consuelo saber que no se casa con un desconocido, porque creo que nos conocemos muy bien el uno al otro y me parece que ella me tiene cierto afecto. Y tú sabes que seguirá viviendo con el mismo lujo y las mismas comodidades que ha conocido toda la vida. Al fin y al cabo, soy un hombre muy rico.

Ibrahim guardó silencio.

–Además, un hombre en mi posición tiene que elegir con mucho cuidado a su esposa. Tiene que ser una mujer exquisitamente educada, que sepa comportarse en sociedad y tratar con los más altos cargos del Estado. Tiene que ser... y permíteme que utilice una palabra prohibida... una auténtica aristócrata. Por consiguiente, mi campo de elección es muy limitado, como tú sabes.

–Sí –dijo Ibrahim con aire pensativo–. Vamos a redactar el documento...

–Casualmente lo tengo aquí –mientras Ibrahim sacaba su estilográfica, Hassan añadió–: Voy a ser tu yerno, ¿no te parece divertido?

Nefissa estaba a punto de llamar con los nudillos a la puerta de su hermano cuando oyó pronunciar su nombre al otro lado de la misma. Reconoció la voz de Hassan, comentando la vez en que los tres habían tomado una falúa en el Nilo y la embarcación había zozobrado. Por aquel entonces, ella sólo llevaba un año casada y no pensaba que Hassan se acordara del incidente. Ahora, tras haber escuchado el resto de la conversación, el corazón no le cabía de gozo en el pecho. ¡Hassan le estaba pidiendo permiso a su hermano para casarse con ella!

¿Qué otra cosa podía ser? Las frases que había utilizado lo demostraban bien a las claras: «Nos conocemos muy bien el uno al otro... me tiene cierto afecto... tiene que ser una auténtica aristócrata... saber tratar con los más altos cargos del Estado». O sea que los tiempos de las diferencias sociales y de los privilegios no habían desaparecido, pensó Nefissa con súbita satisfacción. Las clases sociales aún seguían existiendo, la único que había cambiado eran los nombres. Todo el mundo sabía que Hassan tenía un brillante futuro en la política, e incluso corrían rumores de que iba a ser nombrado presidente del Tribunal Supremo. Necesitaría una esposa de un nivel social semejante al suyo... una aristócrata, una mujer que antaño había mantenido estrechas relaciones de amistad con la familia real.

Nefissa regresó corriendo a sus aposentos, se peinó a toda prisa, se aplicó un poco de carmín a los labios, se perfumó con esencia de jazmín y volvió a sentirse tan emocionada y aturdida como una chiquilla. Después bajó al jardín y, al ver salir a Hassan, le cerró el paso.

–No he podido evitar oír vuestra conversación... –le dijo–. Espero que no te importe que haya escuchado detrás de la puerta.

Hassan la miró, perplejo.

–¡La proposición de matrimonio! –dijo Nefissa riéndose–. No era necesario que fueras a hablar con Ibrahim. Ahora yo tomo mis propias decisiones –añadió rodeando con sus brazos el cuello de Hassan–. Oh, Hassan, no sabes el tiempo que hace que te deseo. Seré una buena esposa para ti, te lo prometo.

–¿Tú? –dijo Hassan–. ¡No nos referíamos a ti sino a Yasmina! –añadió soltando una carcajada y apartando los brazos que le rodeaban el cuello–. Hubo un tiempo en que pensé casarme contigo, Nefissa, cuando todavía no te habías casado. Pero ¿por qué voy a querer ahora a una mujer de segunda mano, pudiendo tener a la doncella más exquisita de El Cairo?

–No hablarás en serio –dijo Nefissa, mirándole horrorizada.

Mientras Hassan se alejaba y sus risas llenaban el perfumado aire nocturno, Nefissa recordó la única noche de su vida en que había sido amada de verdad. Su apuesto teniente había desaparecido, pero ella quería que volviera. Necesitaba a alguien que la amara de nuevo como antaño la habían amado.

17

Los sueños, con sus turbadoras imágenes, estaban visitando de nuevo a Amira por la noche con más fuerza que nunca... El campamento del desierto, la extraña torre cuadrada... Pero ahora veía también otras cosas todavía más desconcertantes, entre ellas, un hombre de elevada estatura y piel negra como el ébano, tocado con un turbante escarlata.

¿Quién era y por qué aparecía ahora en sus sueños? ¿Pertenecía a la casa de la calle de las Tres Perlas o formaba parte de otro hogar que ella no podía recordar, antes de que la secuestraran de la caravana?

Lo más extraño, pensó Amira mientras trataba de desentrañar el misterio de sus sueños, era que éstos hubieran vuelto a acosarla. No estaba a punto de nacer ningún niño en la familia, momentos en los que solían aflorar a la superficie sus antiguos terrores. ¿Qué estaban tratando de decirle aquellos sueños?

–¿Qué es la impotencia, *Umma*? –preguntó Yasmina.

Ambas se encontraban en la cocina, colocando las tazas y los platitos en el fregadero. Amira acababa de dar por concluido el té semanal que ahora organizaba todos los viernes mientras los hombres estaban en la mezquita. Tras haber dirigido la oración del mediodía de las mujeres de la familia, abría la puerta del jardín para que entraran sus amigas y visitantes. Ahora ella y su nieta estaban fregando los platos, una tarea de la que hubieran podido encargarse las criadas, pero que ella consideraba útil para la preparación doméstica de sus nietas cuando se casaran.

Amira no había oído la pregunta de Yasmina. Mientras lavaba y sacaba brillo a la tetera de plata, estaba tratando de hallar una solución a un urgente problema.

Aquella mañana, antes de ir a la mezquita, Ibrahim la había informado sobre el acuerdo al que él y Hassan habían llegado la víspera; Hassan al-Sabir estaba ahora comprometido en matrimonio con Yasmina. Amira no le dijo nada a su hijo, pero, mientras éste se alejaba bajo el sol matinal al volante de su automóvil, experimentó un terrible presentimiento.

–*Umma*? –dijo la muchacha–. ¿No me has oído?

Amira contempló a su preciosa nieta rubia con sus bucles dorados sujetos por dos pasadores, y pensó: «Aunque sea lo único que haga hasta el día en que me muera, salvaré a esta niña de las garras de Hassan al-Sabir».

–¿Qué me decías, *Mishmish*?

–He oído que *Um* Hussein te pedía un remedio para la impotencia. ¿Qué es eso?

–Es un defecto que impide a un hombre cumplir sus deberes conyugales.

Yasmina frunció el ceño sin saber muy bien qué clase de deber era aquél. Ella y sus compañeras de clase del instituto femenino donde estudiaba hablaban a menudo en voz baja de los chicos y el matrimonio, pero, como casi todos sus conocimientos eran en buena parte conjeturas, Yasmina sólo tenía una idea muy vaga de lo que era el deber conyugal.

–¿Y cómo se cura? –preguntó.

Antes de que Amira pudiera contestar, Badawiya, la cocinera libanesa, dijo, desde el tajo de carnicero junto al cual se encontraba en aquellos momentos:

–¡Con una esposa más joven que él!

Las criadas que estaban en la cocina se rieron al oír sus palabras. Amira rodeó a Yasmina con su brazo y le dijo:

–Si Alá quiere, *Mishmish*, eso es algo por lo que tú nunca tendrás que preocuparte.

–¡Bueno, lo que es yo, no pienso casarme hasta dentro de muchos años! –dijo la muchacha–. Quiero ir a la universidad y estudiar ciencias. No sé exactamente cuál va a ser mi futuro.

Amira miró a Maryam Misrahi, la cual había ayudado a llevar a la cocina las pastas y el té sobrantes. Maryam miró a su vez a su amiga como diciendo: ¡menudas están hechas las chicas de hoy en día! Y Amira sonrió para disimular su inquietud. No le había contado a Maryam el horrendo compromiso matrimonial que había concertado Ibrahim para su hija.

Camelia, desde la puerta de la cocina donde estaba esperando ansiosamente a Zacarías, dijo con impaciencia:

–¡Ojalá yo pudiera ver mi futuro!

Maryam se acercó a ella y contempló el florido jardín.

–¿Sabes cómo leíamos el futuro cuando yo era pequeña? –le dijo–. Tomas un huevo y lo calientas con las manos durante siete minutos. Después lo cascas sobre un vaso de agua. Si el huevo flota, significa que tu futuro marido será muy rico. Si se hunde, será pobre. Si se rompe la yema, es que...

–¡Yo no estaba hablando de maridos, tía Maryam! Yo, lo que quiero saber es si...

La muchacha se detuvo. No quería que *Umma* se enterara de sus planes. Camelia estaba esperando nerviosamente la llegada de Zacarías, el cual le había dicho que tenía una cosa muy importante para ella.

–*Umma* –dijo Yasmina, tomando una tartita de frambuesa de la fuente que Badawiya acababa de sacar del horno. Le hincó el diente y saboreó su celestial dulzura–, ¿por qué vienen las mujeres a ti cuando están enfermas y no van a un médico de verdad como papá?

Amira secó cuidadosamente las tazas de porcelana y las guardó en el armario.

–Vienen a mí por modestia.

–Pero papá también atiende a las mujeres.

–Yo no conozco a esas mujeres, *Mishmish*, pero las que vienen a mí no desean que las vea un hombre desconocido.

–Pues, entonces, ¿por qué no hay más médicas? ¿No te parece que tendría que haber el mismo número de médicas que de médicos? ¿No lo consideras lógico?

–¡Cuántas preguntas! –dijo Amira, mirando de nuevo de soslayo a su amiga Maryam.

Maryam le envidiaba a Amira que tuviera a tantos jóvenes a su alrededor y que pronto pudiera hacerse realidad la llegada de más niños a aquella casa. Sus propios hijos habían abandonado el hogar hacía mucho tiempo y ahora vivían en distintos lugares del mundo, incluso en lugares tan remotos como California. Maryam había visto a sus nietos en carne y hueso sólo una vez. Ahora ya estaba en camino su primer bisnieto. Puede que ya hubiera llegado el momento de que se tomara unas vacaciones y visitara a sus hijos. Al fin y al cabo, ella y Suleiman tenían sesenta y tantos años. ¿Cuánto tiempo deberían aplazarlo por el solo hecho de que los beneficios de Importaciones Misrahi hubieran disminuido y ahora Suleiman tuviera que trabajar noche y día? ¿Acaso la familia no era más importante que los negocios? Esta noche se lo comentaré, pensó, cuando regrese a casa después de las ceremonias del sábado.

Sahra también se encontraba en la cocina, escuchando las conversaciones mientras sacaba del horno una fuente de bollos de sésamo. Tenía treinta años y había engordado un poco. Ya no era una simple ayudante de cocina. Badawiya, que llevaba en la casa desde antes de que naciera Ibrahim, se estaba haciendo mayor y ya no tenía el mismo empuje de antes, por lo que Sahra la estaba sustituyendo poco a poco y ya sabía que, cuando Badawiya se retirara, ella sería la primera cocinera de la familia Rashid.

Sonrió al oír que Camelia suspiraba en la puerta, diciendo:

–Pero ¿dónde se habrá metido?

Sahra quería al amo tanto como a todos sus hijos. A lo largo de los años, había conseguido encajar las piezas de la historia. Puesto que la visita anual de la familia al cementerio se producía catorce días después de su propio cumpleaños, Sahra calculaba que la madre por la cual rezaba Camelia había muerto la víspera de la boda de Nazirah, es decir, la noche en que ella había visto al amo llorando junto a la acequia. Por consiguiente, Camelia debía de haber nacido aquella noche. El corazón de Sahra se compadecía de la pobre muchacha huérfana y también de su hermana Yasmina, intuyendo que la decepción sufrida ante el nacimiento de una hija había inducido al amo a adoptar a su propio hijo Zacarías. Por consiguiente, Sahra se sentía en cierto modo madre de los tres.

–Tía Maryam –dijo Camelia, mirando a través de la ventana mientras se frotaba con aire ausente el hombro que se había magullado la víspera, cuando Omar la derribó al suelo–. ¿Ya has visto la película de Dahiba?

–Tu tío Suleiman está demasiado ocupado y no tiene tiempo para ir al cine.

–¡Pues tienes que ir! ¡En tu vida habrás visto a nadie bailar como lo hace Dahiba! A lo mejor, tú y la abuela podríais ir juntas.

Al oírla, Amira se limitó a sonreír, diciendo:

–¿Y de dónde saco yo el tiempo para ir al cine? –después añadió, dirigiéndose a Yasmina–: La señora Abdel Rahman ha telefoneado esta mañana para preguntar si podría llevarle mi té especial de hisopo a su hermana, la que vive en la calle de Fahmi Pasha. Los niños sufren fiebres primaverales. ¿Me querrás acompañar, *Mishmish*?

–Me encantará, *Umma*. Tomaremos un taxi.

Justo en aquel momento Zacarías entró en la cocina. Cuando se acercó a besar a su abuela, ésta le preguntó:

–¿Ya ha regresado tu padre de la mezquita?

–Ahora mismo está entrando con el coche –contestó el muchacho, tomando un encurtido de un tarro y mascándolo ruidosamente.

Una de las chicas de la cocina estaba preparando un *assafeer*, es decir, unos pajaritos a los que estaba desplumando y cortando los picos y las patas para introducir después las cabezas en sus cuerpos. Mientras los sazonaba con especias y los ensartaba en brochetas, Zacarías apartó la vista para no presenciar el desagradable espectáculo. Sahra vio la expresión de su rostro y recordó la vez en que, siendo pequeño, se había puesto histérico al ver que el carnicero que había traído el cordero a la casa lo degollaba para la fiesta de Abraham e Isaac. A partir de entonces Zacarías no había vuelto a comer carne ni aves ni pescado. Sahra recordó ahora la compasión que sentía Abdu por todas las criaturas vivientes.

El muchacho también se parecía a Abdu en muchas otras cosas, pensó Sahra, por ejemplo, en su afición a componer poemas, en su amor a Alá y el Corán y en su aspecto físico. Zacarías tenía la misma anchura de espaldas, los mismos ojos verdes y la misma dulce sonrisa de su padre hasta el punto de que estar a su lado era para ella casi como estar de nuevo al lado de su querido Abdu. Sahra se preguntó si el muchacho guardaría algún recuerdo de los tres primeros años de su vida en que ella lo había amamantado.

Cuando Amira abandonó finalmente la cocina, Camelia se acercó corriendo a su hermano.

–¿Me lo has conseguido, Zakki? ¿Ya lo tienes?

Un mes atrás, al día siguiente de haber ido al cine, Camelia le había dicho a Zacarías:

–¡Oh, Zakki, tengo que saber dónde vive Dahiba! Necesito ir a verla. Quiero estudiar con ella. Mira, me he aprendido de memoria los movimientos de la danza que interpreta en la película. Estoy segura de que, cuando me vea bailar, me tomará bajo su protección. ¡Pero tengo que saber dónde vive! Por favor, a ver si lo averiguas.

Ahora Zacarías se sacó un trozo de papel del bolsillo.

–*Bismillah*! –dijo con una sonrisa–. Me ha costado cincuenta piastras porque he tenido que sobornar a un tipo que trabaja en el Cage d'Or, el local donde ella actúa.

–¡Es su dirección! –exclamó Camelia.

–Me he acercado hasta allí, Lili –añadió Zacarías emocionado–. ¡Vive en un apartamento del último piso y tiene guardaespaldas y un Chevrolet! La he visto salir del edificio. ¡Te aseguro que Egipto tiene todavía una reina!

–¡Me voy a desmayar! –dijo Camelia. Después le dio un beso a su hermano y añadió–: ¡Te adoraré durante todo el resto de mi vida, Zakki! ¡No sabes cuánto te lo agradezco!

–Y ahora, ¿qué vas a hacer? –preguntó Zacarías a su espalda.

Pero ella ya había desaparecido.

–¿Por qué hemos venido aquí, abuela? –preguntó Yasmina, mirando a través de la ventanilla del taxi.

Se encontraban en un barrio de El Cairo que ella jamás había visitado anteriormente, en una calle llamada de las Tres Perlas.

Amira no le contestó de inmediato porque ella también estaba mirando a través de la ventanilla del taxi.

Ella y Yasmina habían visitado a la hermana de la señora Abdel Rahman cuyos hijos estaban enfermos y, al salir, en lugar de decirle al taxista que las llevara de nuevo a la calle de las Vírgenes del Paraíso, Amira le había dicho que las condujera allí. Y ahora se encontraban delante del lugar en el que Amira había conocido a Alí Rashid cuarenta y seis años atrás.

A Amira le habían dicho en cierta ocasión que la casa había sido derribada, pero ello era cierto en parte. El principal edificio seguía en pie... una gran mansión de piedra parecida a la casa de la calle de las Vírgenes del Paraíso. Sin embargo, el recinto y los jardines se habían subdividido, por lo que ahora distintos locales comerciales y apartamentos lindaban con aquella hermosa mansión del siglo XIX. Unas muchachas de uniforme estaban subiendo a toda prisa los peldaños de la entrada principal, portando libros y fiambreras con el almuerzo. La casa se había convertido en una escuela.

Esta casa, pensó Amira con asombro mientras contemplaba los adornos de la fachada como si de ellos tuvieran que surgir emocionantes recuerdos, esta casa en cuyo harén yo estuve antaño prisionera, es ahora un lugar donde las chicas estudian y son libres. Cerró los ojos y trató de retroceder en el tiempo para que sus pensamientos hicieran un viaje de exploración por los pasillos de mármol, en la esperanza de poder verse a sí misma a la edad de siete años en medio de unas gentes desconocidas que le infundían temor. ¿Podría ver allí también a su madre? ¿O acaso su madre había muerto en el desierto?

«¿Por qué no puedo recordar cómo fui conducida hasta aquí? ¿Por qué recuerdo tan sólo el día en que abandoné este lugar?»

Por mucho que lo intentara, no podía evocar los recuerdos. Sin embargo, a pesar de que el pasado se le seguía escapando, comprendió súbitamente una cosa. «Me condujeron aquí tras arrancarme de los brazos de mi madre mientras ella trataba de protegerme, y me dejaron bajo la vigilancia del gigantesco negro del turbante escarlata... el eunuco del harén.» Mirando a Yasmina, Amira pensó: «Eso es lo que me estaban diciendo mis sueños, por eso he venido hoy aquí. Es una advertencia de que estoy a punto de perder a mi nieta. Yasmina me será arrebatada y se irá a vivir con un hombre que no pertenece a nuestra familia. Me dejará, ya no será mía».

–¿Qué te ocurre, abuela? –preguntó Yasmina–. ¿Por qué hemos venido aquí?

No temas, nieta de mi corazón, hubiera querido contestar Amira, no permitiré que te ocurra ningún daño, no pienso perderte. Pero, en su lugar, contestó en tono tranquilizador:

–Puede que algún día te lo diga. Algún día, cuando yo lo haya comprendido todo. Pero ahora nos iremos a casa; tengo que hablar con tu padre.

Desde la ventana de su salón privado, Ibrahim estaba contemplando a Alice en el jardín, con su dorada cabeza protegida por un sombrero contra el sol. Al ver la dulzura con la cual aquellas blancas y delicadas manos separaban los bulbos y las raíces, esparcían las semillas y aplanaban la húmeda tierra, experimentó un anhelo muy parecido a un dolor físico. El jardín que se había convertido en el centro de la vida de su mujer, era diez años atrás una pequeña parcela en la que sólo crecían unos pocos ciclámenes. Ahora se extendía a lo largo de casi toda la fachada oriental de la casa y estaba lleno de azules campanillas, fucsias de un rosa purpúreo y rosas rojas que normalmente no hubieran podido crecer en medio del áspero y seco calor de Egipto. Los constantes y amorosos cuidados de Alice y su vigilancia y entrega habían obrado el milagro.

Un estremecimiento le recorrió el cuerpo de arriba abajo. A menudo rezaba para que ella le manifestara un cariño y una entrega semejantes.

¿Qué había ocurrido con su matrimonio? ¿Cuándo habían hecho el amor por última vez? Llevaban mucho tiempo sin hablar, aparte las intrascendentes charlas cotidianas y los habituales tópicos de la vida. ¿Qué podía hacer para mejorar las cosas y para que ambos volvieran a ser tal como eran antes de la Revolución y antes de que su vida empezara a desintegrarse?

Tras su salida de la cárcel, Ibrahim había pasado por un largo período en el que no había sentido el menor interés por el sexo, ni con Alice ni con nadie. Pero, al cabo de varios meses, cuando sus heridas físicas ya habían sanado, Ibrahim empezó a abrigar la esperanza de que Alice volviera a ser la misma esposa de antes. Por desgracia, ella no acudía a su cama; cuando él insistía, la relación entre ambos no era más que una pantomima en la que un hombre desesperado trataba de recuperar la cordura entre los brazos de una mujer indiferente. Fue entonces cuando recurrió a los brazos de las mujeres anónimas. El falso cariño que éstas le demostraban le devolvía momentáneamente la paz. Pero era una sensación pasajera; él deseaba a su mujer. Y quería tener un hijo.

Oyó una discreta llamada a la puerta y se sorprendió al ver a su madre, pues ella raras veces visitaba aquella parte de la casa.

–¿Podemos hablar, hijo mío? Hay ciertos asuntos familiares urgentes que requieren tu atención. Omar me está dando quebraderos de cabeza. No puede controlar sus impulsos. Ayer lo sorprendí atacando a Camelia.

–¿Atacando a Camelia?

–No le hizo daño. Pero no podemos fiarnos. Tiene que casarse. Se me ha ocurrido una idea –Amira tomó deliberadamente asiento en un lujoso diván bajo un severo retrato de Alí, el padre de Ibrahim–. Formalicemos el noviazgo entre Omar y Yasmina. Y procuremos que la boda se celebre cuanto antes, tan pronto como ella termine el bachillerato.

–Pero si ya te lo he dicho esta mañana, madre. Yasmina está comprometida en matrimonio con Hassan.

–La chica es demasiado joven para Hassan. ¿Tú crees que él le permitiría proseguir sus estudios? En cambio, a Omar le faltan todavía tres años para terminar la carrera. Él y Yasmina podrían estudiar juntos. Eso es mucho mejor para Yasmina que casarse con un hombre que le lleva treinta años.

–Con todo el honor y el debido respeto, madre, tú te casaste con un hombre que te llevaba cuarenta años.

–Mira, Ibrahim, esta boda entre Hassan y Yasmina no se puede celebrar.

–Hassan y yo ya hemos firmado el acuerdo. Le he dado mi palabra.

–Hubieras tenido que consultarme. ¿Y qué me dices de Alice? ¿Acaso una madre no tiene voz ni voto en la elección del marido de su hija? Ya le encontraremos nosotras un marido a Yasmina, tú sólo tendrás que firmar el contrato matrimonial.

–Pero ¿por qué le tienes tanta manía a Hassan? Jamás he comprendido por qué no te gusta.

–Esta boda no se puede celebrar.

–Pues yo no pienso romper la palabra que le he dado a un amigo.

Ibrahim se volvió de nuevo hacia la ventana y, separando los visillos, contempló a Alice en el jardín.

Amira se le acercó y, al cabo de un momento, dijo:

–Tienes problemas con tu mujer.

–Eso es algo que un hijo no debe comentar con su madre.

–Quizá yo podría ayudarte.

Ibrahim miró a su madre con expresión turbada, y entonces Amira recordó lo que le había dicho Zacarías: «Papá se despierta gritando por la noche, yo le oigo desde el fondo del pasillo».

Ibrahim guardó silencio un instante y después se miró las manos.

–No sé qué problema nos separa a Alice y a mí, madre. Pero está ahí y yo quiero un hijo.

–Pues entonces, escúchame. Te puedo dar un brebaje para que lo eches en la bebida de Alice.

–¿Un brebaje? –Ibrahim miró a su madre con expresión dubitativa–. ¿Y eso da resultado?

«Lo vi usar una vez, hace mucho tiempo, en el harén de la calle de las Tres Perlas.»

–Puedes creerme si te digo que sí. Alice vendrá a ti y, si Alá quiere, concebirá un hijo varón.

Ibrahim soltó el visillo y se apartó de la ventana.

–No quiero brebajes, madre –dijo–. Ésa no es la respuesta que yo busco. Y ahora me siento muy fatigado. Necesito descansar un rato.

–Tenemos que resolver la cuestión del noviazgo de Yasmina.

–Por el Profeta, que Alá le colme de bendiciones. ¡Te he dicho que ya está todo arreglado!

–No lo está –dijo Amira sin perder la calma–. Lo que estoy a punto de decirte, hijo de mi corazón, me causa un profundo dolor. Lo he mantenido en secreto durante todos estos años para evitarte ulteriores sufrimientos, pero ahora Alá guía mi conciencia –Amira respiró hondo–. Hijo de mi corazón a quien quiero más que a mi propia vida, te digo que no has cerrado ningún trato con Hassan al-Sabir. No es tu amigo ni tu hermano.

–Pero ¿qué estás diciendo?

Amira percibió los violentos latidos de su corazón. Una vez dichas, ya no podría retirar sus palabras.

–Fue Hassan quien te hizo detener y encerrar en la cárcel.

Ibrahim miró fijamente a su madre.

–No lo creo.

–Por la clemencia de Alá, te aseguro que es cierto.

–No puede ser.

–Te lo juro por la unidad de Alá, Ibrahim.

–¿Y cómo sabes tú todo eso sobre Hassan? ¡Alguien te ha mentido!

Amira recordó la promesa que le hiciera a Safeya Rageb de mantener en secreto su intercesión por Ibrahim.

–Lo sé, y eso basta. Consta en tu ficha oficial: Hassan al-Sabir te denunció como conspirador contra el pueblo egipcio. Tú mismo puedes ir a verlo, si quieres.

–Haré otra cosa mucho mejor, se lo preguntaré al propio Hassan.

Yasmina y Tahia procuraron reprimir la risa, escondidas detrás de unas cajas vacías cuyas etiquetas decían «Chivas Regal» y «Johnny Walker». Ocultas junto a la entrada de servicio del club Cage d'Or, esperaban una señal de Zacarías. El muchacho había entrado para allanar el camino. Camelia temblaba bajo el abrigo a pesar de la cálida noche de junio y pensó que estaba tardando demasiado. Algo tenía que haber fallado.

La joven había tratado infructuosamente de visitar a Dahiba en su apartamento. Tuvo que sobornar al portero para que la dejara entrar en el edificio y después el ascensorista no la quiso llevar al último piso; más *bakshish*. Los dos guardaespaldas que jugaban a las cartas delante del apartamento de Dahiba también habían exigido un pago; al final, cuando Camelia tocó el timbre y le abrió un mayordomo, ya no le quedaba dinero. De todos modos, no le hubiera servido de nada; el mayordomo llamó a la secretaria de Dahiba, la cual salió y le comunicó a la joven que la señora no recibía visitas, no hacía audiciones de artistas aficionados y tanto menos aceptaba alumnas. Entonces, a Zacarías se le ocurrió un plan. Le dijo a Amira que llevaría a las chicas a ver un espectáculo de variedades y, mientras *Umma* y los demás estaban en el salón escuchando un programa de radio, los adolescentes abandonaron la casa y se dirigieron al club donde actuaba Dahiba.

–Pobre Zakki –dijo Tahia mientras contemplaba la puerta abierta que conducía a la cocina del club–, no soporta decirle mentiras a *Umma*.

–No le ha dicho ninguna mentira –le recordó Yasmina a su prima–. Dijo que nos llevaría a un espectáculo y es lo que ha hecho, ¿no? ¡Ya viene!

Zacarías rodeó las cajas de whisky vacías y dijo en voz baja:

–¡Todo está arreglado, Lili! La señora de los lavabos te acompañará a través de la cocina a un lugar entre bastidores donde nadie te verá. ¡No sabes la propina que le he tenido que dar!

La besaron y le desearon suerte. Camelia entró a toda prisa, procurando que no se le viera el traje de baile por debajo del abrigo.

Cuando la empleada la dejó en un lugar entre bambalinas, advirtiéndole de que no se moviera durante el espectáculo, Camelia contempló a hurtadillas la sala de fiestas y sintió que el corazón le empezaba a latir violentamente en el pecho. Zacarías le había dicho a la mujer que su hermana sólo quería mirar. La sala estaba llena a rebosar de mujeres elegantemente vestidas y de militares con los uniformes cuajados de medallas. Se quedó paralizada de emoción al ver sentado junto a una de las mesas de primera fila a un hombre bajito y rechoncho. Era Hakim Rauf, el célebre director de cine y esposo de Dahiba.

Los músicos ocuparon sus puestos, se apagaron las luces en la sala y los focos iluminaron el escenario vacío. Durante unos minutos, la orquesta interpretó los acordes de una melodía para que el público entrara en situación. Después apareció Dahiba entre grandes vítores y aplausos. Camelia emitió un jadeo. En carne y hueso, Dahiba resultaba todavía más espectacular que en el cine. Inició su actuación envuelta en un velo de gasa bordado con lentejuelas, efectuando en el escenario unos atrevidos movimientos, mezcla de ballet clásico y danza moderna. Al poco rato, se quitó el velo y dejó al descubierto un deslumbrante vestido de raso color turquesa y lamé de plata con una ancha faja de la que colgaban largos flecos plateados. Se detuvo, levantó una mano y empezó a mover lentamente las caderas. El público volvió a prorrumpir en aplausos... era la firma personal de Dahiba.

Vista de cerca y en persona, Camelia se dio cuenta de que Dahiba no era realmente guapa; y ni siquiera bonita. Sin embargo, tenía presencia y sabía ganarse al público y manipularlo a su antojo para que batiera palmas al compás, se riera o se pusiera serio. No se limitaba a distraer a los espectadores sino que les hacía sentir algo.

Camelia contuvo el aliento, esperando su oportunidad. Al final, cuando Dahiba se desplazó a un extremo del escenario, tal como siempre hacía, para conversar con el público y éste empezó a batir palmas para que la artista bailara al ritmo del *beledi*, Camelia se quitó el abrigo, se alisó rápidamente el traje rojo y oro y salió al escenario. Al principio, el público se quedó un poco desconcertado, pero en seguida enloqueció de entusiasmo. Dahiba se volvió y, al ver la mirada inquisitiva de los músicos, les indicó por señas que siguieran tocando.

Aunque el escenario era muy grande, Camelia utilizaba sólo un espacio muy reducido, bailando, no con audaces y espectaculares movimientos sino con leves y complejas ondulaciones de la parte inferior del torso y las caderas al tiempo que mantenía los brazos graciosamente extendidos. No miraba a Dahiba sino al público, el cual batía palmas y no cesaba de gritar.

–*Y'allah*!

Dahiba le hizo una indicación a la orquesta y el ritmo se hizo más lento hasta que todos los instrumentos enmudecieron y sólo quedó la flauta, llenando la atmósfera cargada de humo con un sonido semejante al de una serpiente. Pero Camelia no perdió el compás. Sus movimientos se adaptaron al cambio y, tras un breve pausa, las ondulaciones de la pelvis le subieron lentamente por el tronco y volvieron a bajar.

El público rugió de entusiasmo. Al percatarse de que el número no estaba preparado y de que aquella joven de ojos·dorados como la miel era una aficionada, los hombres se encaramaron a las sillas y empezaron a gritar:

–¡Oh dulce ángel de Alá!

Después empezaron a silbar, a vitorear y a lanzar besos a la audaz y deliciosa muchacha.

Desde un extremo del escenario, Dahiba contempló la reacción del público y después miró a su marido, sentado en primera fila. Hakim también estaba entusiasmado con la chica.

Al finalizar la música, Camelia arrojó un beso al público y corrió a esconderse detrás del telón, donde el encargado del club la agarró inmediatamente, amenazándola con llamar a la policía. Mientras se la llevaba a rastras, apareció Dahiba.

–Pero tú qué te has creído –le dijo sin que apenas se oyera su voz sobre el trasfondo de los ensordecedores aplausos–. Has querido burlarte de mí, ¿verdad?

Camelia estaba casi sin resuello y apenas podía hablar. De cerca, vio el fuerte maquillaje de los ojos de Dahiba, las finas arrugas que le rodeaban la boca y, sobre todo, una dureza que jamás se advertía en sus películas.

–Oh, señora, yo quería simplemente que me concedieran una audición. He estado intentando verla, pero...

De pronto, apareció Hakim Rauf, sonriendo y enjugándose el sudor de las rubicundas mejillas.

–¡Por la cabeza del saíd Hussein, Alá le bendiga y le otorgue la salvación! ¡Menudo espectáculo! ¡Ven conmigo, chiquilla! ¡Vamos a tomarnos un té! –dijo, chasqueando los dedos para llamar al perplejo encargado.

Entraron en una pequeña estancia que la danzarina utilizaba como despacho y camerino y, mientras ella y su marido encendían unos cigarrillos, Dahiba preguntó:

–¿Cómo te llamas?

–Camelia Rashid, señora.

Dahiba parpadeó.

–¿Estás emparentada con el doctor Ibrahim Rashid?

–Es mi padre. ¿Le conoce?

–¿Cuántos años tienes?

–Diecisiete.

–¿Has tenido alguna preparación específica?

–Ballet clásico.

–¿Y quieres estudiar conmigo?

–¡Oh, sí, más que nada en el mundo!

Dahiba contempló largo rato a Camelia con expresión pensativa.

–Yo no admito a nadie conmigo en el escenario. Ninguna danzarina lo hace. Te hubieran podido detener por tu imprudencia. Pero al público le has gustado.

–Es una buena atracción –dijo Hakim, desabrochándose el botón del cuello de la camisa–. Quizá convendría que la añadiéramos al espectáculo, mi dulce calabaza.

Dahiba le dio a su marido un cariñoso pellizco en el brazo.

–Y también podríamos incluir un mono amaestrado. ¿Quieres tú interpretar este papel? –dirigiéndose a Camelia, Dahiba añadió–: Eres demasiado musculosa. Tienes unos hombros muy masculinos y unas caderas muy estrechas. Tendrías que aumentar unos cuantos kilos de peso. Una danzarina delgada no resulta atractiva ni sensual. Además, tienes un estilo anticuado y poco profesional. Ahora ya no se baila simplemente el *beledi*. La danza oriental incluye muchas tendencias. Pero eres prometedora. Con un adiestramiento adecuado, podrías llegar muy alto. Puede que tan alto como yo –dijo con una sonrisa.

–Oh muchas gra...

Dahiba levantó la mano.

–Pero, antes de que te acepte, debo hacerte una advertencia. Tu familia no dará su consentimiento. Las danzarinas orientales son vistas como mujeres de mala vida. Nos desprecian porque atraemos la atención de los hombres sobre la sexualidad femenina y dicen que los apartamos de los senderos de Alá y de la devoción que exige el islam. Los hombres nos desean, pero nos desprecian porque despertamos sus deseos, ¿comprendes? Muchos hombres te querrán, Camelia, pero pocos te respetarán. Y tanto menos querrán casarse contigo. ¿Estás dispuesta a aceptar todos estos sacrificios?

Camelia contempló el arrebolado rostro de Hakim Rauf y dijo:

–A usted no le ha ido mal, señora.

Hakim le tomó la mano y se la besó diciendo:

–¡Bendito sea el árbol con cuya madera se construyó tu cuna! ¡Estoy enamorado, por Alá!

–Yo sólo sé que quiero bailar –dijo Camelia mientras Dahiba se reía.

–En tal caso te diré por qué te acepto como alumna, Camelia Rashid; tú serás mi primera alumna en realidad. La actuación no es nada si sólo consiste en una habilidad. Pero, por Alá, a nosotros los egipcios nos gustan la emoción y el sentimiento, cosas que una buena danzarina sólo puede transmitir a través de su personalidad. Tú posees este carisma, Camelia. Tu actuación ha sido buena, pero lo que más le ha gustado al público ha sido tu audacia. Sabes ponerte al público en el bolsillo y en eso consiste en buena parte una buena actuación. ¿Sabe tu familia que estás aquí?

–Camelia vaciló.

–No –contestó al final–. No lo aprobaría. ¡Pero a mí no me importa! No les diré que usted me da clases.

–Tendrás que visitarme en mi casa por lo menos tres veces a la semana. ¿Adónde les dirás que vas?

–Le diré a *Umma* que estoy dando unas clases adicionales de baile. Pensará que son de ballet clásico. En realidad, no será una mentira.

–¿Y si se entera?

Camelia no quería ni pensarlo. Sólo pensaba que Dahiba iba a ser su profesora y que algún día ella sería famosa como la célebre danzarina.

Ibrahim llamó a la puerta de la casa flotante de Hassan y, cuando el criado le abrió, le empujó a un lado y entró directamente en el salón donde Hassan, reclinado en un diván, se estaba fumando una pipa de hachís.

–¡Amigo mío! Cuánto me alegro de que hayas venido a verme. Siéntate y...

–¿Es cierto lo que me han dicho, Hassan? –preguntó Ibrahim sin sentarse–. ¿Fuiste tú quien facilitó mi nombre al Consejo Revolucionario y me hizo encarcelar?

Hassan le miró sin dejar de sonreír.

–Por Alá, ¿de dónde has sacado esta idea tan absurda? Por supuesto que no es cierto.

–Me lo ha dicho mi madre.

La sonrisa de Hassan se esfumó de golpe. ¡Otra vez el dragón!

–Pues te ha dicho una mentira. Tu madre nunca me ha apreciado.

–Mi madre no miente.

–En tal caso, alguien le habrá facilitado una información falsa.

–Dice que consta en la ficha. Puedo comprobarlo.

Apartando a un lado la pipa, Hassan se incorporó, se alisó el cabello con las manos y dijo:

–Muy bien, pues. Eran tiempos muy peligrosos, hermano mío. De un día para otro, nadie sabía quién iba a vivir para ver el siguiente ocaso. Me detuvieron. Para salvar el pellejo, les facilité algunos nombres. Supongo que entre ellos debía de figurar el tuyo, pero no me acuerdo. Tú hubieras hecho lo mismo, Ibrahim. Puedo jurar por Alá que lo hubieras hecho.

–A mí también me pidieron que facilitara nombres, pero no lo hice. Me sometieron a torturas infernales, pero no traicioné a ningún hermano. No sabes el daño que me hiciste, Hassan al-Sabir –dijo Ibrahim en voz baja mientras las lágrimas asomaban a sus ojos–. Aquellos seis meses en la cárcel destruyeron mi vida. Tú y yo ya no somos hermanos. Y no te casarás con mi hija.

Hassan se levantó de un salto y asió por el brazo a Ibrahim.

–¡No puedes romper nuestro contrato, por Alá!

–Alá es mi testigo de que puedo hacerlo y lo haré.

–Si lo haces, Ibrahim, te prometo que vivirás para lamentarlo.

Ibrahim encontró a Amira en el salón, escuchando la lectura radiofónica nocturna del Corán.

–Tenías razón, madre, Hassan al-Sabir ya no es mi hermano –dijo–. Dispón todo lo necesario para el compromiso de Yasmina con Omar. La boda se celebrará inmediatamente después de que ella termine sus estudios de bachillerato. Y dame el brebaje para Alice –añadió–. Necesito un hijo varón.

18

–¿Por qué es costumbre eliminar todo el vello, madre Amira? –preguntó Alice mientras las mujeres de la familia aplicaban la pasta de azúcar y limón a la piel de Yasmina.

–La tradición se remonta al rey Salomón, cuando la reina de Saba acudió a visitarlo. Antes de su llegada, Salomón había oído decir que la reina, a pesar de su belleza, tenía unas piernas muy velludas. Para averiguar si ello era cierto, Salomón mandó construir delante de su palacio una pasarela de cristal sobre un riachuelo de agua. Dicen que, cuando llegó la reina, ésta creyó que tenía que cruzar un charco de agua y entonces se levantó las faldas. Los rumores sobre el vello de sus piernas eran ciertos y entonces Salomón se inventó un depilatorio para poder casarse con ella. Era esta misma fórmula de azúcar con miel que hoy en día seguimos utilizando y es costumbre que todas las novias la usen la víspera de su boda para complacer al marido.

–Pero ¿incluso las cejas? –preguntó Alice, asombrándose de la habilidad con la cual Haneya estaba aplicando la pasta por encima de los ojos de Yasmina y después la retiraba, dejando sólo una finísima media luna.

–Después le pintará las cejas, tal como solemos hacer todas. Una mujer está más guapa de esta manera.

El ritual de la depilación fue seguido por una fiesta en la que participaron todas las mujeres de la familia Rashid, las cuales habían acudido a la casa de la calle de las Vírgenes del Paraíso vestidas con sus mejores galas para inundar a la novia de elogios, regalos y conejos y contarse mutuamente chismes, divertirse y bailar. También había acudido allí la astróloga Qettah, la misma mujer intemporal que había estado presente en el nacimiento de Yasmina. Ahora estaba mucho más vieja y tuvo que forzar mucho la vista para examinar las cartas y hacer los horóscopos de Yasmina y Omar... una unión entre la estrella Hamal de Aries, un astro cruel y brutal, y la dulce y amarilla Mirach de Andrómeda.

Yasmina estaba tremendamente emocionada. ¡Al día siguiente

se convertiría en esposa y tendría casa propia! Rompiendo la tradición según la cual un hijo tenía que llevar a su esposa a la casa de su madre, Omar había elegido un apartamento junto al río. Ahora que iba a recibir la cuantiosa herencia de su padre, había dicho el joven, podía permitirse el lujo de ser independiente y disponer de su propio hogar.

Cuando retiraron toda la pasta de azúcar que le cubría el cuerpo, Yasmina se bañó y sus primas Haneya, Nihad y Rayya le untaron la tersa piel con aceites de almendras y de rosas. Después, la ayudaron a vestirse, la peinaron y la escoltaron al salón para qué se uniera a la fiesta.

Alice abrazó a su hija diciendo:

–Soy muy feliz por ti, cariño –después, añadió algo un poco sorprendente–. Hay algo que debes saber ahora que vas a casarte. Dispondrás de unos recursos propios. Entrarás en posesión de la herencia de tu abuelo inglés, el conde de Pemberton.

–¡Pero si tú me habías dicho que él nunca aprobó tu boda con papá!

–Mi padre era un hombre muy estrecho de miras, pero tenía también un gran sentido del deber. Cuando murió hace dos años, te legó una parte de su herencia. Hay una suma de dinero a tu nombre, que te será entregada cuando contraigas matrimonio, y una de las residencias de la familia también es tuya.

A su hija Alice, el conde no le había dejado nada.

La fiesta duró toda la noche hasta que, al final, llegó el momento de que Amira le explicara a Yasmina qué debería hacer en su noche de bodas cuando se quedara sola con Omar. Ambas entraron en el dormitorio y cerraron la puerta para no oír la música y las risas. Cuando Amira le describió a su nieta lo que iba a hacer Omar, Yasmina preguntó:

–¿Te dijo tu madre todas estas cosas cuando te casaste con el abuelo Alí?

–Uno de tus deberes como esposa –añadió Amira, esquivando la pregunta de Yasmina, pues la familia no sabía nada del secuestro e ignoraba que ella no conociera a su verdadera familia– es que, cuando os acostéis por la noche, tú deberás perfumarte y ponerte un camisón limpio. Antes de dormirte, le deberás preguntar tres veces a tu marido: «¿Deseas algo?». Si no desea nada, podrás dormir. Pero recuerda que tú no debes decirle nunca lo que deseas. La mujer que toma la iniciativa no es de fiar.

Mientras Amira le hablaba del misterio de la unión entre un hombre y una mujer, Yasmina recordó una conversación similar que ambas habían mantenido cuando, a la edad de doce años, ella descubrió unas manchas de sangre en sus bragas.

–Cada mujer tiene una luna en su interior –le explicó Amira–.

Su ciclo es el mismo que el de la luna del cielo, crece y mengua de la misma manera. Está ahí para recordarnos que formamos parte de Alá y de sus astros. Es prudente oponer resistencia al principio –añadió–. Eso le demuestra a tu esposo que no eres apasionada y hace que él te respete. Nunca te comportes como si lo estuvieras pasando bien, porque en tal caso te acusaría de casquivana. Sin embargo, mientras que la resistencia es conveniente –añadió Amira–, la negativa está prohibida. Cuando él te penetre, invoca el nombre de Alá, de lo contrario, un *yinn* podría poseerte primero.

Yasmina no estaba preocupada por el acto matrimonial. Estaría con su primo Omar y sabía que no tenía nada que temer.

Un carruaje adornado con flores y tirado por cuatro caballos blancos se detuvo delante del Nile Hilton y los novios descendieron. Los numerosos invitados ya estaban allí, dispuestos a incorporarse a la *zeffa*, el desfile que los conduciría al salón de baile donde se iba a celebrar la recepción de la boda. Entre vítores, aplausos y *zigharits*, Omar, vestido de esmoquin, y Yasmina, luciendo un traje blanco de larga cola, siguieron a los gaiteros con sus *galabeyas*, las danzarinas de *beledi* con sus refulgentes atuendos y los músicos que tocaban el laúd, la flauta y los tamboriles. Los amigos y parientes arrojaron monedas a la pareja para desearle suerte mientras el ruidoso cortejo atravesaba lentamente el vestíbulo del hotel para dirigirse al salón de baile. Allí, Omar y Yasmina se acomodaron en unos tronos cubiertos de flores donde deberían permanecer sentados toda la noche en tanto que los invitados disfrutarían de los manjares del buffet y se divertirían con la actuación de los cantantes, cómicos y conjuntos de baile que se irían sucediendo en el escenario.

Mientras ocupaba su lugar en la parte del salón de baile reservada a las mujeres, Alice se extrañó de que no se hubiera celebrado ninguna ceremonia en la iglesia o, en aquel caso, en la mezquita. De hecho, no se había celebrado ningún tipo de ceremonia porque, al parecer, no se consideraba que la religión tuviera nada que ver con aquel tipo de acontecimientos. La usanza egipcia exigía únicamente que dos parientes varones en representación del novio y la novia, en aquel caso Ibrahim y el propio Omar por ser éste huérfano, firmaran el contrato y se estrecharan la mano. Después, en otra estancia, se informaba a la novia de que ya estaba casada. Nada de juramentos ni de besos ante el altar.

Mientras la gente la felicitaba por la boda y por lo guapa que estaba su hija y ella estrechaba la mano de los numerosos parientes que se acercaban a saludarla, Alice reflexionó acerca de aquella extraña preferencia egipcia por las bodas entre primos. Había descubierto que incluso existía un orden de prelación muy preciso: la primera elección para una muchacha era el hijo del hermano de su padre; si no había ninguno, la siguiente opción era el hijo de la hermana del padre. Y no eran los interesados quienes elegían y decidían. La madre de una muchacha casadera buscaba a un joven aceptable y visitaba a la madre de éste. En el transcurso de varias visitas, ambas discutían las futuras perspectivas del joven para la manutención de la familia, la salud y las aptitudes de la muchacha para tener hijos, la situación económica de ambas familias y, por encima de todo, el honor de cada una de las familias. Finalmente, se acordaba el precio que debería pagar la familia del muchacho por la novia, los padres de ésta anunciaban qué regalos iban a hacer a la pareja y, por último, los custodios varones se reunían y firmaban los documentos. Sólo entonces se comunicaba al joven y a la muchacha el acuerdo alcanzado.

A Alice se le antojaba una forma de casarse un tanto fría y calculadora, pero quizá fuera mejor que el método del matrimonio por amor, pues se tomaban en consideración muchas otras cuestiones de tipo práctico. Al fin y al cabo, ¿cuánto duraba el amor? Miró a Ibrahim, sentado al otro lado del salón en la parte reservada a los hombres. El suyo había sido un matrimonio por amor y, sin embargo, había fracasado.

¿Cuál había sido la causa de que el amor desapareciera de su matrimonio? Alice no estaba segura y tampoco sabía exactamente cuándo había muerto la felicidad que reinaba entre ella y su marido. Tal vez fue la noche de la circuncisión de Camelia o puede que fuera antes, el día en que sorprendió a las dos chiquillas jugando con las *melayas* y empezó a angustiarse por el futuro y a pensar en el momento en que los británicos deberían abandonar Egipto. Tal como era de esperar, al marcharse los británicos, se reinstauraron algunas de las antiguas costumbres. Pero el fracaso de su matrimonio había sido provocado también por Ibrahim. Qué frío había estado con ella al salir de la cárcel. Alice esperó, confiando en que se volvería a encender la antigua pasión. Sin embargo, pronto se dio cuenta de que un amor que sólo se mantenía gracias a aquel frágil hilo de esperanza no podía sobrevivir mucho tiempo. Sobre todo porque, mientras esperaba día tras día a que Ibrahim la llamara a su cama, ella no hacía más que pensar en el hecho de que su marido ya tenía una esposa cuando ambos se casaron en Montecarlo, cosa que antaño había conseguido perdonar, pero que ahora ya no podía.

Ibrahim la miró y los ojos de ambos se cruzaron brevemente. Estaba pensando en el brebaje que le había proporcionado Amira. Aquella noche, después de la fiesta, lo mezclaría con la bebida de Alice.

Después miró a Yasmina, su precioso ángel rubio que le había robado el corazón nada más nacer. Rezó para que fuera feliz con Omar y para que su vida estuviera siempre colmada y fuera satisfactoria. Se alegraba de haberla casado con el hijo de su hermana y no con un extraño. Y se alegraba especialmente de no haberla casado con Hassan. Hassan, el hermano que le había traicionado y al que jamás perdonaría.

Amira ocupaba un lugar de honor al lado de los novios y, por primera vez en su vida, comparecía en público sin la protección de la *melaya*. Era una de las mujeres más elegantemente vestidas de la fiesta, con un traje negro de manga larga bordado de pedrería y largo hasta el suelo. Siguiendo el consejo de Alice, había cambiado incluso de peinado, sustituyendo el modesto moño por una sencilla melena alisada detrás de las orejas. Aun así, llevaba alrededor del cuello y los hombros un pañuelo de gasa negra con el que cubriría la cabeza y el rostro cuando abandonara el hotel después de la fiesta.

Amira se emocionó y se alegró tanto al ver a Omar y Yasmina sentados en sus tronos que rezó en silencio su *sura* preferida del Corán: «Alá los recompensará con los jardines del Edén, unos jardines regados por corrientes de agua en los que morarán para siempre». Después sus pensamientos se centraron en las bodas de sus restantes nietos. Sabía que la tarea iba a ser extremadamente ardua y exigiría mucho tiento. Las familias acomodadas siempre lo tenían más difícil que el resto de la gente porque su campo de elección era más limitado. Cualquiera podía casarse con alguien de superior categoría, pero nadie se casaba con alguien de categoría inferior.

Por eso se alegró al ver que Jamal Rashid no le quitaba los ojos de encima a Camelia. Se había quedado recientemente viudo a los cuarenta y tantos años, tenía seis hijos, estaba muy bien situado, pues era propietario de varios inmuebles de apartamentos en El Cairo, y, además, era un Rashid, nieto del hermano del padre de Alí Rashid. Amira decidió enviarle una nota pasados unos días, anunciándole su intención de visitarle y el motivo de la visita. Camelia jamás había manifestado el menor interés por ir a la universidad como Yasmina y ella estaba segura de que la muchacha se alegraría de que su abuela le hubiera buscado semejante partido.

Después estaba la tímida Tahia, que también tenía diecisiete años y acababa de terminar el bachillerato. Tampoco había manifestado la menor intención de proseguir estudios y seguramente esperaba que su madre y su abuela le concertaran una boda.

Y estaba también Zacarías, por cuyo futuro ella se sentía obligada a velar, aunque no fuera en realidad de su propia sangre. Amira le quería y estaba muy orgullosa de él. Recordaba con gozo el día en que la familia celebró con una fiesta el hecho de que se hubiera aprendido las 114 suras del Corán con tan sólo once años de edad. Amira no sabía muy bien cómo concertar una boda para Zacarías, pues su tendencia a los aspectos espirituales de la vida lo hacían distinto a los demás. Puede que primero le hiciera estudiar para imán y, de este modo, él podría predicar en la mezquita los viernes.

Cuando sus ojos se cruzaron con los de Amira, Yasmina se removió en su asiento. Ya se había cansado de permanecer sentada allí tanto rato y estaba deseando trasladarse a su nueva casa e iniciar una nueva vida. Ahora era una esposa. ¡Y faltaba un mes para que comenzara sus estudios en la universidad! Ella y Omar tomarían el tranvía juntos, volverían a casa juntos y estudiarían por las noches sentados a la misma mesa. Algún día, ella tendría hijos y Omar ocuparía un cargo en el gobierno, pues el presidente Nasser había prometido a todos los licenciados universitarios un puesto en la administración cuando finalizaran sus estudios. Ella y Omar serían unos padres modernos e instruidos que compartirían equitativamente todas las responsabilidades y no se guiarían por las anticuadas desigualdades de las generaciones anteriores. La vida era tan maravillosa que, al ver a su hermana junto a la mesa del buffet, Yasmina no pudo evitar saludarla con la mano. Se sentía tan dichosa que casi estaba a punto de desmayarse de felicidad.

Camelia le devolvió el saludo mientras se servía una generosa ración de *kebab* con arroz para intentar engordar un poco, como Dahiba le había aconsejado que hiciera. Sin embargo, sus pensamientos estaban muy lejos de allí. Se sentía profundamente decepcionada por el hecho de que tío Hassan no hubiera asistido a la boda. Esperaba poder hablar con él para que se diera cuenta de que ya no era una niña. A menudo se preguntaba si Hassan tenía intención de volver a casarse. Y ahora se preguntaba por qué no había asistido a la boda.

Una danzarina de *beledi* subió al escenario. Era buena, pero no extraordinaria, pensó Camelia, recordando las seis agotadoras pero satisfactorias semanas que había pasado estudiando en secreto con Dahiba, la cual era una maestra extremadamente severa y exigente. Dahiba le decía baila a este ritmo o baila a este otro y ella lo tenía que hacer sin acompañamiento de música. Dahiba también le estaba enseñando cómo vestirse y maquillarse y cómo coquetear con el público. Las tardes con Dahiba eran tan sublimes que le fastidiaba tener que ir primero a la academia de ballet antes de trasladarse al apartamento de Dahiba. Pero no podía dejar la academia porque entonces ya no hubiera tenido una excusa para salir por las tardes tres veces a la semana. No obstante, estaba aprendiendo muy rápido, le decía Dahiba. Quizá, antes de un año, cuando cumpliera los dieciocho, ya le permitiría actuar en su espectáculo.

Cuando Zacarías pasó por su lado con dos bandejas, Camelia le guiñó el ojo. Gracias a él y a la ayuda de Tahia y Yasmina, su sueño estaba empezando a convertirse en realidad. Al ver que su hermano no le devolvía el guiño y que ni siquiera sonreía, Camelia recordó la noticia que el joven había recibido aquella tarde: un compañero suyo de clase a quien él apreciaba mucho se había suicidado aquella mañana.

–Era un hijo ilegítimo, Lili –le dijo Zacarías con lágrimas en los ojos–. Su madre no estaba casada y él nunca supo quién era su padre. Los chicos de la escuela se burlaban de él sin piedad por este motivo, pero él lo soportaba todo sin decir nada. Se había enamorado de una chica de su barrio y quería casarse con ella, pero, cuando su madre fue a visitar a la madre de la chica, aquella señora le dijo que ninguna familia, por modesta que fuera, permitiría que su hija se casara con él. ¿Qué mujer honrada querría casarse con un hombre que no sabía quién era su padre? Como no podía llevar una vida digna, optó por una muerte digna.

Zacarías regresó a su mesa y le ofreció un plato de comida al anciano tío Karim, que sólo podía caminar con la ayuda de un bastón.

Mientras contemplaba la actuación de unos acróbatas en el escenario, miró a Tahia, sentada con *Umma*, tía Alice y tía Nefissa. Temía que *Umma* le buscara un marido a Tahia. Él sólo tenía dieciséis años, ¿cómo podía pedir que le comprometieran en matrimonio con su prima? Tendría que hacer acopio de valor para hablar con su abuela.

Cuando subió al escenario un famoso cómico, los invitados empezaron a reírse antes incluso de que abriera la boca. Zacarías vio que tío Suleiman, sentado a su lado, no se reía y se preguntó por qué.

Suleiman Misrahi estaba muy preocupado por la marcha de sus negocios. El gobierno imponía limitaciones cada vez más estrictas a las importaciones, en un intento de favorecer el consumo de bienes fabricados en Egipto. Los beneficios habían bajado tanto que Suleiman se había visto obligado a prescindir de varios de sus más antiguos y leales empleados. A lo mejor, tendría que vender incluso la gran casa de la calle de las Vírgenes del Paraíso e irse a vivir a un apartamento. Lamentaba haber tenido que decirle a Maryam que no podrían hacer aquel viaje para visitar a sus hijos. Y, en aquel momento, también lamentaba que no se sirviera vino en la fiesta; no le hubieran venido nada mal unas cuantas copas.

La última y más destacada danzarina de *beledi* subió al escenario y bailó no para el público sino especialmente para la novia, interpretando una danza simbólica de su transición de virgen a mujer sexualmente activa. Luciendo un atrevido traje y moviéndose con seductora cadencia, la danzarina interpretó una danza de contenido fuertemente sensual que evocaba la independencia, la sexualidad y el ilimitado poderío de la mujer, todo ello en honor de la recatada novia, la cual permanecía rígidamente sentada con su blanco y virginal vestido, dando a entender con la seriedad de su rostro que la danza no le estaba causando la menor impresión.

Al finalizar la actuación de la danzarina, la fiesta se dio por concluida, los invitados se marcharon y los familiares más directos tomaron varios taxis para escoltar a la pareja hasta su nueva residencia.

Mientras los hombres permanecían en el salón, las mujeres acompañaron a Yasmina al dormitorio y la ayudaron a quitarse el traje de novia y ponerse el camisón. Después la tendieron en la cama y le levantaron la falda. A continuación, Amira la sujetó por la espalda mientras Omar ocupaba su posición en la cama. Cuando el joven se envolvió el dedo con un pañuelo, las mujeres se volvieron de espaldas y Amira apartó el rostro. Yasmina emitió un grito y el pañuelo salió manchado de sangre.

Mientras entraba en la casa con Alice, Ibrahim se aflojó el nudo de la corbata diciendo:

–Ha sido una boda estupenda, ¿verdad, querida?

–No me gusta este bárbaro ritual de la virginidad.

–¿Quieres venir a mi habitación unos minutos? –le preguntó Ibrahim, tomándola del brazo.

–Estoy cansada, Ibrahim.

Siempre le decía lo mismo.

–Vamos a brindar por la felicidad de nuestra hija. Tengo una botella de brandy.

Alice miró a su marido. La boda la había puesto sentimental. Recordaba su propia boda con un apuesto joven al que había jurado amar y obedecer hasta la muerte.

Le acompañó para hacer el brindis. Ibrahim la estudió cuidadosamente mientras tomaba un sorbo de brandy y lanzó un suspiro de alivio al ver que no notaba el sabor del brebaje de Amira. Alice se achispó en seguida.

–¡No estoy acostumbrada a beber! –dijo, soltando una carcajada.

Sin embargo, en lugar de ponerla romántica, tal como Ibrahim esperaba, la bebida sólo sirvió para atontarla. Cuando él la besó, no le devolvió el beso, aunque tampoco lo rechazó. Entonces Ibrahim le bajó el tirante del traje de noche y, al ver que no oponía resistencia, la siguió desnudando y ella se lo permitió, mirándole con sus distantes y soñadores ojos cual si fuera una muñeca de trapo en sus brazos. Alice no parecía darse cuenta de lo que él estaba haciendo. Incluso en determinado momento soltó una risita por lo bajo.

Mientras la acompañaba a su dormitorio y la tendía en la cama, Ibrahim pensó que no era eso lo que él hubiera querido. Hubiera deseado que ella se comportara con un poco más de pasión y que respondiera a sus caricias. Sin embargo, lo que más le importaba era tener un hijo varón. Cuando se deslizó bajo las sábanas y la estrechó en sus brazos, Ibrahim sintió más vergüenza de la que jamás hubiera sentido con ninguna de sus prostitutas.

Zacarías no podía conciliar el sueño. Seguía pensando en su amigo que se había quitado la vida arrojándose al Nilo. ¿Habría sido acogido en el Cielo?, se preguntó mientras bajaba al jardín para buscar alivio en la cálida noche de agosto. ¿Habrá hoy contemplado Latif el rostro del Eterno?

Se sobresaltó momentáneamente al ver a Tahia sentada bajo la luz de la luna. Su tristeza por Latif se desvaneció mientras pensaba: «Es como un espejismo brillando en el desierto del anhelo».

–¿Puedo sentarme a tu lado? –le preguntó mientras ella le miraba con una sonrisa y se desplazaba a un lado en el banco de mármol.

Zacarías empezó a entonar en voz baja una conocida canción de amor.

–*Ya noori*. Tú eres mi luz.

Al ver que ella se echaba a llorar, le preguntó, extrañado:

–¿Qué pasa? ¿Por qué lloras?

–¡Voy a echar mucho de menos a *Mishmish*! ¡Oh, Zakki! ¡Nos estamos haciendo mayores! ¡Todos nos iremos y jamás volveremos a vernos! ¡Nuestra felicidad desaparecerá! ¡Ya nunca volveremos a jugar juntos en este jardín!

Zacarías extendió torpemente las manos hacia ella y se sorprendió de que su prima le rodeara con sus brazos y hundiera el rostro en su cuello, mojándoselo con sus lágrimas. Abrazándola amorosamente, trató de consolarla, llamándola *Qatr al-Nana*, Hermosa Gota de Rocío, mientras le acariciaba el cabello y se asombraba de que fuera tan sedoso. Tahia era tan tibia y tan tierna entre sus brazos que el joven se dejó arrastrar por sus sentimientos.

–Te quiero –le dijo de pronto–. Los ángeles debieron de cantar de júbilo cuando naciste.

Después, buscó sus labios con los suyos y descubrió que eran muy suaves y se entregaban voluntariamente a él. Hubiera querido llegar más lejos, pero no pasó de aquel beso. Cuando él y Tahia hicieran el amor, sería tal como Alá lo tenía decretado en el Corán... sólo en el matrimonio.

–Hablaré con *Umma* –dijo sosteniendo el rostro de Tahia entre sus manos mientras pensaba que la luz de la luna había convertido sus lágrimas en diamantes–. Vamos a ser tan felices como Omar y Yasmina.

Yasmina contempló a Omar dormido a su lado y le pareció muy raro estar en la cama con su primo, el muchacho a cuyo lado había crecido. El acto amoroso había sido muy agradable; se lo habían pasado tan bien que incluso se habían reído, pero ella se estaba preguntando ahora cuándo experimentaría aquella pasión de que tanto se hablaba en las canciones y las películas.

Levantándose sigilosamente de la cama, se acercó a la ventana y contempló la noche. Jamás en su vida se había sentido tan feliz. La boda había sido preciosa y ahora ella se encontraba en su propio hogar. Sin embargo, el centro de todos sus pensamientos en aquella perfumada noche estival eran las palabras que su padre le había dicho unas semanas atrás al regresar ella de la Media Luna Roja.

–Puede que algún día trabajes conmigo en el consultorio –le había dicho Ibrahim–. Te enseñaré a ser una buena enfermera.

Mientras se rodeaba el torso con los brazos, sintiendo todavía el calor de las dulces caricias de Omar, Yasmina pensó: «No, yo no quiero ser enfermera. Yo seré médica».

19

Lo primero que pensó Camelia al ver a aquel hombre fue que era muy guapo. Lo segundo fue preguntarse si estaría casado.

Era el censor del gobierno, presente en los estudios Saba para asegurarse de que la última película de Hakim Rauf no mostrara la pobreza, el descontento político o, en aquel caso en particular, el ombligo de Dahiba.

Camelia procuró no mirarle mientras Hakim daba instrucciones a sus actores y ella permanecía apartada a un lado para no interferir en la labor de las cámaras y el equipo de rodaje. Era la cuarta vez que Dahiba la invitaba a ver el rodaje de una película y, cada vez, ella, que apenas contaba diecisiete años, había creído desmayarse de emoción. Aquel frío día de diciembre, Camelia estaba doblemente emocionada, pues era también la semana del *Mulid al-Nabi*, los festejos de nueve días en los que se conmemoraba la natividad del Profeta y durante los cuales la gente se compraba ropa, se intercambiaba regalos, disparaba cohetes y comía montones de dulces. Para celebrar el acontecimiento, el marido de Dahiba había mandado disponer en los estudios un buffet a base de tartas, pastelillos y dulces, el más popular de los cuales era el llamado «pan de palacio», una hogaza frita en mantequilla y después impregnada con miel y cubierta de crema espesa.

Camelia observó cómo el apuesto censor del gobierno se servía un puñado de dátiles rellenos de cortezas de naranja confitada y se echaba varias cucharaditas de azúcar en el café. Se preguntó si se habría fijado en ella.

Jamás se le hubiera ocurrido acercarse a él y entablar conversación y, por su parte, se hubiera escandalizado e incluso ofendido en caso de que aquel hombre le hubiera dicho algo. Sin embargo, estaba deseando que se fijara en ella. ¡Si, por lo menos, le permitieran vestirse con un poco más de gracia! Pero *Umma* siempre cuidaba que sus chicas salieran de casa modestamente vestidas, lo cual significaba llevar manga larga, faldas por debajo de la rodilla y blusas abrochadas hasta el cuello. Amira ponía especial empeño en que Camelia ocultara con un pañuelo su largo y precioso cabello negro que, a su juicio, podía ser una tentación para los hombres. No obstante, Camelia se lo quitaba en cuanto perdía de vista la calle de las Vírgenes del Paraíso. No le parecía justo que su hermano y sus primos vistieran a su antojo como si sólo las mujeres pudieran provocar tentaciones. Y, además, se preguntaba ella, ¿tan débiles eran los hombres que perdían el control con sólo mirar un rizo de cabello? Las chicas en la escuela comentaban entre risas que los hombres debían de ser unos tontos si se excitaban ante la contemplación del cabello de una mujer. Menos mal que, por lo menos, Amira le permitía maquillarse, tal como hacía ella misma cada mañana en su tocador antes de reunirse con la familia para tomar el desayuno. Por consiguiente, Camelia se aplicaba cuidadosamente *cool* alrededor de los dorados ojos, se perfilaba el negro arco de las cejas y se pintaba los labios con un carmín de un rojo apagado que realzaba la belleza de su tez aceitunada. ¿Pensaría por lo menos el censor del gobierno que era bonita?

–¡Atención! –gritó Hakim Rauf, y Dahiba empezó a bailar bajo la atenta mirada del censor.

La escena transcurría en una sala de fiestas y Dahiba interpretaba el papel de una danzarina que fingía no reconocer a su libertino esposo, el cual, mezclado entre el público, asistía disfrazado al espectáculo. Otra comedia. Rauf había lamentado en cierta ocasión, hablando con Camelia, que un hombre tan brillante como era Nasser, «¡el hombre, por la cabeza del saíd Hussein, que había enviado cincuenta mil transistores, todos ellos sintonizados con Radio El Cairo, a las zonas rurales de distintos países árabes!», impusiera tantos controles a las películas y las abocara prácticamente al fracaso en las taquillas. El marido de Dahiba se quejaba a menudo por lo bajo y comentaba que «iba a cerrar la tienda y marcharse al Líbano, donde hay más libertad y se aprecia la creatividad artística».

–¡Corten! –gritó Rauf, llamando a alguien del vestuario para que modificara un detalle del traje de Dahiba.

Después se acercó a su mujer, más alta que él, sobre todo cuando calzaba zapatos de tacón como en aquel momento, y le musitó algo al oído. Ella se rió y le dio un pellizco en el brazo.

A Camelia le encantaba ver a Dahiba con su marido. Formaban una pareja imposible... ella tan alta, garbosa y elegante y él tan bajito, rechoncho y desaliñado. Sin embargo, ambos se habían elegido libremente el uno al otro. Los padres de Dahiba habían fallecido en un accidente fluvial cuando ella tenía diecisiete años, dejándola sin familia, por cuyo motivo ella había podido elegir sin trabas a su marido. Le había gustado Hakim Rauf y ya llevaba veinte años con él.

Eso es lo que yo quiero, pensó Camelia mirando nuevamente

de soslayo al censor. Voy a elegir a mi propio marido y seremos muy felices y haremos toda clase de locuras juntos.

Tendría hijos, se prometió a sí misma Camelia, pues Dahiba le había asegurado que era posible compaginar los hijos con una profesión.

Mientras observaba al apuesto censor, éste miró súbitamente hacia el lugar donde ella se encontraba y detuvo la mirada un momento más de lo que hubiera sido correcto antes de apartar los ojos. Camelia notó que el corazón le daba un salto mortal.

Al final, la escena terminó y se interrumpió el rodaje por aquel día. Mientras Camelia recogía el abrigo, el bolso y los libros que había pedido prestados en la biblioteca, vio a Dahiba conversando con el censor. Él le preguntó algo y ella sacudió la cabeza, riéndose. Después, el hombre consultó su reloj y asintió con la cabeza.

–¿Qué te ha parecido la escena? –le preguntó después Dahiba, acercándose a ella y rodeándole los hombros con su brazo.

–¡Ha estado maravillosa! Ése no te quitaba los ojos de encima –contestó Camelia, señalando con la cabeza al censor.

–Por supuesto, querida. ¡Es su trabajo! Tenía que asegurarse de que mi danza no resultara provocativa. Sea como fuere, esta tarde le he invitado a tomar el té con nosotros.

–Ah, ¿sí? ¿Y ha aceptado?

–Me ha preguntado si tú eras mi hija y yo le he dicho que eras mi alumna.

–Pero ¿vendrá a tomar el té?

–Me ha preguntado si tú vendrías. Al decirle yo que sí, ha aceptado.

–¡Me voy a desmayar de emoción!

–A las cuatro en punto, cariño. No te retrases.

Camelia regresó casi corriendo a casa revisando mentalmente su vestuario y preguntándose qué se iba a poner. Sabía cómo sería el té... Él aparentaría sorprenderse de verla allí y después, según la costumbre, pondría especial cuidado en no demostrar interés por ella. En caso de que aceptara una segunda invitación para tomar el té, significaría que ella le gustaba y entonces estaría bien visto que ambos se intercambiaran unas frases bajo la atenta mirada de Dahiba. Tal vez la siguiente invitación fuera para una cena, en cuyo caso Camelia estaría autorizada a sentarse a su lado y ambos podrían hablar un poco de sí mismos. O quizá salieran a merendar al campo o asistieran a un concierto, siempre acompañados por Dahiba y Rauf. ¡En la cabeza de Camelia se agitaban mil posibilidades!

Cuando llegó a casa, estaba empezando a caer una fina lluvia y casi todos sus parientes se encontraban en la espaciosa cocina, riendo y charlando entre sí mientras preparaban la comida.

Amira estaba supervisando la elaboración de los muñecos de

azúcar, la tradicional golosina de los niños en las fiestas de la natividad del Profeta. Tía Alice también estaba allí con las mejillas arreboladas y el rubio cabello recogido hacia atrás con unas peinetas, preparando un budín inglés de ciruelas para la Navidad. Como la natividad del profeta Mahoma coincidía con la natividad del profeta Jesús sólo una vez cada treinta y tres años, en la casa reinaba una doble emoción y un doble ajetreo. Tía Alice sacaría los adornos navideños, colocaría un pequeño árbol, lo cubriría de espumillón y, poniendo a los pies del árbol un pesebre, les contaría a los niños la historia del nacimiento de Jesús. Todos estaban familiarizados con aquel relato porque el nacimiento virginal figuraba en el Corán; en El Cairo existía, además, un árbol centenario bajo el cual la familia de Jesús había descansado durante su huida a Egipto. Cuando Camelia vio en la cocina a Maryam Misrahi, recordó que también se celebraba otra fiesta... la del Hanukkah. Tía Maryam había traído su *harosset* especial, un postre a base de uva y dátiles que siempre preparaba para la Fiesta de las Luces judías, en la que se conmemoraba la nueva dedicación del Templo de Jerusalén, el lugar desde el cual Mahoma había sido arrebatado al Cielo para recibir de Alá los cinco Pilares de la Fe del islam. Contemplando el bullicio y la actividad que reinaban en la cocina, Camelia pensó que, dada la coincidencia de las tres fiestas religiosas, aquélla debía de ser la semana más santa del año.

Mientras se quitaba el pañuelo que se había anudado alrededor de la cabeza antes de entrar en la calle de las Vírgenes del Paraíso, saludó casi sin resuello a todo el mundo y se tomó un trozo de tarta de albaricoque recién sacada del horno.

–Ah, ya estás aquí, Camelia –dijo Amira–. ¿Conseguiste los libros que necesitabas?

Camelia le había dicho a su abuela que iría a la biblioteca y recogería unos libros para su clase de literatura árabe. No había comentado que, después, pasaría por los estudios Saba.

–He encontrado dos, gracias a Alá. ¡Esta noche tendré que pasarme mucho rato estudiando!

–¿Has tomado un taxi tal como te dije?

Camelia lanzó un suspiro. Sólo muy recientemente *Umma* había empezado a permitir a regañadientes que las chicas salieran solas sin la compañía de un pariente varón. Sin embargo, Tahia y Camelia iban a la escuela, al igual que las dos hijas de Hanida y la de Rayya, mientras que las dos gemelas de Zubaida trabajaban como mecanógrafas en el periódico *al-Ahram*, todo lo cual había obligado a Amira a concederles más independencia.

–¡Fuera hace un frío muy vigorizante, *Umma*! –contestó Camelia–. He decidido ir a pie. Pero no ha pasado nada –se apresuró a añadir al ver la inquisitiva mirada de su abuela.

Según la anticuada manera de pensar de *Umma*, las calles de El Cairo seguían estando llenas de males y tentaciones que amenazaban la honra de una chica. Durante el paseo de Camelia desde los estudios a casa, sólo se había producido un incidente: unos mozos de pueblo vestidos con *galabeyas* le habían arrojado piedras y la habían insultado con palabrotas. Como en similares ocasiones anteriores, ella no les había hecho caso. Por lo demás, el paseo no había registrado ninguna otra incidencia. Al fin y al cabo, ¿qué podía ocurrirle en pleno día en una calle abarrotada de gente?

—Tengo una noticia maravillosa para ti —dijo Amira, secándose las manos en el delantal que protegía su falda negra de seda—. Quiero que llames a tu profesora de ballet y anules la clase de esta tarde. Vamos a tener el honor de recibir una importante visita.

Camelia miró fijamente a su abuela. Amira no sabía nada de sus clases de danza secretas con Dahiba; las clases de ballet eran la excusa que ella utilizaba para poder salir. ¡Aquella tarde, la clase de ballet iba a ser su excusa para asistir al té de Dahiba con el censor del gobierno!

—A *Madame* no le va a gustar —dijo, refiriéndose a la directora de la academia de ballet—. *Madame* se enfada mucho cuando...

—No me digas sandeces —la interrumpió Amira—. Llevas años sin faltar a ninguna clase. Por una vez, no pasará nada. ¿Quieres que la llame yo misma?

—¿Quién es la visita, *Umma*?

Amira sonrió con orgullo.

—Nuestro primo lejano Jamal Rashid. Viene a hablar contigo, nieta de mi corazón.

Maryam levantó su vaso de té diciendo:

—*Mazel tov*, querida.

Camelia miró a su abuela y a tía Maryam con incredulidad. Después recordó que Jamal Rashid había estado varias veces en la casa para visitar a Amira, según ella pensaba. Ahora comprendió horrorizada que su propósito era verla a ella.

—Mira qué sorpresa se ha llevado —dijo Maryam sonriendo—. Eres una chica de suerte, Lili. Jamal Rashid es un hombre muy rico. Es bien conocida su devoción religiosa y su generosidad con los huérfanos y las viudas.

—Pero, tía —exclamó Camelia—, ¡yo no quiero casarme!

—Qué cosas se te ocurren —terció Amira—. Jamal Rashid es un hombre bueno y está muy bien situado económicamente. Incluso tiene una niñera para sus hijos, lo cual significa que tú no tendrás que cuidar de ellos.

—¡No me refiero sólo a Jamal Rashid, *Umma*, sino a los hombres en general! ¡No me apetece casarme en estos momentos!

—Pero, en el nombre de Alá, ¿por qué no?

–¡No puedo y sanseacabó! –dijo Camelia–. ¡Ahora no puede ser!

–Pero ¿qué te ocurre? Pues claro que te casarás con el señor Rashid. Tu padre y él han firmado el contrato de compromiso.

–¡Oh!, *Umma*, ¿cómo has podido hacerme eso?

Para asombro de todo el mundo, Camelia abandonó la cocina y salió de la casa dando un portazo.

Corriendo bajo la lluvia, se dirigió al apartamento de Dahiba, cruzó la puerta del vestíbulo y pasó como una exhalación por delante del sorprendido portero. Al ver que se dirigía a la escalera, el portero le dijo:

–Un momento...

Pero ya era demasiado tarde. Camelia no vio a la mujer que estaba fregando los peldaños de mármol ni se percató de que éstos aún estaban mojados. Resbaló y, al caer, un tobillo le quedó atravesado en la barandilla de hierro, por lo que aterrizó en una posición torcida con una pierna hacia arriba y la otra hacia abajo. Todo el mundo corrió a ayudarla y alguien telefoneó al apartamento del último piso de Dahiba. Momentos después, una anonadada Camelia entró renqueando en el apartamento de su profesora, tratando de reprimir las lágrimas.

–Mi querida niña –dijo Dahiba, ayudándola a sentarse en el sofá–. ¿Qué te ha ocurrido? ¿Quieres que avise a un médico?

–No, estoy bien.

–Pero ¿qué ha pasado? El portero dice que cruzaste el vestíbulo corriendo como si te persiguieran los *yinns*.

–¡Es que estoy muy disgustada! ¡*Umma* me ha dicho que me han comprometido en matrimonio con un viejo que tiene seis hijos! ¡Dice que tengo que casarme con él! ¡Pero yo quiero ser danzarina!

Dahiba le rodeó los hombros con su brazo diciendo:

–Ven conmigo. Nos tomaremos un té y hablaremos de ello.

Camelia se levantó y Dahiba vio una mancha de sangre en el sofá.

–¿Tienes la regla?

–No –contestó Camelia, frunciendo el ceño.

–Ve al lavabo y mírate.

Camelia volvió un minuto más tarde.

–No es nada, simplemente una mancha.

–Cuéntame otra vez cómo te has caído.

Al ver que Camelia hacía un movimiento de tijera con los dedos de la mano, Dahiba añadió:

–Escúchame, nena. Tienes que volver a casa en seguida y contárselo a tu abuela. Dile lo que ha pasado. Explícale cómo te has caído.

–¡No puedo decirle que estaba aquí!

–Pues entonces dile que te caíste por la calle. Pero se lo tienes que decir en seguida. Date prisa.

–Pero ¿por qué? Ya te he dicho que no me duele nada. ¡Y el hombre del gobierno no tardará en venir a tomar el té!

–No te preocupes. Tú haz lo que yo te digo. Tu abuela tiene que saberlo.

Camelia regresó a casa perpleja y preocupada. Al ver a Amira en el jardín, esperándola ansiosamente bajo un paraguas, le dijo:

–Perdóname, *Umma*. No hubiera tenido que irme de esta manera. Por favor, perdóname.

–El perdón sólo lo otorga Alá. Entra en la casa, estás empapada. ¿Dónde has aprendido estos modales?

–Lo siento, abuela, pero no puedo casarme con Jamal Rashid.

Amira lanzó un suspiro.

–Ya hablaremos de eso –dijo, volviéndose hacia la casa.

–*Umma* –añadió repentinamente Camelia–, he sufrido un accidente.

–¿Un accidente? ¿Qué clase de accidente?

Camelia le describió la abarrotada calle y la resbaladiza acera.

–Se me ha torcido la pierna así –añadió, indicándoselo con los dedos–. Y he visto una mancha de sangre.

Amira le hizo la misma pregunta que le había hecho Dahiba sobre la regla y, al contestarle Camelia que todavía le faltaban dos semanas, Amira la miró también con semblante muy grave.

–¿Qué es, *Umma*? –le preguntó Camelia, alarmada–. ¿Qué me ha pasado?

–Confía en Alá, hija mía. Hay un medio para resolverlo, pero tenemos que decírselo a tu padre.

Ibrahim se había sumido en una profunda depresión tras su ruptura con Hassan y Amira no quería agobiarlo con nuevos sufrimientos.

Sabía lo que tenía que hacer. Había en El Cairo varios cirujanos especializados en semejantes casos. Hombres que guardaban el secreto a cambio de una elevada suma de dinero.

La dirección estaba en la calle del 26 de Julio. A Amira le habían dicho por teléfono que se presentara después de la oración de la tarde y que llevara el dinero en efectivo. Ahora ella y Camelia estaban subiendo por la escalera hasta un apartamento del cuarto piso. Amira tomó a Camelia de la mano al llamar al timbre. Les abrió una mujer de mediana edad con un pulcro delantal de carnicero.

–Anuncie al doctor al-Malakim que estamos aquí –le dijo Amira en voz baja.

Para asombro de Amira, la mujer les franqueó la entrada diciendo que el doctor al-Malakim era ella.

Cruzaron un salón iluminado por una sola lámpara; Amira estudió el modesto mobiliario, el floreado papel de la pared y varias fotografías familiares sobre un televisor. Se aspiraba en el aire un fuerte aroma a cebolla y cordero asado y un olor residual de desinfectante. La mujer las hizo pasar a través de una cortina a un dormitorio; sobre la cama había una sábana impecablemente limpia, debajo de la cual Amira vio un hule.

–Tiéndela aquí, *sayyida* –dijo la doctora al-Malakim, acercándose a una mesita en la que había varias torundas de algodón, una jeringa hipodérmica y unas palanganas de metal con una solución de color verdoso en la que se hallaban en remojo diversos instrumentos quirúrgicos.

–Sólo tiene que quitarse las bragas, nada más.

–¿No le dolerá? –preguntó Amira–. Me han dicho por teléfono que no le iba a doler.

La mujer miró a Amira con una sonrisa tranquilizadora.

–Por favor, ten confianza, *sayyida*. Alá me ha otorgado este don. Le administraré un poco de anestesia. ¿Prefieres esperar fuera?

Amira se sentó al lado de la cama, tomando una mano de Camelia entre las suyas.

–Todo irá bien –le dijo a su aterrorizada nieta–. Dentro de unos minutos, volveremos a casa.

Mientras acercaba un taburete a los pies de la cama y modificaba la inclinación de la lámpara, la doctora dijo en voz baja:

–Cuéntame cómo ocurrió.

Amira repitió lo que Camelia le había contado y la mujer tomó una jeringa diciendo:

–Bueno, niña, primero la inyección. Recita muy despacio la *Fatiha*...

–¿Qué ha hecho, *Umma*? –preguntó Camelia cuando bajaron del taxi.

Aún se encontraba bajo los efectos de la anestesia y sentía una sorda pulsación entre las piernas. Amira la ayudó a entrar en la casa y a subir a su dormitorio, alegrándose de que no se hubieran tropezado con nadie.

–Al caerte –le explicó a Camelia mientras la ayudaba a ponerse el camisón–, te rompiste la honra. Ocurre algunas veces. Algunas mujeres tienen la membrana muy frágil. Pero hay médicos que saben reconstruirla para que en tu noche de boda estés intacta y de este modo quede a salvo el honor de la familia, *inshallah*. Eso es lo que te ha hecho la doctora al-Malakim.

–Pero yo no he hecho nada malo, *Umma*. Tuve un accidente, eso es todo. Sigo siendo virgen –dijo Camelia avergonzada, sin saber bien por qué.

–Pero no teníamos pruebas. En tu noche de boda no hubiera habido sangre. Jamal Rashid te hubiera repudiado y nuestra familia hubiera quedado deshonrada. Pero ahora ya vuelves a estar intacta y nadie tiene por qué enterarse de nuestra visita a la doctora al-Malakim. Ahora duerme, cariño, y piensa en la paz de Alá. Mañana ya te habrás olvidado de todo.

Sin embargo, Camelia permaneció mucho rato esperando a que se le pasara el dolor, pero éste se fue intensificando a medida que pasaban las horas. Camelia no dijo nada para que no se descubriera su secreto y, cuando al día siguiente despertó con fiebre, tampoco dijo nada. Sin embargo, por la noche se desmayó en la cocina. Amira le tocó la frente, comprobó que estaba ardiendo y no tuvo más remedio que llamar a Ibrahim.

Entonces se vio obligada a decirle a su hijo lo que habían hecho.

–Tiene una infección que se le ha extendido por todo el vientre –dijo Ibrahim con la cara muy seria–. Tendrá que ingresar en el hospital.

Camelia se pasó casi dos semanas en el hospital Kasr al-Aini y, cuando ya estuvo fuera de peligro, empezó a recibir visitas. La familia no sabía nada de la caída ni de la operación ilegal a la que se había sometido; les habían dicho simplemente que sufría unas fiebres. Las tías, tíos y primos Rashid la inundaron de flores y de comida y se pasaban el día en su habitación e incluso en el pasillo cuando dentro no cabían.

Dahiba le envió flores y postales y habló con ella por teléfono.

–No vendré porque tu familia se avergonzaría de recibir la visita de una danzarina. Ponte bien, querida. Hakim está muy preocupado por tu salud. El señor Sayid, el censor del gobierno, ha preguntado por ti.

La mañana en que Camelia fue dada de alta en el hospital, Ibrahim le dijo a Amira:

–Debido a la cicatriz provocada por la infección, jamás podrá tener hijos.

La contemplación de Camelia le resultaba insoportable porque aún no había desistido de tener un hijo con Alice. Ahora pensó: «¿También me serán negados los nietos?».

Cuando Camelia regresó a casa del hospital, la familia la recibió con muestras de dolor como si se hubiera producido el fallecimiento de alguien y todo el mundo la rodeó de cariño y compasión, pues Jamal Rashid había roto su compromiso con ella, lo cual significaba que ningún hombre querría aceptarla como esposa. Las tías y primas lloraron por su pobre hermana que no ocuparía ningún lugar en la sociedad porque no podía ser esposa y madre, condenada a una vida virginal en la que le estarían prohibidas las relaciones sexuales y debería conservarse casta a lo largo de toda su existencia.

Al quedarse sola con Camelia, Amira le dijo:

–No temas nada, yo cuidaré de ti, nieta de mi corazón. Tendrás un hogar en esta casa mientras vivas.

Camelia pensó en las mujeres que habían vivido en la casa durante su infancia, las despreciadas e inútiles, las que no servían para nada y estaban estigmatizadas, todas acurrucadas juntas bajo el techo de Amira como pájaros asustados.

–¿Por qué ha pasado todo esto, *Umma*? Yo no hice nada malo.

–Es la voluntad de Alá, nieta de mi corazón. Nosotros no podemos preguntar. Todos los pasos que damos y todo el aire que respiramos han sido preordenados por el Eterno. Consuélate pensando que tu destino está bajo su benéfica providencia.

Umma tenía razón, *Umma* siempre tenía razón. Camelia se entregaría a la voluntad de Alá. Pensó en el apuesto censor del gobierno al que jamás podría conocer.

20

Era la mística noche del *Lailat al-Miraj* que conmemoraba la hora
en que el profeta Mahoma había cabalgado por el espacio a lomos
de un blanco caballo alado desde Arabia a Jerusalén, donde había
sido arrebatado al Cielo para recibir de manos de Alá las cinco oraciones diarias. Mientras el viento *jamsin* gemía por las oscuras callejuelas de El Cairo, cubriendo las farolas con velos de arena, las
antiguas celosías de *mashrabiya* de la mansión Rashid chirriaron
sacudidas por las ráfagas de viento y las viejas lámparas de aceite
de latón, convertidas en eléctricas desde hacía mucho tiempo, os-
cilaron y se balancearon suspendidas de sus elegantes cadenas de
latón. Los veintiséis miembros de la familia y los criados que residían en la casa se habían reunido en el salón donde Ibrahim estaba dirigiendo las oraciones.

Amira permanecía sentada con la cabeza cubierta por un negro velo, escuchando los cadenciosos cantos del Corán sin poder
concentrarse en la oración. ¿Dónde estarían Omar y Yasmina, se
preguntó, en aquella noche tan significativa en la que las familias
se reunían para estrechar los vínculos espirituales que las mantenían unidas?

En la ciudad, donde las puertas golpeaban y las persianas crujían mientras el viento del desierto bajaba con fuerza por las anchas avenidas y las tortuosas callejas, Yasmina caminaba pegada a
los muros de las casas para protegerse del viento. Apenas circulaban automóviles y había muy poca gente por las calles. Tenía la sensación de encontrarse sola en un caótico universo en el que el *jamsin* soplaba con tanta violencia que casi parecía que estuviera a
punto de levantarla del suelo. Pero ella seguía adelante, cubriéndose el hinchado cuerpo y tapándose el rostro con un pañuelo para
que la arena no le entrara en la nariz y los ojos. Apenas podía caminar de tanto como le dolía.

Omar la había golpeado con tal fuerza que ella temió por el

niño no nacido y decidió escapar. Mientras avanzaba a través de la noche y cada paso le parecía un kilómetro y cada inspiración de aire le provocaba un nuevo dolor, rezó para que consiguiera llegar a la calle de las Vírgenes del Paraíso donde sabía que unas doradas ventanas iluminadas la acogerían y le darían una cálida bienvenida.

En el caldeado salón, Ibrahim seguía dirigiendo las oraciones. Mientras rezaba con los demás, Camelia pensó que faltaba menos de un mes para que cumpliera los dieciocho años. Sin embargo, aquella perspectiva no le causaba la menor alegría. En los cuatro meses transcurridos desde el accidente, no había vuelto a bailar con Dahiba, había abandonado la escuela y la academia de ballet y ya no se veía con ninguna de sus amigas. Se había resignado a convertirse en una de aquellas mujeres que vivían en la periferia de las vidas de otras personas. Zu Zu, por lo menos, recordaba a su enamorado de raza gitana y las aventuras con los traficantes de esclavos a los que aquél engañaba. ¿Qué recuerdos tenía ella, aparte la breve fantasía del té con un apuesto censor del gobierno? Ni siquiera Ibrahim, leyendo el Corán, prestaba atención a las santas palabras que salían de su boca. Su lectura era mecánica porque estaba pensando en el linaje y los herederos. Sus intentos de dejar a Alice embarazada no habían surtido el menor efecto hasta la fecha. Sin embargo, ahora tenía una nueva esperanza... faltaba un mes para que naciera el hijo de Yasmina. ¿Podría gozar de la dicha de tener un nieto?

Una vez finalizadas las oraciones, llegó el momento de relatar la historia de cómo Mahoma había sido elevado al Cielo en su caballo alado y Alá había decretado que los creyentes rezaran cincuenta veces al día, pero entonces el profeta Musa intercedió y convenció a Mahoma de que le pidiera al Señor que redujera el número a cinco. Mientras contaba la historia, Ibrahim miró de soslayo a Alice, sentada con una Biblia sobre el regazo. Los recuerdos de las noches que ambos habían pasado juntos en los últimos meses y en las que él le había dado a beber a su esposa copas de brandy mezclado con un brebaje lo llenaban de tal remordimiento y vergüenza que se había hecho a sí mismo una promesa: basta de subterfugios para preñar a su mujer. Dejaría el asunto en manos de Alá.

De pronto, se oyeron unos fuertes golpes en la puerta de abajo y, a los pocos segundos, una criada entró en el salón acompañando a Yasmina. La joven se desplomó en un diván y toda la familia se congregó a su alrededor.

Alice se abrió paso entre sus parientes y abrazó a su querida hija.

–Mi niña, mi niña –dijo–. ¿Qué te ha pasado?

–Omar –contestó Yasmina, lanzando un gemido de dolor.

Amira, con toda su autoridad, se volvió hacia Ibrahim y le dijo:

–Manda llamar a Omar.

–¡No! –gritó Yasmina–. ¡No llaméis a Omar! No, por favor...

Ibrahim se sentó a su lado y le preguntó:

–Dime qué ha ocurrido. ¿Te ha hecho daño?

Al ver la furia de los ojos de su padre, Yasmina temió súbitamente por la seguridad de Omar y, en medio de su dolor, balbució:

–No... no ha sido nada. Yo he tenido la culpa.

Ahora que se encontraba sana y salva en su casa, Yasmina estaba empezando a pensar que, a lo mejor, era cierto que ella había tenido la culpa. Le había replicado a Omar cuando no hubiera debido hacerlo. Le había anunciado su intención de reanudar sus estudios y él le había denegado el permiso, aduciendo como excusa el niño que iba a nacer. Entonces ella le dijo que no pensaba obedecerle. Y él le había pegado.

–No te preocupes, papá –le dijo a Ibrahim ahora–. Déjame estar aquí un ratito.

En aquel momento se presentó la policía, diciendo que venía a arrestar a Yasmina Rashid por abandono de su marido.

Toda la familia se dividió en dos bandos, uno gritando insultos contra los agentes y afeándoles su conducta por dedicarse a tales menesteres en una noche tan santa como aquélla, y otro pensando que Yasmina no hubiera tenido que escaparse de casa, por muy mal que la hubiera tratado Omar. En cualquier caso, Yasmina no tenía más remedio que irse. Según el *Beit el-Ta'a*, la Ley de la Casa de la Obediencia, Omar estaba en su derecho de exigir el arresto de su mujer por abandono del hogar. En caso necesario, la ley permitía incluso que la policía condujera a rastras a la esposa a casa de su marido.

Cuando Yasmina se negó a acompañar voluntariamente a los oficiales, sus tías y primas se retorcieron las manos y empezaron a gemir. Como se enteraran los vecinos, llamarían a Yasmina *nashiz*, es decir, «bicho raro», término que se aplicaba a la esposa que desobedecía al marido.

–En tal caso, no nos quedará más remedio –dijeron los agentes en tono de disculpa mientras uno de ellos alargaba la mano hacia Yasmina.

La joven lanzó un grito y cayó de rodillas.

–¡Alá nos asista! –exclamó Haneya–. ¡La chica está de parto!

–Si es la hora de Alá –dijo serenamente Amira, ayudando a Yasmina a levantarse–, no será demasiado pronto. Vamos, daos prisa. Que alguien avise a Qettah.

El parto de Yasmina fue breve y la criatura vino al mundo bajo el dosel de la enorme cama de cuatro pilares de Amira en la que habían nacido varias generaciones de Rashid. Era un niño, nacido bajo Antares, anunció Qettah, la doble estrella de Escorpión en la decimosexta casa lunar. Todos los presentes lo celebraron con gozo e Ibrahim sonrió por primera vez en varias semanas. Mientras contemplaba amorosamente a su hijo, olvidándose de la paliza que acababan de propinarle, Yasmina dijo:

–Yo esperaba que naciera el día de mi cumpleaños.

Iba a cumplir diecisiete.

Junto a su cama, Alice e Ibrahim sonreían con lágrimas en los ojos.

–No puedo creer que ya sea abuela –señaló Alice, riéndose–. ¡Sólo tengo treinta y ocho años y ya soy abuela! Tengo un secreto que deciros a los dos, cariño –añadió, mirando a su marido–. Yo también voy a ser madre de nuevo. Estoy embarazada.

–Oh, amor mío –exclamó Ibrahim, estrechándola en sus brazos–. Jamás hubo un hombre más dichoso que yo –sentándose en el borde de la cama, tomó la mano de su hija en la suya–. Ciertamente, Alá me miró con una sonrisa la noche en que tú naciste. Ahora me has dado un nieto y, si Alá quiere, pronto tendré también un varón –añadió extendiendo la mano hacia Alice–. Las dos me habéis hecho muy feliz.

Sentada junto a la ventana abierta de su apartamento, Yasmina contemplaba cómo la corriente del Nilo se agitaba bajo la fuerza del *jamsin* mientras acunaba al niño en sus brazos. La sensación, a través de la manta, del calor y de las pequeñas protuberancias y suaves depresiones de su cuerpo le hacía olvidar el dolor. Aunque le había permitido quedarse en la calle de las Vírgenes del Paraíso para recuperarse del parto, el día en que regresó a casa con el niño, Omar la castigó. Pero de eso hacía dos semanas y, desde entonces, su marido no le había vuelto a poner la mano encima. Yasmina rezó para que la causa de su cambio de actitud fuera el niño. Tal vez el hecho de tener un hijo le recordaba a Omar que ahora tenía ciertas responsabilidades y puede que también le tuviera a ella un poco más de respeto por haberle dado un hijo varón.

Miró el reloj, calculó que Omar aún tardaría varias horas en regresar a casa y se le ocurrió una idea. Taparía bien al niño, tomaría un taxi y se iría a visitar a los suyos a la calle de las Vírgenes del Paraíso. Sería su primera visita oficial a la casa en su papel de madre. Mientras se preparaba rápidamente presa de una súbita emoción, se imaginó la bienvenida que le iban a dispensar y los abrazos y las risas de sus parientes. Ya no sería una de las niñas de la casa sino una respetada esposa y madre.

Al acercarse a la puerta, observó que estaba atascada, lo cual le pareció un poco raro porque el edificio era nuevo y no era lógico que las puertas ya se hubieran alabeado. Tiró con más fuerza y descubrió que la puerta no estaba atascada en absoluto sino cerrada con llave. Omar la debía de haber cerrado a su espalda aquella mañana al salir hacia la universidad.

Buscó primero la llave en su bolso y después en otros lugares donde pudiera haberla dejado, pero no la encontró. Irritada consigo misma por haberla extraviado, decidió telefonear al casero, que tenía una llave maestra, pero, cuando descolgó el teléfono, descubrió que no había línea. Contempló el aparato que sostenía en la mano y experimentó un repentino escalofrío. ¿La habría encerrado Omar y habría desconectado el teléfono deliberadamente? No, no era posible. A pesar de sus ocasionales arrebatos de crueldad, Omar no hubiera sido capaz de llegar tan lejos. Simplemente habría cerrado la puerta sin darse cuenta. En cuanto a lo otro, los teléfonos de El Cairo no eran muy de fiar. Mientras volvía a dejar a Muhammad en su cuna y se dirigía a la cocina para preparar la cena, pensó que Omar se disculparía al volver a casa y ambos se reirían de aquella tontería. Después, decidió prepararle su plato preferido: pecho de cordero relleno.

Para su asombro y su creciente inquietud, Omar no regresó a casa a la hora de la cena. Yasmina permaneció en vela toda la noche y, al ver que tampoco regresaba al día siguiente, su alarma cedió el paso al terror. La había encerrado y se había ido. Intentó descerrajar la puerta, pero estaba tan asustada que le temblaban las manos y sólo consiguió romper el tirador en dos mitades, una de las cuales cayó dentro del apartamento y la otra fuera.

Tomó un martillo y un destornillador en la esperanza de poder sacar la puerta de sus goznes, pero éstos estaban cubiertos por muchas capas de pintura. Aporreó la puerta y pidió socorro sin confiar demasiado en que alguien la oyera; vivían en el último piso del edificio y los inquilinos de los otros dos apartamentos no estaban casi nunca en casa. Y, aunque hubieran estado, no le hubieran echado una mano. Nadie se entrometía cuando un marido castigaba a su mujer.

Cuando Omar regresó finalmente a casa al tercer día, Yasmina ya casi había enloquecido de angustia y temor. Omar derribó la puerta de un puntapié y arrojó sus pies el tirador roto.

–¿Qué has hecho con esta puerta?

–Te fuiste y tuve miedo de...

–Te voy a tener que dar una lección, Yasmina. Primero me desafías diciendo que vas a reanudar tus estudios cuando yo te lo tengo prohibido. Después me deshonras escapando de casa. Todos nuestros vecinos lo saben y se burlan de mí a mi espalda. Te voy a convertir en una esposa obediente.

Omar empezó a recorrer el apartamento, desenroscando bombillas y rompiéndolas. Yasmina le siguió, rezando para que el niño no se despertara.

–¿Qué estás haciendo, Omar?

–Te estoy dando una lección que no podrás olvidar.

La apartó a un lado, separó el televisor de la pared y arrancó el cable. Hizo lo mismo con la radio y rompió todas las bombillas, dejando el apartamento a oscuras; después se dirigió a la puerta y arregló el tirador.

–Espera –le dijo Yasmina al ver que se disponía a salir–. No te vayas. Por favor, no me dejes. No nos queda apenas comida. El niño necesita...

Pero Omar se fue dando un portazo y Yasmina oyó girar la llave en la cerradura.

Cuando los manotazos contra la puerta la despertaron, Yasmina no supo al principio dónde estaba. La casa se encontraba a oscuras y ella tenía hambre y le dolía la cabeza. Comprendió que se había quedado dormida en el suelo del salón. Al final, lo recordó todo: Omar la había dejado encerrada en casa desde hacía... ¿cuántos días?

¿Por qué se comportaba con ella con tanta maldad? ¿Por qué se pasaba varios días siendo amable y después se ponía hecho una furia? ¿Qué había hecho ella para merecer semejante trato?

Se dirigió al dormitorio en medio de la oscuridad y, cuando levantó a Muhammad de la cuna, éste buscó inmediatamente su pecho. Se preguntaba cuánto tiempo le duraría la leche; llevaba sin comer nada desde la víspera. Al oír que volvían a llamar a la puerta, avanzó a tientas por el pasillo.

–Está cerrada –dijo–. ¿Quién es?

–Apártate –oyó que le decía Zacarías.

En un instante, éste derribó la puerta de un puntapié.

Camelia y Tahia entraron corriendo.

–*Bismillah*! –exclamaron al ver a Yasmina–. Pero ¿qué es lo que pasa aquí?

–¡Me ha encerrado dentro! –contestó Yasmina mientras Tahia la rodeaba con sus brazos.

–Hemos estado intentando llamarte por teléfono –explicó Camelia, mirando a su alrededor en el apartamento a oscuras–. Omar vino a casa y, cuando le preguntamos por ti, dijo que estabas demasiado ocupada con el niño y no podías ir a visitarnos. Entonces comprendí que ocurría algo.

–Tú te vienes con nosotros –dijo Zacarías–. Arregla al niño.

Actuaron con rapidez, tomando una manta y el abrigo de Yasmina, pero, cuando iban a salir, Omar apareció en la puerta y los miró enfurecido.

–¿Qué estáis haciendo?

–Nos vamos a llevar a casa a nuestra hermana –contestó Camelia–. ¡Y no te atrevas a impedírnoslo!

–Largaos todos de mi casa. ¡Mi mujer se queda aquí!

Al ver que sujetaba a Yasmina por el brazo, Camelia se quitó un zapato y le golpeó la cabeza con él. Omar lanzó un grito y trató de protegerse mientras los demás echaban a correr, llevándose a Yasmina y al niño.

Su llegada causó gran revuelo en la casa de la calle de las Vírgenes del Paraíso. Al ver el aspecto de Yasmina y enterarse de lo que había hecho Omar, la familia se horrorizó y se llenó de cólera. Las mujeres acompañaron a Yasmina y al niño al salón, hablando todas a la vez, gritando que habría que azotar a Omar y preguntando dónde estaba Nefissa, su madre.

–¡Que las llamas del infierno devoren a este chico! –gritó Hanida.

–¿Dónde está tío Ibrahim? –preguntó un temperamental sobrino–. ¡A él le corresponde resolver este asunto!

–¡No hay más poder que el de Alá! –gimió la anciana tía Fahima.

Amira tardó varios minutos en restablecer el orden.

–El juicio corresponde al Señor –dijo después–. Tranquilizaos. Rayya, manda que se retire todo el mundo. Encárgate de que se acuesten los niños. Y vosotros, niños, preparaos para iros a la cama. Tewfik, cuida de que tío Karim tenga el bastón junto a su cama. Ahora os podéis ir todos a vuestras habitaciones para que la paz de Alá entre en esta casa.

Cuando todos se hubieron retirado y la casa recuperó el sosiego, Amira le dijo dulcemente a su nieta:

–Tienes que regresar a tu casa y hacer las paces con tu marido, Yasmina. Ahora eres una esposa y tienes una responsabilidad con tu marido.

–Me hace cosas terribles, *Umma*. ¿Por qué? ¿Cómo puede comportarse así?

Amira apartó un mechón de cabello de la frente de Yasmina y contestó:

–Omar siempre ha sido un niño malo. Se parece a su padre, que murió antes de que tú nacieras. A lo mejor, lo lleva en la sangre, no lo sé. Pero recuerda siempre que una buena esposa es como un velo que cubre los secretos de la familia.

Omar se presentó en la casa, exigiendo ver a Yasmina. Ibrahim le acompañó a una salita, cerró la puerta, le miró fijamente a los ojos y le ordenó que jamás volviera a encerrar a su esposa.

El muchacho se rió.

–Estoy en mi derecho, tío. Según la ley, un marido puede, si así lo desea, encerrar a su esposa para evitar que vuelva a escaparse. Y tú no puedes entrometerte.

–Tal vez la ley no pueda proteger a Yasmina –dijo Ibrahim en tono amenazador–, pero yo sí puedo. Como vuelvas a hacerle daño, como la encierres, la amenaces o la hagas desgraciada, te echaré una maldición, Omar. Te expulsaré de la familia y ya no serás un sobrino ni serás un Rashid.

A Omar se le heló la sangre. Sabía que Ibrahim era capaz de convertirlo en un ser inexistente, tal como el abuelo Alí había hecho con tía Fátima, cuyo nombre no se podía pronunciar y cuyas fotografías se habían destruido. Una sola palabra de Alí había bastado para que dejara de existir. Y lo mismo le ocurriría a él.

Temblando de rabia y temor, Omar trató de contenerse.

–Sí, tío –contestó con voz forzada.

–Y, como no me fío de ti, telefonearé a Yasmina cada día, la visitaré una vez a la semana y ella será libre de venir aquí con el niño siempre que le apetezca. Tú no se lo impedirás ni pondrás obstáculos. ¿Está claro?

–Sí, tío –contestó el joven, inclinando la cabeza.

Mientras los veía alejarse, Camelia se compadeció de Yasmina, que ahora ya estaba fichada, incluso ante la ley, como una *nashiz*, un bicho raro. De pronto, la muchacha comprendió que su situación era muy similar a la de su hermana. *Yo también he sido fichada como un bicho raro*, pensó, *a causa de un desgraciado accidente; yo también he sido condenada por culpa de la ignorancia y los prejuicios.*

Una nueva y extraña emoción se estaba agitando en su interior. Fue casi como un despertar, como si se hubiera pasado los cuatro últimos meses durmiendo y ahora empezara a abrir los ojos. Hubiera querido echar a correr en pos de su hermana y devolverla a casa, pero la ley amparaba a Omar. Su sensación de absoluta impotencia la indujo a buscar consuelo en su abuela, a quien encontró sentada ante su tocador, preparándose para acostarse.

–Pido permiso para hablar contigo, *Umma* –le dijo respetuosamente–. Estoy muy disgustada por lo de Yasmina y Omar.

Amira lanzó un suspiro.

–¡Las responsabilidades de la familia! Si Alá quiere, superarán sus diferencias.

Pero las leyes son muy injustas con las mujeres, *Umma* –dijo Camelia, sentándose en la cama–. No está bien obligar a una mujer a soportar un matrimonio desgraciado.

–Las leyes se hicieron para proteger a la mujer.

–¿Para protegerla? Con todo el honor y el debido respeto, *Umma*, todos los días los periódicos hablan de las injusticias que se cometen con las mujeres. Hoy precisamente he leído la historia de una chica de El Cairo cuyo marido tomó una segunda esposa y abandonó el país con la segunda esposa, dejándola a ella sola con un hijo pequeño. El marido no tiene la menor intención de regresar a Egipto, pero se niega a conceder el divorcio a su primera esposa. Ella ha intentado cursar incluso una instancia al tribunal para poder volver a casarse, pero no harán nada a no ser que el marido le conceda el divorcio. Le ha escrito un montón de cartas y él ni siquiera contesta. Y esta chica estará condenada a una vida de soledad por culpa de un hombre egoísta.

–Ése es un caso aislado –dijo Amira, cepillándose el negro cabello, que ahora mostraba reflejos rojizos gracias a una aplicación semanal de alheña.

–No es un caso aislado, *Umma*. Lee tú misma el periódico. Tú sólo escuchas la radio, pero los periódicos están llenos de historias como ésta. El otro día contaban la de un hombre que murió hace poco. En su funeral se descubrió que tenía otras tres esposas, aparte de la primera, cada una de ellas en un barrio distinto de la ciudad y sin que ninguna supiera de la existencia de las otras. Cada viuda pensaba que iba a recibir toda la herencia, pero ahora las cuatro se tendrán que repartir lo poco que él les ha dejado.

–No era un hombre bueno.

–De eso precisamente se trata, *Umma*. No era un hombre bueno, pero tenía legalmente derecho a estar casado con varias esposas sin ninguna obligación de informar a cada una de ellas de que había otras. La ley es injusta con las mujeres. Y lo es con Yasmina. ¿Qué ocurre con todas estas pobres mujeres que no tienen familia como la nuestra que vele por sus intereses e impida que sus sádicos maridos las muelan a palos?

–Por la clemencia de Alá –dijo Amira, dejando el cepillo y volviéndose para mirar a Camelia–. Jamás te había oído hablar así. ¿Quién te ha metido todas esas ideas en la cabeza?

Camelia se percató con asombro de que había estado repitiendo como un eco las palabras de Dahiba. Durante los meses en que la gran danzarina le había estado dando lecciones en secreto, la joven había asimilado también las ideas políticas y la filosofía de su maestra.

–Tú no lo entiendes, Lili –dijo Amira–. Eres demasiado joven. Nuestras leyes se basan en las leyes de Alá; por consiguiente, nosotros nos guiamos por los mandamientos de Alá y Alá sólo puede querer el bien, bendito sea el Señor de todas las criaturas.

–Enséñame dónde está escrito que tenemos que soportar las torturas.

Amira contestó con dureza:

–No permitiré que pongas en tela de juicio la Palabra de Alá que nos ha sido revelada.

–¡Pero es que la Ley de la Casa de la Obediencia no está basada en la palabra de Alá, *Umma*! El Profeta nos dice que ninguna mujer debe ser obligada a contraer un matrimonio que ella no desee.

–Está escrito que una mujer obedecerá a su marido.

–Ésa es una ley para las mujeres. Pero también hay leyes para los hombres, *Umma*. Lo que ocurre es que ésas nadie las cumple.

–Pero ¿de qué estás hablando?

Camelia buscó un ejemplo.

–Bueno pues, tú nos obligas a vestir y a comportarnos con recato porque así está escrito en el Corán. Y, sin embargo, cuando éramos pequeños, Omar y Zakki se vestían y comportaban como querían.

–Están en su derecho como hombres que son.

–Ah, ¿sí? –Camelia tomó un ejemplar del Corán que había bajo un retrato de Alí Rashid, sacó el pesado libro de su soporte de madera y pasó las páginas–. Mira, *Umma*, lee aquí. Sura veinticuatro, versículo treinta.

Amira estudió la página.

–¿Ves lo que quiero decir?

–No lo veo –contestó Amira en voz baja.

–Está muy claro –Camelia leyó el pasaje–: «Di a los creyentes que lleven los ojos bajos y oculten sus partes. Eso será más conveniente para ellos. Alá está bien informado de lo que hacen». ¿Lo ves? Es la misma ley de las mujeres, pero sólo a las mujeres se obliga a cumplirla –Camelia se percató con asombro de que estaba citando de nuevo a Dahiba cuando dijo–: Las leyes de Alá son justas, *Umma*, pero las leyes de los hombres que han tergiversado el Corán no lo son. Mira, te enseñaré otro ejemplo.

Mientras Camelia pasaba las páginas, Amira repitió:

–No lo veo.

–¿Quieres que te traiga las gafas?

–Lo que quiero decir es que no sé leer, Camelia. Jamás me enseñaron.

Camelia volvió a sentarse y miró asombrada a su abuela.

–Ha sido mi vergüenza –confesó Amira, levantándose del tocador–. Ha sido mi... engaño. Pero tu abuelo me enseñó la Palabra de Alá aunque yo no supiera leer. Por consiguiente, conozco las leyes de Alá.

–No es ningún motivo de vergüenza no saber leer –dijo Camelia–. El Profeta, la paz de Alá sea con él, tampoco sabía leer ni escribir. Pero, con todo el honor y el debido respeto, *Umma*, puede que el abuelo Alí no te enseñara todas las leyes.

–Reza ahora mismo una oración, hija mía. Estás manchando el honor de tu abuelo, que era un hombre bueno.

Al ver la expresión del rostro de su abuela y el orgullo que reflejaban sus brillantes ojos negros, Camelia se arrepintió inmediatamente de lo que había dicho. Sin embargo, tal como decía siempre *Umma*, las palabras, una vez pronunciadas, ya no se podían retirar. Un poco más calmada, añadió:

–Honro y respeto las leyes de Alá, pero las leyes de los hombres son injustas. Yo sólo tengo dieciocho años y he sido condenada a una vida que es más muerte que vida porque no puedo tener hijos. Me castigan por algo de lo que yo no tuve la culpa. Por algo que no tiene nada que ver con el honor sino que no es más que una incapacidad física. Tú siempre nos has enseñado que el Eterno es compasivo y sabio. El Señor nos dijo: «No quiero que sufras». *Umma*, Yasmina debería tener el derecho de divorciarse de Omar.

–Cuando una mujer se divorcia de su marido, la deshonra cae sobre su familia.

–Pero tía Zu Zu se separó y tía Doreya y tía Ayesha también están separadas.

–Están simplemente emparentadas con el abuelo Alí, no son descendientes suyas directas. La preservación del honor familiar recae en los nietos y las nietas de Alí Rashid.

Camelia tomó las manos de su abuela entre las suyas y preguntó con vehemencia:

–¿Y tenemos que sufrir en nombre del honor? ¿Yasmina tiene que soportar un terrible matrimonio por el honor de la familia? ¿Y yo tengo que llevar una vida inútil en nombre del honor porque una mujer de la calle 26 de Julio me infectó?

–El honor lo es todo –contestó Amira con dulzura–. Sin él no somos nada.

–*Umma* –dijo Camelia–, tú fuiste la madre que me crió y me enseñó a conocer a Alá y a distinguir entre el bien y el mal. Nunca he puesto en duda tus enseñanzas. Pero tiene que haber algo más que el simple honor.

–No puedo creer que una nieta de Alí Rashid se exprese en esos términos. O que le hable en semejante tono a su abuela. Temo estos tiempos corruptos en que una muchacha replica a una persona de más edad y tergiversa la palabra de Alá para acomodarla a sus fines.

Camelia se mordió los labios y después dijo:

–Pido tu perdón y tu bendición, *Umma*, pero tengo que buscar mi vida a mi manera. Esta noche abandonaré la casa. Necesito descubrir cuál es el lugar que me corresponde.

Mucho después de que Camelia se retirara de su habitación, Amira, oculta detrás de la celosía de *mashrabiya*, vio alejarse a su nieta calle abajo portando una maleta en la mano y pensó en la niña a la que había ayudado a venir al mundo en una ventosa noche como aquélla, dieciocho años atrás.

La noche en que Ibrahim había maldecido a Alá.

21

Zacarías vio unos ángeles.

O, por lo menos, creyó verlos. Sin embargo, los gráciles seres que parecían flotar a su alrededor envueltos en una suave y dorada luz eran simplemente Amira y Sahra, la chica de la cocina. Estaban en la última semana del Ramadán, el mes del ayuno, y lo último que Zacarías recordaba era el insoportable calor de la cocina.

Notó una mano bajo su cabeza mientras algo cálido y dulzón le rozaba los labios.

–Bébete esto –oyó que le decía su abuela.

Tras tomar unos sorbos, a Zacarías se le despejó la cabeza. Al enfocar la vista y ver la preocupada expresión del rostro de Amira, preguntó:

–¿Qué me ha pasado?

–Te has desmayado, Zakki.

Cuando vio la taza que Amira sostenía en la mano y comprendió que sólo había bebido un poco de té, trató de levantarse.

–¿Qué hora es?

–Tranquilízate –le dijo Amira–. El té está permitido. Ya se ha puesto el sol. La familia está comiendo en el salón. Ven a reunirte con los demás.

Zacarías se incorporó en la cama y vio que estaba en su dormitorio. Después observó que Sahra, su nodriza, le miraba con inquietud.

–Te has desmayado en la cocina, mi pequeño amo –dijo Sahra–. Y te hemos traído aquí.

Amira le acarició el cabello y le preguntó:

–¿No habrás ayunado demasiado, Zakki?

Zacarías hundió de nuevo la cabeza en la almohada. No he ayunado lo suficiente, dijo para sus adentros, pensando que ojalá no se hubiera tomado el té, tanto si el sol se había puesto como si no. Comprendiendo que el mes del Ramadán estaba a punto de finalizar y que pronto terminaría aquel período de ayunos y expiaciones, Zakki se llenó de angustia. ¡Le quedaba muy poco tiempo para salvarse!

Cada día del mes del ayuno, desde el amanecer hasta el ocaso, Zacarías trataba de cumplir el Quinto Pilar de la Fe, absteniéndose de la comida, el agua, el tabaco e incluso el agua de colonia, para vencer de este modo las pasiones que eran las armas de Satanás. Todo el mundo sabía que la comida y la bebida reforzaban el arsenal del demonio y que la abstinencia mantenía a raya al enemigo de Alá. Pero el ayuno del Ramadán era algo más que la abstinencia de comida y bebida; era también la ascesis mental que Zacarías se esforzaba fielmente en practicar. Los pensamientos terrenales formaban parte de la abstinencia, pues toda la mente tenía que concentrarse en Alá. Por consiguiente, de la misma manera que un trozo de pan rompía el ayuno físico, un pensamiento impuro dejaba sin validez el ayuno espiritual.

Durante cada uno de los días del mes más santo del islam, Zacarías había roto el ayuno espiritual.

–Te lo tomas demasiado a pecho, hijo mío –dijo Amira–. Está prohibido ayunar constantemente y me parece que eso es lo que tú has estado haciendo. Alá sólo nos exige que nos purifiquemos desde el amanecer hasta el ocaso, pero después podemos comer hasta saciarnos. Recuerda que Alá es el Compasivo que nos da el alimento.

Zacarías apartó el rostro. *Umma* no podía comprenderlo. Él quería ser devoto y aspiraba a que el Señor lo llenara con su gracia, pero ¿cómo podía ser digno de su gracia si era incapaz de apartar de su mente los pensamientos lascivos en torno a Tahia? La comida y el agua se podían evitar sin dificultad; en cambio, su mente lo traicionaba cada vez que miraba a su prima y recordaba el beso que le había dado la noche de la boda de Yasmina.

–¿Qué te sucede, cariño? –preguntó Amira–. Presiento que algo te preocupa. ¿Tienes algún problema con los estudios?

Zacarías clavó sus verdes ojos en Amira y contestó:

–Quiero casarme.

Amira lo miró con asombro.

–Pero si ni siquiera has cumplido los dieciocho años, Zakki. No tienes todavía ninguna profesión, no podrías mantener a una esposa y unos hijos.

–Permitiste que Omar se casara y él aún no ha terminado los estudios.

–Omar cuenta con la herencia de su padre. Y sólo le falta un año para terminar la carrera y conseguir un puesto como ingeniero en la Administración. Vuestras situaciones son distintas.

–Pues, entonces, Tahia y yo podríamos vivir aquí contigo hasta que yo terminara los estudios.

Amira, ciertamente sorprendida, se reclinó en su asiento.

–¿Tahia? ¿Es con ella con quien quieres casarte?

–Oh, *Umma* –exclamó Zacarías desbordando de pasión–. ¡Ardo por ella!

Amira lanzó un suspiro. ¡Ay, estos chicos, siempre ardiendo!

–Eres demasiado joven –repitió.

De pronto, lo recordó: Zacarías no era un verdadero Rashid. ¿Cómo podía casarse con Tahia?

Tras abandonar el dormitorio de Zacarías, Amira subió a la azotea de la casa y contempló las fulgurantes estrellas. Allá arriba, pensó, estaba la estrella del nacimiento de Zacarías, pero nadie sabía cuál era. «Yo tampoco sé cuál es la mía.»

¿Cómo podemos seguir el camino que nos ha sido trazado?, se preguntó mientras llegaban hasta ella los rumores de las celebraciones de toda la ciudad. ¿Cómo podemos conocer nuestro futuro si no sabemos cuáles son nuestras estrellas?

Pensó en los sueños que seguían turbando sus pensamientos, en su extraordinaria intensidad y en la nitidez de los detalles –el campamento del desierto, la madre que perdía a su hija, el nubio del turbante escarlata–, y se preguntó una vez más, tal como solía hacer a menudo, qué estaban tratando de decirle. El hecho de no comprender el propio pasado le producía una profunda sensación de soledad.

Zacarías quería casarse con Tahia, pero ¿sería prudente autorizar aquella unión? ¿No sería peligroso casar a Tahia con un muchacho de orígenes desconocidos cuyo futuro no se podía leer? Amira se compadecía de él y deseaba que fuera feliz, pero se sentía obligada a velar por la hija de su hija. Tahia necesitaba a un hombre serio y responsable a quien ellos ya conocieran y cuyo honor estuviera por encima de cualquier sospecha.

Amira sabía exactamente quién debería ser aquel hombre; ya había leído sus estrellas cuando lo eligió como marido de Camelia.

Los cañonazos y los redobles de tambor se escucharon por toda la ciudad y, cuando Radio El Cairo transmitió el cañonazo oficial que anunciaba el término del Ramadán, la gente se echó a la calle vestida con sus mejores galas para visitar a los parientes y llevar regalos a los niños. Acababan de comenzar los tres días de jubilosos festejos del *Eid al-Fitr*.

Zacarías y Tahia estaban sentados en el mismo banco de mármol del jardín donde casi un año atrás se habían dado el primer beso. Ellos no compartían la alegría de la fiesta, pues Tahia tendría que casarse con Jamal Rashid antes de que finalizara aquel mes y se iría a vivir a su casa de Zamalek. La perspectiva no la entusiasmaba, pero, a diferencia de Camelia y Yasmina, a ella jamás se le hubiera ocurrido desobedecer a *Umma* y negarse a contraer matrimonio con Jamal Rashid.

Ambos contemplaban en silencio las estrellas y el delicado cuarto de la luna nueva tomados de la mano mientras aspiraban el perfume de los jazmines y la madreselva.

–Yo siempre te amaré, Tahia –dijo finalmente Zacarías–. Jamás querré a ninguna otra mujer. No me casaré y entregaré mi vida a Alá.

Lo había dicho sin saber que estaba repitiendo las mismas palabras que su padre le había dirigido a Sahra junto al Nilo casi dieciocho años atrás.

Ibrahim contempló a la mujer tendida a su lado en la cama y pensó que aquélla iba a ser su última prostituta. Tras haber pedido a tres echadoras de cartas distintas que le dijeran la buenaventura y haberle prometido las tres que el hijo, que la criatura que Alice llevaba en su vientre era un varón, se había convencido de que ya había pagado su deuda en la cárcel y de que Alá le había perdonado los pecados de su pasado y le iba a permitir iniciar una nueva vida.

Lo primero que le llamó la atención a Nefissa de aquel hombre fue su cabello, un poco ralo, pero inequívocamente rubio. Cada vez que los ojos de ambos se cruzaban, Nefissa trataba de distinguir de qué color eran... ¿serían grises o azules? Los invitados estaban asistiendo a una recepción en honor de un célebre periodista, a la cual Nefissa también había sido invitada en su calidad de íntima amiga de la anfitriona, una representante de la alta sociedad, superviviente de los tiempos de Faruk. Hubiera deseado que le presentaran a aquel intrigante caballero, pero aún le dolía el humillante desprecio de Hassan, a pesar del año transcurrido. Mientras se preguntaba qué podría hacer, la anfitriona, una perspicaz mujer que actuaba de vez en cuando de casamentera y a quien no le había pasado inadvertido el intercambio de miradas entre sus dos invitados, se acercó a ella y le dijo en tono de conspiradora:

–Es un profesor de la Universidad Americana. Yo diría que es bastante guapo, pero lo que lo hace todavía más atractivo es el hecho de que sea soltero. ¿Quieres que te lo presente, cariño?

Entre los bastidores del escenario del Cage d'Or, Camelia estaba dando los últimos toques a la *galabeya* de raso blanco que iba a lucir en su debut como danzarina. Pasó fugazmente por su mente el deseo de que su familia pudiera estar allí para presenciar su primera actuación en público, pero la noche que había abandonado la calle de las Vírgenes del Paraíso se fue a casa de Dahiba y Hakim y éstos eran ahora su familia. Cuando finalmente salió al escenario, uniéndose a Dahiba para interpretar un número con ella, Camelia sintió que su alma se elevaba hasta las fulgurantes arañas de cristal del techo y las brillantes luces de la sala. Entre los aplausos del público y los gritos de «*Yallah!*», la joven esbozó una sonrisa y empezó a bailar.

Acunando en sus brazos al pequeño Muhammad, Yasmina estaba examinando el libro de biología que Zakki le había regalado para su cumpleaños. Apenas levantó la vista cuando Omar entró en la estancia desde el dormitorio contiguo, precedido por el perfume de su agua de colonia. Al decirle éste que iba a salir, asintió con la cabeza y pasó una página. Ya no le tenía miedo. Ignoraba lo que su padre le había dicho en privado, pero, fuera lo que fuese, estaba claro que lo había metido en cintura. Ahora Omar pasaba las noches con sus amigos, pero a ella le daba igual. Tenía a Muhammad, que era el centro de su universo, y tenía sus libros. Estaba absolutamente decidida a reanudar algún día sus estudios y a ser independiente, lo cual era uno de los motivos de que, en las pocas ocasiones en que Omar la llamaba a la cama, ella tuviera un seguro secreto contra ulteriores embarazos: los anticonceptivos que facilitaba una de las nuevas clínicas de control de la natalidad establecidas por el presidente Nasser.

Alice estaba colocando en los jarrones del salón las peonías y las rosas recogidas en su jardín. Mientras estudiaba el efecto del rosa combinado con el amarillo, pensó en la nueva vida que estaba creciendo en su vientre y confió en que fuera un pequeño Eddie. Sería rubio y de ojos azules como su hermano y ella lo llevaría a Inglaterra para que conociera a la mitad inglesa de su familia.

Amira contempló con tristeza la furgoneta que se iba a llevar el último lote de los muebles de Maryam. Suleiman había vendido la gran casa de la calle de las Vírgenes del Paraíso y ahora los Misrahi se irían a vivir a un pequeño apartamento de las inmediaciones de la plaza de Talaat Harb.

Amira miró detenidamente a la mujer que había sido su mejor amiga durante muchos años, desde que ambas eran unas jóvenes recién casadas. Juntas habían criado a sus hijos y compartido secretos, se habían consolado mutuamente y habían bailado el *beledi*. ¿Adónde habían volado los años?

–¿Vendréis a vernos a menudo? –le preguntó Maryam mientras las portezuelas de la furgoneta se cerraban ruidosamente–. ¿De verdad no permitirás que la distancia nos separe?

–Hubo un tiempo –contestó Amira– en que hubiera dudado ante la idea de salir de casa. En realidad, me daba miedo. Pero eso ya pasó. Por supuesto que iré a visitarte, tú eres mi hermana.

Amira tomó del brazo a Maryam y recordó los días en que temía enfrentarse con el mundo y ni siquiera se quitaba el velo, por más que Alí le hubiera dado permiso para hacerlo. En cambio, ahora, sabiendo que la brutal separación de su madre en su infancia era el origen de su inseguridad, estaba deseando visitar a Maryam en su nuevo apartamento de la plaza Talaat Harb.

Cuarta parte

1966-1967

22

–Ahora hay que tener mucho cuidado, Yasmina. Una herida tan profunda como ésta puede ser muy peligrosa.

Ibrahim hablaba en inglés para que la madre del niño, una *fellaha* recién llegada a la ciudad, no le comprendiera y no se alarmara.

–¿Qué ha ocurrido? –preguntó Yasmina.

Acababa de llegar al consultorio de su padre para sustituir a la enfermera, que tenía la tarde libre.

–Se rompieron los peldaños de una escalera... Tranquilo –dijo Ibrahim, pasando a hablar en árabe–. Tienes que ser un chico valiente. Un minuto más y listo.

Mientras su padre limpiaba cuidadosamente la herida, Yasmina le dirigió al niño una sonrisa tranquilizadora. Era uno de los muchos niños que estaban invadiendo el cercano barrio. Los campesinos que abandonaban sus granjas y se trasladaban en masa a la ciudad en busca de mejores perspectivas de trabajo se hacinaban en pisos y apartamentos pensados para un número de personas muy inferior y llenaban las azoteas y las callejas de cobertizos improvisados, aperos de huerto, gallinas y cabras, durmiendo en las escaleras y en los ascensores averiados. En tales condiciones, era lógico que los accidentes estuvieran a la orden del día. Los arcaicos balcones de madera cedían de golpe, edificios enteros se venían abajo inesperadamente o, como en el caso del pequeño paciente del doctor Rashid, los podridos peldaños de madera se rompían sin previo aviso. El niño tenía un clavo hundido en la pantorrilla e Ibrahim se lo había sacado.

–Bueno, Yasmina –añadió Ibrahim, volviendo al inglés–. Ahora hemos lavado bien la herida, hemos eliminado la suciedad y el polvo y le hemos aplicado permanganato potásico. ¿Qué haremos a continuación?

Yasmina se había puesto una blanca bata de laboratorio sobre el vestido, cubriéndose el cabello con un pañuelo blanco, tal como hacía siempre la enfermera de su padre. Ahora le pasó a su padre una palangana con un líquido púrpura que acababa de preparar.

–Violeta de genciana –contestó–, a no ser que esté indicado un ungüento antibiótico.

–Buena chica –dijo Ibrahim, aplicando delicadamente la solución a la piel del niño bajo la silenciosa vigilancia de la madre, una mujer de edad indefinida envuelta en una negra *melaya*–. Tal como tú sabes, una herida profunda que no sangra, como ésta que tenemos aquí –añadió–, se infecta muy fácilmente. Este niño ha tenido suerte porque su madre ha tenido la prudencia de traerlo. A menudo, cuando ven que no hay sangre, creen que no es nada y no le dan importancia. Entonces se produce una septicemia y un tétanos y el paciente muere. Muy bien –dijo, apartando a un lado la palangana y quitándose los guantes esterilizados–. Nunca hay que suturar una herida de este tipo; por consiguiente, ahora le aplicarás un vendaje y yo prepararé una inyección de penicilina.

Mientras aplicaba una venda alrededor de la escuálida pierna, Yasmina pensó que el niño debía de tener la misma edad de su hijo y, sin embargo, aquel niño estaba mucho menos desarrollado que su pequeño Muhammad de tres años. Ello la indujo a preguntarse si los *fellahin* mejoraban realmente su suerte trasladándose a la ciudad o si hubiera sido preferible que se quedaran en sus granjas a la orilla del Nilo.

La inyección hizo llorar al niño, que hasta aquel momento había permanecido tranquilo.

–Vuélvemelo a traer dentro de tres días –le dijo Ibrahim a la madre en árabe–. Entre tanto, tócale la frente. Si la notas caliente, tráelo en seguida. Si la pierna se le pone dura y rígida o si te parece que mueve mucho la cabeza, me lo traes. ¿Comprendido?

La mujer asintió con la cabeza, mirando tímidamente por encima de la negra *melaya* de algodón con la que se había cubierto el rostro a lo largo de toda la visita. Después, buscó bajo el manto y sacó unas cuantas monedas de media piastra, pero Ibrahim las rechazó diciendo:

–La oración vale más que el dinero, *Umma*. Reza al Señor por mí en el próximo *mulid*.

Cuando la mujer y el niño se fueron, Ibrahim se dirigió a la pila y se lavó las manos.

–Probablemente no volveremos a verlos, Yasmina. Si se infecta la herida y el niño se pone enfermo, lo más probable es que su madre lo lleve a un mago para que lo exorcise y le expulse los *yinns* del cuerpo.

Ibrahim contempló con orgullo a su hija, la cual estaba limpiando el instrumental. Él atendía gratuitamente a los campesinos de la zona sin que nadie le obligara a hacerlo, confesando que semejante tarea le producía una honda satisfacción al término de cada jornada. Pero no esperaba lo mismo de Yasmina, la cual debía de sentirse más a gusto con sus pacientes adinerados. Y, sin embargo, allí estaba ella, ayudándole durante la hora «gratuita» que dedicaba a los *fellahin*.

–¿Estás segura de que eso es lo que quieres hacer durante todo el resto de tu vida, *Mishmish*? –le preguntó–. Ser esposa y madre es una noble ocupación. ¿Por qué quieres ser médica? Como ves, la tarea puede ser a veces muy ingrata.

Yasmina le miró con una sonrisa burlona.

–¿Por qué decidiste ser médico, papá?

–No tuve más remedio. Tu abuelo, que Alá le conceda la paz, me dictó cómo iba a ser mi vida.

–¿Qué hubieras preferido hacer?

–Si pudiera volver a empezar –contestó Ibrahim, secándose las manos–, me iría a vivir a una de nuestras plantaciones de algodón del delta. Pensé durante algún tiempo que me gustaría ser escritor. Entonces era muy joven, por supuesto. ¿Será cierto que todos los jóvenes sueñan con ser escritores?

Yasmina le observó mientras se cepillaba cuidadosamente el cabello y vio en sus sienes algunas hebras de plata. Próximo a cumplir los cincuenta, Ibrahim era extremadamente guapo y, aunque tuviera la cintura un poco más ancha que antaño, su aspecto era el propio de un hombre acaudalado. Yasmina comprendía muy bien que su madre su hubiera enamorado de él.

Mientras separaba el instrumental limpio del usado y arrojaba a la basura los guantes y las gasas sucias, tal como Ibrahim le había enseñado a hacer, Yasmina miró por el rabillo del ojo a su padre, el cual estaba haciendo unas anotaciones con su pluma de oro en unas tarjetas, y pensó que estaba entrando en la edad más cómoda para los varones árabes, la fase media de la vida en que parecían abandonar las juveniles simulaciones y los comportamientos presuntuosos y adquirían las mejores cualidades de la madurez y la dignidad. Había observado los mismos rasgos en sus profesores de la universidad, en los hombres maduros que permanecían sentados en las mesas de los cafés e incluso en los pordioseros de la calle hasta el punto de que a veces se preguntaba si aquella natural majestuosidad no sería tal vez un rasgo nacional o racial de la mayoría de los varones árabes. Incluso su marido Omar, con apenas veinticuatro años, ya estaba empezando a mostrar algunos indicios de lo mismo, probablemente, pensó Yasmina, debido a sus frecuentes contactos con dirigentes de la comunidad y destacados hombres de negocios.

Imaginó que, cuando Ibrahim posara para el retrato familiar como había hecho el abuelo Alí, sentado en un sillón cual si fuera un trono y rodeado de sus parientes cual si éstos fueran sus fieles súbditos, ella se situaría a su derecha.

–Ya no tenemos las fincas del delta, papá –dijo en tono burlón–. Te hubieran expulsado de tu paraíso de escritor y entonces, ¿qué hubieras hecho?

Ibrahim se acercó a la ventana y contempló las luces de neón que estaban empezando a parpadear en la hora en que el día daba paso a la noche. Pasadas las horas de la siesta, la gente se lanzaba a las calles para atender sus negocios o entregarse a la diversión o al cumplimiento de sus deberes. ¡El Cairo!, pensó mientras contemplaba la cola que se estaba formando a la entrada del cine Roxy. La ciudad de las almas inquietas.

–Seguramente me hubiera dedicado a vender patatas por las calles –contestó al ver a un anciano vendedor de boniatos abriéndose paso con su humeante carrito entre los viandantes.

Ibrahim se volvió y vio a Yasmina guardando las cosas en los blancos armarios metálicos. Se había quitado el pañuelo blanco de la cabeza y el rubio cabello le bajaba en hondas por la espalda. Desde aquel ángulo, se parecía a Alice, pensó. Poseía su misma gracia y sus mismos movimientos pausados. Sin embargo, algo que Yasmina no había heredado de su madre era la ambición. Tal vez, pensó Ibrahim, era un rasgo que él le había transmitido, una determinación que ni él mismo creía tener.

Reflexionó un instante acerca de la posibilidad de que la joven se convirtiera en médica y pensó que, en tal caso, reformaría la estancia contigua a su despacho en la que antes solía recibir a las prostitutas y la transformaría en un segundo despacho y sala de exploraciones. La idea lo atraía. Si Yasmina se convirtiera en médica, pensó, podría trabajar con él y dedicarse a la atención de las mujeres y los niños mientras él se dedicara a los hombres. Los doctores Rashid trabajarían en equipo, compartirían opiniones y se harían mutuamente consultas. Y tendría diariamente a Yasmina a su lado, aportando una luminosidad especial a su consultorio.

–Pero tú tienes un hijo, Yasmina –le dijo–. ¿No te parece que deberías dedicarte a él?

–¡Cuando me dejan! A tía Nefissa le gusta tenerlo consigo constantemente. Ahora mismo se lo ha llevado a un espectáculo de marionetas.

–Bueno, es que, hasta que Tahia cumpla con su deber y tenga un hijo, Muhammad es el único nieto de Nefissa.

–Papá –dijo Yasmina, volviéndose a mirar a su padre–, he conseguido acumular notas para dos años de carrera. Dentro de dos años Muhammad empezará a ir a la escuela. Me gustaría matricularme entonces en la facultad de Medicina.

–¿No eres demasiado joven para ser médica?

–¡Tendré veintiséis años cuando termine!

–Ya ves, una vieja –dijo Ibrahim–. No sé qué decirte, *Mishmish*.

La facultad de Medicina no es un lugar muy apropiado para una joven de tu clase y condición. No se considera decoroso. Preferiría que me dieras más nietos. Al fin y al cabo, Muhammad tiene casi cuatro años. Necesita hermanos y hermanas.

Yasmina soltó una carcajada.

–Mi hijo tiene más primos de los que necesita. ¡Un hermano o una hermana sólo servirían para desconcertarlo!

Yasmina sabía que la familia se preguntaba cuándo llegaría su segundo hijo. Lo que nadie sabía era que había visitado una de las clínicas de planificación familiar de Nasser para que le colocaran un dispositivo intrauterino. Lo había hecho tres años atrás cuando estaba pensando en la posibilidad de divorciarse de Omar. Sin embargo, tras llevar a cabo unas discretas averiguaciones, se había enterado de que, mientras que a un hombre que quisiera librarse de su esposa le bastaba con pronunciar tres veces la frase «Yo te repudio», una mujer sólo podía separarse de su marido por razones muy concretas: en caso de que éste hubiera sido sentenciado a cumplir una larga condena en la cárcel, en caso de que padeciera una enfermedad en fase terminal, en caso de que se certificara su demencia y en caso de que la hubiera golpeado con tal saña que la hubiera dejado permanentemente inválida.

Una compañera suya de más edad con quien ella trabajaba como voluntaria en la Media Luna Roja le había dado unos cuantos consejos.

–¡Abogados! ¡Tribunales! ¡Instancias! –le había dicho Zubaida–. Cualquier mujer con dos dedos de frente conoce el sistema más rápido y seguro para conseguir que un hombre la repudie. A mí me ha dado resultado un par de veces. Mis dos maridos eran unos cerdos egoístas y yo me equivoqué al casarme con ellos. Pero existe un viejo remedio; mi madre lo llamaba el veneno en el estofado. Los ingredientes son muy sencillos: mantener la casa desordenada, armar ruido mientras el marido recibe a sus amigos, ofrecer raciones insuficientes de comida a los invitados de compromiso, dejar que los niños le falten al respeto en presencia de extraños... todo eso son pequeños dardos que hieren el orgullo y el honor masculinos. Si fallan todos los trucos queda el remedio infalible de soltar una carcajada en la cama para ridiculizarle cuando intenta hacerte el amor.

Pero Yasmina aún no había llegado al grado de máxima desesperación y, además, desde que había terminado la carrera y ocupaba un puesto en la Administración, Omar solía viajar al extranjero muy a menudo y a veces se pasaba varios meses seguidos lejos de casa. Sus ausencias, el uso secreto de anticonceptivos y la esperanza de poder estudiar en la universidad hacían que la vida con Omar resultara soportable. Incluso le parecía que las relaciones entre ambos habían mejorado; últimamente, su marido se mostraba más respetuoso con ella y, a la vuelta de su más reciente viaje al extranjero, hasta le había traído un regalo. Pensando que eso era lo normal en los matrimonios y que, con el tiempo, quizá surgiera el amor en sus existencias, Yasmina estaba empezando a tener una visión más optimista de la vida.

–Pero yo quiero algo más, papá –dijo–. Sí, ser madre es maravilloso. Pero yo me siento limitada en este papel. Cuando asisto a clase en la universidad o cuando vengo aquí para echarte una mano, casi me siento distinta, como si despertara o me convirtiera en la persona que realmente soy. ¡Cuánto envidio la profesión de danzarina de Camelia!

–A tu abuelo no le gustaba que las mujeres fueran médicas.

–Pero yo te pido ayuda a ti, papá, y tú no eres el abuelo Alí.

–No –dijo Ibrahim, sorprendiéndose de las palabras de su hija–, yo no soy mi padre, que Alá le conceda la paz. Muy bien pues, *Mishmish*. Cuando tu madre y yo regresemos de nuestro viaje a Inglaterra, hablaremos de ello.

Yasmina le abrazó y, mientras él le devolvía el abrazo, Ibrahim se dio cuenta de que, en su fuero interno, le gustaba la ambición de su hija y el valor que había demostrado al planteárle el tema. Si él hubiera tenido el mismo valor...

Llamaron a la puerta. Ibrahim fue a abrir la puerta y se llevó una sorpresa al ver a su lejano pariente Jamal Rashid.

–Perdóname esta invasión, Ibrahim –dijo Jamal–, pero la necesidad tiene sus propias leyes. ¿Puedo entrar?

Alarmada por la repentina presencia de Jamal y prescindiendo de las habituales frases de rigor, Yasmina le ofreció un silla y le preguntó:

–¿Le ocurre algo a Tahia?

Aunque Tahia había abandonado la casa de la calle de las Vírgenes del Paraíso al casarse con Jamal Rashid, ambas primas solían verse muy a menudo. Sabía que Tahia estaba tratando infructuosamente de quedar embarazada.

–Mi esposa está bien, gracias a Alá. Ibrahim, la policía militar anda por ahí haciendo preguntas.

–¿Qué clase de preguntas?

–Sobre ti. Sobre tus tendencias políticas, tus cuentas bancarias y tus inversiones.

–¿Cómo? Pero ¿por qué?

–No lo sé. Pero acabo de enterarme a través de un amigo, no puedo decirte quién, de que el apellido Rashid figura en cierta lista.

–¿Qué lista?

–La que obra en poder de los Visitantes de la Noche.

Ibrahim se dirigió a la puerta de entrada, miró arriba y abajo del pasillo, la cerró bajo llave, entró y cerró también la puerta del despacho antes de preguntar:

–Pero ¿cómo es posible que figuremos en esa lista? Mi familia no tiene ningún problema pendiente con el gobierno de Nasser. Somos gente de orden, Jamal.

–Juro por la pureza de *sayyida* Zeinab que es cierto. Ten mucho cuidado, hermano mío. La policía militar es muy poderosa; el ministro Amer es un hombre muy temido. Ahora que el ejército lo controla todo, basta con que un hombre comente lo mal que funcionan los teléfonos en El Cairo para que lo detengan y le expropien los bienes en nombre del Estado –Jamal miró a su alrededor como si en la sala de exploraciones de Ibrahim pudiera esconderse uno de los numerosos espías de Nasser–. Escúchame, Ibrahim. Tu familia corre peligro. Nadie está a salvo de esos locos. Vienen de noche, irrumpen en la casa y se llevan a los hombres de la familia. De muchos de ellos jamás se vuelve a saber nada. Esta vez no es como cuando te detuvieron durante la Revolución. Esto es muchísimo peor porque se pueden quedar con tu casa, tu cuenta en el banco y todo lo que tienes.

De pronto, desde la calle de abajo, les llegaron los clamores de los cláxones y el griterío de la gente. Yasmina se levantó para cerrar la ventana mientras Jamal añadía en voz baja:

–Ibrahim, ya conoces a mi hermana Munirah, la que está casada con ese fabricante tan rico. Anoche se presentaron en su casa. Ella y sus hijos fueron sacados a la fuerza a la calle mientras los soldados confiscaban la casa y todo lo que había dentro. Le arrancaron las sortijas de los dedos y los collares de los cuellos de sus hijas. Después se llevaron al marido y a sus hijos mayores. De esas cosas no se habla porque los periódicos tienen miedo de publicarlas. Pero los blancos de este azote son los ricos.

–¿Y no hay, en nombre de Alá, ninguna manera de que podamos protegernos?

–Te voy a decir lo que yo he hecho. He puesto las escrituras de mis edificios de apartamentos a nombre de Tahia y de mis primas. Después he cerrado la cuenta bancaria y he escondido el dinero. Si los Visitantes de la Noche se presentan en casa de Jamal Rashid, no encontrarán gran cosa. Créeme, Ibrahim, no podemos recurrir a nada ni podemos fiarnos de nadie. Incluso los que antaño ostentaban el poder han sido despojados de sus privilegios.

–Pero ¿por qué tiene que figurar mi nombre en esa lista? Por Alá que llevo una vida muy tranquila desde el día en que Faruk zarpó de Alejandría. ¡Mi familia y yo hemos observado una conducta intachable! ¿Qué tiene el ministro Amer contra mí?

–Ibrahim –dijo Jamal–, no es Amer quien te persigue sino su subsecretario, un hombre a quien apenas nadie conoce, pero cuyo poder es inmenso. En cuanto incluye un nombre en la lista, no hay escapatoria.

–¿Quién es ese hombre?

–Alguien que antaño fue amigo tuyo. Hassam al-Sabir.

–Pobre Ibrahim –dijo Alice, tomando la taza de café que Maryam Misrahi le ofrecía–. Me temo que lo único que recuerda de Inglaterra es la forma en que mi padre nos rehuyó durante nuestro viaje de luna de miel. Eddie, en cambio, se portó de maravilla con Ibrahim. Edward era como mi madre, ambos adoraban todo lo oriental. Pero mi padre pensaba que me había casado con alguien de categoría inferior a la nuestra –hizo una pausa para prestar atención a los débiles ecos de la música procedente del apartamento de al lado... música árabe a la que no había conseguido acostumbrarse del todo–. Me alegro de que hagamos el viaje –añadió–. ¡Me parece que es casi como dar a Inglaterra una segunda oportunidad!

–La familia es muy importante –terció Suleiman, el cual, a sus setenta años, tenía todo el aspecto de un hombre que ya se hubiera acostumbrado a una apacible jubilación–. A Maryam y a mí nos gustaría ir a ver a nuestros hijos, pero están repartidos por todo el mundo y me temo que ya no estamos para estos trotes –miró a Amira, que acompañaba a su nuera en aquella visita, y añadió–: Qué bueno es tu hijo, deja el consultorio de medicina para acompañar a su esposa a su país. Es algo que ojalá hubiera hecho yo cuando era más joven, viajar por el mundo y visitar a nuestros hijos.

–Doy gracias a Alá de que me haya dado a Ibrahim –dijo Amira mientras se echaba azúcar en el café, procurando disimular su inquietud por medio de los pequeños rituales de la adición de azúcar y el movimiento de la cucharilla para removerlo. Había cedido a los temores infundados de no volver a ver jamás a su hijo una vez éste hubiera abandonado el país y trataba por todos los medios de disimular su inquietud ante sus amigos–. Que Alá le conceda un buen viaje –añadió en un susurro– y un feliz regreso.

El apartamento de los Misrahi tenía un sencillo balcón no lo bastante grande como para que la gente pudiera salir, pero sí lo suficiente como para acoger las macetas de los geranios y las caléndulas que cultivaba Maryam. Su característica más interesante era una gran puerta vidriera corredera que podía abrirse por la noche, permitiendo la entrada del sofocante aire nocturno de septiembre, mezclado con los olores de comida y el rumor del tráfico. Mientras los visillos se movían agitados por la brisa, Alice se acercó con su taza de café al pequeño balcón desde el que se podía ver el Nilo.

–He oído decir no sé dónde que a las flores de loto las llaman Novias del Nilo. ¿Por qué?

Amira se reunió con su nuera junto al balcón y contempló las caudalosas aguas que fluían bajo el puente de piedra; intuyó la fuerza del río y aspiró los fértiles aromas. ¿Había un río más hermoso que la Madre de Todos los Ríos?, se preguntó. ¿Había alguna tierra más bella y bendita que Egipto, la Madre del Mundo?

–Alí me contó que hace mucho tiempo, en la época de los faraones –explicó–, una joven doncella era sacrificada al río y, cuando se ahogaba, se convertía en la Novia del Nilo, confiriendo al río un fértil limo y la promesa de abundantes siegas y copiosas cosechas. Ahora, en cambio, la frágil flor de loto es la única Novia del Nilo.

Alice se acercó un perfumado pañuelo a la garganta. En veintiún años, todavía no se había aclimatado al calor de Egipto.

–Tú vienes al río el mismo día cada año y arrojas una flor al agua. ¿Es en recuerdo de la ceremonia del loto?

Evocando el día en que fue a visitar a Safeya Rageb la primera vez que había puesto los pies fuera de casa, Amira contestó:

–No, no es por eso. Es porque una vez me extravié en la ciudad y Alí me habló desde el pasado en aquel puente de allí abajo. Me ayudó a encontrar el camino y guió mis pasos. En aquel momento comprendí el poder y el misterio del Nilo. ¿Sabes que el Nilo está habitado por las almas de los que se han ahogado en él? –añadió Amira–. No sólo las de las Novias sino también las de los pescadores, los nadadores y los que se suicidan arrojándose a sus aguas. El Nilo da la vida y la quita.

–Pero también nos da un pescado excelente –comentó Suleiman a su espalda, alargando la mano hacia su taza de café.

Maryam se rió.

–¡Desde que se retiró, la comida se ha convertido en la mayor afición de mi marido!

Suleiman rechazó con un gesto de la mano las palabras de su mujer y añadió, dirigiéndose a Alice:

–Muy pronto podrás disfrutar de todas las exquisiteces que ofrece Inglaterra, querida... Los panecillos con crema. ¡El maravilloso té de Devonshire! Lo probé cuando estuve allí una vez, en 1936. Aún recuerdo el sabor de aquella mermelada.

Mientras Maryam regresaba riéndose a la cocina, Alice se volvió hacia su suegra diciendo:

–Madre Amira, ¿por qué no vienes con nosotros a Inglaterra? Nunca has salido de Egipto.

–Ése es un viaje para ti e Ibrahim –contestó Amira con una sonrisa–. Tiene que ser una segunda luna de miel.

Y una ocasión para sanar tus heridas, añadió en silencio.

A Ibrahim se le había ocurrido la idea poco después del aborto de Alice, cuando ésta, al perder la criatura que llevaba en su vientre y que ella esperaba fuera un varón, se hundió en una negra depresión. Como una prodigiosa medicina, la perspectiva de regresar a casa la había animado y había evitado que volviera a caer en la enfermedad. No, a Amira jamás se le hubiera ocurrido ir con ellos. Además, ella también tenía sus planes. Había decidido emprender un viaje por su cuenta a la ciudad santa de La Meca, en Arabia.

–Ya casi no tengo ningún pariente directo en Inglaterra –dijo Alice–. Sólo una anciana tía. Pero me quedan mis amigos –añadió, contemplando la ruidosa ciudad brillantemente iluminada, una abigarrada mezcla de Oriente y Occidente que, de vez en cuando, se le antojaba totalmente desconocida.

Iba, por ejemplo, a una tienda que había visitado miles de veces y empezaba a regatear en árabe a propósito del precio de unos zapatos, tal como solía hacer desde hacía dos décadas, y, de pronto, todo le quedaba desenfocado: las palabras se le enredaban en la boca y perdían su significado y los olores de la tienda y de la calle la dejaban aturdida. Entonces se preguntaba por un instante dónde estaba y por qué. Después, cuando recuperaba la sincronía con El Cairo, pensaba en el calor y en la arena que se metía por todas partes e imaginaba que sólo la bruma y la niebla de Inglaterra los hubieran podido disipar.

Sin embargo, había otra razón secreta para que quisiera regresar a Inglaterra en aquellos momentos. Tras sufrir el aborto, había descubierto una oculta depresión que discurría por lo más hondo de su ser como una corriente subterránea que jamás afloraba a la superficie. Entonces empezó a pensar en su madre y se preguntó si ella también habría intuido la existencia de aquella estremecedora corriente en su interior. ¿Qué habría impulsado a *lady* Frances a suicidarse? La melancolía, decía el certificado de defunción.

Alice había decidido regresar a Inglaterra para buscar las respuestas. La anciana tía Penelope era la mejor amiga de su madre. Puede que tía Penny supiera por qué motivo *lady* Frances se había quitado la vida. Alice necesitaba saber si ello se había debido a alguna causa externa o si había sido algo innato, una especie de tendencia genética contra la cual no se podía luchar. Alice necesitaba saberlo porque iba a cumplir cuarenta y dos años al año siguiente, la misma edad que tenía su madre al morir.

–Es bueno tener amigos –dijo Suleiman, levantándose de su asiento con la rigidez propia de la edad. Como Maryam, tenía el cabello del todo blanco y vestía prendas cómodas porque consideraba que se tenía bien ganado ese derecho–. Muchos de nuestros amigos han abandonado Egipto y han prosperado en Europa y América. Sin embargo, yo sigo pensando que el presidente Nasser quiere lo mejor para Egipto. Háblame del lugar donde tú naciste, Alice, puede que pasara por allí en 1936.

Amira se dirigió a la cocina, donde Maryam estaba sacando del horno una *baklava* recién hecha.

–Suleiman vive cada vez más anclado en el pasado –dijo Maryam, vertiendo inmediatamente almíbar frío sobre el pastel caliente–. ¿Es eso lo que les ocurre a los viejos, Amira? Cuando el futuro es más breve que el pasado, ¿la gente empieza a mirar hacia atrás?

–A lo mejor, es la manera que tiene Alá de prepararnos para la eternidad. Deja que te ayude. Yo también pienso cada vez más en el pasado últimamente. Es curioso, Maryam, pero, cuantos más años tengo, más recuerdo los días de antaño, como si cada vez estuviera más cerca de ellos en lugar de más lejos.

–Puede que algún día, si Dios quiere, lo recuerdes todo y tengas el gozo de recuperar los recuerdos de la infancia que tanto nos alegran a todos.

¡El gozo de los recuerdos de la infancia!, pensó Amira. Sin embargo, para buscar el pasado, sabía que tendría que retroceder en el tiempo y hallar las respuestas a las preguntas de quién era ella realmente y de dónde procedía. ¿Mataron a mi madre aquel día y la dejaron en el desierto, se preguntó, o a ella también se la llevaron a la fuerza y la encerraron en otro harén? ¿Y si todavía viviera? Yo tengo sesenta y dos años; podría tener ochenta y tantos años, incluso menos. Si me alumbró a los catorce años, los mismos que yo tenía cuando di a luz a Ibrahim, podría ser todavía una mujer muy sana perdida en algún lugar de este mundo y quizá, en las cálidas y perfumadas noches estivales como ésta, contempla las estrellas tal como hago yo y piensa en la chiquilla que le arrebataron de los brazos.

Amira pensó en el alminar cuadrado que tan a menudo aparecía en sus sueños. ¿Dónde demonios estaría? Los pocos alminares cuadrados que había en El Cairo eran unas complejas estructuras cubiertas de intrincados adornos; en cambio, el de sus sueños era liso y sin adornos. Cada vez que lo veía, Amira intuía que estaba tratando de decirle algo, como si le dijera en un susurro: «Búscame y encontrarás todas las respuestas... el nombre de tu madre, dónde naciste, la estrella de tu nacimiento».

«Haré la peregrinación a La Meca y, si Alá quiere, encontraré el camino que me condujo a Egipto y lo seguiré hasta llegar a mis orígenes. Y posiblemente incluso hasta mi madre.»

Cuando ambas amigas regresaron al salón, Suleiman cortó el extremo de un cigarro, lo estudió un instante y dijo:

–O sea que Yasmina quiere ser médica, ¿eh? ¿Por qué no? Rachel, la hija de mi Itzak en California, quiere matricularse en la facultad de Medicina. Es una buena profesión para una chica. Las mujeres comprenden mejor el dolor y el sufrimiento. Los hombres, no, ¿Cuándo lo hemos experimentado? Maryam, tenemos que ir a

California a ver a Itzak. Amira, ¿te acuerdas de mi Itzak? Cómo no te vas a acordar si tú lo ayudaste a venir al mundo. Me escribe en inglés y me cuenta que no les enseña el árabe a sus hijos porque son americanos, dice él. Pero yo digo que son egipcios y, si tengo que ir allí y...

De pronto, se oyeron unos fuertes golpes en la puerta.

–¿Quién puede ser? –se preguntó Maryam, secándose las manos en el delantal que llevaba puesto.

Antes de que pudiera ir a ver, se oyó un estrépito infernal y unos hombres uniformados irrumpieron en el apartamento.

Suleiman se levantó de un salto.

–¿Quiénes sois y qué queréis?

–¿Suleiman Misrahi?

–Yo soy.

–Has sido acusado de pronunciar palabras desleales contra el gobierno.

Amira se acercó una mano al pecho. Era una repetición de la pesadilla del arresto y encarcelamiento de Ibrahim. Todo el mundo había oído hablar de aquellas incursiones nocturnas de la policía militar de Nasser y de los destierros a campos de detención sin juicio previo. Sin embargo, los detenidos solían ser miembros del grupo subversivo de los Hermanos Musulmanes o de otros grupos antigubernamentales. ¿Qué podían tener en contra de un anciano matrimonio judío?

–Tiene que haber un error –dijo Maryam, pero uno de los soldados la apartó a un lado de un manotazo.

Cayó contra un armario en el que guardaba piezas de porcelana y percibió un súbito y agudo dolor en las costillas.

Alice se acercó a ella corriendo y Amira se enfrentó con el oficial que ostentaba el mando.

–No tenéis ningún derecho a hacer eso –le dijo–. Ésta es una casa de paz.

Pero no le hicieron caso. Observaron horrorizados cómo los soldados recorrían el apartamento, sacando ropa de los armarios, vaciando cajones y guardándose las joyas y el dinero en los bolsillos. Uno de los hombres pasó un brazo por la superficie del aparador, arrojando al suelo una *menorah* de plata, el candelabro judío de siete brazos, junto con varias fotografías enmarcadas de los hijos y nietos de los Misrahi. La *menorah*, los marcos de los que inmediatamente arrancaron las fotografías y todos los objetos de plata antigua de Maryam fueron introducidos en un saco de yute y arrastrados al rellano.

–Alice –dijo Amira en voz baja para que los soldados no la oyeran–, telefonea en seguida a Ibrahim.

Por último, los hombres agarraron el brazo de Suleiman.

–¡No! –gritó Maryam.

–Estás bajo arresto –le ladró el oficial– por actos subversivos contra el gobierno y el pueblo de Egipto.

Suleiman miró con expresión perpleja a su mujer.

–Por favor –les suplicó ella–. Tiene que haber un error. Nosotros no hemos hecho nada...

Pero un soldado empujó a Suleiman sin miramientos hacia la puerta y le sacó al rellano. El anciano se acercó súbitamente la mano al pecho, emitió un grito y se desplomó al suelo.

Maryam corrió hacia él.

–¿Suleiman? ¡Suleiman!

23

Ibrahim pasó por allí, en primer lugar para avisar a Amira y Alice, las cuales estaban acompañando a Maryam en el *shivah* por Suleiman mientras los amigos se acercaban a darle el pésame, y, en segundo, para entonar el *kaddish*, la oración judía de difuntos. Puesto que a Maryam le habían confiscado el apartamento y la habían echado a la calle con lo puesto, la observancia de aquel precepto religioso de siete días de duración se estaba celebrando en el domicilio del rabino de su sinagoga. Después, Maryam se tendría que buscar un sitio donde vivir. Amira le había pedido que se instalara en la casa Rashid, pero ella había declinado el ofrecimiento. Muerto Suleiman, dijo, no podría soportar el dolor de regresar a la calle de las Vírgenes del Paraíso donde ambos habían sido felices durante tantos años.

Nadie se explicaba por qué razón los Misrahi habían sido blanco de la ira de los Visitantes de la Noche. Los soldados derribaban puertas y practicaban arrestos en toda la ciudad, pero sus víctimas solían ser sobre todo los ricos. Ningún otro judío había sufrido persecución y, por supuesto, ninguno que se encontrara en las precarias condiciones en que vivían los Misrahi en aquellos momentos. Suleiman había vendido el negocio de importación y él y Maryam vivían de una modesta pensión. Con la ayuda de algunos miembros de su familia, Amira estaba tratando de averiguar por qué los soldados se habían presentado en aquella casa para arrestar a Suleiman y adónde se habían llevado sus bienes.

Entró una criada e informó a Amira de que su hijo quería hablar con ella.

–¿Tienes alguna noticia? –preguntó Amira, reuniéndose con su hijo junto a la puerta.

–He hablado con todas las personas que conozco, madre, con todos los funcionarios del gobierno que me deben algún favor, pero nadie puede hacer nada, todos tienen miedo de perder sus empleos. Dudo de que podamos averiguar alguna vez qué fue de los bienes de los Misrahi. Ya no podemos recurrir a nadie más.

Amira pensó en Safeya Rageb, la responsable de la liberación de Ibrahim de la cárcel casi veinticinco años atrás. Confiando en que la señora Rageb pudiera ayudar a Maryam, Amira había ido a visitarla y se había enterado de que el capitán Rageb, uno de los primeros Oficiales Libres, ya no gozaba del favor del gobierno. Lo habían «retirado» discretamente y los días de influencia de Safeya Rageb habían tocado a su fin.

–Pero he venido por otro motivo –añadió Ibrahim–. Nuestra familia corre peligro, madre. Estamos en el punto de mira de la policía militar. Quiero que tú y Alice regreséis a casa en cuanto os sea posible, escondáis todos los objetos de valor y advirtáis a las mujeres de que no pierdan la calma si los soldados se presentan en la casa. Lo siento mucho, querida –dijo, volviéndose hacia Alice–, pero tendremos que aplazar un poco nuestro viaje a Inglaterra. ¿O acaso quieres ir sin mí?

–No, me quedaré –contestó Alice–. Iremos cuando la ocasión sea más propicia.

Maryam se acercó a ellos.

–¿Qué ocurre, Amira? Ibrahim, ¿sucede algo?

–*Allah ma'aki*, tía Maryam –contestó Ibrahim–. Disculpa esta intromisión, pero mi madre tiene que regresar a casa.

–Sí, faltaría más –dijo Maryam–. En los tiempos tan peligrosos que corren debes estar con tu familia.

–Volveré en cuanto pueda –le dijo Amira.

–Sé que has estado intentando averiguar adónde fueron a parar nuestras pertenencias, mi querida hermana –añadió Maryam, apoyando una mano en el brazo de su amiga–. No te sigas preocupando por eso. Lo que ha ocurrido es la voluntad de Dios. He tomado una decisión: mi hijo quiere que vaya a vivir a California con él y sus hijos. Nos iremos en cuanto hayamos... –se le quebró la voz de emoción– terminado de despedirnos de Suleiman.

–Madre –dijo Ibrahim–, tú y Alice iréis en mi coche. Yo tomaré un taxi. Tenemos que darnos prisa.

–¿Tan cerca está el peligro?

–Pido a Alá que no lo esté.

–Pero ¿tú adónde vas?

–Sólo hay una persona en El Cairo que todavía podría salvarnos. Reza por mí, madre, para que me reciba.

La casa del Camino de las Pirámides, en medio de los campos de caña de azúcar y los palmerales, apenas se podía ver desde la carretera; sólo se distinguían de vez en cuando sus muros encalados entre las viejas palmeras datileras, las higueras, los olivos y los arbustos en flor; unos gigantescos sicomoros guardaban un césped tan verde como las esmeraldas y unos anchos caminos de piedra caliza mientras que las sólidas persianas de madera permanecían cerradas contra el sol y las miradas indiscretas. Al descender del taxi, Ibrahim miró a través de la muralla de vegetación que protegía la casa y pensó: «Aquí vive un hombre muy rico».

Llamó a una puerta de madera tan enrevesadamente labrada que tuvo la sensación de estar visitando una mezquita. Un criado vestido con una inmaculada *galabeya* blanca le hizo pasar a un salón donde las alfombras y las pieles de animales cubrían el reluciente suelo y los ventiladores del techo refrescaban el cálido aire.

El criado desapareció y, a los pocos momentos, entró Hassan. Ibrahim pensó que su antiguo amigo apenas había cambiado en los cuatro años transcurridos desde que ambos habían hablado por última vez, como no fuera tal vez por el hecho de que ahora se le veía un poco más seguro y menos ansioso que la noche en que Ibrahim rompió el contrato matrimonial que lo ligaba a su hija. Se le notaba la riqueza en el largo caftán bordado que llevaba, en el reloj de oro y en los pesados anillos también de oro.

–Bienvenido a mi humilde morada –dijo Hassan–. Te estaba esperando.

Ibrahim miró a su alrededor diciendo:

–¿Humilde? Ésta no es la austeridad que cabría esperar de uno de los paniaguados de Nasser.

–El botín de la guerra, amigo mío. Simples recompensas a cambio de los servicios prestados a la causa socialista. Mi criado nos va a servir el café. A no ser que prefieras té o whisky.

Hassan se acercó a un carrito de caoba de licores en el que había varios vasos y jarras de cristal, y se preparó un trago.

Ibrahim fue directamente al grano.

–Me han advertido de que yo soy uno de los objetivos de los Visitantes de la Noche. ¿Tiene fundamento esta advertencia?

–Vaya una manera de saludarse entre viejos amigos. ¿Dónde están tus buenos modales?

–¿Por qué figura mi familia en esa lista?

–Porque yo la puse.

–¿Por qué?

Hassan estudió su vaso y tomó un sorbo diciendo:

–Eres muy directo y no te andas por las ramas. No es propio de ti. Sí, yo he incluido tu nombre en esa lista por una sola razón: para que vengas a mí y me ofrezcas un soborno a cambio de que lo borre.

Ibrahim señaló con un gesto de la mano el salón lujosamente amueblado.

–No creo que sea más rico que tú.

–No es dinero lo que yo quiero.

–Pues, entonces, ¿qué?

–¿No lo adivinas?

Ibrahim contempló los tesoros que le rodeaban: los impresionantes colmillos de elefante cruzados por encima de la chimenea, el cenicero hecho con una pata de antílope, la piel de cebra que cubría el reluciente suelo. Una antigua estatua egipcia, sobre cuya autenticidad y cuya procedencia ilegal a Ibrahim no le cabía la menor duda, se levantaba en un pedestal bajo unas preciosas gaitas escocesas que adornaban la pared, enmarcadas por un tartán. El pillaje de Hassan, pensó, preguntándose si la antigua y valiosa *menorah* de plata de Maryam y Suleiman estaría también en algún lugar de aquella casa y ya formaría parte de la rapaz colección de Hassan.

–Me interesa otro trofeo –dijo Hassan al ver cómo estaba observando Ibrahim sus tesoros.

–¿Qué quieres decir?

–En realidad, sólo quiero lo que es realmente mío, algo que tú me arrebataste al romper nuestro acuerdo. Dámelo y tu familia estará a salvo.

–¿De qué se trata? –preguntó Ibrahim, mirándole con furia asesina.

–De Yasmina, por supuesto.

–Ya hemos llegado, cariño –le dijo Yasmina a su hijito cuando el taxi se detuvo delante de la casa Rashid. Abrazó a Muhammad y le miró con una sonrisa para disimular sus temores. Omar había abandonado el país para participar en un proyecto de ingeniería que se estaba realizando en Kuwait y, como los repentinos arrestos inesperados seguían causando estragos en todos los barrios de la ciudad, el joven había insistido en que ella y el niño se instalaran en la casa de la calle de las Vírgenes del Paraíso. Aquí estaremos a salvo, pequeñín, pensó mientras los criados se encargaban del equipaje. Contempló la majestuosa mansión de color rosa que parecía llamarla cual si fuera un seguro refugio y pensó: «Aquí nadie nos podrá hacer daño».

Mientras bajaba del taxi llevando en brazos al niño de tres años porque no quería dejarle en el suelo hasta que estuviera dentro de aquellos altos muros protectores, pensó en su amiga del colegio Layla Azmi, casada con un hombre rico. La semana anterior, la policía militar había irrumpido en la casa de Layla, había hecho una lista de todo lo que contenía hasta el último candelabro y le había dicho que tenía tres días para marcharse y que no podía llevarse absolutamente nada. Después se habían llevado a su marido y ella no había vuelto a saber nada de él desde entonces.

Nefissa se acercó corriendo por el camino y tomó a Muhammad de los brazos de Yasmina diciendo:

–Alabado sea Alá, ahora toda la familia está reunida. ¿Cómo está hoy el nieto de mi corazón?

Los criados recogieron el equipaje de Yasmina y lo llevaron a la casa con una urgencia muy impropia de ellos. Yasmina se dio cuenta de que el temor había infectado incluso la serena atmósfera de la calle de las Vírgenes del Paraíso.

Mientras pasaban del calor de septiembre al fresco interior de la casa, Nefissa añadió:

–Ibrahim nos ha dicho que lo escondamos todo. Si llevas alguna joya, Yasmina, tendremos que guardarla por si...

Se detuvo antes de decir «si viniera la policía militar». No quería asustar a Muhammad.

La casa era un hervidero de actividad, las pinturas estaban siendo descolgadas de las paredes, los objetos de porcelana y cristal se habían retirado de las vitrinas y las mesas y Amira, en el centro de todo aquello, estaba supervisando las operaciones. En el salón, Yasmina se alegró de ver a Jamal Rashid y a Tahia. Ambas jóvenes se abrazaron y se intercambiaron cordiales saludos, pero Yasmina vio una mirada de inquietud en los ojos de su prima.

Cuando, momentos después, entró Zacarías en la estancia quitándose las gafas de montura metálica para frotarse los ojos, Yasmina también le abrazó y dijo en un susurro:

–Gracias a Alá, ya estamos todos juntos.

–No he tenido suerte, *Umma* –le dijo Zacarías a Amira–. He perdido otra mañana en el despacho del ministro de Defensa para ver qué podía averiguar sobre los Misrahi. ¡Esta vez me han dicho que el ministro no está en la ciudad! Es imposible hablar con él. ¡Hay cientos de personas en la sala de espera y en el pasillo, todas con peticiones como la nuestra!

Zacarías miró a Tahia, pero no pudo mirar a Jamal. Desde la boda de Tahia, Zacarías no había querido pensar ni un solo instante en el aspecto físico de la relación de su prima con aquel hombre. Sin embargo, aquella mañana Jamal había anunciado con orgullo que Tahia esperaba su primer hijo y Zacarías no podía soportar aquella prueba del ayuntamiento carnal entre ambos.

–Zakki –dijo Amira serenamente para no alarmar a los demás–. No te preocupes por los Misrahi. Hoy Maryam me ha dicho que se irá a vivir a California con su hijo. Ahora tenemos otros asuntos más urgentes en que pensar.

Zacarías miró a su alrededor y se percató por primera vez de que todo el mundo estaba vaciando rápidamente la casa. La tarea de recoger las joyas había recaído en Alice, la cual la estaba cumpliendo con gran eficacia, recorriendo los distintos dormitorios para asegurarse de que en ningún cajón, joyero o bolsa quedara ningún objeto de valor. Basima se había encargado de que todas las prendas de alta costura, la ropa interior de seda y raso, los zapatos de piel de cocodrilo y los abrigos de pieles se recogieran, se llevaran al salón y se guardaran en el interior de sacos de harina y de patatas vacíos. Después, los chicos lo llevaron todo a la cocina, donde Sahra supervisó su colocación bien a la vista en la gran estancia de paredes revestidas de azulejos para que, cuando los soldados los vieran, no sospecharan la naturaleza de su contenido. Rayya ayudó a Doreya a descolgar los cuadros de las paredes y envolverlos mientras Haneya ayudaba a Alice a cavar en el jardín unos hoyos en los que se ocultarían las macetas llenas de joyas. Todos trabajaban rápidamente y en silencio, sin la alegría y el bullicio que solían rodear los proyectos domésticos. Ya estaba cayendo la noche, lo cual significaba que los soldados podían aparecer de un momento a otro, pero las mujeres aún tardarían un buen rato en vaciar la casa de todos los objetos de valor y ocultarlos o bien disfrazarlos para que no los descubrieran.

–¿Tú crees que esto dará resultado, *Umma*? –preguntó Zacarías–. Todo el mundo sabe que somos ricos.

–Pensarán que estamos pasando por un mal momento –contestó Amira–. Nuestras plantaciones de algodón ya casi no existen y tu padre ejerce la medicina en un barrio de la clase media que está siendo rápidamente invadido por los *fellahin*. Si vienen los soldados, verán una familia antaño adinerada, pero reducida ahora a la penuria y viviendo de su pasado orgullo y de una pequeña renta.

Amira también había cerrado su cuenta bancaria y había ocultado el dinero en el palomar.

Mientras supervisaba la retirada de las lujosas fundas de raso y terciopelo de los divanes, que serían llevadas a la azotea y escondidas en el cobertizo de la fruta y sustituidas por unas sencillas sábanas, Yasmina se acercó a Zacarías y le preguntó:

–¿Dónde está papá?

El muchacho se encogió de hombros.

–Salió de casa esta mañana después del desayuno. *Umma* y tía Alice estaban en casa de tía Maryam, pero él fue a decirles que volvieran a casa y lo escondieran todo. Hoy no he ido a clase. ¿Tú sabes lo que está pasando, *Mishmish*? ¿Por qué corremos peligro?

Pensando en la visita que Jamal Rashid le había hecho a su padre la víspera en el consultorio, Yasmina estuvo tentada de revelarle a su hermano lo que sabía, es decir, que Hassan estaba detrás de todo. Pero Zacarías estaba como perdido y trastornado. Aunque tenía apenas cinco meses más que ella, Yasmina se sentía la hermana mayor. Por eso ahora le dijo con una sonrisa:

–No te preocupes. Eso pasará en seguida y todo se arreglará.

Después tomó a su hijo de los brazos de Nefissa y subió corriendo al piso de arriba.

En el dormitorio que había compartido con Camelia en su infancia, Yasmina encontró sus maletas. Una criada había abierto una de ellas sobre la cama para deshacerla. Nefissa entró en la estancia diciendo:

–¡Menudo jaleo! El primo Ahmed va a venir con su mujer y sus hijos desde Asyut. ¡Esta noche tendremos la casa llena!

–Tía, yo tengo que salir un momento. ¿Quieres encargarte de Muhammad? Están todos tan ocupados que temo que se olviden de él.

Nefissa se sentó en la cama y acomodó al chiquillo sobre su regazo.

–Lo haré con sumo gusto –dijo, sacándose un caramelo del bolsillo para dárselo al niño.

Al ver que a Yasmina se le caía el bolso al suelo y observar que ésta se agachaba a recogerlo con trémulas manos, Nefissa se fijó en algo que le había pasado inadvertido en el momento de la llegada de su sobrina: la muchacha estaba tremendamente alterada.

–Si los Visitantes de la Noche te dan tanto miedo –dijo Nefissa–, ¿no sería mejor que no salieras y te quedaras en casa?

–Es una cita que no puede esperar, tía.

A Nefissa le picó la curiosidad.

–¿Qué...? –fue a preguntar.

Pero Yasmina ya había abandonado la estancia.

Cuando el pequeño Muhammad empezó a agitarse en su regazo, Nefissa dejó al chiquillo de tres años en el suelo y se dispuso a deshacer el equipaje de su sobrina. Empezó por la maleta que estaba abierta sobre la cama, sacando los camisones y la ropa interior cuidadosamente doblada. Al sacar el neceser del aseo de Yasmina, éste se abrió y su contenido se esparció por la colcha. Mientras lo recogía, Nefissa encontró algo que, al principio, la dejó perpleja. Al ver que se trataba de un dispositivo intrauterino, se quedó de una pieza.

¿Control de la natalidad? Ahora comprendía por qué no habían nacido más niños después de Muhammad. Seguro que Omar no lo sabía.

Mientras terminaba de guardarlo todo en la bolsa, vio que una barra de labios había caído al suelo. Al agacharse para recogerla, encontró un trozo de papel que se había caído del bolso de Yasmina. En él figuraba escrita una dirección con la temblorosa caligrafía de su sobrina.

–¿Cómo has dicho? –preguntó Ibrahim, acercándose un poco más a Hassan.

–He dicho que quiero a Yasmina. Si me la entregas, borraré el nombre de tu familia de la lista.

–¡Cómo te atreves!

–¡Es mía! Me la prometiste y después quebrantaste la promesa, demostrando con ello que no eres un hombre de honor. Aquel día, tú y yo dejamos de ser hermanos. Pero no tenemos por qué ser enemigos. Dile a Yasmina que me haga una visita y entonces podremos...

–Vete al infierno.

–No pensé que fueras tan terco. Al fin y al cabo, está en juego el bienestar de tu familia.

Las manos de Ibrahim se cerraron en puño.

–Y nosotros lucharemos contra ti como una familia unida. Me acusas de carecer de honor. Eso significa que no me conoces, pues antes preferiría ver a mi familia en la calle que perder el honor. No puedes causarnos daño, Hassan.

–Recuerda, amigo mío, que ya cumpliste condena en la cárcel... por delitos contra el pueblo egipcio.

–Como se te ocurra tocar a mi hija...

Hassan soltó una carcajada.

–Recuerdo cuando éramos más jóvenes, Ibrahim, y tú me dabas la tabarra, diciendo que ibas a hacer eso o aquello y que te enfrentarías a tu padre en caso de que él se opusiera. Y después yo te veía, casi un hombre hecho y derecho, de pie delante de él con la cabeza inclinada y musitando «Sí, señor» como un colegial castigado. No te engañes, amigo mío. Más tarde te arrepentirías.

–Sí, en mi vida he hecho muchas cosas de las que ahora me arrepiento –dijo Ibrahim, asombrándose de que pudiera hacer semejante confesión en aquellos momentos y más todavía de que lo dijera en serio y supiera claramente cuáles eran aquellas cosas... por ejemplo, añadir un secreto afrodisíaco a las bebidas de Alice–. Fueron acciones de un hombre débil de las que no estoy orgulloso –añadió–. Pero ya no me siento débil. Has mencionado a mi padre. Era un hombre fuerte y, a su lado, yo me sentía débil. Pero ahora mi padre está junto a Alá y yo estoy solo. Tengo que luchar contra ti y pienso hacerlo.

Se adelantó un poco más y, acercando el rostro al de Hassan, percibió el conocido aroma de la colonia de su amigo y recordó los tiempos de Oxford en que ambos eran como hermanos.

–Apártate de mi familia –dijo en tono siniestro–, apártate de Yasmina o te juro que lo vas a lamentar.

–¿Amenazas, Ibrahim? –preguntó Hassan, curvando los labios en una sonrisa–. Aquí el que tiene el poder soy yo, no tú. Recuerda que una vez te metí en la cárcel.

–No lo he olvidado –musitó Ibrahim.

–Según tu ficha, te... interrogaron, ¿no es cierto?

Ibrahim apretó las mandíbulas.

–No estarás provocándome ahora para que nos peleemos aquí mismo, ¿verdad?

–Yo no quiero peleas. Quiero a Yasmina.

–Nunca la tendrás.

Hassan se encogió de hombros.

–De la manera que sea, será mía. Y tú te vas a enterar de una vez por todas que conmigo no se juega ni se conciertan contratos para romperlos después. Me has humillado, Ibrahim, y ahora yo voy a hacer lo mismo contigo.

Cuando el taxi de Yasmina se detuvo delante de la casa que se levantaba junto al Camino de las Pirámides, bien separada de la carretera por el inmenso jardín que la rodeaba, la joven no vio el taxi que acababa de ponerse en marcha ni el pasajero que iba dentro y que no era otro que su padre. Estaba totalmente concentrada en el propósito de su visita y en lo que le iba a decir a Hassan. Mientras seguía el camino bordeado de árboles y arbustos y aparecía ante sus ojos la soberbia mansión, se sintió repentinamente confusa. ¿Por qué se comportaba tío Hassan de aquella manera? Cuando Jamal pronunció su nombre la víspera en el consultorio de su padre, creyó que debía de tratarse de un error. Sin embargo, al ver la expresión del rostro de su padre, pensó: «¿Y si fuera cierto?».

Al llegar a la impresionante puerta labrada, su determinación empezó a flaquear. No podía ser cierto. Tío Hassan no podía haber obrado de aquella manera. Y sin embargo...

Llevaba cuatro años sin aparecer por la casa. No había asistido a su boda, ni a la fiesta de cumpleaños de Camelia, ni a la ceremonia de graduación de Zacarías. Para ser un íntimo amigo de su padre, digno de ser llamado «tío» por sus hijos, Hassan al-Sabir había estado curiosamente ausente de sus vidas.

Al final, respiró hondo y llamó a la puerta. Momentos después, siguió a un criado hasta un salón que parecía un museo. Allí estaba Hassan, sentado en un sofá. Cuando éste se levantó, Yasmina pensó que era la primera vez que se encontraba a solas con él.

–Mi querida Yasmina –dijo, saludándola con las manos extendidas–. Vaya, vaya, qué agradable sorpresa. Has crecido. Ahora eres una mujer –Hassan juntó las manos y esbozó una sonrisa–. Bienvenida y que la paz de Alá esté contigo.

–Que la paz y las bendiciones de Alá estén contigo, tío Hassan.

La sonrisa de Hassan se ensanchó.

–O sea que sigo siendo tu tío, ¿verdad? Siéntate, por favor.

Yasmina contempló el sofá de cuero cubierto de pieles de leopardo y todos los demás objetos que llenaban la estancia.

–Como puedes ver, querida, últimamente me van muy bien las cosas.

Los ojos de Yasmina se posaron en una fotografía enmarcada que había sobre la repisa de la chimenea... la fotografía de dos sonrientes jóvenes con pantalones de polo de franela, apoyados el uno en el otro.

–Somos tu padre y yo en Oxford hace mucho tiempo –dijo Hassan, acercándose a ella–. Aquel día había ganado nuestro equipo. Fue uno de los mejores días de mi vida.

–Tío Hassan, he venido para hablar contigo sobre mi padre.

–Mi período de estudios hubiera sido muy solitario de no haber sido por tu padre –dijo Hassan en voz baja–. Porque yo estaba solo en el mundo, ¿comprendes? Mi padre acababa de morir, mi madre había muerto unos años antes y no tenía hermanos ni hermanas. De no haber sido por la amistad de Ibrahim Rashid, me hubiera sentido muy desgraciado –mirando a Yasmina, añadió–: Yo quería mucho a tu padre... más de lo que él pensaba, creo.

Yasmina vio que se le humedecían los ojos y le pareció que la expresión de su rostro se suavizaba.

–Tío Hassan, ¿sabes por qué he venido a verte?

–Primero, dame noticias sobre tu familia –dijo Hassan, acomodándose en el sofá e indicándole por señas a Yasmina que se sentara a su lado–. ¿Cómo están todos? Cuéntame cómo se ha tomado tu abuela las desventuras de los Misrahi –dijo, acercándose un poco más a ella en el sofá.

–¿Los Misrahi? *Umma* está muy disgustada, por supuesto. Todos lo estamos. Pero ¿por qué...?

–Tengo entendido que ha estado yendo de un lado a otro como una gallina decapitada, tratando de arreglar las cosas.

Yasmina frunció el ceño.

–¿Cómo dices?

–¿No sabes que yo siempre he llamado a tu abuela en privado «el dragón»? Nunca me ha apreciado. Desde el primer día en que Ibrahim me llevó a vuestra casa a la vuelta de Oxford. Fue mucho antes de que tú nacieras, mi preciosa Yasmina –Hassan tomó un mechón de su rubio cabello y lo deslizó entre sus dedos–. Lo vi en sus ojos cuando tu padre me presentó a ella. Sonreía, pero, de pronto, se puso muy seria. Sin ningún motivo, mi pequeña *Mishmish*. ¿Sabes que yo quería casarme contigo? Tu padre y yo llegamos a firmar incluso el contrato de compromiso. Pero el dragón obligó a Ibrahim a romperlo porque, a su juicio, yo no era bastante bueno para ti.

Yasmina se levantó rápidamente, casi tropezando con la alfombra de piel de cebra.

–Tío Hassan, anoche me enteré de una cosa que no puedo creer. Es sobre los Visitantes de la Noche y una cierta lista de nombres.

–Sí, la lista. ¿Qué pasa?

–Me han dicho que mi familia figura en ella.

–¿Y qué?

–Tío Hassan, ¿tú tienes algo que ver con los Visitantes de la Noche?

–Por supuesto que sí, mi dulce *Mishmish*. Los Zuwwar al-Fagr actúan a las órdenes directas del ministro de Defensa, Hakim Amer, y yo soy la mano derecha del ministro. Por consiguiente, lo que ellos hacen es el resultado de mis órdenes. De hecho, yo fui el responsable de la busca y captura de los Misrahi y de la confiscación de su apartamento. Yo envié a los soldados allí.

–¿Tú? Pero ¿por qué? ¿Qué habían hecho?

–Nada, eran absolutamente inocentes. Los utilicé como cebo, por así decirlo.

–¿Qué significa como cebo?

–Quiero una cosa y ésta es mi manera de conseguirla. Yo fui quien añadió el nombre de los Rashid a la lista. Obedeciendo mis órdenes, los soldados visitarán vuestra casa de la calle de las Vírgenes del Paraíso y te aseguro que harán un registro muy exhaustivo, se lo llevarán todo y confiscarán la casa. Tu abuela y todos los demás se quedarán en la calle. A no ser que consiga lo que quiero, claro.

Yasmina se echó a temblar.

–¿Y qué es?

–Tú, por supuesto –Hassan se levantó y se acercó a ella–. Puedo borrar el nombre de los Rashid de la lista. Puedo proteger vuestra casa de los Visitantes de la Noche. Pero eso exigirá cierto pago por tu parte. Aquí y ahora.

Yasmina le miró aterrada.

–La culpa la tiene tu padre, Yasmina; él fue quien destruyó nuestra amistad casándote con Omar en lugar de casarte conmigo. He estado esperando todo este tiempo para vengarme. Y ahora me vengaré a través de ti. Tu padre no podrá impedírmelo: esta vez, serás mía.

Yasmina se rodeó el tronco con los brazos.

–¿Y si me niego a colaborar?

–En tal caso, enviaré a los soldados a la calle de las Vírgenes del Paraíso. Y te aseguro que no se salvará nadie.

–No te daré lo que quieres.

–Vaya si me lo darás –Hassan alargó la mano y la atrajo hacia sí. Cuando ella intentó rechazarle, la asió por ambas muñecas con una mano y con la otra le desgarró la blusa–. Y no se lo dirás a nadie –murmuró, tratando de introducir la mano bajo su sujetador.

Yasmina se libró de su presa y cruzó a toda prisa la estancia tropezando con una mesa y provocando la caída y rotura de un jarrón en el suelo. Hassan la alcanzó, la obligó a volverse y la inmovilizó contra la pared.

–Al fin y al cabo –dijo–, en estos casos es el honor de la mujer el que se mancha, no el del hombre. Recuerda que has venido aquí por tu libre voluntad. Harás todo lo que yo te diga y yo lo pasaré muy bien. ¿Quién sabe? Puede que tú también te diviertas.

En la carretera, Nefissa detuvo el automóvil en el mismo lugar en el que había visto a Yasmina apearse de un taxi. La acompañaba el pequeño Muhammad, con quien había salido a tomar un helado. Después, la curiosidad la condujo hasta la dirección que figuraba en el papelito que se le había caído a Yasmina del bolso. Contempló por un instante la mansión protegida por los árboles y, al ver a una mujer barriendo el camino que llevaba a la casa, bajó la luna de la ventanilla y la llamó:

–La paz de Alá sea contigo, madre. ¿Puedes decirme quién vive en esta casa?

–Alá te guarde, *sayyida*, aquí vive Hassan al-Sabir –contestó la mujer en voz baja–, un hombre muy poderoso.

¡Hassan al-Sabir!

Pero ¿qué demonios podía estar haciendo Yasmina con aquel desalmado?

24

El público que abarrotaba la sala de fiestas Cage d'Or se puso en pie y empezó a gritar:

–*Y'allah*! ¡Camelia! ¡Dahiba!

Había llegado el momento de la actuación en solitario de Dahiba al son del tamboril, por lo que Camelia se despidió lanzando besos al público antes de abandonar el escenario. Aunque ya estaban en otoño, la noche era muy templada y ella estaba deseando quitarse la sencilla *galabeya* blanca de algodón con el pañuelo anudado alrededor de las caderas. De conformidad con la nueva atmósfera de austeridad del nuevo Egipto de Nasser, Camelia y Dahiba, como todas las demás artistas de El Cairo, habían prescindido de sus fastuosos trajes de lentejuelas y habían modificado las coreografías para ofrecer al público más *beledi* y más danzas folklóricas y menos bailes espectaculares de tipo oriental. Pero, a pesar de tales limitaciones, el numeroso público seguía mostrándose tan entusiasta como antes.

Entre bastidores, Camelia encontró a Yasmina esperándola. Como ambas hermanas se habían visto muy poco en los últimos meses, Camelia se asustó al ver las ojeras que rodeaban los azules ojos de Yasmina y se alarmó al ver que ésta no llevaba consigo a su hijo; Muhammad iba a todas partes con su madre. Pese a su aspecto, Yasmina sonrió, abrazó a su hermana y le dijo que cada día bailaba mejor.

–¿Has visto esto, Lili? ¡Léelo!

Camelia leyó en voz alta la reseña del periódico que Yasmina había marcado con un círculo:

–«La encantadora Camelia, nueva en el ambiente de las salas de fiestas de El Cairo, es una danzarina de extraordinaria clase cuyo cuerpo posee la elasticidad de una serpiente, la gracia de una gacela y la belleza de una mariposa. El que suscribe predice que algún día Camelia llegará a superar incluso a la gran Dahiba, su maestra.»

La reseña la había escrito un tal Yacob Mansur, de quien Camelia jamás había oído hablar.

–Está enamorado de ti, Lili –dijo Yasmina, riéndose–. ¡Tienes un admirador secreto!

Camelia tenía varios admiradores, hombres que se habían interesado por la protegida de la esposa de Hakim Rauf y que a veces le enviaban flores y notas al camerino. Pero la joven Camelia, de veintiún años, no quería enamorarse de nadie. Quería entregarse por entero a la tarea de convertirse en la danzarina más grande que Egipto jamás hubiera conocido, por cuyo motivo un marido o un amante no figuraban en sus planes. Se había convencido incluso de que no lamentaba la pérdida del apuesto censor del gobierno, el cual ya se había casado y tenía un hijo.

Cuando Camelia vio las sombras que rodeaban la sonrisa de Yasmina y el temblor de sus manos, se la llevó a su camerino, pidió por teléfono que les sirvieran un té y después le preguntó a su hermana:

–¿Qué ocurre, *Mishmish*? Pareces cansada.

–No es nada. Es que... le estoy dando vueltas a una cosa en la cabeza.

–Abarcas demasiado –dijo Camelia recogiéndose el largo cabello hacia arriba y empezando a quitarse el maquillaje–. Ser madre de Muhammad, estudiar en la universidad, trabajar como enfermera en el consultorio de papá. ¡Menos mal que, encima, no tienes que cuidar al marido! –al ver la afligida expresión de su hermana a través del espejo, Camelia se volvió.

–*Mishmish*, sé que ocurre algo. Dímelo, por favor.

–No sé cómo decírtelo, Lili –contestó Yasmina en un susurro–. Ha ocurrido una cosa horrible.

–¿De qué estás hablando?

–He hecho una cosa, no, lo que quiero decir es que me pasó una cosa al día siguiente de la muerte de Suleiman Misrahi. No se lo he dicho a nadie, ni siquiera a mamá. No hay nadie en quien pueda confiar, Lili, excepto tú. Y ni siquiera sé cómo decírtelo.

–Dímelo sin más, tal como hacíamos cuando éramos pequeñas. Entonces no teníamos secretos, ¿verdad?

–Camelia, estoy embarazada.

Camelia experimentó la punzada de envidia que siempre sentía cuando una amiga o una parienta le anunciaba su embarazo, pues ella jamás podría tener aquella dicha, pero en seguida le remordió la conciencia.

–¡Pero eso es maravilloso!

–No, Lili, no es maravilloso. Tú sabes que yo practicaba el control de la natalidad. Omar no lo sabe, nadie lo sabe. Sólo tú.

–Bueno, ningún método anticonceptivo es totalmente seguro, Yasmina. Pueden producirse errores. Sé que quieres matricularte en la facultad de Medicina. Eso significa que tendrás que aplazarlo un poco.

–No lo entiendes, Lili. El hijo no es de Omar.

El estruendo de los aplausos les llegó a través de los delgados tabiques del camerino mientras se oían unas presurosas pisadas al otro lado de la puerta. Camelia se levantó, giró la llave en la cerradura y volvió a sentarse.

–Si no es de Omar, ¿de quién es el niño?

Yasmina le refirió a su hermana la visita de Jamal Rashid al consultorio, sus advertencias sobre el peligro que se cernía sobre ellos y la revelación de la identidad de la persona que había incluido el nombre de la familia Rashid en la lista de los Visitantes de la Noche.

–Fui a su casa, pensando: «¡No puede ser tío Hassan!». Pero él me confesó que sí y dijo que lo había hecho porque me quería a mí, porque me habían comprometido en matrimonio con él, pero después papá rompió el contrato.

–Santo cielo –musitó Camelia–. Eso es imposible, Yasmina. ¿Qué ocurrió a continuación?

–Cuando comprendí la locura que había cometido, me quise ir; entonces Hassan me agarró, y yo intenté defenderme, pero él fue más fuerte.

Camelia cerró los ojos murmurando:

–Ojalá arda en el infierno. ¡Pobre Yasmina! ¿Y no se lo has dicho a nadie?

Yasmina sacudió la cabeza.

–Tío Hassan... –dijo Camelia sin poder creerlo–. ¡Y pensar que yo lo adoraba cuando era pequeña! ¡Incluso soñaba con casarme con él! ¡Y ahora descubro que es el hijo del mismísimo Satanás!

–Y yo estoy embarazada de un hijo suyo.

–Escúchame, Yasmina, no debes decírselo a nadie. Te juzgarían con mucha dureza. Recuerda a la pobre tía Fátima cuyo nombre no podíamos pronunciar. No sabemos lo que hizo, pero el abuelo Alí jamás la perdonó. La echó de casa y ni siquiera su hermano y su hermana hablan de ella.

–Y a mí me van a tratar igual.

–No te quepa ninguna duda, Yasmina. ¿Qué otra cosa podrías esperar? Fuiste por tu cuenta a la casa de un hombre, lo peor que puede hacer una mujer. Hassan no te obligó a entrar en su casa.

–Fui allí sólo para hablar con él, Lili. Y él me forzó.

–Tú eres la víctima, Yasmina, pero serás castigada de todos modos. Así son las cosas. Escucha, Omar creerá que el hijo es suyo. Es tan presumido que la vanidad le impedirá ver que el niño no se parece para nada a él. Y todo el mundo creerá que el hijo es suyo. ¿Por qué motivo iba a pensar otra cosa? No debemos decirle a nadie la verdad, *Mishmish*. Tú estarías perdida y la familia quedaría destrozada. Por el bien de todos, pero especialmente por el tuyo, tú y yo guardaremos este secreto.

–Hablas como *Umma* –dijo Yasmina, lanzando un suspiro.

–Puede que ella te hubiera dicho lo mismo si le hubieras confesado lo ocurrido. Mira, después de la cena, iré a visitar a unos amigos. Quiero que me acompañes. No menees la cabeza. Tú apenas sales y mis amigos son personas extremadamente simpáticas y respetables. Vas a tener un hijo precioso y yo me encargaré de que te olvides de todo lo que pueda guardar relación con Hassan al-Sabir.

Aquella noche, tendida en su cama mientras la luna de la cálida noche otoñal derramaba su luz sobre la colcha de raso, a Camelia le pareció oír de nuevo la voz de Yasmina diciéndole: «Hablas como *Umma*». Y se sorprendió de que *Umma* tuviera en cierto modo razón. A veces, los secretos eran necesarios para preservar el honor de la familia.

«California es un lugar tan extraño que a veces me pregunto si lograré aclimatarme –había escrito Maryam–. Sin embargo, ¡qué extraño y maravilloso resulta acudir a una sinagoga tan llena de gente! A Suleiman le hubiera encantado verlo. Mi corazón está en Egipto contigo, hermana mía, y con Suleiman.»

Amira tomó la carta que Zubaida le acababa de leer y contempló la caligrafía. Aunque no podía leer las palabras, sentía el espíritu de Maryam en la tinta y el papel y ello la consolaba en medio de sus presentes tribulaciones.

Los Visitantes de la Noche aún no se habían abatido sobre la casa de los Rashid, pero la familia estaba preparada: en el salón no había ningún objeto de valor, las mujeres no lucían joyas ni prendas caras y la comida que se servía desde la cocina estaba integrada por las humildes recetas del campo que elaboraba Sahra. Pero todos dormían mal y, cada vez que alguien llamaba a la puerta, experimentaban un sobresalto.

Amira dobló cuidadosamente la carta de Maryam, se la guardó en el bolsillo y, al levantar la vista, se sorprendió al ver a Camelia en el salón.

–¿*Umma*? –dijo la muchacha.

–¡Nieta de mi corazón! ¡Alabado sea Alá!

–¡Oh, *Umma*! ¡Temía que no quisieras verme! ¡Te pido perdón por las cosas que te dije!

Amira sonrió entre lágrimas.

–¡Tenías dieciocho años y no sabías nada, como todos los jóvenes de dieciocho años! Has crecido y estás muy guapa.

–Ahora soy una danzarina, *Umma*.

–Sí –dijo Amira–. Me lo ha dicho Yasmina.

–¡Es una actividad muy respetable, *Umma*! Llevo una *galabeya* muy bonita de manga larga y, cuando bailo el *beledi*, ¡tendrías que ver el entusiasmo de la gente!

—En tal caso, me alegro porque Alá ha encontrado un lugar para ti. Tal vez, en su infinita misericordia, lo que te quitó con una mano te lo dio con la otra. Procura hacer feliz a la gente y alegrar sus corazones, porque ése es el precioso regalo que te ha hecho Alá.

—Quiero presentarte a Dahiba, mi profesora.

—¿La mujer con quien has estado viviendo?

—Dahiba es una persona muy respetable, *Umma*. ¿Has visto sus películas?

—Una vez tu abuelo me llevó al cine. Entonces había unas secciones especiales, unos balcones con celosías donde las mujeres podían sentarse sin ser vistas. Alí se sentó en el patio de butacas con los hombres y yo me senté en un balcón con su madre, su primera esposa, que entonces estaba bastante enferma, y sus dos hermanas. Recuerdo que la película giraba en torno a un adulterio y yo me escandalicé. No, no he visto las películas de Dahiba.

—Quiero presentártela, *Umma*. Ven conmigo, te enseñaré dónde vivo. ¡Te va a gustar, estoy segura!

Como todos los ricos de El Cairo, Dahiba y su marido Hakim Rauf habían cambiado su estilo de vida y ya no exhibían su opulencia. Aunque Rauf tenía amigos en el gobierno y Dahiba era muy apreciada por los miembros del gabinete del presidente, se sentían inseguros... como todo el mundo. Dahiba había guardado sus joyas y pieles y Rauf había despedido al chófer. Él mismo conducía el Chevrolet y Dahiba se desplazaba al club Cage d'Or como una ciudadana corriente.

Ambos estaban sentados en el salón estudiando unos guiones cinematográficos mientras tomaban café y comían unas naranjas cuando Camelia irrumpió en la estancia.

—¡Os quiero presentar a una persona!

—*Al hamdu lillah*! —exclamó Rauf—. ¿Será el presidente Nasser? Camelia se echó a reír.

—No, tonto. Es mi abuela. Está esperando en el vestíbulo.

Rauf se puso muy serio e intercambió una mirada con Dahiba.

—Cariño —dijo Dahiba, levantándose del sofá—, no me parece muy buena idea. Tu abuela no me tiene simpatía, tú misma me lo has dicho.

—¡Sí, pero hemos mantenido una larga conversación y dice que quiere conocerte! Tú sabes lo mucho que yo deseaba hacer las paces con *Umma*. Es por lo de Yasmina... Algo que me dijo Yasmina la otra noche en el club me indujo a ir a ver a *Umma*. ¡Me recibió con mucha alegría! Puede que, en su fuero interno, no apruebe el oficio de danzarina, pero, por favor, dale una oportunidad. Significa mucho para mí.

Dahiba miró a su marido y éste se levantó rápidamente diciendo:

–Me necesitan en los estudios. Saldré por la cocina.

–Debo advertirte de que mi abuela es muy anticuada –dijo Camelia–. No va al cine ni a las salas de fiestas y, por consiguiente, jamás ha oído hablar de ti. Espero que no te ofendas por eso –la joven se dirigió al vestíbulo y regresó, sosteniendo la puerta para que pasara Amira–. Dahiba –dijo–, tengo el honor de presentarte a mi abuela. *Umma*, te presento a mi profesora Dahiba.

Se produjo un instante de silencio turbado tan sólo por el rumor del tráfico de El Cairo en la calle de abajo. Después esbozando una triste sonrisa, Dahiba dijo en voz baja:

–Bienvenida a mi casa. La paz y la misericordia de Alá sean contigo.

Amira permaneció de pie como una estatua sin decir nada.

–¿No querrás por lo menos saludarme, madre?

Amira se volvió, miró a Camelia y, sin una palabra, se retiró.

–¡Espera! –gritó Camelia, corriendo tras ella–. ¡*Umma*, no te vayas!

–Deja que se vaya, nena –dijo Dahiba–. Deja que se vaya.

–No lo entiendo. ¿Por qué se ha ido? ¿Qué ha pasado?

–Ven y siéntate...

–¿Por qué la has llamado madre?

–Porque Amira es mi madre. Mi verdadero nombre es Fátima Rashid y soy tu tía.

La luz de noviembre se filtraba a través de las cortinas de gasa del salón cuando una humeante tetera llenó el aire con el aroma del té de menta. Dahiba sirvió primero a Camelia y después llenó su taza, se reclinó contra el respaldo del sofá y sostuvo la taza en la mano antes de empezar a hablar.

–¿Estás enfadada conmigo por no habértelo dicho? –preguntó.

–No lo sé. Estoy confusa. Me dijiste que tus padres habían muerto en un accidente fluvial.

–Me lo inventé. Jamás le he dicho a nadie, excepto a Hakim, quiénes fueron mis verdaderos padres. Y a ti tampoco te lo he dicho, Camelia, porque no sabía qué te hubiera dicho mi madre sobre su hija proscrita. Temía que no quisieras bailar conmigo si supieras quién era yo realmente.

–Pero ¿cómo es posible que nadie de la familia te haya descubierto? ¡Seguro que alguien tiene que haberte visto en alguna sala de fiesta o en el cine!

–Yo era muy joven cuando mi padre me sacó de casa. Con el

tiempo me hice famosa y, cuando empecé a hacer películas, mi físico había cambiado y madurado y el maquillaje alteraba mi apariencia. Además, nadie me buscaba en los escenarios o en el cine. Una vez me tropecé con Maryam Misrahi. Yo salía del salón de baile del Hilton y ella estaba en la floristería del vestíbulo. No sé si me reconoció o no y no sé si se dio cuenta de que yo era la danzarina que se anunciaba en el cartel del exterior. Pensé que se acercaría a decirme algo, pero no lo hizo.

–¿Qué ocurrió? –preguntó Camelia, posando la taza e inclinándose hacia delante–. *Umma* jamás nos habló de ti ni nos dijo por qué motivo te fuiste de la familia.

Dahiba se acercó a la ventana y contempló las sombras del crepúsculo cerniéndose sobre la calle de abajo. Un hombre vestido con una pringosa *galabeya* estaba empujando un carrito lleno de sandalias de plástico.

–Yo tenía apenas diecisiete años –dijo en voz baja–, la misma edad que tú tenías cuando saliste al escenario y bailaste conmigo aquella noche –Dahiba encendió un cigarrillo y arrojó una nube de humo hacia la luz del ocaso–. Yo era la preferida de mi madre y ella se esforzó mucho en buscarme el mejor partido... un acaudalado bajá con quien estábamos lejanamente emparentados. Eso fue en 1939, cuando yo tenía quince años. La noche de nuestra boda no hubo sangre. Mi madre me preguntó si había estado con un chico, pero, al decirle yo que me había caído y me había manchado la falda de sangre, comprendió lo ocurrido. Yo era todavía virgen, pero, como tú, ya no podía casarme.

Camelia emitió un jadeo.

–¡Por eso me dijiste que regresara corriendo a casa y le contara a *Umma* que me había caído en la escalera!

–Sabía que ella te querría reconstruir el himen. Entonces también hacían esta operación y mi madre quería que me sometiera a ella. Pero mi padre, es decir, tu abuelo Alí, dijo que no, que eso sería una mentira y, por consiguiente, no le parecía decoroso. No dejaba pasar un solo día sin manifestarme su decepción. Mi sola presencia arrojaba una sombra sobre la casa. Aunque mi madre se mostraba amable y trataba de comprenderlo, yo me rebelé. Pensé que la sociedad no era justa porque convertía en víctimas a los inocentes y castigaba a las víctimas.

»Empecé a salir sin velo e hice amistad con una danzarina que me llevó a peligrosos y emocionantes lugares... los cafés de la calle de Muhammad Alí. Allí, entre las danzarinas y los músicos, conocí a Hosni –explicó Dahiba, lanzando un suspiro–, un hombre diabólico que no tenía ni un céntimo, pero que era muy guapo y seductor. Hosni era un tamborilero que, como todos los músicos de la calle de Muhammad Alí, frecuentaba el café a la espera de que le ofrecieran algún trabajo. Al verme bailar una noche, se le ocurrió que podríamos formar pareja. Se casó conmigo y dijo que me quería. Alquilamos un pequeño apartamento y pasábamos los días y las noches en el café con otros músicos y danzarinas a la espera de que alguien nos contratara para bodas y fiestas. Mi padre se puso furioso, naturalmente. Para él las danzarinas eran unas prostitutas y por eso me desheredó. No me importó. Hosni y yo ocupábamos el último peldaño de la escala social y la gente nos miraba por encima del hombro, pero nosotros éramos inmensamente felices.

»Después... cuando llevábamos casi un año casados, me tropecé con una danzarina amiga mía en el Jjan Jalili, donde me estaban confeccionando un traje. Me preguntó qué tal estaba y si era feliz. Al replicar yo que por qué no iba a ser feliz, me contestó que suponía que debía de estar muy afligida porque Hosni me había repudiado. Me quedé de una pieza porque no sabía nada, pero, por lo visto, él había pronunciado tres veces la frase «Yo te repudio» en presencia de testigos. Se había divorciado legalmente de mí, me había dejado sola y sin dinero y ni siquiera me había dicho que ya no estaba casada con él. Jamás volví a verle.

–Pero ¿por qué te repudió si erais tan felices juntos? –preguntó Camelia.

–Camelia, cariño, a un hombre sólo le interesa una mujer cuando no puede tenerla. En cuanto la posee, pierde todo interés; por consiguiente, la única manera para que una mujer retenga a su marido consiste en tener un hijo. Todo el mundo sabe que un hombre no tiene por qué amar necesariamente a su mujer; sin embargo, siempre amará a sus hijos. Hosni me repudió porque no me quedé embarazada. Yo era una afrenta a su virilidad.

–¿Qué hiciste entonces?

–Como no podía volver a la calle de las Vírgenes del Paraíso, intenté ganarme la vida por mi cuenta como danzarina. Lo pasé muy mal durante algún tiempo, Camelia. No entraré en detalles, pero hice ciertas cosas de las que me avergonzaba. Un día Hakim Rauf me vio en el cortejo *zeffa* de una boda y dijo que quería que interpretara una de sus películas. Al cabo de algún tiempo, se enamoró de mí y, aunque yo le dije que no era probable que pudiera tener hijos, se casó conmigo.

–Tío Hakim es un hombre maravilloso.

–Más de lo que tú te imaginas –Dahiba se acercó al aparador donde guardaba la plata y la ropa blanca, abrió un cajón especial y sacó un viejo cuaderno de apuntes–. Aparte la danza –añadió entregándole el cuaderno a Camelia–, también escribo poesía. Casi todos los hombres se pondrían furiosos si se enteraran de que sus mujeres escriben estas cosas; en cambio, Hakim me anima a hacerlo. Incluso espera que algún día pueda publicar mi obra.

Camelia abrió el cuaderno y pasó las amarillentas páginas. Llegó a un poema titulado «La sentencia de la mujer» y leyó:

El día en que nací
Me condenaron.

No conocía a mis acusadores.
No vi al juez.

El veredicto me cayó encima
Cuando aspiré la primera bocanada de aire.
Mujer.

Camelia siguió leyendo aquellos poemas rebosantes de amargura y decepción sobre el voraz dominio de los hombres, las injustas leyes de Alá y la ciega ignorancia de la sociedad. El último de ellos decía:

Alá promete a los creyentes las Vírgenes del Paraíso.
No serán para mí cuando muera.
Sino para mi padre.
Mis hermanos.
Mis tíos.
Mis sobrinos.
Mis hijos.
Ninguna virgen me espera en el Paraíso.

–Cuando saliste al escenario aquella noche, me pareció ver en ti un aire familiar –dijo Dahiba–. Y, cuando me dijiste cómo te llamabas, ¡no sabes la extraña sensación que experimenté! Allí estabas tú, la hija de mi hermano, con los mismos ojos y la misma boca de Amira. Tuve que hacer un gran esfuerzo para reprimir mi emoción aquella noche. Hubiera querido abrazarte y besarte... porque tú eras mi única familia. Pero temía que escaparas a causa de las horribles historias que tal vez la familia te había contado.

Camelia sacudió la cabeza, extrañada.

–Jamás pronunciaban tu nombre y todas tus fotografías habían sido arrancadas del álbum.

Dahiba asintió.

–Por eso ninguno de los miembros más jóvenes de la familia me podía reconocer. Incluso Ibrahim y Nefissa deben de tener unos recuerdos muy vagos de mí.

–Debió de ser horrible para ti.

–Lo fue hasta que encontré a Hakim. Ser expulsada de la familia, sobre todo de una familia tan numerosa como la de los Rashid, y ser tratada como si hubieras muerto... es una cosa tremenda, Camelia. Muchas veces al principio, antes de conocer a Hakim, deseé sinceramente morir –Dahiba regresó al sofá y apagó el cigarrillo–. O sea que ahora *Umma* sale de casa. Jamás pensé que lo hiciera.

–Creo que la primera vez fue cuando papá estuvo en la cárcel. Nadie sabe adónde fue...

–¿Ibrahim en la cárcel? ¡Hay tantas cosas que yo no sé! Cuéntame, ¿naciste en la gran cama de cuatro pilares de tu abuela? Yo también; todos hemos nacido allí desde el siglo pasado. ¡*Bismillah*, cuánta historia encierra aquella casa! ¡La de cosas que yo podría contarte! –Dahiba se rió de repente–. Recuerdo la fuente turca en la que una noche se bañó tío Salah. ¡Había fumado demasiado hachís, se quitó toda la ropa y dijo que era un pez! ¿La escalinata tiene todavía aquella gran barandilla curvada? Tu padre, Nefissa y yo solíamos deslizarnos por ella por la mañana, ¡y no veas cómo se enfadaba *Umma*! Y después había en la planta baja un armario que crujía sin motivo. Nosotros, los niños, decíamos que estaba habitado por fantasmas.

–Pues mi hermano Zakki, Yasmina y yo también lo decíamos.

–Recuerdo el jardín con los papiros y los viejos olivos. ¿Sigue como siempre?

–Tía Alice lo ha cambiado. El jardín es ahora muy inglés, con claveles y peonías. Pero está precioso.

–¿En la cocina hay una mancha en la pared junto a la ventana sur, una mancha amarilla en forma de trompeta? La pusieron allí hace años, antes de que yo naciera, y ahora tengo cuarenta y dos. Aquella casa tan grande encierra tantas historias...

–¿Conociste a mi madre? Murió al darme a luz.

–No, lo siento, no la conocí.

–Tía... –dijo Camelia, adaptándose a la nueva relación–. ¿Por qué no haces las paces con *Umma*? ¿Por qué no vas a verla y se lo explicas todo?

–Mi querida niña, no hay nada que más desee en este mundo que reunirme con mi familia. Cuando me casé con Hosni, mi padre me dijo unas cosas tremendas y mi madre no salió en mi defensa. Yo era casi una niña y ella era una mujer adulta. Es ella la que debe dar el primer paso. ¡Oh, Camelia, hay tantas cosas que quiero contarte sobre la familia y tantas cosas que quiero preguntarte! Pero... –Dahiba frunció el ceño–. ¿Me vas a dejar ahora para regresar junto a tu abuela? No creo que te acepte en casa a menos que rompas por completo tu relación conmigo. Y, si te quedas conmigo, puede que jamás la vuelvas a ver a ella.

–Si ésa es la voluntad de Alá, que así sea –dijo Camelia–, me quedaré aquí. Tú eres mi tía, tú eres mi familia. Y yo nunca abandonaré la danza.

25

El tráfico en los alrededores del aeropuerto era caótico. Mientras trataba de abrirse paso con su Fiat, Nefissa se preguntó cuál debía ser la causa de todo aquel alboroto. La guerra estaba en boca de todos desde hacía varias semanas. Desde el ataque de Israel contra Siria en abril, Egipto se encontraba en estado de alerta militar. Como en los días de la Revolución, El Cairo estaba dominado una vez más por la inquietud y la gente se congregaba en los cafés alrededor de los aparatos de radio y compraba periódicos llenos de propaganda bélica. ¿Había declarado finalmente Israel la guerra a Egipto?, se preguntó Nefissa. Alargó la mano para encender la radio, pero en seguida cambió de idea. No quería pensar en la guerra en aquellos momentos; su hijo regresaba a casa aquel día y ella estaba deseando darle una maravillosa noticia.

Cuando consiguió llegar a la terminal, descubrió consternada que muchos vuelos habían sido anulados, dejando a los pasajeros en la estacada y provocando la irritación de las personas que, como ella, habían acudido allí para recibir a los pasajeros que llegaban. Mientras se abría paso entre la gente, rezó para que el vuelo de Omar desde Kuwait aún estuviera programado, antes de que se anularan por completo todos los vuelos comerciales. A juzgar por los comentarios que estaba oyendo a su alrededor, sus suposiciones eran ciertas: el presidente Nasser acababa de declarar el estado de emergencia y las tropas egipcias habían sido convocadas. El país estaba a punto de entrar en guerra.

Al ver la enorme cantidad de gente que se agolpaba junto a los mostradores de venta de billetes, Nefissa trató de hablar con uno de los empleados del aeropuerto, pero la estaban empujando por todas partes y su voz quedó ahogada por el griterío. Cuando vio la salida de la aduana de la que estaban emergiendo algunos pasajeros, procuró acercarse hasta allí en un intento de averiguar si era el vuelo de Kuwait en el que hubiera tenido que viajar su hijo Omar, convocado para el servicio militar de reserva. Mientras le buscaba, rozó con el brazo a un alto y apuesto hombre que llevaba un pasaporte diplomático y una gabardina inglesa. Sus ojos se cruzaron por un instante con los del hombre y ambos musitaron «Perdón» antes de seguir cada cual por su camino.

Sin embargo, Nefissa se detuvo y volvió la cabeza hasta que él desapareció entre la gente. Por un momento, le había recordado a... Sacudió la cabeza y siguió adelante.

Antes de alcanzar la salida del aeropuerto, el hombre de la gabardina se detuvo y se volvió también a mirar. La mujer con quien acababa de tropezar... sus ojos... le recordaban unos ojos de los que se había enamorado veintidós años atrás cuando era un joven teniente en El Cairo durante la guerra. Unos ojos que miraban por encima de un velo, oculto detrás de una celosía de *mashrabiya*. Habían pasado juntos una extraordinaria noche de amor en un antiguo harén...

Pero su automóvil y su chófer lo estaban aguardando, por cuyo motivo apuró el paso para acudir a su urgente cita diplomática.

Nefissa volvió a detenerse y miró hacia atrás, pero el hombre ya había sido engullido por la muchedumbre. ¿Sería posible? ¿Y si hubiera sido él? Aquellos ojos azules, aquella nariz tan recta... ¡jamás podría olvidarlos!

Estaba a punto de dar media vuelta y seguirle cuando oyó a través de los altavoces el anuncio de la llegada de los pasajeros del vuelo de Kuwait. Por un instante, Nefissa miró en la dirección que había tomado el desconocido, pero después sacudió la cabeza... ¡no era posible que fuera él!... Se volvió y se dirigió a toda prisa a la salida de la aduana.

Al ver a Omar, le saludó con la mano y le llamó. Apenas podía contener su emoción.

Ella hubiera querido comunicarle la noticia nada más abrazarle, pero aquel caótico aeropuerto no era el lugar más idóneo. Esperaría hasta que estuvieran acomodados en el automóvil, circulando los dos solos por la autopista. Escucharía los comentarios de Omar sobre su trabajo en los yacimientos petrolíferos de Kuwait y después le comunicaría su propia noticia, tal como mentalmente la había ensayado: «He decidido irme a vivir contigo y Yasmina. Una madre tiene que estar con su hijo y sus nietos; no está bien que siga viviendo en la calle de las Vírgenes del Paraíso, en la casa de mi madre. Merezco tener mi propia casa». Y a Omar le parecería muy bien, por supuesto. Él era quien había roto la tradición, yéndose a vivir con su flamante esposa a un apartamento. ¿Qué otra cosa podía hacer una madre? Era justo que llevara el gobierno de la casa de su hijo, tal como hacían todas las madres de El Cairo.

Ése era el sueño de Nefissa en aquellos momentos, cuidar de Omar y de Muhammad. Tras una breve relación con un profesor de la Universidad Americana y un insatisfactorio coqueteo con un hombre de negocios inglés, se había resignado a aceptar el hecho de que jamás volvería a vivir la idílica emoción de su noche de amor en un antiguo harén. Era inútil, pensó, que tratara de encontrar a su teniente inglés en otros hombres... ¡Ahora incluso le parecía verle en los aeropuertos! Por consiguiente, había decidido abandonar su sueño y sustituirlo por otro.

–Cuánto me alegro de que hayas vuelto a casa, hijo mío –dijo, acomodándose al lado de Omar mientras éste se sentaba al volante–. Tienes un empleo importante, pero te obliga a permanecer lejos demasiado tiempo.

–¿Están todos bien, madre? ¿Qué tal se encuentra Yasmina? El niño nacerá muy pronto, loado sea Alá.

Abandonaron los embotellamientos del aeropuerto y enfilaron la autopista del desierto, donde los tanques del ejército se estaban desplazando hacia el este, en dirección al Sinaí. Nefissa no hizo ningún comentario sobre Yasmina. Su sobrina era el único defecto de un plan que, de otro modo, hubiera sido perfecto.

Una vez tomada la decisión de abandonar la casa de su madre, donde ésta ocupaba el primer lugar, pensando que, a los cuarenta y dos años, merecía estar en su propia casa y tener una nuera que la ayudara, Nefissa había puesto en marcha su plan. Tras haber buscado y encontrado en El Cairo un apartamento más grande, había elegido la nueva vajilla y la plata que sustituirían las que usaban en aquellos momentos Omar y Yasmina y también los nuevos muebles, cortinajes e incluso cuadros de las paredes. Aunque había disfrutado mucho con el proyecto, el problema de Yasmina se cernía sobre él como una siniestra sombra.

Nefissa carecía de pruebas, pero sospechaba que la criatura que Yasmina llevaba en su vientre no era de su hijo Omar sino de Hassan al-Sabir. Al fin y al cabo, ella había encontrado un dispositivo anticonceptivo entre los artículos de aseo de Yasmina. Si Omar hubiera sabido que lo usaba, se hubiera extrañado de que Yasmina quedara embarazada; sin embargo, no se había extrañado. Tampoco se podía olvidar la misteriosa visita de Yasmina a la casa de Hassan. La muchacha había regresado a la calle de las Vírgenes del Paraíso dos horas más tarde, luciendo una blusa nueva, no la que llevaba al salir.

Nefissa se había guardado las sospechas para ella sola sin comentarlas con nadie. De haberlo hecho, pensó, sus planes de trasladarse a vivir con Omar probablemente se hubieran ido al garete. En caso de que su hijo se divorciara de Yasmina, lo más probable hubiera sido que regresara a la casa de la calle de las Vírgenes del Paraíso, que solía visitar entre viaje y viaje. Y entonces ella hubiera tenido que seguir viviendo bajo la sombra de Amira.

Nefissa quería tener su propia casa y una familia a la que gobernar. ¿Qué importaba lo del niño con tal de que se mantuviera en secreto? Puede que incluso fuera una ventaja, pensó Nefissa; podría decirle a Yasmina que conocía la verdad sobre el hijo y prometerle guardar el secreto siempre y cuando ella la reconociera como la cabeza de la familia.

Cuando empezaron a vislumbrarse los primeros edificios de color grisáceo a lo largo de la carretera, los nuevos y baratos edificios de apartamentos para familias de bajo nivel económico, Nefissa decidió revelarle sus planes a Omar. Pero Omar habló primero.

–¿Sabes una cosa, madre? Echo de menos a Yasmina. He aprendido mucho trabajando en el extranjero y una de las cosas que he aprendido es el valor que tiene una buena esposa. Yasmina me sacaba un poco de quicio al principio. No comprendía mis necesidades y tuve que enseñarla. Pero ahora creo que podremos ser muy felices juntos –dijo esbozando una sonrisa al tiempo que se desperezaba.

Nefissa no tuvo más remedio que sonreír. ¡Su hijo hablaba como un hombre hecho y derecho y no como un simple muchacho de veinticinco años!

–Y ahora Yasmina está embarazada –añadió Omar–. Estaba empezando a temer qué le ocurriera algo. Madre, tengo una noticia estupenda. ¡La compañía petrolera a la que estoy adscrito me ha ofrecido un puesto permanente como ingeniero!

–Es una noticia maravillosa, Omar –dijo Nefissa, observando cómo su hijo proyectaba orgullosamente la barbilla hacia fuera al hablar. Vio que también se había dejado bigote y que vestía un elegante traje confeccionado a la medida. En su corazón y su mente le seguía considerando un chiquillo, pero, por primera vez, se estaba dando cuenta de que era un hombre–. ¿Qué piensas de esta guerra con Israel?

–¿Cuánto puede durar? Eso siempre y cuando haya guerra, cosa que dudo. En cualquier caso, la compañía me ha prometido guardarme el puesto hasta que vuelva. Ya he encontrado un apartamento en Kuwait y he dejado una paga y señal para que no lo alquilen a nadie en mi ausencia. Es pequeño, pero será suficiente para mí, Yasmina y los niños. La compañía me ha prometido un ascenso, o sea que podremos permitirnos tener una casa más grande y tú podrás hacernos largas visitas, madre. ¿Qué te parece? –al ver que Nefissa no contestaba, Omar la miró–. ¿Madre? ¿Te ocurre algo?

–¿Te vas a quedar en Kuwait? ¿Vas a dejar tu puesto en la Administración?

–En la empresa privada se gana más dinero, madre. Me apetece llevar una vida hogareña normal con mi mujer y mis hijos.

–Pero... ¿y yo qué?

Omar se echó a reír.

–¡Tú irás a visitarnos! ¡Y, cada vez que nos visites, los niños te saltarán encima y te marearán tanto que estarás deseando regresar a El Cairo!

Nefissa abrió los ojos horrorizada. ¿Omar se iba? ¿Y ella tendría que quedarse en la calle de las Vírgenes del Paraíso y convertirse en una de las numerosas solteras y viudas que Ibrahim tenía a su cargo?

De pronto, el claro y soleado atardecer le pareció frío y oscuro. Mientras sus planes se desmoronaban y ella se imaginaba los años de soledad que le esperaban, sin ningún amor y sin un hijo al que cuidar, Nefissa comprendió la necesidad de hacer algo para impedir que ello ocurriera.

Yasmina estaba ayudando a su madre a colocar las flores en los jarrones con vistas a la fiesta de bienvenida que habían organizado en honor de Omar cuando, de repente, sintió el puntapié de la criatura en su vientre. Faltaba poco para el alumbramiento y ella hubiera deseado con toda su alma que Camelia estuviera a su lado. Pero su hermana estaba en Port Said rodando una película con Dahiba y Rauf. Varias veces, en el transcurso de los pasados meses, Yasmina había estado a punto de confesarle a su padre la verdad sobre el hijo de Hassan. Pero Camelia la había ayudado a guardar el secreto y ahora se alegraba de haber tenido la fuerza de callarse. Trabajaba en el consultorio de su padre y veía el orgullo de sus ojos cuando él le hablaba de sus planes para ayudarla a estudiar la carrera de medicina... No podía destruir todo aquello. Su secreto sobre el día en que había ido a visitar a Hassan, de quien no había tenido noticias desde entonces, sería una carga llevadera a cambio de la felicidad de su padre.

Sahra entró en el salón con una fuente de humeantes hojas de vid rellenas de carne de cordero y arroz; a su espalda, dos criadas portaban cuencos de ensaladas de repollo y huevos fritos espolvoreados con orégano y cebolla. Todas las mujeres de la familia se habían reunido para celebrar la ocasión, riéndose, contando chismes y haciendo comentarios sobre sus vestidos y joyas. Tahia también estaba presente con su hijo Asmahan de dos meses de edad. Todos contribuían a animar la atmósfera del gran salón. Aunque la amenaza de una aparición inesperada de los Visitantes de la Noche había disminuido desde que el ministro de Defensa, Amer, abandonara su obsesión por la liquidación del feudalismo para centrarse en la amenaza de agresión por parte de Israel, la casa de los Rashid seguía siendo muy sencilla y en ella no se hacía la menor ostentación de riqueza. Por consiguiente, el aire de fiesta lo creaba la familia con sus risas y con la comida, la bebida y las flores.

Amira se encontraba junto a la ventana con el pequeño Muhammad, esperando la llegada del automóvil que conduciría a su nieto a casa a su regreso de Kuwait. Señalándole al niño las estrellas que estaban empezando a despuntar en el claro cielo de mayo, dijo:

–¿Ves? Aquél es Aldebarán, el Seguidor, porque sigue a las Pléyades –señalando con el dedo el astro Rigel, que significaba «pie» en árabe, añadió–: ¿Ves Rigel en el pie izquierdo de Orión? Todas las estrellas tienen nombres árabes, biznieto de mi corazón, porque fueron tus antepasados quienes las descubrieron. ¿No te sientes orgulloso por eso?

–¿Bajo qué estrella naciste tú, *Umma*?

–¡Una estrella muy afortunada! –contestó Amira, abrazando al chiquillo.

Ibrahim entró en el salón.

–Rápido, enciende el televisor, madre. Nasser está hablando.

Todos se congregaron alrededor del aparato para escuchar las palabras del presidente Nasser, invitando al pueblo egipcio a prepararse para el ataque de Israel.

«Yo no quiero la guerra –decía el presidente–, pero lucharé por el honor de todos los árabes. Europa y los Estados Unidos hablan de los derechos de Israel, pero ¿dónde están los derechos de los árabes? Ninguno de ellos habla de los derechos del pueblo palestino en su propia patria. Sólo nosotros defendemos a nuestros hermanos.»

–¡Declarad la unidad de Alá! –gritó Doreya.

–¡Alabada sea su misericordia!

Mientras todos hablaban a la vez, el rostro de *Um* Jalsum apareció en la pantalla del televisor y la artista empezó a entonar el himno nacional egipcio: «Mi tierra, mi tierra, todo mi amor y mi corazón son tuyos. Egipto, Madre de Todas las Tierras, eres tú lo que yo busco y deseo». Varias de las mujeres presentes en el salón de la casa Rashid se echaron a llorar.

Tewfik, el sobrino de Amira, se levantó diciendo:

–¡Tenemos que atacar primero, antes de que los agresores de Israel nos ataquen a nosotros!

Tío Kaarim, sentado muy cerca del televisor a causa de su avanzada edad, dijo, agitando el bastón:

–¡La guerra no es una solución, jovenzuelo! ¡La guerra sólo trae más guerra! El camino de Alá es la paz.

–Pero, tío, con el debido respeto, ¿acaso Israel no atacó Siria precisamente el mes pasado? ¿Acaso no nos corresponde estar preparados para defender el honor de los árabes? Todo el mundo está en contra nuestra, tío. Las tropas de las Naciones Unidas llevan once años en el lado egipcio de la frontera y, cuando Nasser sugirió su traslado al lado israelí durante algún tiempo, Israel se negó a aceptarlas. ¿Te parece justo? ¿Con quién está el mundo? ¡Tenemos que empujar a Israel hacia el mar!

–Muchacho estúpido –dijo Doreya–, ¿y cómo vamos a empujar a Israel hacia el mar? ¡Sus protectores norteamericanos lo han convertido en un país mucho más poderoso que el nuestro! Se están burlando de nosotros. ¿Acaso Golda Meir no llamó frívolas y superficiales a las mujeres árabes, diciendo que gastamos más dinero en vestidos y maquillaje que en los artículos de primera necesidad?

–Por favor, por favor –dijo Amira–. ¡No vayamos a provocar una guerra en nuestro propio hogar!

–Con todo mi respeto, tía –dijo Tewfik–. Israel es nuestro enemigo.

–¡Egipto, Israel! Todos somos hijos del profeta Abraham. ¿Por qué luchamos los unos contra los otros?

–El estado de Israel no tiene ningún derecho a existir.

–¡Declara la misericordia de Alá, muchacho insensato! Todo el mundo tiene derecho a existir.

–Con todo el debido honor y respeto, tía Amira, me parece que no lo entiendes.

–Ocurre lo que tiene que ocurrir –dijo Amira–. Es la voluntad de Alá, no la nuestra.

Cuando el pequeño Muhammad rompió a llorar, Amira apagó el televisor.

–Estamos asustando a los niños –dijo.

Después pensó: «Si la guerra es efectivamente inevitable, tenemos que estar preparados». Al día siguiente, acompañaría a las mujeres y las muchachas de la casa a la Media Luna Roja para donar sangre, tras lo cual cortarían las sábanas en tiras y las enrollarían para que sirvieran de vendas.

De pronto se acordó de Camelia, que estaba rodando una película en Port Said. En momentos como aquél, pensó, una familia hubiera tenido que estar unida. Encomendando a Doreya y a las otras mujeres la tarea de vigilar y entretener a los niños, Amira se dirigió a su dormitorio y cerró la puerta. Arrodillándose en el suelo, abrió el último cajón de la cómoda y sacó su blanca túnica de peregrina, cuidadosamente doblada en espera del día en que pudiera viajar a la ciudad santa de La Meca... un sueño que había tenido que aplazar hasta que pasara el peligro de los Visitantes de la Noche. Debajo de la túnica guardaba un estuche de madera con incrustaciones de marfil en cuya tapa figuraban grabadas las palabras *Alá el Clemente*. Aunque buena parte de las joyas enterradas en el jardín habían sido desenterradas en los últimos meses para su entrega a la Media Luna Roja y otras instituciones con el fin de contribuir al esfuerzo bélico, Amira había guardado las piezas de más valor sentimental en aquel antiguo estuche lleno de recuerdos. Encima de todo había tres piezas de las que ella jamás se desprendería: la primera era un collar de perlas que le había regalado Alí en ocasión del nacimiento de Ibrahim; la segunda era una antigua pulsera egipcia de oro y lapislázuli que había pertenecido, según se decía, a Ramsés II, el faraón del Éxodo. Se lo había regalado a Faruk un coleccionista y el Rey a su vez le había regalado a ella aquel objeto de valor incalculable en agradecimiento por haberle preparado un brebaje con hierbas de su huerto que, según juraba Faruk, le había permitido tener su único hijo varón. La tercera era la sortija que le había entregado Andreas Skouras antes de abandonar Egipto... una cornalina engastada en oro y con una hoja de morera grabada para dar a entender que Andreas extraía su vida de Amira al modo en que el gusano de seda extraía la suya de la hoja. La guardaba en recuerdo del hombre al que había amado y con quien había estado a punto de casarse. En el fondo del estuche había un sobre. Lo abrió y sacó las fotografías que había arrancado del álbum familiar años atrás.

Cuando Alí expulsó a su hija de la casa, Amira arrancó las fotografías de Fátima del álbum, pero no las llevó muy lejos. Las guardó tiernamente bajo sus ropajes de peregrina. Contemplando ahora el juvenil y sonriente rostro de Fátima, evocó el sobresalto sufrido seis meses atrás cuando Camelia la acompañó a ver a su amiga Dahiba. ¡Cuántos recuerdos se agolparon en su mente mientras permanecía sin habla en el salón de Fátima! Después se enfureció al pensar que Fátima se había hecho amiga de Camelia sin revelarle a la muchacha quién era ella realmente. Y, finalmente, experimentó una oleada de amor y compasión y sintió un ardiente deseo de acoger de nuevo a Fátima en la familia. Camelia le había pedido que perdonara a Fátima, pero ella le contestó:

–Es Fátima la que tiene que venir a pedirme perdón.

Sin embargo, Dahiba, tan terca como su madre, se había negado a hacerlo y ahora Amira lamentaba haber sido tan dura.

Llamaron suavemente a la puerta.

–Adelante –dijo. Al ver a Zacarías, Amira se sobresaltó. Vestía un uniforme del ejército–. Pero ¿cómo? –exclamó–. ¡Si antes te habían rechazado!

–Lo intenté de nuevo y esta vez me han aceptado –se limitó a contestar Zacarías.

No quería decirle la verdad a su abuela. Se le había ocurrido pensar que, de la misma manera que un hombre podía librarse del servicio mediante el soborno, también podía utilizar el soborno para entrar en él.

–Lo he hecho por mi padre –dijo–, para que se sienta orgulloso de mí. Si hubieras visto la cara que puso al decirle que el ejército me había rechazado por considerarme no apto físicamente para el servicio... ¿Por qué parece que siempre lo decepciono, abuela? Recuerdo cuando era pequeño y papá me sentaba sobre sus rodillas y me contaba historias tal como ahora hace con Muhammad. Pero ahora todo es distinto.

–La cárcel hace cambiar a un hombre, Zakki.

–¿Y también hace que deje de querer a su hijo?

–Así fue tratado más o menos tu padre por su propio padre. Alí consideraba beneficioso mostrarse severo y distante con los hijos. Y me consta que eso a veces le dolía mucho a Ibrahim. Yo era su madre, pero no podía intervenir. Pero ahora, que Alá me perdone, miro hacia atrás y creo que mi esposo estaba equivocado porque a veces veo destellos de Alí en mi hijo, sobre todo cuando le oigo hablarte con tanta frialdad. Perdónale, Zakki. Es que no sabe hacer otra cosa.

–¡Ya está aquí Omar! –oyeron que gritaba Zubaida en el salón–. *Al hamdu lillah!* ¡Alabado sea Alá que nos ha devuelto a casa a Omar!

–Tu padre estará orgulloso de ti, Zakki –dijo Amira en un susurro mientras ambos abandonaban el dormitorio–. Aunque a veces no lo demuestre, recuerda que él se siente orgulloso de ti de todos modos.

La familia inundó a Omar de besos y abrazos. Al ver entrar a Zacarías en el salón vestido de uniforme, todos declararon a gritos que aquél era un día muy venturoso, pues Alá había elegido a dos hijos de los Rashid para que fueran héroes de Egipto.

Mientras todo el mundo rodeaba a los dos primos, Nefissa se apartó con su hermano y le dijo:

–Ibrahim, tenemos que hablar. Ahora mismo. Es muy importante.

En el momento en que abrazaba a Omar, Yasmina observó que su padre y su tía abandonaban la estancia. Al ver la tensa expresión del perfil de Nefissa, se alarmó. Pero pensó que era una tonta. Últimamente estaba un poco nerviosa y temía que todo el mundo conociera su secreto. Pero no eran más que figuraciones suyas. Sin duda su padre y Nefissa debían de tener muchos asuntos importantes que discutir. ¿Cómo hubieran podido saber lo de Hassan y el niño?

Cuando su padre apareció momentos después en la puerta del salón con una cara muy rara, el pulso de Yasmina se aceleró. Ibrahim le hizo una seña a su hija y después llamó a Amira y Omar.

Una vez todos reunidos en el pequeño salón que había junto a la escalinata, destinado a las conversaciones en privado con los visitantes, Ibrahim cerró suavemente la puerta y, volviéndose hacia Yasmina, le preguntó:

–¿Hay algo que quieras decirme?

Teniendo a su padre tan cerca, Yasmina vio en sus ojos algo que la llenó de temor.

–¿A qué te refieres? –preguntó ella a su vez.

–Por Alá te lo pido, Yasmina –dijo Ibrahim en un susurro–. Dime la verdad.

–Ibrahim, ¿a qué viene todo eso? –preguntó Amira–. ¿Por qué nos has hecho venir aquí?

Pero Ibrahim seguía mirando fijamente a Yasmina, a punto de perder el control.

–Háblame del niño –dijo Ibrahim.

Yasmina miró a Nefissa y murmuró:

–¿Cómo te has enterado?

Ibrahim cerró los ojos.

–Qué Alá me libre de esta hora.

–Pero ¿qué es lo que pasa? –terció Omar–. ¿Madre? ¿Tío?

Yasmina extendió la mano hacia su padre.

–Deja que te explique. Por favor...

Ibrahim se apartó.

–¡Cómo pudiste hacer eso! –tronó sorprendiéndolos a todos–. Por Alá, hija mía, ¿sabes lo que has hecho?

–Fui a ver a Hassan –dijo Yasmina–, esperando convencerle de que borrara nuestro nombre de la lista...

–¿Que fuiste a verle? –rugió Ibrahim–. ¿Por tu cuenta y riesgo? En nombre de Alá, muchacha, ¿no hubieras podido dejar esta tarea en mis manos? ¿Acaso no confías en mí? Y después... dejar que él...

Yasmina extendió las manos en gesto de súplica.

–¡No! ¡Él me forzó! ¡Traté de luchar, traté de escapar!

–¡Eso no importa, Yasmina! Tú fuiste allí. Nadie te obligó a ir a casa de Hassan.

–¡Ibrahim! –gritó Amira–. ¿Qué está pasando aquí?

–Alá se apiade de mí –dijo Omar, comprendiendo súbitamente lo ocurrido.

–Oh, hija mía –añadió Ibrahim con lágrimas en los ojos–, ¿qué me has hecho? Hubiera preferido que me hundieras un puñal en el corazón. Él ha ganado, ¿acaso no lo entiendes? Le has dado la victoria a Hassan al-Sabir. ¡Y me has humillado!

–Yo trataba de salvar a mi familia –dijo Yasmina llorando–. No quería engañarte –añadió volviéndose hacia Omar.

–¿El hijo no es mío? –preguntó éste.

–Perdóname, Omar –Yasmina empezó a temblar, mirando a Nefissa–. ¿Cómo te enteraste? –preguntó en un susurro.

Después pensó: «Camelia era la única que lo sabía, Camelia me había prometido no decírselo a nadie».

–Que haya tenido que regresar a casa para ver esto... –musitó Omar con lágrimas en los ojos–. Oh, Yasmina –añadió enjugándose los ojos con un pañuelo mientras decía entre sollozos–: Yo te repudio...

Nefissa se echó a llorar.

Ibrahim se volvió de espaldas a ellos y dijo con una voz que no era la suya:

–Hassan juró humillarme y lo ha conseguido. He perdido el honor. Nuestro nombre ha sido mancillado.

–Pero, padre –gritó Yasmina–, ¿cómo es posible? Hassan no te ha hablado de mi visita. No ha presumido de ello ante ti ni ante nadie.

–¡Ni falta que hacía! ¿Acaso no comprendes, muchacha, que ése es su poder? Manteniendo la boca cerrada nos demuestra su poder. Hassan sabía que mi humillación sería mucho mayor si yo me enteraba por boca de terceros. Él se ha pasado todo este tiempo relamiéndose de gusto en su casa a la espera de la victoria definitiva.

Yasmina extendió una mano hacia Ibrahim.

–Nadie tiene por qué saberlo, padre. Eso no tiene por qué traspasar estos muros.

Pero Ibrahim se apartó.

–Lo sé yo, hija, lo sé yo y es suficiente –Ibrahim levantó los ojos hacia el techo–. ¿Qué piensas ahora de mí, padre? –murmuró con el rostro intensamente pálido. Después miró de nuevo a Yasmina diciendo–: Una maldición cayó sobre esta casa la noche en que tú naciste. Una maldición de Alá de la que yo solo soy culpable. Maldigo la hora en que naciste.

–¡No, padre!

–Ya no eres mi hija.

Amira miró a Ibrahim sin ver a su hijo sino a su marido Alí. Después tuvo una clara y nítida visión de su pesadilla: la niña arrebatada de los brazos de su madre. Como si aquella noche se hubiera cumplido la profecía.

–Hijo mío –dijo, asiendo el brazo de Ibrahim–, te suplico que no lo hagas.

Pero Ibrahim le dijo a Yasmina:

–A partir de este momento, eres *haram*, estás prohibida. No perteneces a nuestra familia, tu nombre jamás volverá a pronunciarse en esta casa. Será como si hubieras muerto.

26

En el aeropuerto, Yasmina y Alice estaban siendo empujadas por la marea humana. Todos trataban de subir a bordo de los últimos aparatos que tenían previsto salir de Egipto. El temor se respiraba en el aire y, en medio de un ruido ensordecedor, los pasajeros, portando unas maletas hechas a toda prisa, agitaban sus billetes y pasaportes en un intento de acercarse a unos empleados que no daban abasto junto a las puertas de salida. Yasmina y su madre corrieron hacia la puerta correspondiente al último vuelo de la BOAC a Londres.

No había acudido nadie de la familia a despedirla; desde la noche en que su padre la declarara muerta, Yasmina no había mantenido ningún tipo de contacto con sus parientes. Cuando le llegaron los dolores del parto, Alice y Zacarías la llevaron a toda prisa al hospital donde, ocho horas más tarde, despertó de la anestesia y su madre, de pie junto a su cama, le comunicó que la niña había nacido muerta. Lo cual había sido una bendición de Dios, añadió Alice entre lágrimas... la niña tenía malformaciones. Los días sucesivos no eran más que un borroso recuerdo en la memoria de Yasmina. Puesto que la unidad de Omar había sido movilizada, ella pudo permanecer en el apartamento, donde su cuerpo había sanado mientras su mente se sumía en un estado de aturdimiento. Pero ahora, mientras se acercaba a la puerta de embarque, empujada por la gente que huía aterrada de la inminencia de la guerra, la coraza protectora de su aturdimiento se empezó a resquebrajar y su dolor afloró de nuevo a la superficie como si se le estuviera pasando el efecto de la novocaína. Había perdido a sus dos hijos y se moría de pena.

Alice se había encargado de sacar el pasaporte y los billetes.

–La guerra está a punto de estallar, cariño –le dijo–. Y entonces te quedarías atrapada aquí. Te han desterrado de la familia y es como si hubieras muerto. No tienes nombre ni identidad ni ningún lugar adonde ir. Debes irte, Yasmina. Búscate otra vida y sálvate. En Inglaterra tienes la casa y los fondos que te dejó mi padre. Y tía Penelope te ayudará.

–¿Cómo puedo dejar a mi hijo? –preguntó Yasmina a pesar de que ya conocía la respuesta.

Omar jamás permitiría que volviera a ver al niño.

Mientras se acercaban al empleado que estaba discutiendo con un pasajero que no tenía la documentación en regla, Yasmina se volvió hacia su madre y le dijo:

–Es mejor que no puedas acompañarme. Si nos fuéramos las dos, yo perdería a Muhammad para siempre. En cambio, si tú te quedas, le podrás hablar de mí, enseñarle cada día mi fotografía y no permitir que me olvide jamás.

Sí, pensó Alice, Muhammad, su nieto. Y también la nieta de la que Yasmina no sabía nada, la niña que acababa de nacer y que, lejos de estar muerta, dormía en una cuna en la calle de las Vírgenes del Paraíso.

–Madre –dijo Yasmina–, no sé qué dolor es peor... si el dolor de haber perdido al niño, el dolor de que mi padre me haya expulsado de la familia o el dolor de que Camelia me traicionara. Pero, por lo menos, estando tú aquí, el dolor de perder a mi hijo se aliviará un poco porque sabré que tú estás a su lado para conservar mi recuerdo en su corazón.

–Ojalá pudiera irme contigo –dijo Alice–. Pero tu padre no me daría permiso. Es un hombre orgulloso, Yasmina, y el hecho de perder a su esposa sería otra humillación. Ojalá me hubiera ido contigo cuando, siendo tú todavía pequeña, experimenté mis primeros temores y Egipto me empezó a dar miedo. Yo jamás me sentí a gusto aquí y tú tampoco. Quiero que te salves, Yasmina.

Alice abrazó súbitamente a su hija y la estrechó con fuerza, abrumada por la angustia y las emociones. «Es por ti, cariño, por lo que te he mentido a propósito de la niña. Lo he hecho para que puedas escapar de este lugar, cosa que yo, por desgracia, no pude hacer. Si conocieras su existencia, si la hubieras sostenido en tus brazos aunque sólo fuera una vez, hubieras estado perdida. Que Dios me perdone...»

Mientras Yasmina temblaba en sus brazos, Alice volvió a experimentar una punzada de gélido odio contra Hassan al-Sabir, el monstruo que primero había corrompido y seducido a su hermano Edward y después a su hija.

–Te escribiré y te iré dando noticias de Muhammad –dijo, apartándose de Yasmina–. Y le hablaré de ti cada día. No permitiré que te borren de su memoria.

Yasmina miró a su madre a través de las lágrimas mientras la gente las empujaba por todas partes.

–No sé cuándo volveremos a vernos, madre. Jamás regresaré a Egipto. Me han declarado muerta; soy un fantasma. Tengo que crearme una nueva vida en otro lugar. Pero te prometo, madre, que nunca más volveré a ser una víctima. Seré fuerte y tendré poder. Y, cuando tú y yo volvamos a reunirnos, te sentirás orgullosa de mí. Te quiero.

Finalmente, Yasmina subió al aparato y se hundió con aire cansado en el asiento. Su pecho no podría alimentar a la niña a la que nunca vería y sus brazos ansiaban sostener a la pobre criatura deformada que no había sobrevivido al traumático alumbramiento. Pensando que ojalá pudiera quedarse dormida y no despertar jamás, Yasmina apoyó la cabeza en el respaldo y cerró los ojos.

De este modo, no pudo ver el periódico que asomaba por el bolsillo de un pasajero que se estaba acomodando en el asiento del otro lado del pasillo. No vio el titular en letras de gran tamaño que decía: LA REPÚBLICA ÁRABE UNIDA MOVILIZA A 100.000 RESERVISTAS. Y tampoco leyó un titular en letras de menor tamaño bajo la fotografía de un hermoso y sonriente rostro: HASSAN AL-SABIR, SUBSECRETARIO DE DEFENSA, ASESINADO.

Quinta parte

1973

27

La casa de la astróloga Qettah se hallaba escondida detrás del santuario de la bienaventurada *sayyida* Zeinab, en una mísera callejuela llamada calle de la Fuente Rosada. Sin embargo, allí no había ninguna fuente y el único color era el parduzco tono de los ladrillos de arena con los que se había construido la Ciudad Vieja siglos atrás. Antaño había aceras y adoquines, pero la suciedad se había ido acumulando en tal cantidad que el nivel de la calle había subido más de medio metro y sólo quedaba un angosto surco en el centro. Los habitantes vestían desteñidas *galabeyas* y polvorientas *melayas*, los niños jugaban en el suelo y las mujeres chismorreaban desde unos inseguros balcones que se proyectaban hacia fuera hasta el extremo de que la luz diurna apenas podía penetrar en la calle.

Amira tenía un asunto urgente que resolver en aquella callejuela. Mientras pasaba bajo el arco de piedra que constituía la entrada a la Ciudad Vieja, nadie le prestó la menor atención. En aquel barrio surgido antes de las cruzadas, era una más de las muchas formas femeninas envueltas de pies a cabeza en un negro manto que sólo dejaba al descubierto los ojos y las manos. Mientras se acercaba a la mezquita de la *sayyida* Zeinab, rezó para que Qettah pudiera ayudarla.

El pasado le había vuelto a hablar a través de un nuevo y emocionante sueño. Y ella rezaba para que fuera una buena señal en aquellos tiempos tan turbulentos que corrían.

Se hablaba de acontecimientos sobrenaturales que estaban teniendo lugar en El Cairo... visiones de fantasmas y fenómenos inexplicables: estrellas fugaces que surcaban casi todas las noches el cielo nocturno, lluvia en la frontera con Sudán donde jamás había llovido anteriormente y, durante varias semanas seguidas, la aparición de la Virgen María sobre la más antigua y venerada iglesia copta de El Cairo. Millares de personas habían acudido a verla y, según la interpretación de los patriarcas de la Iglesia, la Madre de Dios les estaba diciendo a sus hijos que, puesto que los israelíes se habían apoderado de Jerusalén y los cristianos coptos ya no podían ir a verla allí, ella había ido a El Cairo para verlos a ellos. Todos aquellos signos y presagios se hallaban envueltos en la histeria generalizada que se había extendido por todo Egipto.

La causa era la vergonzosa derrota de Egipto en la guerra de los Seis Días, durante la cual habían muerto quince mil soldados egipcios y varios miles más habían resultado gravemente heridos. Los seis años transcurridos habían sido un incierto período de guerra no declarada y de paz no instaurada, en el cual las escaramuzas se habían sucedido sin tregua en la Zona del Canal. En aquellos momentos, los israelíes seguían bombardeando objetivos en el Alto Egipto y se habían adentrado en el sur nada menos que hasta Asuán, amenazando la presa cuya destrucción hubiera provocado la caída de una muralla de agua de un metro y medio sobre el valle del Nilo, anegando aldeas e inundando incluso El Cairo. La gente tenía miedo porque había perdido el ánimo, el orgullo y la moral. Todo el mundo decía que era una señal de que Alá había vuelto la espalda a Egipto.

Mientras se mezclaba con la gente que se agolpaba a la entrada de la mezquita de la *sayyida* Zeinab, Amira pensó en su propio signo profético... un nuevo sueño que la visitaba desde hacía varias semanas y en el cual un apuesto adolescente de unos catorce años la llamaba por señas. Era un sueño que la llenaba siempre de alegría y de paz y que jamás le producía temor. Rezaba para que fuera una buena señal.

Había tanta gente a la entrada de la mezquita que los carros tirados por asnos no podían pasar. Aunque el santuario había sido durante muchos siglos un lugar de reunión de pordioseros, huérfanos y viudas que acudían allí confiando en el auxilio de la santa, el número de éstos se había incrementado considerablemente a raíz de la guerra de los Seis Días, y la asistencia a las mezquitas de todo Egipto había aumentado en un seiscientos por ciento. Peor todavía que la derrota de Egipto era el hecho de que los israelíes hubieran ocupado uno de los lugares más sagrados del islam, la Cúpula de la Roca, desde la cual Mahoma había ascendido al Cielo. Para borrar aquella ignominia, los imanes invitaban a los fieles desde sus púlpitos a regresar a Alá, acusando a los televisores americanos y las radios japonesas que se exhibían en los escaparates de las tiendas de ser el vehículo de una moral laxa en la cual las mujeres estudiaban carreras y elegían a sus maridos o, peor todavía, se iban a vivir por su cuenta. Todos aquellos factores, afirmaban los imanes, eran signos de impiedad. Los israelíes, decían, habían ganado la guerra porque eran un pueblo devoto. ¿Qué sería de los egipcios?

Envuelta en su negra *melaya*, Amira tragó saliva y siguió avanzando entre aquella gente como si fuera una *bint al-balad*, una «hija del país», la denominación con la cual se conocía a las mujeres de las clases bajas. Mientras pasaba ante una joven envuelta en una negra *melaya* de algodón sentada detrás de una pirámide de cebollas y un vendedor de guirnaldas de jazmines que, agachado en cuclillas, se estaba mondando los dientes con un palillo, Amira pensó en los trastornos que había experimentado el mundo. En otros tiempos, el velo era el símbolo de los ricos y daba a entender que el esposo era acaudalado y la mujer estaba protegida y era atendida por las criadas y no tenía que encargarse de ninguna tarea, mientras que las mujeres pobres no llevaban velo porque éste hubiera constituido un obstáculo en el desempeño de sus cotidianos quehaceres. En cambio, en aquellos momentos, las ricas iban sin velo para simbolizar su nuevo estado de mujeres modernas mientras que las mujeres de la clase baja se ponían la *melaya* para imitar a sus acaudaladas predecesoras.

Sosteniendo una esquina de la negra prenda de seda sobre la barbilla y la boca, contempló el cielo profundamente azul de El Cairo mientras un cálido viento cargado de arena le arañaba las mejillas, haciéndole recordar que al día siguiente, el primero de la primavera, empezaría a soplar el *jamsin*. Los olores de comida, sudor humano, excrementos de animales y jazmines le llenaron la cabeza mientras sentía la invisible presencia de Alá, contemplando la ciudad en actitud de espera.

Al final, salió de aquella maraña de gente y, pasando por delante de unas pequeñas tiendas oscuras que parecían cuevas de ladrones, encontró la callejuela y la escondida puerta bajo un arco medio en ruinas. Llamó y vio asomar el rostro de Qettah.

Ya no era la misma Qettah de casi treinta años atrás, la que había estado presente en el nacimiento de Camelia, sino la hija de la astróloga, la cual había ocupado el lugar de su madre a la muerte de ésta. Su arte secreto, le había explicado la anciana Qettah a Amira en cierta ocasión, se transmitía de generación en generación, desde antes de la época del islam. Cada astróloga se llamaba Qettah y daba a luz una hija a la cual le enseñaba los secretos de las estrellas en previsión del día en que tuviera que ocupar su lugar. Todas se llamaban invariablemente Qettah desde los tiempos de los faraones.

–La paz y las bendiciones de Alá sean sobre esta casa –dijo Amira, entrando en la oscura vivienda.

A lo cual la astróloga contestó:

–Y a ti te acompañen sus bendiciones y su misericordia. Honras mi humilde morada, *sayyida*. Estás en tu casa y confío en que puedas hallar alivio a tus inquietudes.

Amira jamás había visitado a esta astróloga anteriormente, pero la casa de la vidente era tal y como ella se la había imaginado, llena de cartas astrales, instrumentos astrológicos, plumas, tinteros y antiguos amuletos. Esperaba ver algún gato por allí, pues Qettah significaba «gato» en árabe. La astróloga afirmaba incluso que su estirpe procedía de un gato, cosa que Amira creía a pies juntillas. Y, sin embargo, no se advertía el menor indicio de que allí viviera ningún animal.

Mientras el té reposaba un poco en una deslustrada tetera, ambas se sentaron junto a una mesa y Qettah tomó las manos de Amira entre las suyas. La adivina estudió las suaves palmas y preguntó:

–¿Bajo qué estrella naciste, señora?

Amira vaciló. La única persona que conocía su secreto era Maryam Misrahi, que entonces vivía en la lejana California.

–No lo sé, venerable –contestó.

Unos penetrantes ojos la estudiaron.

–¿En qué casa lunar?

Amira sacudió la cabeza.

–¿Cuál es la estrella natal de tu madre?

–No lo sé –dijo Amira, añadiendo en un susurro–: No sé quién fue mi madre.

Qettah se reclinó en su asiento y la silla chirrió bajo su peso.

–Es una circunstancia muy lamentable, señora. Sin conocer el pasado, jamás podremos vaticinar el futuro. Todo está en manos de Alá. Tu destino está escrito en su gran libro. Pero yo no te lo puedo leer.

–Es que no he venido para que me leas el futuro, venerable. He venido para que me interpretes un sueño y tal vez puedas encontrar en él las respuestas sobre el pasado.

–Cuéntame el sueño.

Mientras Qettah escuchaba con los ojos cerrados, Amira le dijo:

–Veo a un apuesto muchacho, que todavía no es un hombre, alto y erguido con unos grandes ojos azules y una sonriente boca de labios carnosos. Va elegantemente vestido y me tiende la mano con un gesto lleno de gracia. En el sueño no habla, pero yo intuyo su mensaje... siento que intenta acercarse a mí para decirme algo. El sueño sólo dura unos segundos. Después el muchacho desaparece.

–¿Sabes quién es?

–No.

–¿Has tenido este sueño más de una vez?

–Varias veces.

–¿Te da miedo este joven?

–Eso es lo más curioso, venerable. Siento amor por él. ¿Quién es? ¿Es alguien que se encuentra atrapado en mi memoria perdida? Me hace señas de que me acerque como si me estuviera pidiendo que lo buscara.

Qettah estudió a Amira con sus perspicaces ojos.

–¿Y tú crees que pertenece a tu pasado?

–Lo intuyo con mucha fuerza. Pero no lo veo en mis recuerdos. ¿Podría ser alguien que viviera en la casa de la calle de las Tres Perlas donde yo vivía de niña? ¿Es tal vez el espíritu de un hijo que nunca tuve? ¿Es mi hermano y pertenece a la parte más remota de mi memoria que yo he perdido?

–Puede que no sea nada de eso, *sayyida*. Puede que sea un símbolo de algún hecho de tu vida. Ya veremos.

El té ya estaba a punto. Qettah llenó una tacita desportillada e invitó a Amira a beber. Cuando sólo quedaba una cucharada de líquido, Qettah tomó la taza con la mano izquierda y la hizo girar tres veces en amplios círculos. Después la invirtió y tomó el platito para leer las hojas.

El silencio invadió la estancia, interrumpido tan sólo por el chirriar de la antigua celosía de *mashrabiya* agitada por el viento. Amira sintió que el viento hacía volar los bordes de la *melaya* de seda alrededor de sus tobillos mientras contemplaba el rostro insólitamente arrugado de Qettah, pensando que cada una de las arrugas debía de ser una frase o un capítulo de la vida de la astróloga. Qettah estaba consultando las hojas con expresión impenetrable.

Al final, levantó la vista diciendo:

–Es un muchacho de verdad, *sayyida*. Alguien de tu pasado.

–¿Vive todavía? ¿Dónde está?

–¿Has visto alguna vez en tus sueños una ciudad o un edificio, *sayyida*? ¿Algo que nos pudiera ayudar a localizar su paradero?

–Tengo recuerdos de un alminar cuadrado.

–Ah, ¿tal vez el de la mezquita de al-Nasir Muhammad de la calle al-Muizz?

–No es ése. Me temo que el alminar de mis sueños no está en El Cairo sino muy lejos.

Qettah volvió a estudiar las hojas y después asintió con la cabeza para confirmar su lectura.

–¿Dices que eres viuda, *sayyida*?

–Desde hace muchos años. ¿Quién es el muchacho? ¿Es acaso mi hermano?

–*Sayyida* –dijo Qettah en tono de asombro–, no es tu hermano sino tu prometido.

Amira frunció el ceño.

–No lo entiendo. Yo no tuve ningún prometido.

–Ése es el muchacho con quien hubieras tenido que casarte hace tiempo. Estabas comprometida en matrimonio con él.

–Pero... ¿cómo es posible? ¡Yo no recuerdo nada de todo eso!

Apartando a un lado la taza y el platito, Qettah sacó un frasquito de latón y se lo entregó a Amira, diciéndole que lo sujetara entre sus manos y contara hasta siete. Después vertió el contenido en un cuenco de agua y súbitamente se esparció por el aire un perfume de rosas mezclado con otra fragancia que Amira no pudo identificar, pero que le recordaba el amanecer.

Qettah clavó los ojos en los remolinos del aceite y dijo tras un instante:

–Emprenderás un viaje, *sayyida*.

–¿Adónde?

–A Oriente. Ah, aquí está otra vez el prometido.

Amira contempló el cuenco, pero sólo vio las iridiscentes cintas del aceite sobre el agua.

–*Sayyida* –dijo Qettah finalmente, apoyando las manos sobre la mesa–, los signos indican que tu camino se desvió de su destino inicial. Fuiste a donde no hubieras tenido que ir; no fuiste a donde hubieras tenido que ir.

–O sea que mis sueños sobre el ataque a una caravana no son simples sueños sino verdaderos recuerdos. Lo imaginaba, pero no podía estar segura. A lo mejor, mi madre y yo nos dirigíamos a ver a este muchacho cuando nos atacaron y me secuestraron.

–Eso no hubiera tenido que ocurrir, *sayyida*. Te estaba destinada otra vida.

–En nombre del Eterno –dijo Amira–. ¿Qué debo pues hacer?

–El joven te llama. Ve junto a él. Ve a Oriente.

–Pero ¿a qué lugar de Oriente debo ir?

–Perdóname, pero eso no lo sé. Haz la peregrinación a La Meca, *sayyida*. A veces –dijo Qettah, esbozando una sonrisa que hizo surgir en su rostro miles de arrugas–, Alá nos ilumina a través de la oración.

Amira abandonó la Ciudad Vieja presa de un profunda emoción, siguiendo las tortuosas callejuelas hasta que éstas cedieron el lugar a una calles más anchas y a la gran avenida flanqueda por altos y modernos edificios por cuya calzada los automóviles circulaban a gran velocidad. Allí vio nuevos signos de la guerra y la derrota... los sacos de arena amontonados delante de las puertas y el papel de color azul oscuro que cubría las ventanas. La ciudad se estaba preparando para el apocalipsis final.

Vio también signos del cambio de los tiempos. Las humildes *melayas* y *galabeyas* de los barrios pobres estaban casi ausentes en la zona moderna de El Cairo, donde los jóvenes llevaban pantalones vaqueros y chaquetas de estilo occidental y las chicas mostraban las piernas bajo las cortas faldas. En un anuncio que dominaba la plaza de la Liberación una rubia en traje de baño bebía una botella de Coca Cola. A su lado, el anuncio de una película reproducía una escena en la que un hombre vestido de esmoquin empuñaba una pistola mientras a su espalda se veía la sombra de una seductora mujer. Cuando el semáforo cambió a verde, Amira se arrebujó en su *melaya* y cruzó presurosa la calle sin enterarse, a causa de su analfabetismo, de que el anuncio correspondía a una película de Hakim Rauf y de que las actrices del reparto eran Dahiba y Camelia Rashid. Antes de dirigirse a las espaciosas avenidas arboladas de la Ciudad Jardín, Amira cruzó la plaza de la Liberación y se mezcló con el intenso tráfico peatonal y motorizado que estaba avanzando entre los impresionantes leones de piedra que montaban guardia a la entrada del puente de al-Tahrir. Allí empezó a escudriñar los rostros de los hombres con quienes se cruzaba en un intento de reconocer en alguno de ellos al hermoso joven de sus sueños. ¿Estás aquí cerca de mí?, se preguntó. ¿Se han cruzado nuestros caminos cientos de veces sin que nosotros lo supiéramos? ¿Me ve en sus sueños tal como yo era en mi infancia y se pregunta quién soy y por qué sueña conmigo?

Se detuvo para contemplar el Nilo. Al día siguiente se iba a celebrar el *Sahm el-Nessin*, «la llegada de la brisa», la única fiesta compartida por los musulmanes, los cristianos coptos e incluso los ateos, en la que se celebraba el primer día de la primavera. Las familias se congregarían en las orillas del río para comer al aire libre y buscar huevos. Y habría algún ahogado.

Amira contempló el agua y experimentó una mezcla de emoción y de intuición de una desgracia inminente. Todo el mundo decía que el presidente Sadat estaba arrastrando a Egipto hacia otro conflicto con Israel. En caso de que así fuera, ¿cuántos iban a morir esta vez? ¿Qué otros jóvenes de la casa Rashid derramarían su sangre en el desierto?

Volvió a pensar en el muchacho de su sueño. Estaba segura de que él tenía la llave de su pasado y de su identidad. Pero ¿en qué lugar del mundo lo iba a encontrar?

–Espera, Sahra, deja que te ayude –dijo Zacarías, levantando la pesada olla de huevos duros y colocándola en el fregadero.

Secretamente complacida por sus atenciones, Sahra contestó:

–Alá bendiga tu ayuda, mi joven amo. Hoy no me encuentro muy bien, pero mañana ya estaré como nueva si Alá quiere.

La cocina estaba llena de ruidosos niños que, congregados alrededor de la gran mesa, estaban pintando los huevos y atando cintas a los conejitos de chocolate. Tahia, una de las personas adultas que estaban supervisando su tarea, miró a Sahra con cierta curiosidad y recordó que tía Doreya se había quejado de malestar a la hora del desayuno. Esperaba que no fuera una tardía gripe invernal capaz de empañar la alegría de los niños durante los festejos de la primavera.

De pronto, el pequeño Asmahan, de seis años, lanzó un grito. Otros dos niños estallaron en sollozos y los gemelos de ocho meses de Omar se pusieron a berrear.

–Niños, niños –dijo Tahia, tratando de restablecer el orden–. Muhammad, no hubieras tenido que hacer eso. Mira que pegar a tu primo, un muchachote tan mayor como tú...

Se acercó la mano al bajo vientre y enderezó la espalda. Estaba embarazada de ocho meses.

Nefissa, sentada también a la mesa con los niños, le dijo a su hija:

–No regañes al niño, Tahia. La culpa la ha tenido Asmahan –añadió, acariciando el cabello del pequeño Muhammad, de diez años, mientras le daba un trozo de chocolate.

El chiquillo se parecía tanto a Omar cuando tenía su edad que Nefissa no pudo reprimir el impulso de darle otro cariñoso abrazo.

Tahia intercambió una mirada con Zacarías y éste pensó en su fuero interno que Muhammad necesitaba que alguien le metiera en cintura. El niño no tenía la culpa. Su padre permanecía largas temporadas ausente trabajando en proyectos del gobierno y, aunque su madrastra Nala, la segunda esposa de Omar, sabía educar muy bien a sus cuatro hijos, la que tenía autoridad sobre Muhammad era Nefissa, la cual le estaba echando a perder con sus mimos tal como antaño hiciera con Omar.

–Cuando yo era pequeña –dijo Sahra depositando en la mesa otra fuente de huevos–, el hombre más rico de la aldea, el jeque Hamid, repartía entre los niños patitos y pollitos hechos con azúcar y almendras. A los más afortunados nos regalaban ropa, nadie trabajaba en los campos, salíamos a merendar fuera y escuchábamos los petardos que disparaban los chicos a la orilla de la acequia. En nuestra aldea había algunas familias cristianas y recuerdo que ésa era la única vez en que todos celebrábamos juntos una fiesta.

Cuando se volvió hacia el fregadero, Sahra se acercó una mano al vientre e hizo una mueca de dolor.

Zacarías envolvió un huevo en una servilleta y le enseñó al pequeño Abdul Wahab la manera de hacer un dibujo sobre la cáscara con un lápiz de cera.

–¿Has ido a ver a tu familia, Sahra? –preguntó, mirando a Tahia por el rabillo del ojo.

Su lozano cuerpo de embarazada despertaba en él un ardiente deseo. En otros tiempos, pensaba que la pureza era muy seductora, pero ahora había descubierto que la fecundidad lo era todavía más.

–No, mi joven amo –contestó Sahra, tomando un gran vaso de

agua. En su vida había tenido tanta sed–. No he vuelto desde que me fui cuando era niña.

–Pero ¿no echas de menos a tu familia?

Sahra pensó en su querido Abdu, que la había dejado embarazada de Zacarías y a quien Zakki se parecía tanto.

–Mi familia está aquí –dijo, bendiciendo en silencio el recuerdo de Abdu.

–¡Mamá! –gritó uno de los pequeños–. ¡Quiero hacer caca!

–¿Otra vez?

–Yo lo llevo –dijo Basima, tomando al niño en brazos y abandonando con él la cocina.

Fadilla, la hija de Haneya, frunció el ceño mientras su tía se retiraba de la cocina. A los veinte años, Fadilla aún no estaba casada, lo cual era muy raro, teniendo en cuenta su gran parecido con su bisabuela Zu Zu, cuya belleza había sido legendaria.

–Yo también he pasado en vela toda la noche –dijo–. No sé si la familia habrá pillado algo.

–Ya es el sexto caso de diarrea que tenemos –dijo Tahia–. Creo que *Umma* tiene un remedio para eso.

Zacarías la observó mientras abría un armario y examinaba las pulcras hileras de tarros, botellas y frascos, todos ellos meticulosamente etiquetados con los secretos símbolos de Amira. El día en que Tahia se había casado con el maduro Jamal Rashid, Zacarías juró no tocar jamás a ninguna otra mujer. Y había cumplido su palabra. Pero también estaba cumpliendo otro juramento secreto: esperarla hasta que volviera a ser libre. Porque él tenía la certeza de que ambos estaban hechos el uno para el otro.

Lo había vislumbrado en una visión el día en que murió en el desierto del Sinaí.

Sintiendo su mirada, Tahia levantó los ojos y le dirigió una sonrisa.

Pobre Zakki, pensó. ¡Qué efectos tan terribles le había causado la guerra! Se le estaba cayendo el cabello, tenía los hombros encorvados y llevaba unas gafas de gruesos cristales. A los veintiocho años, Zacarías parecía un viejo; incluso uno de los hijos de Tahia lo había llamado por equivocación «abuelo Zakki».

Si, por lo menos, hubiera conseguido conservar su empleo... El hecho de mantener contacto diario con los chicos de una clase le hubiera podido ayudar a mantenerse joven. Pero Zacarías había sufrido uno de sus «ataques» delante de los alumnos y éstos se habían llevado un susto tremendo, por lo que el director de la escuela había prescindido de él. Ahora toda la familia cuidaba de él, especialmente las mujeres, las cuales lo mimaban y vigilaban en todo momento, temiendo que sufriera otro ataque. No se producían muy a menudo; el último lo había sufrido más de un año atrás. Sin embargo, cuando lo padecía, era tan vulnerable como un niño recién nacido.

Tahia no sabía exactamente lo que Zakki veía cuando le ocurría aquel trastorno; sólo una vez, en los meses que siguieron a su regreso del Sinaí, Zacarías trató de describir el «paisaje de su locura» tal como él lo llamaba... una terrorífica imagen de yermo desierto, tanques incendiados, cuerpos carbonizados, aparatos cayendo en picado desde el cielo y estallando en medio de unos grandes surtidores de arena. Los médicos militares dijeron que Zacarías había muerto efectivamente en el campo de batalla, pues su corazón dejó de latir y ya no respiraba, por cuyo motivo certificaron su muerte. Pero, momentos después, abrió milagrosamente los ojos y revivió. Nadie sabía dónde había estado durante el largo instante que medió entre dos latidos de su corazón.

Pero Zacarías sí lo sabía. Había estado en el Paraíso.

Y, como consecuencia de ello, había regresado de la guerra tan lleno de beatífica paz y serenidad que, en su presencia, todo el mundo se calmaba y tranquilizaba. Tahia lo veía rodeado de una especie de halo de dulzura sobrenatural... sus ojos, su voz, sus manos parecían los de alguien de cuyo cuerpo se hubiera escapado el alma humana para que su lugar lo ocupara un alma de ángel. A veces Tahia le tenía miedo porque le parecía un ser de otro mundo, pero otras veces su corazón rebosaba de amor por él. La guerra le había cambiado de la misma manera que había cambiado Egipto y a la propia Tahia: a sus veintisiete años, ésta ocultaba un secreto: aunque Jamal Rashid fuera su marido, su verdadero amor era Zacarías.

Amira entró en la cocina diciendo:

–*Sabah el-jeir*, mañana de bondad.

Los niños interrumpieron lo que estaban haciendo, se levantaron respetuosamente y dijeron:

–*Sabah el-nur, Umma*, mañana de luz.

Después, reanudaron sus ruidosas actividades.

Como había subido directamente a sus aposentos a la vuelta de su secreta visita a Qettah para quitarse la polvorienta *melaya* y lavarse la cara antes de reunirse con la familia, Amira no daba la impresión de que acabara de regresar del populoso barrio de Zeinab. Su elegante atuendo, consistente en una falda de lana negra y blusa de seda negra, medias y lustrosos zapatos de tacón, pulseras de oro, sortijas de brillantes y esmeraldas y un sencillo collar de perlas, la había transformado de una *bint al-balad* en una *bint al-zawat*, una «hija de la aristocracia». De acuerdo con la creencia, que ella siempre había enseñado a sus chicas, según la cual la segunda cualidad más apreciada de una mujer después de la virtud era la belleza, aquel día Amira había puesto especial esmero en maquillarse, dibujando sus cejas con un cuidadoso trazo, perfilando hábilmente sus carnosos labios y aplicando polvos a una tez extremadamente juvenil que jamás había conocido el jabón sino tan sólo las mejores cremas y aceites. Su cabello, naturalmente negro, mostraba ahora unos bonitos reflejos castaños rojizos gracias a una aplicación semanal de alheña, y realzaba su sedosa suavidad, recogiéndoselo hacia atrás en un moño francés sujeto con unos pasadores de brillantes. Se movía con gracia y autoridad, estaba ligeramente gruesa, señal de que había tenido hijos y vivía bien y nadie hubiera adivinado por su aspecto que estaba próxima a cumplir los setenta años.

Miró con una sonrisa a los niños que estaban conversando entre sí como monitos parlanchines mientras pintaban huevos y, de paso, se pintaban unos a otros. Le parecían unas tiernas ramitas de las distintas ramas del árbol Rashid; nueve de ellos, sus propios nietos, poseían sus mismos ojos almendrados... un rasgo que no tenían los Rashid. Se preguntó qué antepasado suyo de ojos almendrados habría legado aquella característica a los niños. ¿Qué sangre he transmitido? Puede que lo averigüe cuando sepa quién es el muchacho que me llama en mis sueños.

Unas carcajadas la devolvieron a la realidad de la cocina. Si todos los días fueran iguales, pensó, animándose súbitamente... ¡Toda la casa llena de alegres risas infantiles! Sin embargo, con la nueva costumbre de que los jóvenes matrimonios se fueran a vivir por su cuenta y las solteras optaran por vivir solas, el número de los residentes en la casa de la calle de las Vírgenes del Paraíso se había reducido considerablemente. Los cinco hijos de Omar –Muhammad, de diez años, el hijo que había tenido Yasmina, y los cuatro hijos que le había dado su segunda esposa– y los hijos de Tahia –el pequeño Asmahan, de seis años, y sus tres hermanos y hermanas menores– no vivían allí. Tampoco vivían allí las jóvenes que estaban ayudando a los niños a pintar los huevos: Salma, la esposa de uno de los hijos de Ayesha, muerto en la guerra de los Seis Días; Nasrah, la mujer de Tewfik, el sobrino de Amira; y Sakinna, una prima de la rama familiar de Jamal Rashid. Unas chicas encantadoras, pensó Amira, pero de ideas demasiado modernas. Sólo Narjis, llamada así por la flor del narciso, la hija de diecisiete años de Zubeida, la sobrina de Amira, parecía apreciar la modestia tradicional. De hecho, sus primas se burlaban de ella por haber dado un paso atrás, adoptando el nuevo «atuendo islámico» que las universitarias estaban empezando a llevar.

Amira era la responsable del futuro de todos aquellos niños y aquellas jóvenes, tanto si vivían en la casa como si no. Ya había visitado al señor Abdel Rahman, que vivía unas puertas más abajo, para concertar la boda entre Sakinna y el hijo de Abdel Rahman, que aquel año terminaría sus estudios en la universidad. En cuanto a Salma, que ya llevaba viuda demasiado tiempo, Amira había puesto los ojos en el señor Walid, que ocupaba un cargo muy bien remunerado en el ministerio de Educación. La exaltada hija de dieciséis años de Rayya, que en aquel momento estaba colocando los huevos y los conejitos en unos cestos, estaría madura para una boda en cuestión de uno o dos años. Amira le buscaría un hombre que fuera enérgico y supiera frenarla. Pero ¿qué hacer con Fadilla, la beldad de veinte años que había anunciado su propósito de elegirse ella misma el marido?

–Esta noche habrá cinco personas más a cenar, Sahra –dijo Amira, acercándose a la mesa para examinar los nueve pollos que se iban a asar en el horno–. Ha telefoneado el primo Ahmed y ha dicho que vendrá a pasar las fiestas aquí con Hosneya y los niños.

Lo cual significaba que en la casa habría un total de cincuenta invitados, un número que llenaba de satisfacción a Amira. En tiempos difíciles, era bueno que la familia se mantuviera unida.

Miró a través de la ventana de la cocina y vio que, de la noche a la mañana, el *mishmish* había florecido, prometiendo una abundante cosecha de albaricoques. Se preguntó qué estaría haciendo la otra *Mishmish*, la nieta desterrada. Tal como hiciera su padre Alí, el cual se había negado orgullosamente a volver a pronunciar el nombre de Fátima, Ibrahim no había vuelto a mencionar el nombre de Yasmina desde el día en que ésta se había ido.

«Mi hijo dijo que no lloraríamos por ti, nieta de mi corazón. Pero yo lloro por ti y lo he hecho todos los días desde aquella terrible noche.»

–Ven a sentarte. No tienes buena cara –le dijo Zacarías a Sahra.

Al oír sus palabras, Amira se asombró de que su secreto hubiera sobrevivido a lo largo de todos aquellos años. Cuando Ibrahim se presentó en casa con la mendiga, veintiocho años atrás, ella temió que la muchacha revelara la verdad sobre el niño. Sin embargo, Sahra jamás había traicionado aquella confianza y había pasado a convertirse en la cocinera de la familia mientras que Zacarías seguía siendo el heredero Rashid.

Se abrió la puerta que daba acceso al jardín y entró Alice, vestida para salir. Pasando junto a Amira, Alice le dio un beso a Muhammad.

–Mira qué tengo para ti, cariño –dijo entregándole un sobre–. Acaba de llegar. Es una tarjeta de Pascua de tu mamá.

Mientras los demás niños se acercaban para ver la bonita tarjeta de América, Alice le dijo a Muhammad:

–¿Sabes una cosa? Cuando yo era pequeña en Inglaterra, nos levantábamos muy temprano el domingo de Pascua y salíamos al jardín para ver cómo bailaba el sol en el estanque.

El niño la miró con los ojos enormemente abiertos.

–¿Y cómo puede bailar el sol, abuela?

–Baila de alegría por la resurrección de Jesús.

Cuando estaba a punto de limpiarle una mancha de chocolate que tenía en la mejilla, Nefissa le quitó al niño la tarjeta de la mano diciendo:

–Ven aquí, tesoro. La abuela tiene una cosa para ti.

Alice miró a la hermana de Ibrahim, cuyo rostro aparecía muy tenso bajo el maquillaje, y pensó: «Antaño éramos amigas; ahora somos abuelas rivales».

–Voy a salir, madre Amira. Quiero ir de compras con Camelia.

–Alice, querida, te veo muy pálida. ¿Te encuentras bien?

–Tengo un poco de diarrea –contestó Alice, poniéndose los guantes.

–Parece que toda la familia está algo indispuesta. Prepararé un té de hierbas aromáticas. Alice, ¿puedo hablar un momento contigo?

Ambas se apartaron un poco de los demás.

–He decidido hacer la peregrinación a La Meca y quisiera que tú me acompañaras –dijo Amira.

–¿Yo? ¿Quieres que te acompañe a Arabia Saudí?

–Hace tiempo que deseo hacer este viaje, pero nunca encontraba la ocasión adecuada. Esta mañana he consultado con Qettah y he comprendido que ahora es el momento de ir. ¿Me querrás acompañar?

Alice reflexionó un instante y después preguntó:

–¿Es un viaje muy largo?

–Puede ser corto o largo según nos convenga –Amira miró inquisitivamente a Alice–. Iré a rezar a la Kaaba. Arabia es un lugar muy espiritual, un buen lugar para pensar y meditar sobre la propia vida. Piénsalo. Ahora tengo que ir a ver a Ibrahim. Quiero ir cuanto antes.

La sala de actos del Sindicato de las Mujeres de El Cairo estaba llena a rebosar, pues más de mil mujeres se habían congregado allí para oír hablar al presidente de Libia, Muammar al-Gaddafi, sobre el futuro de las mujeres árabes. Cuando entró en la sala, Camelia llamó la atención de todos los presentes. Gracias a su esbelto cuerpo de danzarina y a sus zapatos de tacón, daba la impresión de ser muy alta. Se había perfilado los ojos con *cool* y llevaba el negro cabello recogido con un solo pasador, lo cual creaba una alborotada nube alrededor de su cabeza. Las mujeres la solían mirar con envidia y los hombres con anhelo. Sin embargo, en todos los años que llevaba en el mundo del espectáculo, su nombre jamás se había relacionado con ningún escándalo ni con la más mínima aventura a pesar de su arrebatadora belleza, lo cual había hecho que su fama de seriedad aumentara la envidia y los anhelos.

Se acomodó en una de las primeras filas entre el director de la Media Luna Roja y la esposa del ministro de Sanidad. Ahora que Sadat era presidente, Egipto se había convertido una vez más en el centro de las artes del mundo árabe y Camelia era un artista famosa. Las mujeres se acercaron a ella para felicitarla por su última película.

–Tu familia debe de estar muy orgullosa de ti –le dijeron.

Pero a Camelia no le constaba que nadie de su familia fuera a ver sus películas o presenciara sus actuaciones en las salas de fiestas. Aunque era bien recibida en la calle de las Vírgenes del Paraíso, su relación con Amira era un tanto forzada.

–Tú eres una Rashid –le decía su abuela–. Y las mujeres Rashid no bailan en presencia de desconocidos.

La reconciliación que ella esperaba entre *Umma* y Dahiba no se había producido porque cada una insistía tercamente en decir que era la otra quien debía dar el primer paso.

Pensó que ojalá Dahiba estuviera allí en aquellos momentos. Sin embargo, al no poder publicar sus poesías en Egipto, Dahiba se había visto obligada a trasladarse al Líbano, donde un editor había accedido a publicar su obra. Otras no habían tenido tanta suerte. Justo el año anterior, la doctora Nawal al-Saadawi, la gran escritora feminista egipcia, había sido incluida en la lista negra del gobierno y todos sus libros y documentos habían sido confiscados. Camelia sabía que en la sala había muchas feministas, otras que no lo eran y algunas que se mostraban indecisas sin saber muy bien cómo aplicar la creciente influencia del feminismo occidental a una sociedad cuyos valores y tradiciones diferían tanto de los de Occidente. Pero Camelia tenía las ideas muy claras: ya era hora, se decía, de que las mujeres de Egipto entraran en el siglo XX y reclamaran sus derechos como seres humanos iguales a los hombres. Empezando con el derecho de la mujer a controlar su propio cuerpo, pensó recordando a su amiga Shemessa, que se había sometido recientemente a una operación ilegal de aborto.

Al final, se iniciaron los actos. El público guardó silencio, el presidente Sadat presentó al orador y, cuando Gaddafi subió al estrado, en lugar de dar comienzo a su conferencia, sorprendió a todo el mundo volviéndose de espaldas al público para escribir algo en la pizarra que había en la pared.

La sala guardó silencio al principio, pero después empezaron a escucharse murmullos. Camelia leyó estupefacta lo que el presidente libio había escrito: «Virginidad, Menstruación, Parto».

Volviéndose de cara al sorprendido público, Gaddafi explicó que la igualdad para las mujeres era imposible a causa de su anatomía y fisiología; comparando a las mujeres con las vacas, afirmó que habían sido colocadas en el mundo no para trabajar codo a codo con los hombres sino para tener hijos y amamantarlos.

El público estalló.

Las mujeres se levantaron de sus asientos enfurecidas por el insulto y, cuando el presidente libio defendió su postura, afirmando que las mujeres tenían una constitución más débil y no podía esperarse de ellas que soportaran los mismos riesgos que los hombres, por ejemplo, el calor de las fábricas o las pesadas cargas de los obreros de la construcción, una famosa periodista se levantó y habló con tal autoridad que todo el mundo enmudeció para escucharla.

–Señor presidente –dijo–, ¿ha expulsado usted alguna vez un cálculo renal? Los hombres me aseguran que es algo muy doloroso y casi insoportable. Imagínese ahora, señor presidente, si tuviera usted que expulsar un cálculo de tamaño cien veces superior al normal, digamos un tamaño equivalente al de un melón. ¿Lo podría usted resistir?

Las mujeres aplaudieron y lanzaron tales vítores que Camelia temió por un instante que el techo se viniera abajo. La joven consultó su reloj. El acto había empezado con retraso; se preguntó si Alice ya la estaría aguardando fuera.

Cuando el taxi se detuvo junto al bordillo delante del Sindicato de las Mujeres de El Cairo, Alice pensó: ¡Arabia Saudí!, y se sorprendió de que la perspectiva le resultara tan emocionante. Puede que, tal como había dicho Amira, fuera una ocasión para meditar sobre su propia existencia.

Su depresión se había agudizado a raíz de la partida de Yasmina. Lo que antes era una fría corriente subterránea que horadaba la roca de su alma, se había convertido ahora en un río embravecido que discurría justo a flor de piel. A veces lo oía incluso en sus oídos como dos impresionantes cascadas. «Tensión arterial elevada», le había dicho el doctor Sanky, el médico inglés de la calle Ezbekiya, recetándole unas pastillas que ella no quería tomar. Sabía que no era la tensión sino la melancolía, aquella anticuada palabra que alguien había escrito en el certificado de defunción de su madre como la «causa» de su muerte.

Mientras pensaba en el viaje a Arabia, recordó algo que acababa de ver unos minutos antes a través de la ventanilla del taxi. El taxi se había detenido en un cruce y ella había visto un anuncio de «7-Up» fijado a una pared medio en ruinas junto a una antigua mezquita. Y entonces le pareció que en El Cairo se estaba librando una guerra invisible y mortal entre el pasado y el futuro, entre

Oriente y Occidente. Las bebidas norteamericanas sin alcohol estaban muy solicitadas, pero, al mismo tiempo, los dirigentes religiosos no cesaban de predicar el regreso a las antiguas costumbres. Cuando el taxi volvió a ponerse en marcha, la imagen se le quedó grabada en la mente: el brillante cartel de color rojo y verde al lado de un alminar medieval. Cuanto más pensaba en la imagen, tanto más comprendía su significado en relación con su propia persona. Yo soy ese anuncio, pensó.

Puede que un viaje fuera una buena terapia, se dijo. Unas cuantas semanas lejos de la calle de las Vírgenes del Paraíso y lejos de Ibrahim, una posibilidad de examinar serenamente mi vida.

Cuando una alargada limusina negra ocupó el lugar que el taxi había dejado libre, la gente de la calle se detuvo a mirar. Desde la muerte de Abdel Nasser acaecida tres años atrás y la expulsión de los rusos decretada por Sadat, la ostentación había vuelto por sus fueros en Egipto. Aquél era el automóvil de Dahiba, el que ésta había guardado en el garaje durante los años del gobierno de Nasser. Ahora Dahiba era la estrella más fulgurante del país, sus actuaciones constituían siempre un gran espectáculo y sus películas atraían a grandes multitudes; Dahiba era una diosa y a los egipcios les gustaba que sus diosas vivieran bien.

Sin embargo, no fue Dahiba quien descendió del impresionante vehículo sino una diosa en miniatura con dos largas trenzas y una boca en cuya parte superior se veía el hueco de un diente que se le acababa de caer.

–¡Tía Alice, tía Alice! –gritó la niña, saltando a la acera.

Alice se agachó para estrechar en sus brazos a la chiquilla de seis años, aspirando la fragancia de su cabello recién lavado.

–¿Estás preparada para ir de compras, cariño? –le preguntó Alice, saludando con la mano a Hakim Rauf, que en aquel momento estaba descendiendo del automóvil.

La pequeña Zeinab brincó arriba y abajo, tomando la mano de Alice.

–¡Mamá dice que me podré comprar un vestido nuevo! ¿Es verdad, tía Alice?

La mamá a la cual la niña se refería era Camelia, a quien ella consideraba su madre. Sin embargo, la pequeña Zeinab, con su pierna marchita, era, en realidad, la hija de Yasmina, y Alice no era su tía sino su abuela.

–La paz de Alá sea contigo, mi encantadora dama –dijo el marido de Dahiba, acercándose.

Los años de prosperidad habían aumentado la circunferencia de la cintura del director cinematográfico, pero él lo disimulaba muy bien con sus caros trajes italianos confeccionados a la medida. Le precedía una vaharada de agua de colonia, de cigarros puros y también, a pesar de no ser todavía el mediodía, de whisky escocés. Sus rubicundas mejillas de hincharon cuando esbozó una sincera sonrisa de complacencia al saludar a Alice, a la cual se abstuvo de abrazar, como hubiera hecho en privado, para no escandalizar a los viandantes.

–Buenos días, Hakim. Espero que todo vaya bien.

Rauf levantó las manos.

–¡Todo marcha viento en popa como puedes ver, mi bella dama! Pero yo estoy cada vez más asqueado. La Administración no me permite hacer las películas que yo quisiera. Películas sobre cosas reales. Quizá convendría que me fuera con mi mujer al Líbano, donde hay más libertad.

Rauf había querido rodar una película sobre una mujer que asesinaba a su marido y a la amante de éste. Pero las autoridades le habían puesto trabas. El mensaje de la película hubiera sido: un hombre puede matar a una mujer y su crimen quedar prácticamente impune, pero la ley castiga severamente a una mujer por el mismo delito.

–Cuando un hombre mata a una mujer, lo hace para proteger su honor –le había dicho el censor–. En cambio, las mujeres no tienen honor.

–¡Tía Dahiba nos ha llamado por teléfono! –dijo Zeinab, tirando de la mano de Alice–. ¡Desde Beirut!

Alice sufría al ver a aquella niña tan preciosa y perfecta, de no haber sido por la pierna inservible que la obligaba a caminar de una manera forzada. Zeinab era el vivo retrato de Yasmina, pero en versión sepia, pues tenía los ojos azules de su madre, pero su tez era aceitunada como la de Hassan al-Sabir.

Alice estaba a punto de preguntarle a la niña qué había dicho Dahiba cuando se abrió la puerta de la sala de actos, dejando escapar brevemente el rumor del tumulto femenino de su interior, y apareció Camelia.

–Hola, tía –dijo Camelia, besando a Alice–. Como el acto ha empezado con retraso, he decidido salir antes de que termine. ¿Oyes a las mujeres de aquí dentro? ¡Quieren asar al presidente Gaddafi en un espetón! ¿Cómo está mi niña? –añadió, tomando en brazos a Zeinab y estampando un gran beso en su mejilla.

Zeinab se rió y trató de soltarse.

–¡Si hace sólo una hora que me has visto, mamá! Tía Alice dice que me va a comprar un huevo de chocolate. ¿Me das permiso, mamá? ¡Por favor!

Los ojos de Camelia se cruzaron brevemente con los de Alice en una silenciosa comunicación. Ninguna de las dos estaba pensando en los huevos de chocolate sino en el acuerdo tácito que ambas habían mantenido desde el principio.

Seis años atrás, cuando, a su regreso de Port Said, Camelia preguntó dónde estaba Yasmina, Amira le dijo que se sentara y le contó lo ocurrido. Camelia trató de defender a su hermana:

–Hassan la forzó. Lo hizo para salvar a la familia.

Al ver a la pobre criatura deforme que Yasmina había rechazado, la comprensión que le inspiraba su hermana se transformó en cólera.

–Toma a la niña –le dijo Amira–. Tú nunca podrás tener hijos, pero Alá te ha regalado una hija.

De este modo, Camelia había adoptado a su sobrina y le había impuesto el nombre de *sayyida* Zeinab, la Madre de los Tullidos.

Zeinab era ahora toda su vida y, por la pequeña huérfana, ella observaba una conducta intachable. No tenía amantes y jamás se la veía sola en compañía de ningún hombre. Se había inventado una trágica y respetable historia para la niña: el padre de Zeinab había muerto heroicamente en la guerra de los Seis Días. La niña era también la razón de que Camelia hubiera dejado de actuar en el Cage d'Or. La gran popularidad de la danza oriental había dado lugar a la aparición de una jerarquía, por la cual las danzarinas de más categoría sólo actuaban en hoteles de cinco estrellas como el Hilton. Las de inferior categoría y más dudosa reputación moral actuaban en los clubs y los cabarets. Y, finalmente, no sólo por Zeinab sino también por sí misma, Camelia le había pedido a Hakim Rauf, el marido de Dahiba, que fuera su representante, pues una artista sin un protector varón podía ser víctima de los directores de los hoteles y convertirse en un blanco fácil para sus admiradores.

Mientras se dirigían al automóvil y Hakim explicaba que acababa de recibir una llamada de Dahiba desde Beirut diciéndole que su libro se iba a publicar en octubre, Alice intuyó las confusas emociones que solía experimentar Camelia cuando ambas estaban juntas y Zeinab era el catalizador del pasado. Sin embargo, Alice jamás diría la verdad. Había aprendido de Amira el arte de guardar secretos. De la misma manera que había mentido diciéndoles a los demás que Yasmina había abandonado a la niña y diciéndole a Yasmina que la niña había nacido muerta, seguía mintiendo cada vez que le escribía una carta a Yasmina y le daba noticias sobre la familia sin mencionar jamás a la hija que Yasmina ignoraba tener. Lo había hecho por una sola razón: para que Yasmina tuviera la oportunidad de librarse de la familia y escapar de Egipto, cosa que ella no había podido hacer.

–¿A que no sabéis una cosa? –dijo–. Madre Amira me ha pedido que la acompañe a Arabia.

–O sea que, al final, se ha decidido –dijo Camelia–. Desde que yo tengo uso de razón, *Umma* siempre ha estado planeando hacer la peregrinación. ¡Qué emocionante va a ser para ti, Alice!

Al llegar al automóvil, Alice se apoyó de repente en él.

–Dios bendito –musitó.

Hakim la sostuvo por el codo.

–¿Qué ocurre, querida?

–Llevo toda la mañana indispuesta y ahora... –contestó Alice, acercándose una mano al estómago y haciendo una mueca–. ¡Me estoy mareando!

–Te llevaremos al hospital. Sube en seguida.

–¡No! Al hospital, no... aquí mismo, en esta calle, al consultorio de Ibrahim... Daos prisa...

Amira esperó a que la enfermera de Ibrahim abandonara la estancia.

–Estaba deseando decírtelo, hijo. Los preparativos del viaje tienen que empezar en seguida.

Ibrahim se quitó la blanca bata de laboratorio y la colgó cuidadosamente.

–Me alegro de que finalmente te hayas decidido, madre, pero no pensarás hacer el viaje sola, ¿verdad?

–Por supuesto que no. Le he pedido a Alice que me acompañe, Ibrahim.

–¿A Alice? ¿Y qué ha dicho ella?

–Ha dicho que ya lo pensará, pero presiento que le gusta la idea. Le sentará bien, Ibrahim. Desde que Yasmina se fue, tú y Alice no habéis sido felices. Puede que una peregrinación al lugar más sagrado de la tierra le eleve el ánimo. ¿Te gustaría venir con nosotras?

Mientras contemplaba a Huda, su enfermera, empujando el carrito de los medicamentos hacia la sala de exploraciones, Ibrahim pensó en su mujer. En los seis años transcurridos desde la partida de Yasmina, Alice apenas había cambiado, como no fuera por el hecho de que últimamente se la veía más apagada. Seguía cuidando su jardín inglés bajo el abrasador sol de Egipto y seguía yendo una vez a la semana a la peluquería FiFi para peinarse el rubio cabello cuyo brillo se había apagado levemente con el paso de los años. Y cultivaba un reducido círculo de amistades: la esposa de un profesor de la Universidad Americana, natural de Michigan como su marido; una inglesa llamada Madeline, casada sin entusiasmo con un egipcio; y la señora Flornoy, una viuda canadiense que se había instalado en El Cairo a la muerte de su marido norteamericano a causa de la malaria. Las cuatro exiliadas se reunían dos veces a la semana para jugar al bridge y entregarse a la nostalgia, haciendo una pausa en medio de la abrumadora presencia egipcia que dominaba sus vidas. Pero Ibrahim sabía que aquellos rituales mundanos eran una especie de escondrijo para Alice, unos vulgares actos cotidianos que la ayudaban a no tener que enfrentarse con el dolor y la cólera que sin duda debía sentir. Porque él también los sentía y vivía de acuerdo con una sencilla pauta: levantarse con el sol, rezar mecánicamente, desayunar, ir al consultorio, atender a sus pacientes, dormir la siesta, atender a más pacientes y dedicar las últimas horas de la noche a los libros, la correspondencia y la radio. Raras veces veía a Alice; no le había pedido que acudiera a su dormitorio desde la noche en que Yasmina se fue.

Jamás hablaban de aquella terrible noche de junio, víspera de la humillante derrota de Egipto; Ibrahim no quería pensar en ella tan siquiera. Algunas veces, sin embargo, recordaba a su antiguo amigo Hassan, muerto en misteriosas circunstancias. Los periódicos habían informado simplemente de que Hassan había sido asesinado: no se había mencionado en ninguna parte que lo hubieran castrado. Y la policía jamás había descubierto al autor del delito.

–No puedo acompañarte a Arabia Saudí, madre –contestó, tomando la chaqueta–, pero, si Alice quiere, tiene mi permiso para hacerlo.

–A ti te sentaría bien la peregrinación, hijo mío. La gracia de Alá te sanaría.

Ibrahim pensó en la inmensidad del desierto y el cielo de Arabia y le pareció que eran un espacio demasiado grande para reflexionar. Además, sabía que el hecho de hacer la peregrinación hubiera sido tan estéril como las vacías oraciones que recitaba cinco veces al día. ¿Cómo puede Alá concederle su gracia a un hombre que ha perdido la fe? A un hombre que antaño lo maldijo...

Ibrahim observó a su enfermera mientras se preparaba para marcharse. Huda era una capacitada enfermera de veintidós años que cada día tenía que regresar a casa corriendo para preparar la comida de su padre y sus cinco hermanos. Una vez le había comentado entre risas a Ibrahim:

–Cuando yo nací, mi padre se puso tan furioso al ver que su primer hijo era una niña que amenazó a mi madre con repudiarla como no le diera un varón la segunda vez. *Bismillah*, ¡le debió de meter el miedo en el cuerpo, porque después mi madre ya no volvió a tener más hijas!

Ibrahim le preguntó a qué se dedicaba su padre y la chica contestó:

–Vende bocadillos en la plaza de Talaat Harb.

Entonces Ibrahim envidió al vendedor de bocadillos.

Mientras la enfermera guardaba las cosas en su sitio, Ibrahim oyó a través de la ventana abierta la radio del bar de abajo. La severa voz del locutor estaba dando las últimas noticias: los últimos asesores militares rusos habían sido expulsados de Egipto, la poli-

cía había aplastado otra revuelta estudiantil en la Universidad de
El Cairo y dos colaboradores de la Casa Blanca habían sido acusa-
dos de tener conocimiento previo del inesperado registro del Wa-
tergate. Ibrahim cerró la ventana. Nunca daban buenas noticias. Y
lo mismo hacían los periódicos con sus diarias noticias sobre la
disminución de las exportaciones de algodón y, por consiguiente, de
los ingresos que Ibrahim obtenía de sus plantaciones del delta. Corrían malos tiempos para Egipto; hasta el más grande escritor vivo
de Egipto, Naguib Mahfuz, sólo escribía relatos de muerte y desesperación. Ibrahim pensaba cada vez más en los viejos tiempos en
que Faruk mandaba en el país. ¿De veras habían transcurrido veintiocho años desde que él y Hassan, unos despreocupados jóvenes de
veintitantos años, iban de casino en casino en compañía de su Rey?

Miró de nuevo a su madre, cuya repentina visita al consultorio
le había sorprendido. Era la primera vez que Amira acudía allí.

–¿Por qué medio piensas ir a Arabia, madre? –le preguntó–. ¿En
barco? ¿En avión?

–Disculpe, doctor Ibrahim, ya me voy –dijo Huda alegremente,
entrando en la estancia para recoger su jersey. A pesar de tener que
atender a seis hombres exigentes, la muchacha se consideraba muy
moderna y liberada y era evidente que estaba enamorada de su
jefe–. ¿Llevará mañana a su familia al río para el *Shamm el*-... –la
joven se volvió hacia la puerta–. ¿Qué ha sido ese ruido?

Ibrahim se levantó justo en el momento en que se abría la puerta y entraba Alice, sostenida por Hakim Rauf.

–¿Qué es eso? –preguntó, acercándose a su mujer–. ¿Qué ha
ocurrido?

–Estoy bien, Ibrahim... pero tengo que ir al lavabo. Rápido...

–Huda –dijo Ibrahim.

La enfermera se situó inmediatamente al lado de Alice y la
acompañó a la otra estancia, seguida de Amira.

Ibrahim miró a Camelia.

–¿Qué te ha dicho? ¿Tiene fiebre?

–No tiene fiebre, papá. Dice que se ha pasado en vela toda la
noche con diarrea. Lo mismo les ha ocurrido a otros miembros de
la familia.

Huda regresó al despacho.

–Venga en seguida, doctor. La señora Rashid está vomitando.

Camelia y Hakim empezaron a pasear por el despacho de Ibrahim mientras se oían unos gemidos desde el otro lado de la pared.
Minutos más tarde, Ibrahim apareció en la puerta.

–No sé lo que es –dijo–. Ha perdido mucho líquido, pero, de momento, está descansando. He tomado una muestra. Puede que un
examen microscópico preliminar nos indique algo –añadió, retirándose.

En un cuartito de dimensiones apenas más grandes que las de un armario y que él utilizaba como laboratorio, Ibrahim preparó un portaobjetos y rezó para que pudiera sentar un diagnóstico.

–¿Qué es, Ibrahim? –preguntó Amira, pensando de repente que la figura de Ibrahim, mirando a través de la lente del microscopio, le hacía recordar a Qettah cuando examinaba las hojas de té–. ¿Qué le pasa a Alice?

–Rezo para que no sea más que una intoxicación alimentaria –contestó Ibrahim. Sin embargo, al enfocar el microscopio y ver los característicos bacilos en forma de coma moviéndose rápidamente cual si fueran estrellas fugaces, se reclinó en su asiento y musitó anonadado–: Oh, no.

28

–¿Qué voy a hacer? Sólo me faltan tres meses para obtener el título. ¿Es justo que me rechacen ahora?

Jasmine contempló los aterrorizados ojos de su vecina, una joven estudiante en régimen de intercambio procedente de Siria, y vio en ellos sus propias preocupaciones. Los Estados Unidos, tras haber roto sus relaciones diplomáticas con distintos países árabes, estaba anulando los visados y devolviendo a los estudiantes a Siria, Jordania y Egipto. Aunque todavía no le habían enviado la notificación, Jasmine temía recibirla de un momento a otro. No podía regresar a Egipto. Su familia la consideraba muerta; en seis años, no se había comunicado con ninguno de sus parientes, exceptuando las cartas que regularmente le escribía su madre.

–¡Nos envían a todos a casa! –dijo la chica de pie delante de la puerta de Jasmine bajo una fina lluvia–. ¿Ya te han enviado la notificación?

Jasmine sacudió la cabeza, pero sabía que era sólo cuestión de tiempo. Como a su vecina, a ella también le faltaban únicamente tres meses para la obtención del título y, por si fuera poco, acababan de aceptarla en la facultad de Medicina.

–¿Conoces a Hussein Sukry, el que vivía en el apartamento al lado del mío? –preguntó la chica–. Se fue la semana pasada. Esperaba poder mantener a su familia en cuanto terminara sus estudios de ingeniería química. Pero ahora ha vuelto a Ammán sin título y sin trabajo. ¿Qué vamos a hacer? Si te enteras de alguna solución, ya me lo dirás. *Maa salama*, Dios te guarde –añadió, cruzando el patio del edificio de apartamentos en cuya piscina las gotas de lluvia estaban creando unos leves escarceos.

Tratando de dominar su temor, Jasmine consultó su reloj y, viendo que llegaría tarde a la cita como no se diera prisa, tomó el bolso, el jersey y las llaves del automóvil y salió, cerrando cuidadosamente la puerta a su espalda.

Un cielo metálico cubría desde hacía varios días aquella comunidad estudiantil del sur de California encaramada a un peñasco sobre el océano Pacífico. Mientras corría al ascensor para bajar al párking subterráneo, Jasmine contempló el cielo color peltre y pensó que era como un reflejo de su estado de ánimo. Desde que se habían empezado a recibir las notificaciones de la oficina de Inmigración y Nacionalización, una fría y negra depresión se había apoderado del reducido grupo de estudiantes musulmanes que asistían a la cercana universidad. ¿Por qué los castigaban a ellos por las acciones políticas de sus países? ¿Qué tenía que ver el conflicto entre Egipto e Israel con nada o con nadie de más allá de sus fronteras?

Mientras entraba en el ascensor, pensó que en Egipto ya estarían empezando a soplar los *jamsins*, las tormentas de arena que siempre anunciaban su cumpleaños y el de su hermana. Jasmine cumpliría veintisiete y Camelia veintiocho.

Cuando se abrieron las puertas del ascensor, salió sin mirar y chocó con un joven.

–Perdón –dijo, agachándose para ayudarle a recoger los libros y papeles que se le habían escapado de las manos al sufrir el encontronazo–. ¡No te he visto!

–No te preocupes –contestó él, entregándole el bolso que se le había caído al suelo–. Oye, tú eres Jasmine, ¿verdad? La del apartamento de enfrente...

Apartándose el rubio cabello de la cara, Jasmine contempló un sonriente y conocido rostro. Pertenecía a un joven de cabello y barba dorados rojizos, gafas de montura de concha, remendados pantalones vaqueros y sandalias. Se llamaba Greg Van Kerk y vivía cuatro puertas más abajo.

–Sí, Jasmine Rashid –contestó ella. Cinco años atrás, en el momento de solicitar el visado para los Estados Unidos, había modificado la grafía de su nombre–. Perdona, por poco te tiro al suelo.

–No se me ocurre ninguna manera mejor de empezar el día –dijo el muchacho con una sonrisa–. Como no fuera tal vez la de conseguir poner en marcha mi coche. Cuando llueve, no falla –añadió, señalando con un gesto de la mano un viejo Volkswagen a su espalda–. En los meses que tienen una erre nunca se pone en marcha. Y, ¿sabes una cosa?, hoy es el único día en que necesariamente tengo que ir a clase –contempló las llaves que ella sostenía en la mano–. Supongo que vas al campus, ¿verdad?

Jasmine vaciló. Aunque ella y Greg Van Kerk eran vecinos desde hacía un año y se intercambiaban saludos junto a los buzones de la correspondencia o cuando cruzaban el patio, el joven era para ella un desconocido. A pesar de llevar seis años viviendo entre los occidentales, Jasmine aún no había aprendido a relajarse en compañía de un hombre que no perteneciera a su familia.

Recordando que se encontraba en otro país en el que imperaban otras normas y que estaba en presencia de una persona que necesitaba ayuda, contestó tímidamente:

–Te puedo llevar si quieres.

Dos minutos más tarde, ambos circulaban por la autopista de la Costa del Pacífico en dirección al verde promontorio desde el cual una universidad de veinte mil alumnos contemplaba las embravecidas olas que se estrellaban contra las rocas.

–No parece que estemos en primavera, desde luego –dijo Greg tras una pausa de silencio–. Quiero decir que, en el sur de California, nunca suele llover tanto.

La primavera, pensó Jasmine, asiendo con fuerza el volante. *Shamm el-Nessim*. Su familia habría bajado al Nilo o a los Jardines de la Presa para comer al aire libre y lucir los vestidos recién estrenados. Faltaban diez días para el décimo cumpleaños de su hijo Muhammad.

–Bonito automóvil –dijo Greg, tocando el tablero de instrumentos del flamante Chevrolet.

Jasmine recordó que Greg Van Kerk vivía en uno de los apartamentos más baratos del edificio y trabajaba a horas como chico de recados para pagarse en parte la manutención. Pensando en su abollado Volkswagen y contemplando sus vaqueros remendados y el agujero del codo de su jersey, Jasmine se alegró de su suerte. La casa y los fondos que su abuelo le había legado en Inglaterra le reportaban unos buenos ingresos. Era el dinero del remordimiento del anciano conde, pensó, tras haber desheredado a su hija por su boda con un árabe.

De pronto, se produjo un atasco y vieron unas rojas luces de emergencia un poco más allá.

–Lo que faltaba –dijo Greg–. Cuando caen dos gotas, los californianos del sur se asustan y sacan el automóvil.

–*Bismillah*! –exclamó Jasmine por lo bajo, recordando la urgente cita que tenía.

–¿Cómo?

–He dicho «En el nombre de Dios». Es árabe.

–Ah, sí, alguien me dijo que procedías de Egipto. No tienes pinta de árabe.

Al llegar a los Estados Unidos por invitación de Maryam Misrahi tras haberse pasado un año en Inglaterra, Jasmine descubrió la escasa popularidad de que gozaban los egipcios en Norteamérica. A raíz de la guerra de los Seis Días, incluso había habido peleas en la universidad entre los estudiantes árabes y los judíos y pintadas hostiles contra los egipcios en las paredes. Durante los primeros días que pasó en casa de los Misrahi en el valle de San Fernando, oyó una discusión entre Rachel, la nieta de Maryam, y su hermano, un sionista que había manifestado su oposición a alojar en su casa a una egipcia.

–¡Papá nació en El Cairo! –replicó Rachel–. ¡Nosotros somos egipcios, Harun!

–Yo me llamo Aarón –dijo el joven– y, en primer lugar, somos judíos.

Fue entonces cuando ella decidió abreviar su visita y buscarse un apartamento donde vivir. Pero ahora que la situación se había vuelto a agravar y el rumor de sables había aumentado a ambos lados del canal de Suez, Jasmine se alegraba de poderse mezclar como un camaleón con los occidentales.

–Tengo entendido que el departamento de Estado está expulsando a los estudiantes árabes. ¿Eso también te va a pasar a ti? –preguntó Greg mientras el tráfico de la autopista de la costa se interrumpía casi por completo.

–Pues no lo sé –contestó Jasmine en un susurro–. Espero que no.

Al observar con cuánta fuerza asía Jasmine el volante, Greg se preguntó si la causa sería el resbaladizo piso de la autopista, el accidente que se había producido un poco más allá o el departamento de Estado.

–Te debes de sentir un poco desplazada aquí –dijo–. Quiero decir que Egipto debe de ser muy distinto de los Estados Unidos, ¿verdad?

Jasmine advirtió que la voz de Greg le gustaba y procuró relajarse. Sin embargo, aparte su hermano y sus primos, tenía muy poca experiencia en el trato con los representantes del otro sexo.

Jasmine miró de soslayo a Greg, repantigado indolentemente en el asiento, y pensó en la despreocupada manera de vivir de los norteamericanos. Al lado de aquel joven, no experimentaba ninguna sensación de amenaza o de peligro para su virtud. Recordó la advertencia preferida de Amida («Cuando un hombre y una mujer están juntos a solas, Satanás es su compañero») y se preguntó dónde estaría metido Satanás en aquel automóvil que trataba de avanzar en la congestionada autopista en una lluviosa mañana primaveral. «Se ha quedado en Egipto con mi padre y con la maldición que él me echó.» Un recuerdo afloró de pronto a la superficie de su mente: «Será como si hubieras muerto...». Jasmine lo empujó hacia abajo para enterrarlo, como siempre hacía. «Borra el pasado, no pienses en él.»

–Oh, no, los Estados Unidos no son como Egipto –dijo mientras un agente de la patrulla de tráfico los obligaba a desviarse alrededor de las señales luminosas que indicaban el lugar del accidente.

Al ver que ella no añadía nada más, Greg la estudió detenidamente y observó por primera vez sus ojos intensamente azules y la oscura tonalidad rubio miel de su cabello.

–Me gusta tu acento –dijo–. Un poco británico, pero sazonado con especias.

–Viví algún tiempo en Inglaterra antes de trasladarme a los Estados Unidos. Y mi madre es inglesa.

–¿Cómo era la palabrota que has dicho hace unos minutos?

–*Bismillah*, pero no es una palabrota. El Corán nos exhorta a tener siempre el nombre de Dios en nuestros labios. Pero a los norteamericanos no les gusta pronunciar el nombre de Dios. Y eso a los musulmanes nos resulta un poco raro, porque el Profeta nos enseñó a invocar el nombre de Dios tan a menudo como fuera posible para tenerle de este modo en nuestros pensamientos. Y, además, como los malos espíritus temen el nombre de Dios, nosotros lo pronunciamos a menudo para alejarlos.

–Pero ¿tú crees en los malos espíritus? –le preguntó Greg, mirándola con asombro.

–Casi todos los egipcios creen en ellos.

Al observar que Greg la miraba con una sonrisa burlona, Jasmine notó que se le encendían las mejillas.

–Pero, entonces, ¿qué clase de médica vas a ser? –preguntó el joven.

–Quiero llevar la medicina a las personas que, de otro modo, no tendrían acceso a ella. Mi padre tiene un consultorio en El Cairo... Muchos pobres acuden a él porque los médicos de la sanidad pública les dan miedo y porque la gente que trabaja en los hospitales públicos suele pedir sobornos. Mi padre atiende gratuitamente a muchas personas y, a veces, algunos pacientes le pagan con gallinas o cabras.

–¿Y tú regresarás allí para trabajar con él?

–No, yo me iré a otro sitio. Hay necesidades en muchos lugares del mundo –Jasmine esbozó una tímida sonrisa–. Me parece que hablo demasiado.

–¡Qué va! Además, todo esto me interesa mucho. Soy antropólogo... bueno, estoy haciendo la licenciatura.

–Me da un poco de vergüenza –dijo Jasmine, hablando tan bajo que su voz apenas podía oírse sobre el trasfondo del rumor de la lluvia–. Allí de donde yo vengo, una soltera no puede hablar libremente con un hombre con quien no esté emparentada porque la reputación de una soltera en Egipto es algo muy frágil.

Contempló la marejada del grisáceo océano y vio a lo lejos una densa muralla de lluvia acercándose a la costa.

–En los Estados Unidos –añadió, intuyendo que Greg estaba esperando que prosiguiera–, si una mujer quiere vivir sola sin estar casada, puede hacerlo. En cambio, los egipcios creen que todas las mujeres quieren casarse y no conciben que pueda haber alguna que no lo quiera –pensó en Camelia que, según la última carta de Alice, todavía no se había casado–. Aquí, en California, he visto a algunas chicas que incluso persiguen a los hombres que les interesan. En Egipto, la persecución está reservada al hombre y la mujer que es objeto de su interés tiene que andarse con mucho cuidado. Si un hombre la quiere y le pide una cita y ella la acepta, el hombre le pierde inmediatamente el respeto y deja de interesarse por ella. En cambio, si ella le rechaza, su respeto y su deseo se intensifican. Al final, el hombre le pide a la chica que se case con él en la esperanza de que ella acepte. Y ahí está lo más difícil porque, si ella rechaza finalmente su proposición, él se siente insultado y ofendido y entonces la llena de improperios. Incluso hace correr rumores sobre su reputación y ella no puede impedirlo. Egipto es un mundo de hombres –añadió en un susurro.

Greg la miró largo rato antes de decir:

–Me parece que echas mucho de menos tu tierra.

Jasmine pensaba que era mucho más que eso; no sólo echaba de menos Egipto, sino que experimentaba constantemente un apetito físico y espiritual. Estaba hambrienta de aquella cultura en la que la oración dividía la jornada en cinco partes; echaba de menos a los vendedores callejeros de las ruidosas esquinas de El Cairo, los olores y las fiestas, las risas, el llanto y los gritos de la gente. Viviendo sola en un apartamento, no experimentaba la consoladora sensación de tener a su alrededor una gran casa animada por los espíritus de las generaciones que habían vivido allí antes que ella y por las risas de los niños y las primas, todos pertenecientes a la familia Rashid, con unas mismas creencias, temores y alegrías. En su apartamento se sentía aislada, como un miembro mutilado de aquel cuerpo, casi como si sólo fuera un espíritu y ya hubiera muerto. Como si ya se hubiera cumplido la sentencia de muerte pronunciada por su padre.

–O sea que tú eres la única que vive aquí, ¿verdad? –dijo Greg–. Quiero decir que toda tu familia sigue todavía en Egipto, ¿no?

¿Cómo hubiera podido explicarle a Greg Van Kerk el castigo de su padre? ¿Con qué palabras hubiera podido revelarle que, de haber vivido en una aldea, su padre y sus tíos hubieran estado legalmente autorizados a matarla por el hecho de haberse acostado con un hombre que no era su marido? ¿Cómo hubiera podido transmitirle el terror que le inspiraba la posibilidad de que la devolvieran a Egipto, siendo así que se había convertido en un fantasma entre los vivos y sería una proscrita en su propio país, donde sufriría un aislamiento y una soledad mucho peores que los que había sentido en Inglaterra o los Estados Unidos?

Cuando aparecieron ante sus ojos los edificios y los altos pinos de la universidad, Jasmine pensó: «¿Acaso los muertos también lloran?». Porque, aunque ahora la separaran seis años de aquella terrible muerte, no pasaba ni un solo día sin que ella llorara la pérdida de su hijo nacido muerto y de su hijo vivo.

A través de Alice mantenía un frágil vínculo con el niño, pero temía que éste la estuviera olvidando rápidamente. Cada año le enviaba postales y regalos el día de su cumpleaños y Alice le enviaba a ella a su vez fotografías de Muhammad en el zoo, con el uniforme de la escuela o montando a caballo en las pirámides. Pero la carta que ella siempre esperaba encontrar en su buzón, garabateada con mano infantil y encabezada con un «Mi querida mamá...», ésa jamás la recibiría.

Muhammad nunca fue mío, pensó mientras se dirigía al párking. Nunca me perteneció a mí, sino tan sólo a Omar y a los Rashid.

–Sí –dijo, girando la llave del encendido–, mi familia vive en Egipto.

Antes de descender del vehículo, Greg se detuvo un instante para mirarla. Cuando un año atrás había visto a la joven rubia que ocupaba en solitario el caro apartamento de la parte anterior del edificio y que se mantenía apartada sin asistir jamás a ninguna de las barbacoas que se organizaban junto a la piscina, pensó que era una esnob. Tras cruzar con ella algunas palabras en la lavandería y en el garaje, llegó a la conclusión de que era simplemente tímida. Ahora modificó una vez más su opinión y pensó: «No es tímida sino recatada». Le extrañó no haber aplicado jamás aquel calificativo a ninguna otra persona. No es que pareciera exactamente una monja, pero su forma de comportarse, su conservadora manera de vestir e incluso su cabello, que hubiera podido ser un poco indómito sin aquellos pasadores que lo refrenaban, le hacían recordar a las monjas de los colegios católicos a los que había asistido de niño. Sin embargo, había en ella algo más que su exótico aspecto, su acento británico y su aire de misterio; era una expresión de infinita tristeza y de profunda desdicha. Por un instante, Greg se olvidó de los alquileres atrasados y de su viejo Volkswagen para preguntarse cuál sería la razón de la honda tristeza que embargaba a aquella joven.

–¿Te apetecería salir alguna noche? –le preguntó–. ¿Al cine y a tomar alguna pizza por ahí?

Jasmine le miró asombrada.

–Gracias, pero no creo que fuera posible. Me paso todo el día estudiando y tengo que prepararme para el ingreso en la facultad de Medicina.

–Sí, claro. Lo comprendo. Gracias por traerme –dijo Greg, bajando del vehículo–. Bueno pues, ¿qué vas a hacer?

–¿Cómo dices?

–Me refiero a lo del departamento de Estado. ¿Y si te ordenan que abandones los Estados Unidos? ¿Qué harás entonces?

–Tengo una cita con el decano de la facultad de Medicina –contestó Jasmine en tono esperanzado, aunque la expresión de sus ojos dejara traslucir un cierto temor–. Puesto que me han aceptado para el curso que empieza en otoño, puede que me echen una mano, *inshallah*.

–*Inshallah* –murmuró también Greg, observándola mientras cruzaba el césped en dirección al imponente edificio de ladrillo rojo de la facultad de Medicina de la universidad.

Viendo que amenazaba lluvia, Jasmine decidió tomar un atajo a través del Lathrop Hall. Cuando las puertas de cristal se cerraron a su espalda, vio ante sus ojos un largo pasillo lleno de personas con batas de laboratorio corriendo de un lado para otro con tablillas sujetapapeles y estetoscopios, solas o bien formando animados grupos. A través de las puertas abiertas se veían laboratorios y despachos cuyas placas decían: Parasitología, Medicina Tropical, Educación en Sanidad Pública, Enfermedades Infecciosas. En el aire se aspiraba una sensación de urgencia y determinación; Jasmine sabía que aquél era el mundo que le correspondía.

Mientras bajaba por el transitado pasillo, pensó que, si el decano de la facultad no pudiera ayudarla, tal vez alguien de aquellos departamentos podría hacerlo. No le era posible hablar con todo el mundo, pero podía ponerse en contacto con los que iban a ser sus profesores; estaba segura de que éstos tendrían interés en que se quedara a estudiar allí.

Al llegar al final del pasillo, le llamó la atención un anuncio escrito a mano, fijado a una puerta abierta... y, concretamente, la palabra «árabe». Se acercó un poco más para leerlo: «Se necesita ayudante para trabajar en un proyecto editorial: traducción de un manual sanitario para el Tercer Mundo. La tarea incluirá mecanografía, investigación médica y manejo de la correspondencia. Conocimientos de árabe preferibles, pero no esenciales. Tardes y fines de semana». Firmaba el doctor Declan Connor, Departamento de Medicina Tropical.

Miró hacia el interior y vio un despacho muy pequeño en el que apenas había espacio para un escritorio, una silla y unos archivadores, con publicaciones, libros y papeles por todas partes. Había una máquina de escribir entre varias cajas de fichas. El único ocupante del despacho, un hombre que debía de ser el doctor Connor, estaba tratando de explicarle a alguien por teléfono que necesitaría un ordenador.

Al ver a Jasmine en la puerta, le indicó por señas que entrara mientras le decía a su interlocutor:

–Me están apretando las tuercas. Se lo explicaré todo en seguida. Me temo que nos tendremos que dar mucha prisa... el editor ha adelantado la fecha de publicación y la Organización Mundial de la Salud me comunica que casi todos los organismos sanitarios del mundo árabe están solicitando el libro.

Jasmine observó inmediatamente dos cosas: que aquel hombre hablaba con acento británico y que era muy atractivo.

–Mientras espera –le dijo el hombre a Jasmine, sosteniendo el teléfono entre la barbilla y el hombro–, puede que le interese echarle un vistazo.

Depositó un libro en sus manos y, antes de que ella pudiera decir nada, reanudó su conversación telefónica.

Le había entregado un libro de gran tamaño semejante a una guía telefónica cuyo título era CUANDO USTED TIENE QUE HACER DE MÉDICO. En la ilustración de la cubierta se veía a una madre africana con su hijo delante de unas cabañas de paja. Pasando las páginas, Jasmine vio ilustraciones de personas enfermas, lesiones, microbios, instrucciones sobre vendajes, formas de medir y administrar medicamentos y diagramas de la ordenación ideal de una aldea. Aunque se utilizaba terminología médica y farmacéutica, el texto estaba redactado en un lenguaje muy sencillo. Alguien había hecho unas anotaciones al margen: en una página que hablaba del sarampión, figuraba escrita la palabra *mazla* seguida de un punto interrogativo.

Jasmine miró a su alrededor y sus ojos se detuvieron en los numerosos certificados y cartas enmarcadas que colgaban al azar en las paredes. Un desconcertante póster mostraba a un joven africano vestido con pantalones y camisa y visiblemente embarazado. Debajo, en grandes caracteres, figuraba la pregunta: «¿Te gustaría verte así?». La pregunta se repetía en lo que ella supuso que debía de ser swahili, pues unas letras pequeñas al fondo del póster indicaban que éste había sido producido por la Comisión de Planificación Familiar de Kenia.

Entre los papeles que se amontonaban sobre el escritorio, una nota decía: «Definición de vacuna: una sustancia que, cuando se inyecta a un ratón blanco, se transforma en un trabajo científico». En otro trozo de papel pegado al borde del escritorio, alguien había escrito: «Los viejos profesores nunca mueren; se limitan simplemente a perder facultades». Después Jasmine vio una fotografía de un hombre, una mujer y un niño, de pie delante de una puerta en la que un letrero decía: MISIÓN GRACE TREVERTON.* En segundo plano se distinguían unos edificios de bloques de hormigón con tejados de hojalata y unas mujeres africanas portando cestos en la cabeza.

* *Bajo el sol de Kenia*, en esta misma colección, narra la historia de la familia Treverton.

Jasmine estudió al doctor Connor, el cual seguía hablando por teléfono. Le calculaba unos treinta y tantos años, aunque la chaqueta de *tweed*, la corbata marrón y el conservador corte de su cabello castaño oscuro le hacían aparentar más edad; parecía un ser surgido del pasado. Casi todos los hombres del campus eran como Greg Van Kerk y habían optado por los pantalones vaqueros, las sandalias y el pelo largo. A pesar de su edad, el doctor Connor no parecía haber experimentado la menor influencia del movimiento *hippy*.

Jasmine trató de llamar su atención, pero él le indicó con un gesto de la mano que en seguida estaría con ella. Consultó su reloj; tenía que ir a ver al decano. Estuvo tentada de marcharse, pero la curiosidad la indujo a quedarse.

–No, un momento –le dijo el doctor Connor a su invisible interlocutor–. No me pase a nadie, yo sólo quiero... –miró a Jasmine como pidiéndole disculpas y añadió–: Me siento como una rata en un laberinto. ¿Sí? ¿Oiga? Mire, no me pase a nadie. Soy el doctor Connor, de Medicina Tropical...

Jasmine le observó, fascinada. Declan Connor parecía llenar la estancia con una desbordante energía a duras penas contenida por su rígida postura, sus cortantes palabras y la brusquedad de sus gestos. El cuello de la camisa le asomaba por encima de la chaqueta en la parte de atrás como si se hubiera vestido a toda prisa y, mientras hablaba por teléfono, no paraba de rebuscar entre los papeles de su escritorio como si fuera un hombre acostumbrado a hacer siempre varias cosas a la vez. Connor daba la impresión de correr sin moverse de sitio.

A Jasmine le gustaban su aspecto, su recta nariz y sus bien esculpidas mejillas y mandíbulas, unos rasgos indudablemente agresivos que acrecentaban la impresión de vehemencia. De pronto, Connor hizo un repentino movimiento y le cayeron unos papeles al suelo. Cuando miró con una turbada sonrisa a Jasmine, ésta sintió que el corazón le daba un vuelco en el pecho.

–Sí, muy bien –dijo finalmente Connor colgando el teléfono mientras lanzaba un suspiro de exasperación–. ¡Aquí toda la culpa la tiene la burocracia del Estado! Pero usted no se preocupe –añadió con una radiante sonrisa–. Si no podemos disponer de un ordenador, lo haremos tal como lo hacían nuestros antepasados... con una máquina de escribir eléctrica. Bueno, ¿qué le parece? –preguntó, señalando el libro que Jasmine sostenía en su mano–. Este manual lo escribió en los años cuarenta una gran señora llamada Grace Treverton, en Kenia, Desde entonces se ha actualizado muchas veces, naturalmente, pero, hasta ahora, sólo se ha publicado en inglés y swahili. La Fundación Treverton me ha pedido que le haga una versión árabe con los cooperantes sanitarios de los países árabes. Como verá, ya he empezado a hacer anotaciones al margen.

—Sí —dijo Jasmine, pasando las páginas hasta una sección titulada «Educación alimentaria», uno de cuyos apartados se refería a la importancia del buen manejo y la cocción de los alimentos—. Aunque eso seguramente no será necesario —añadió, mostrándole a Connor el párrafo sobre la triquinosis, en el que, con grandes letras mayúsculas, se aconsejaba no comer jamás carne de cerdo que no estuviera bien cocida—. Porque estará destinado a los musulmanes, que no comen carne de cerdo.

—Lo sé, pero es que nosotros trabajamos también en poblados cristianos.

—Y esto de aquí —Jasmine regresó a la página dedicada al sarampión—. Usted ha escrito la palabra «mazla». Si quiere decir sarampión en árabe, la palabra es *nazla*.

—Santo cielo. No me había dicho usted que hablaba el árabe. Espere —el doctor Connor alargó la mano hacia unas gafas que había encima del escritorio y se las puso—. Usted no es la estudiante que yo he contratado.

—Perdone, doctor Connor —dijo Jasmine, devolviéndole el libro—. No había tenido ocasión de explicárselo.

—¿No estoy escuchando el acento de una paisana? ¿De qué parte de Inglaterra es usted?

—No he nacido en Inglaterra, pero soy medio inglesa. Nací en El Cairo.

—¡El Cairo! ¡Una ciudad fascinante! Estuve un año enseñando en la Universidad Americana de allí... me solía planchar las camisas un tipo llamado Habib de la calle de Yussuf al-Gendi. Se llenaba la boca de agua, la escupía sobre la camisa y después la planchaba, sujetando la plancha con los pies. Habib estaba empeñado en casarme con su hija. ¡Yo le decía que ya estaba casado, pero él me contestaba que dos esposas eran mejor que una! No sé si estará todavía por allí. Nuestro hijo estuvo a punto de nacer en El Cairo. Pero eligió nada menos que el aeropuerto de Atenas para hacer su entrada en este mundo. Eso fue hace cinco años. No hemos regresado a los países árabes desde entonces. ¡En fin! ¡El mundo es un pañuelo! ¿En qué puedo ayudarla?

Jasmine le explicó al doctor Connor el problema que tenía con el Servicio de Inmigración.

—Sí —dijo Connor—, mal asunto. Es completamente absurdo. Yo he perdido ya a tres alumnos. ¿Ha recibido usted la notificación? Puede que tenga suerte. Algunos consiguen escapar de la red —hizo una pausa y pareció estudiar a Jasmine. Después consultó el reloj y añadió—: La estudiante a la que he contratado ya lleva cuarenta y cinco minutos de retraso. Igual no aparece. Ya ha ocurrido otras veces... les sale otra cosa mejor. Si no viene, ¿le interesaría el trabajo? Lo haría usted perfectamente bien porque domina el árabe.

Jasmine pensó que le encantaría trabajar para el doctor Connor.

–Eso si no me expulsan –dijo.

–Mire, si le envían la notificación, yo escribiré una carta al Servicio de Inmigración y Nacionalización en su nombre. No le garantizo que dé resultado, pero no estará de más. Y la oferta de trabajo sigue en pie. Me temo que la remuneración es muy baja. La Fundación no vende el libro, sino que lo distribuye gratuitamente allí donde es necesario. Pero nos podríamos divertir trabajando juntos –Connor esbozó una sonrisa y añadió–: Recemos para que no le envíen la notificación. *Inshallah, ma salaama.*

Jasmine tuvo que hacer un esfuerzo para reprimir la risa. Su pronunciación era espantosa.

Mientras se abría paso entre las manifestantes congregadas frente al Sindicato Estudiantil, Rachel Misrahi se propinó mentalmente un bofetón. Si no hubiera convencido a Jasmine de que indicara como domicilio oficial la residencia de los Misrahi («Así no tendrás que registrarte en el FBI cada vez que cambies de casa»), en aquellos momentos ella no tendría que cumplir la enojosa tarea de entregarle a su amiga la carta certificada del Servicio de Inmigración y Nacionalización de Washington. Rachel Misrahi, una corpulenta muchacha de veinticinco años, se abrió camino a codazos entre las manifestantes que portaban pancartas cuyo texto decía MATA DE HAMBRE A LA RATA. NO LE PREPARES LA CENA ESTA NOCHE. Se llevaría un disgusto enorme si Jasmine tuviera que regresar a Egipto después de haberla ayudado a matricularse en aquella escuela universitaria en la que ella también había estudiado.

No tenía tiempo para escuchar las protestas de las feministas, pero aceptó las octavillas y les dijo antes de entrar en el edificio:

–No perdáis la confianza, hermanas.

Miró a su alrededor en la cafetería sabiendo que Jasmine almorzaba allí todos los lunes y los miércoles entre las clases de bioquímica y ciencias económicas. Pidiendo un té y un trozo de tarta de queso y recordando que al día siguiente empezaría su dieta de adelgazamiento, se acomodó junto a una mesa desde la cual podía ver la entrada de la cafetería.

Mientras contemplaba a las feministas del exterior repartiendo octavillas y gritando consignas a pesar de la lluvia, Rachel recordó sus infructuosos intentos de atraer a Jasmine hacia una discusión feminista.

–Al fin y al cabo, tú procedes de una de las sociedades más

oprimidas del mundo en lo tocante a las mujeres –le había dicho–. Creo que tendrías que situarte en primera línea de la batalla.

Pero Jasmine había guardado un extraño silencio. En realidad, Jasmine apenas hablaba del tema de Egipto y de su familia en general. Rachel pensaba que hubiera tenido que sentir nostalgia de su país, como les ocurría a casi todos los estudiantes extranjeros, y que, por consiguiente, hablaría mucho de su casa. Pero Jasmine jamás hablaba de El Cairo ni de los Rashid.

Al final, apareció Jasmine abriéndose paso entre la gente que estaba entrando en la cafetería.

–No me pueden ayudar –dijo, sentándose–. El decano me ha dicho que si el SIN me anula el visado, no podré seguir estudiando en la universidad. Uno de los profesores se ha ofrecido a ayudarme... el doctor Connor...

–¿El de Medicina Tropical?

–Dijo que escribiría una carta, pero no parecía muy seguro del resultado.

–Ojalá pudiera ayudarte, Jas. Mi padre ha hablado incluso con un abogado amigo suyo. No nos ha dado demasiadas esperanzas. Si vuelve a estallar la guerra entre Egipto e Israel, ten por seguro que aquí no serás muy bien recibida. Recemos para que nazca la paz.

Al ver el temor que reflejaban los ojos de Jasmine, Rachel se preguntó por qué razón tenía su amiga tanto miedo de regresar a casa. Aunque se sentía profundamente unida a ella y la consideraba su prima tras haberla oído llamar numerosas veces «tita» a su abuela Maryam, Jasmine seguía siendo un enigma. Su inocencia, por ejemplo, la desconcertaba. Rachel sabía que Jasmine había estado casada y tenía un hijo en Egipto. ¿Cómo era posible que una divorciada pudiera parecer tan casta y virginal? Recordó la vez en que le presentó a unos amigos suyos de Malibú y Jasmine se escandalizó al enterarse de que vivían juntos sin estar casados. Si ello se debía a su educación, tal como la abuela Maryam le había explicado, y si Jasmine no podía adaptarse a la vida norteamericana, ¿por qué le daba tanto miedo regresar a casa?

Estaba a punto de preguntárselo cuando, de pronto, un joven con una mochila colgada del hombro se detuvo junto a la mesa y se inclinó hacia ellas esbozando una sonrisa.

–Hola, ¿qué tal estás? –le preguntó el joven a Jasmine.

Rachel le miró, asombrada. Al ver que Jasmine contestaba y se lo presentaba como Greg Van Kerk, su asombro se intensificó. ¿Desde cuándo cultivaba Jasmine la amistad de un varón?

–¿Te importa que me siente? –preguntó Greg–. ¿Qué vas a hacer ahora? –añadió, dirigiéndose a Jasmine con una familiaridad que dejó a Rachel totalmente desconcertada.

–Tendré que pensar algo –contestó Jasmine–. Y rezar para que no me envíen una notificación.

–Por cierto –dijo Rachel, sacándose la carta certificada del bolso–. Por favor, no mates al mensajero.

Jasmine la miró.

–Vaya –dijo en voz baja–. Ya ha llegado.

–Oye –dijo Greg–, a lo mejor no es una mala noticia. A lo mejor, te dicen que has tenido suerte.

Rachel rasgó el sobre, desdobló la carta y se la mostró a Jasmine. Ésta no la tomó, pero leyó lo bastante como para comprender que no era una buena noticia.

Contempló a las manifestantes que seguían vociferando bajo la lluvia. En Egipto semejante concentración jamás se hubiera podido celebrar..., los padres y los hermanos de aquellas chicas hubieran interrumpido la reunión y se las hubieran llevado a casa.

A través de las lunas de la cafetería, intuyó su dolor e indignación. Eran unas mujeres que se sentían traicionadas; el pegamento que las mantenía unidas era la cólera e incluso el odio contra los hombres que las habían oprimido. Jasmine sabía lo que era sentirse impotente..., era Hassan al-Sabir obligándola a someterse a él para salvar a su familia; era su padre castigándola por haber sido una víctima. Y ahora unas disposiciones de unos hombres a los que ella ni siquiera conocía estaban destruyendo sus planes y su vida.

Por eso había decidido estudiar medicina. Los médicos tenían poder... un auténtico poder sobre la vida y la muerte. Y algún día ella tendría poder y jamás volvería a ser víctima de los hombres ni de las maldiciones ni de las sentencias de muerte.

–Mira, Jas –le dijo Rachel–, más te vale aceptarlo. Tal como siempre dice la abuela Maryam, *inshallah*, es la voluntad de Dios. Regresa a Egipto y, cuando el clima político haya mejorado, podrás volver.

–No puedo regresar –dijo Jasmine.

–Pues hay un sistema que quizá te permitiría quedarte –dijo Greg estirando las largas piernas y cruzando los tobillos–. Quiero decir que podrías utilizar un subterfugio.

–¿Cuál es? –preguntaron Rachel y Jasmine al unísono.

–Casarte con un norteamericano.

Jasmine le miró fijamente.

–¿Y eso se podría hacer?

–Un momento –terció Rachel–. El Servicio de Inmigración ya descubrió esta trampa hace tiempo. No daría resultado.

–Yo no digo que corra a casarse a Las Vegas con el primero que encuentre. Pero, si se hace bien, puede dar resultado. No cabe duda de que el SIN haría las investigaciones pertinentes. Preguntaría a los amigos y vecinos para averiguar si la pareja se había casado por motivos fundados y no simplemente para sortear las disposiciones sobre los visados y probablemente ella tendría que permanecer casada por lo menos dos años. Si Jasmine se divorciara antes de que transcurriera este período, lo más probable es que el SIN la devolviera a Egipto.

Jasmine miró a Rachel.

–¿Tú crees que debo casarme con un desconocido para poder quedarme en los Estados Unidos?

–¿Por qué no? Tú misma dices que en Egipto las chicas se casan constantemente con desconocidos.

–Pero eso es distinto, Rachel. Y, además, ¿quién estaría dispuesto a hacerme este favor?

Greg se desperezó y los faldones de la camisa le salieron de la cintura de los vaqueros. Mientras se los volvía a remeter dijo con indiferencia:

–Este fin de semana no tengo nada que hacer.

Jasmine le miró y, al ver que hablaba en serio, le preguntó:

–Pero ¿cómo es posible? ¿Recibo esta notificación oficial y, al día siguiente, me caso con un norteamericano? Sospecharían.

–No, si lo sabes hacer bien –dijo Rachel–. En cualquier caso, ellos no pueden demostrar que recibiste la carta antes de casarte.

–Pero la he recibido. No quiero decir mentiras.

–Por el amor de Dios, eso no es una mentira. Yo no te he dado la carta, ¿vale? La he abierto, te la he enseñado, pero no te la he dado. Mira, Jas, entre todas las razones que se me ocurren para que una se case, ésta es probablemente una de las mejores.

–Bueno, comprendo que te moleste porque tú crees que el matrimonio es una institución sagrada o algo por el estilo... –dijo Greg.

–No –dijo Jasmine–, en Egipto el matrimonio no es un sacramento. No nos casamos en un edificio sagrado como vosotros. Es simplemente un contrato entre dos personas.

–Pues, entonces, eso es lo que yo te ofrezco, un contrato.

Jasmine frunció el ceño, perpleja.

–Pero ¿y tú? Perderías tu libertad.

–¡Menuda libertad tengo yo! –dijo Greg, echándose a reír–. No es que las mujeres estén precisamente haciendo cola delante de mi puerta y, además, tengo que concentrarme en la licenciatura y después en el doctorado. No pienso ser un estudiante pobretón toda la vida. Bueno, ¿quieres saber lo que a mí me interesa? Me gusta tu coche. Déjamelo en fines de semana alternos y trato hecho.

–¿En serio...?

–Hablo completamente en serio. A ti no te falta el dinero y, en cambio, a mí sí. Creo que el acuerdo podría ser mutuamente beneficioso. Yo podré pagar el alquiler y tú evitarás que los federales te devuelvan a Egipto.

Jasmine le miró con aire pensativo. ¿Daría resultado? ¿Podría escapar a la pesadilla de la expulsión?

—Puedes conservar tu apellido de soltera si quieres, pero yo te aconsejo que no lo hagas. Nos interesa que la boda sea lo más legal posible.

A Jasmine le encantaba la idea de librarse del apellido Rashid. Le parecía que, de aquella manera, se quitaría de encima un velo o un estigma. Al ver que todavía no parecía muy decidida, Greg añadió:

—Claro, es que apenas sabes nada de mí. Bueno pues, ahí va: nací en St. Louis. A muy temprana edad, sor Mary Theresa me dijo que nunca haría nada de provecho, me libré del servicio militar y, por consiguiente, del Vietnam, a causa de una diabetes que controlo por medio de inyecciones. Me gustan los gatos y los niños y mi sueño es trasladarme a Nueva Guinea y descubrir una raza de personas cuya existencia nadie haya sospechado. Y soy autosuficiente. Yo me hago la comida y limpio mi casa. Mis padres son geólogos y viajan por todo el mundo, lo cual quiere decir que no me crié en un hogar tradicional donde la esposa se pasa la vida en la cocina. Puedes estar segura de que mis simpatías están con ellas —añadió señalando con un gesto de la mano a las feministas que se estaban dispersando bajo un fuerte aguacero.

Jasmine pensó: «Quizá el matrimonio tenga que ser eso, un compromiso racional entre personas iguales, sin dominios ni servilismos, sin dotes y sin temor al divorcio en caso de que no nazca un hijo varón». Estudió a Greg un instante y le gustó la forma en que su cabello rubio rojizo se rizaba por encima del deshilachado cuello de su camisa. Por primera vez en su vida, sentía que un hombre la estaba mirando como a un ser humano y no simplemente como un objeto sexual o una fábrica de hijos.

—Antes de que sigamos adelante —dijo ella finalmente—, debo decirte que ya he estado casada. Tuve un hijo que nació muerto y tengo un hijo vivo en Egipto.

Ahora fue Greg Van Kerk quien se volvió a mirarla a ella con asombro.

—Pero jamás volveré —añadió Jasmine—. Mi hijo ya no me pertenece legalmente y no tengo ningún derecho sobre él.

—Eso no me preocupa.

—No mantenía buenas relaciones con mi familia cuando abandoné Egipto y, por consiguiente, no puedo regresar allí —«Eres *haram*, estás prohibida.» Jasmine sacudió la cabeza como si quisiera librarse de los malos recuerdos—. Me fui a Inglaterra para entrar en posesión de una herencia que me correspondía por parte de madre. Mis parientes de allí, los Westfall, fueron muy buenos conmigo y trataron de ayudarme. Pero estuve enferma durante algún tiempo. Y tuve que someterme a tratamiento médico... a causa de una depresión –Jasmine hizo una pausa para que Greg pudiera asimilar la información y pensó en la depresión de su madre y en el suicidio de su abuela, *lady* Westfall–. Después tía Maryam, la abuela de Rachel, me invitó a su casa, aquí en California. Quiero estudiar medicina, pero, si vamos a vivir juntos, es justo que te diga que todavía no me he curado de la depresión.

–Ya lo sé –dijo Greg, sintiéndose de repente un caballero montado en un blanco corcel–, adiviné en ti una cierta tristeza. A lo mejor, lo que necesitas es alguien que te ayude a superarla.

–Otra cosa –añadió Jasmine con cierto recelo–. Seremos legalmente marido y mujer, pero yo no puedo...

–Por eso no te preocupes. Seremos simplemente compañeros de apartamento, dos estudiantes que se pasan la vida empollando. Yo me conformo con un sofá cama. ¡No creo que el SIN pueda introducir a sus espías en una alcoba!

–Se me ocurre una idea –dijo Rachel súbitamente animada–. Venid los dos a mi casa esta noche. Tengo una familia muy numerosa e invitaré a un montón de amigos. Allí haremos el anuncio de la boda. De esta manera, cuando el SIN empiece a husmear por ahí, ¡tendrán que habérselas con mi madre y con mi abuela Maryam! Os podéis casar el sábado en cualquier capilla.

Mientras sus dos compañeros empezaban a hacer planes y a preparar aquella pequeña conspiración contra las autoridades, Jasmine sintió que su temor se desvanecía y que su espíritu empezaba a serenarse. Inmediatamente pensó en el doctor Declan Connor y en su oferta de trabajo y esperó en su fuero interno que la estudiante que éste había contratado no se presentara.

29

A pesar del fuerte *jamsin*, habían levantado una gran tienda funeraria al final de la calle de Fahmy y, a lo largo de todo el día, una procesión ininterrumpida de ilustres personajes había entrado y salido para escuchar las lecturas del Corán y rendir homenaje al difunto. Más tarde, la procesión hasta el cementerio estuvo tan concurrida como la de los estadistas y los astros del cine; hasta el presidente Sadat había enviado a un representante suyo para acompañar el féretro por la calle de al-Bustan. Mientras sostenía sobre su hombro una de las esquinas del pesado féretro, Zacarías pensó: «¿Quién hubiera podido imaginar que Jamal Rashid fuera tan apreciado?».

Zacarías era uno de los dos únicos miembros de la familia presentes en el sepelio por parte de la viuda; ni siquiera Tahia había podido asistir a la ceremonia. Cuando la noticia del ataque al corazón sufrido por Jamal Rashid llegó a la calle de las Vírgenes del Paraíso, su joven esposa embarazada estaba en la cama, aquejada de cólera. Y allí seguía, junto con casi todos los demás habitantes de la casa.

Por una misteriosa razón, Zacarías no había contraído la enfermedad y era el único miembro de la familia, aparte de Ibrahim, que no estaba confinado detrás de unas puertas cerradas en las que se habían fijado las preceptivas notificaciones de cuarentena del ministerio de Sanidad. Zacarías había sido examinado y, tras comprobarse que no era portador de la enfermedad, había sido autorizado a asistir al entierro.

No hubiera querido separarse del lado de Tahia, pero un hombre no podía eludir el deber de portar los restos mortales de un pariente hasta su tumba. Mientras avanzaba bajo el peso del ataúd, agotado por las muchas horas transcurridas junto al lecho de Tahia y ayudando a las mujeres en la agobiante tarea de atender a tantos familiares enfermos, Zacarías se extrañó de que pudiera llevar a hombros con tanta reverencia el cuerpo del hombre que le había robado a Tahia. Sin embargo, en los casi diez años que había vivido al lado de Jamal, Tahia había sido sinceramente feliz con él e incluso le había amado en cierto modo, según ella misma le había confesado a su primo, el cual quería ahora rendirle un respetuoso homenaje. Pero Tahia se había quedado sola con cuatro hijos y un quinto en camino y él tenía que pensar en su bienestar.

Cuidaré de ella, se juró a sí mismo, ahora que somos libres de casarnos. La promesa que Alá le había hecho en los momentos en que estuvo muerto en el desierto del Sinaí y vislumbró la vida futura que esperaba a los creyentes, unos momentos, por cierto, en cuyo transcurso él no sintió el menor deseo de regresar a la tierra, aquella promesa divina según la cual él y Tahia estaban destinados a vivir juntos se iba finalmente a cumplir. Antes del Ramadán, pensó, se casaría con ella.

Caminando detrás de Zacarías bajo el peso del féretro de su lejano pariente, Ibrahim estaba luchando con el misterio de aquel repentino brote de cólera.

En toda la ciudad, la familia Rashid había sido la única en contraer la enfermedad. Cuarenta y dos miembros de su familia estaban enfermos y, durante los tres días transcurridos desde que Alice se desplomara al suelo en su consultorio, los investigadores del ministerio de Sanidad no habían logrado identificar la causa.

El viento *jamsin* empujaba la arena contra el féretro y sus portadores, y los hombres que estaban siguiendo a Jamal Rashid hasta su tumba se cubrían el rostro con pañuelos y tosían para expulsar la arena alojada en sus gargantas. Mientras el cortejo fúnebre, integrado exclusivamente por varones, pues las mujeres no podían participar en ellos, seguía adelante bajo una especie de velo pardusco que el sol a duras penas conseguía atravesar, Ibrahim pensó: «¿Por qué mi hermana, mi madre y mi mujer y todas las tías y sobrinas y primas han caído víctimas de la enfermedad mientras que yo y Zacarías nos hemos librado de ella?».

Bajo el cálido viento del desierto que los azotaba y parecía querer derribar el féretro, Ibrahim mantenía los ojos clavados en la espalda de Zacarías, el muchacho que era para él un constante recordatorio de cosas que hubiera querido olvidar. El pobrecillo ni siquiera había podido ir a la guerra como todo el mundo, combatiendo en ella con valentía y regresando a casa herido, como había hecho Omar. No, Zacarías había avergonzado a la familia, contándoles la extraña historia de su muerte y su subida al Cielo.

Al final, llegaron al cementerio y el féretro de Jamal Rashid fue depositado en la sepultura al lado de los de sus padres y hermanos. Hicieron rodar la lápida para cubrir la tumba y arrojaron tierra y arena sobre ella. Mientras el imán de la mezquita de Jamal leía un pasaje del Corán, Ibrahim recordó que un hombre tenía que entregarse a reflexiones devotas durante un funeral.

Por consiguiente, encauzó sus pensamientos hacia el hombre

al que acababan de enterrar y después pensó en su viuda Tahia, enferma en una cama de la calle de las Vírgenes del Paraíso sin saber que su marido había muerto. Ibrahim sería el encargado de comunicarle la noticia, cosa que haría en cuanto ella se recuperara. Después, tratándose de la hija de su hermana, su deber sería el de cuidar de ella y de sus hijos. Lo cual significaba que tendría cinco bocas más que alimentar y una sexta en camino. Los niños pequeños necesitaban ropa y comían muchísimo y, por si fuera poco, los gastos escolares se habían disparado. ¿Cómo se las iba a arreglar con los pocos beneficios que le reportaban sus plantaciones de algodón y las pocas inversiones que le quedaban después de los años de gobierno de Nasser?

Mientras contemplaba el cielo y observaba el curioso fenómeno del sol «azul» que a veces se producía durante el *jamsin*, Ibrahim tomó una decisión: esperaría algún tiempo, aunque no demasiado, y, antes de que comenzara el Ramadán, le buscaría un marido a Tahia.

Un grupo de reporteros se encontraba en el aeropuerto de El Cairo aguardando la llegada de Dahiba, la famosa danzarina egipcia. Nadie sabía por qué se había trasladado al Líbano y los rumores corrían por toda la ciudad: una operación secreta, una relación amorosa ilícita; sin embargo, sólo una historia era cierta: había encontrado en Beirut a un editor lo bastante valiente como para publicar sus polémicas poesías, las cuales serían indudablemente prohibidas en Egipto.

La artista pasó majestuosamente por delante de los reporteros, esquivando sus preguntas con una sonrisa y un gracioso mohín, y se dirigió al lugar donde la estaba aguardando Camelia con Hakim y Zeinab.

Primero abrazó y besó a su marido y después a la pequeña Zeinab. Finalmente, se volvió hacia Camelia.

–¿Qué es lo que pasa? Me has dicho por teléfono que había una emergencia en la familia.

Camelia le explicó brevemente lo ocurrido, añadiendo:

–La enfermera de papá está en casa junto con una enfermera enviada por el ministerio de Sanidad, pero *Umma* no quiere dejar entrar a nadie más. Tía Nazira y sus hijas vinieron desde Asyut para echar una mano, pero *Umma* no quiso. La prima Hosneya también lo intentó. *Umma* ni siquiera me permite entrar a mí. Dice que no quiere que nadie más contraiga la enfermedad.

–Mi madre siempre quiere hacerlo todo ella sola –dijo Dahiba mientras los cuatro se dirigían a la limusina que los aguardaba.

–Ella también está enferma –añadió Camelia–. La vi un momento en la puerta. Pero se levanta de la cama aunque le cueste. Ya sabes cómo es.

–Si sabré yo cómo es mi madre. ¿Dónde está Ibrahim ahora?

–Papá ha ido al entierro de Jamal Rashid esta mañana. Ya te dije por teléfono que sufrió un repentino ataque al corazón...

–Sí, sí.

–Papá dijo que después iría a visitar a tía Alice. Cuando se puso enferma en su consultorio hace tres días, la ingresó en un hospital privado. Al ver que todo el resto de la familia empezaba a sentirse indispuesto, puso la casa en cuarentena. ¡Casi todo el mundo está dentro, Dahiba! La familia se había reunido para celebrar el *Shamm el-Nessim*. ¡Todas las camas están ocupadas!

–¿En qué hospital? –preguntó Dahiba. Cuando Camelia se lo dijo, añadió, dirigiéndose al chófer–: A la calle del Canal de Suez, por favor. Dése prisa.

Alice abrió los ojos y creyó estar todavía soñando, pues Ibrahim se encontraba a su lado acariciándole el cabello con una sonrisa en los labios. Estaba muy débil y tenía la sensación de haber emprendido un largo y agotador viaje del que sólo recordaba unos fragmentos... una enfermera colocándole una silleta, alguien lavándole el cuerpo con una esponja, una suave y rítmica voz recitando unos versículos del Corán. Miró a su marido y vio que llevaba unos guantes de cirujano y una blanca bata quirúrgica. Ibrahim parecía haber envejecido de repente. ¿Acaso se había pasado varios años durmiendo?, se preguntó.

–¿Cómo...?

–El peligro ya ha pasado, querida –le dijo cariñosamente Ibrahim.

–¿Cuánto tiempo llevo aquí?

–Tres días. Pero ahora ya estás mejor. La enfermedad suele durar seis días o menos.

Vio la botella de suero intravenoso suspendida por encima de la cama y el tubo que le penetraba en el brazo.

–¿Qué es lo que tengo? ¿Qué me pasa?

–Tienes cólera. Pero te vas a curar. Te estoy sometiendo a terapia antibiótica.

–¡Cólera! –exclamó Alice, tratando de levantarse, pero sin fuerzas para poder hacerlo–. ¿Y los demás? ¿Y la familia? ¡Muhammad! ¿Cómo está el niño?

–El niño está bien, Alice. En casa todos han contraído la enfermedad en distintos grados, algunos están peor que otros porque se les declaró en diferentes momentos. Excepto Zacarías. Él no está enfermo.

–¿Cuál ha sido la causa?

–Todavía no lo sabemos; el ministerio de Sanidad está investigando. Han tomado muestras del agua y de la comida de la cocina. Así se transmite la enfermedad, comiendo o bebiendo algo contaminado por las bacterias del cólera. Hasta ahora todo ha sido negativo. Y lo más misterioso es que sólo nuestra casa ha resultado afectada –Ibrahim tomó la mano de Alice y la comprimió con cariño–. *Al hamdu lillah.* Gracias a Dios, lo descubrimos a tiempo. Cuando el cólera se diagnostica en su fase inicial y se empieza inmediatamente el tratamiento, no tiene graves consecuencias.

–¿Cuándo podré volver a casa?

–En cuanto te recuperes.

Ibrahim volvió a acariciarle el cabello, pensando que ojalá pudiera quitarse el guante quirúrgico y sentir aquella rubia suavidad. Cuando la vio desplomarse al suelo en su consultorio, se sorprendió del súbito temor que se apoderó de él y del estremecimiento que sintió al pensar que pudiera perderla. Entonces decidió ingresarla en un caro hospital privado donde la estaban atendiendo de maravilla, en lugar de llevarla a uno de los grandes hospitales públicos donde los pacientes tenían que dar propinas a las enfermeras para que los atendieran. ¿Cómo era posible que hubiera olvidado lo mucho que todavía significaba Alice para él?

Alice sostuvo un buen rato su mano en la suya, consolada por su presencia. Al ver que Ibrahim era el único que la había visitado, comprendió que se encontraba en una sala de aislamiento cuyas tres camas restantes estaban vacías. Allí no se permitían las visitas. Pero había flores y tarjetas.

–De tus amigos –le dijo Ibrahim–. Madeline y la señora Florny habían acampado en el vestíbulo. Al final, las convencí de que se fueran a casa. Las rosas son de, ¿cómo se llama?, la señora de Michigan. Madre quería enviarte flores de su propio jardín, pero ha tenido miedo de que el cólera viajara con ellas. No sabes el susto que me has dado, Alice.

Ella esbozó una débil sonrisa y empezó a recordar detalles de los tres días pasados: Ibrahim de pie junto a su cama, dando órdenes a la enfermera, administrándole inyecciones, cambiando la posición de las almohadas y mirándola con inquietud. Al verle tan solícito y preocupado, pensó que no le hubiera costado demasiado volver a enamorarse de él. Así era Ibrahim años atrás en Montecarlo. Casi lo había olvidado. Ahora pensaba que el amor tal vez podría renacer de su enfermedad como el ave fénix de las cenizas. Sin embargo, a diferencia del mítico pájaro, su amor no tenía adónde volar. ¿La amaba Ibrahim de verdad o era igual de cariñoso con todos sus pacientes?

–Ahora te voy a dejar descansar –musitó Ibrahim, besándola en la frente–. Que Alá te guarde y te proteja –añadió, retirándose.

En el vestíbulo, se quedó de piedra al ver a Dahiba y Camelia.

Miró a su hermana boquiabierto de asombro. Toda la familia sabía que Camelia trabajaba con Fátima, expulsada años atrás de la familia, pero él no había vuelto a ver a su hermana desde el día en que Alí la desterró de la casa treinta y tres años atrás. Sabía que algún día se tendría que tropezar con ella, pero no esperaba encontrarla allí.

Dahiba se arremangó una manga y dijo:

–No te quedes ahí plantado como un asno, Ibrahim. Vacúname contra el cólera.

El viento *jamsin* envolvía la ciudad de El Cairo como una arenosa bruma semejante a una niebla de color pardusco en medio de la cual se elevaban los alminares cual si fueran místicos chapiteles. Y, desde ellos, los almuédanos entonaban la antigua llamada a la oración, inalterada desde los tiempos de Mahoma, trece siglos atrás:

> *Alá es grande.*
> *Alá es grande.*
>
> *Proclamo que no hay más Dios que Alá.*
> *Proclamo que no hay más Dios que Alá.*
>
> *Soy testigo de que Mahoma es su Profeta.*
> *Soy testigo de que Mahoma es su Profeta.*
>
> *Venid a la oración...*
> *Venid a la oración...*
>
> *Venid al triunfo...*
> *Venid al triunfo...*
>
> *Alá es grande.*
> *Alá es grande.*
>
> *No hay más Dios que Él.*

Mientras Huda, la enfermera de Ibrahim, bajaba presurosa por el pasillo con una silleta, vio a Amira a través de la puerta abierta de su dormitorio, prosternándose para rezar, a pesar de que apenas se tenía en pie. A la joven enfermera no la impresionó. Cualquiera podía hacer aquella comedia sin que ello significara forzosamente que fuera una persona devota. ¿Acaso no lo hacían también su padre y sus hermanos? Si de algo se alegraba era de poder verse libre de vez en cuando de sus interminables exigencias..., seis hombres que se pasaban las tardes perdiendo el tiempo en un café mientras ella tenía que permanecer todo el día de pie en el consultorio del doctor Ibrahim y, encima, le pedían que les preparara la cena en cuanto regresaba a casa. Sonrió al pensar en cómo se las estarían arreglando el viejo y los holgazanes de sus hijos con las ollas y las cacerolas. Con un poco de suerte, la familia del doctor Ibrahim la necesitaría todavía una semana por lo menos y quizá más tiempo, en cuyo transcurso su padre y sus cinco hermanos tendrían ocasión de darse cuenta de lo que significaba el trabajo que ella les hacía.

Encontró a Muhammad sentado en la cama con los brazos cruzados y una expresión enfurruñada en el rostro.

La enfermedad no le había atacado con tanta dureza como a los demás y su recuperación estaba siendo muy rápida; ahora el chiquillo estaba furioso porque no se había organizado ninguna fiesta para celebrar su cumpleaños. Al ver que aún no se había tomado el desayuno, Huda trató de convencerle de que comiera un poco. Pero él quería que le diera la comida su abuela Nefissa.

–Tu abuela está enferma –le dijo Huda exasperada.

Estaba agotada y le era preciso descansar. Atender el «hospital» de la calle de las Vírgenes del Paraíso le daba mucho trabajo. Aunque algunas de las mujeres Rashid se habían recuperado lo bastante como para cuidar a los demás, necesitaban que alguien las guiara; se tenía que controlar la técnica del aislamiento para que no se produjeran reinfecciones, las silletas se tenían que vaciar con sumo cuidado y las sábanas sucias se tenían que hervir o bien quemar para evitar que el contagio se extendiera más allá de la casa. Huda les había enseñado también a detectar las señales de peligro: fiebre intensa, ojos hundidos, pulso acelerado, respiración rápida y fiebre, todo lo cual le debería ser comunicado inmediatamente. El cuidado más crucial era el de la terapia de rehidratación que sólo una experta enfermera podía llevar a cabo y que consistía en la alternancia de soluciones salinas con bicarbonato sódico y suplementos intermitentes de potasio. Y también la vigilancia de la ingestión de líquido de cada paciente y su excreción urinaria, puesto que el mayor peligro del cólera era la deshidratación, la cual provocaba acidosis, uremia, fallo renal y muerte. Huda se sentía muy importante supervisándolo todo, tal como hacían las jefas de las enfermeras en el hospital donde había hecho sus prácticas. Sin embargo, la tarea tenía también sus facetas desagradables.

Todo el mundo sufría diarrea y vómitos; se tenía que cambiar constantemente la ropa de las camas y las habitaciones apestaban. Sin embargo, como estaba soplando el *jamsin*, la señora Amira no quería que se abriera ninguna ventana, temiendo que los *yinns* del desierto les causaran ulteriores desgracias. Ojalá el doctor Ibrahim le hubiera permitido administrar Lomotil o uno de los remedios antidiarreicos de la señora Amira, pensó Huda. Pero Ibrahim decía que la enfermedad se tenía que expulsar del cuerpo. Si se quedaba dentro, todo el mundo se pondría peor. Huda también le había pedido al doctor Ibrahim que llevara a la casa a alguna otra enfermera, aparte la que había enviado el ministerio de Sanidad, la cual, por cierto, era una holgazana tremenda. Pero la madre de Ibrahim no quería; aquella terca mujer estaba rechazando ayuda del exterior, lo cual era una insensatez, pues, con tal de que una persona estuviera vacunada, no había peligro de contagio.

Incluso así, Huda se alegraba de estar allí. Cuando Ibrahim le pidió que atendiera a su familia, no pudo negarse. Estaba enamorada de él y sería una oportunidad de ver cómo vivía. La joven enfermera ya imaginaba que su jefe vivía muy bien, pero no esperaba ver una mansión tan llena de objetos valiosos por todas partes. La casa del doctor Ibrahim parecía un palacio. Ahora estaba segura de que le pagaría bien el sacrificio y de que tal vez incluso le haría un bonito regalo.

Mientras trataba de convencer al niño de que comiera un poco de judías con huevo, Huda contempló la fotografía de una rubia muy guapa que colgaba sobre su cama. Sabía que era la hija del doctor Ibrahim, la que se había ido a América. Aunque Muhammad fuera moreno, Huda le veía un parecido con su madre en la forma del rostro y los hoyuelos que se le formaban en las mejillas, incluso cuando no sonreía. Sus ojos eran del mismo color azul, lo cual constituía un rasgo muy atractivo, combinado con su cabello oscuro y su morena tez. A los diez años, Muhammad ya permitía entrever lo apuesto que sería algún día.

–¡Muy bien, pues! –dijo Huda, levantándose–. Si no quieres comer, no te obligaré.

Mientras alargaba la mano hacia la bandeja de la mesilla, experimentó un repentino calambre en el vientre. Sin previa advertencia, se le doblaron las rodillas, se desplomó al suelo y empezó a vomitar.

Muhammad gritó pidiendo auxilio y Amira entró corriendo en la habitación. Mientras ayudaba a la enfermera a levantarse, Amira le preguntó:

–¿Habías sentido algún mareo?

Huda sacudió tristemente la cabeza. Los vómitos no precedidos por sensación de náusea eran uno de los primeros síntomas de la enfermedad. Ahora ella también había contraído el cólera.

La limusina negra, cuyo brillo había sido oscurecido por el polvo del *jamsin*, se acercó al bordillo, y Dahiba y Camelia descendieron antes de que se detuviera por completo delante de la casa. Hakim no las tenía todas consigo y no hubiera querido que rompieran la prohibición de la cuarentena impuesta por las autoridades sanitarias, pero se limitó a decir que él cuidaría de Zeinab mientras ellas estuvieran dentro. Dahiba ni siquiera llamó. Avanzó por el camino y abrió la puerta de entrada como si acabara de dejar la casa justo la víspera.

–*Bismillah*! –exclamó–. ¡Pero qué mal huele aquí!

Mientras subían rápidamente por la escalinata para dirigirse al ala de la casa reservada a las mujeres, vieron montones de sábanas limpias, palanganas de agua con jabón, batas de hospital y mascarillas quirúrgicas delante de las puertas de las habitaciones. El fuerte olor a desinfectante no bastaba para disipar el hedor de la enfermedad.

Amira, con una bata quirúrgica sobre el vestido negro y el cabello protegido por un pañuelo blanco, estaba en el pasillo, tratando de acarrear un montón de sábanas sucias. Dahiba lanzó un suspiro y sacudió la cabeza.

–Mi madre, la *sayyida* Zeinab de la calle de las Vírgenes del Paraíso.

Amira levantó la vista, sobresaltada. Miró un instante a su hija y después exclamó:

–Fátima, alabado sea Alá.

–Mi hermano dice que no permites que se abran las ventanas, madre.

–La enfermedad la lleva el viento. Los *yinns* del desierto han traído el cólera a esta casa.

–El cólera lo provocan unas bacterias, madre, unos minúsculos gérmenes que no se ven.

–¿Acaso se ven los *yinns*? Por favor, hija mía, vete antes de que te pongas enferma.

–Ibrahim nos ha vacunado, *Umma*.

–También vacunó a la enfermera y se ha puesto enferma.

–No a todo el mundo le hace efecto. Pongo mi confianza en Alá. Ahora quiero que te acuestes.

–Debes irte –dijo Amira con menos convicción.

–¿Desde cuándo un miembro de una familia no puede cuidar a sus parientes? Ésos son los momentos que dan significado a una familia, de lo contrario, ¿qué somos, qué nos queda? –quitándose el pañuelo y arremangándose las mangas, Dahiba ayudó a su madre a acostarse–. Ahora yo me voy a encargar de todo, *Umma* –dijo–, y empezaré por ti. Y no quiero discusiones.

Amira ya no dijo nada más. Apoyó la cabeza en la almohada, cerró los ojos y pensó: «Alabado sea el Eterno, mi niña ha vuelto a casa...».

Al llegar a casa, lo primero que hizo Ibrahim fue visitar los dormitorios para examinar a los pacientes y administrarles tetraciclina en caso necesario. Lamentó encontrar a Huda postrada en cama; le había advertido de que la vacuna sólo era eficaz en un ochenta por ciento de los casos. Pero la joven resistía bien y se había tomado la situación con estoicismo.

Al final, bajó a la cocina donde las criadas estaban hirviendo enormes calderas de agua para esterilizarla y planchando impresionantes cantidades de sábanas recién lavadas. Sahra, cansada y con rostro macilento, se encontraba junto a una mesa, preparando las bandejas del almuerzo para los enfermos. Ibrahim raras veces visitaba la cocina, que era el reino de las mujeres, pero ahora había bajado como médico en un intento de descubrir la causa de aquella limitada epidemia.

Estaba muy desanimado. Acababa de hablar con el inspector de Sanidad y éste le había dicho que aún no habían identificado el origen de la enfermedad. El doctor Jeir le explicó que otras seis familias del barrio también la habían contraído. Ibrahim no comprendía cómo era posible que todas las personas adultas de la casa se hubieran puesto enfermas con la excepción de él mismo y de Zacarías. Los más pequeños tampoco habían resultado afectados. ¿Por qué? ¿Qué habían comido todos los demás menos los más pequeños, Zacarías y él?

Examinó la cocina tratando de descubrir al culpable agazapado en algún rincón... un *yinn*, como decía su madre. Después miró a Sahra, que sólo había resultado levemente afectada y había respondido inmediatamente al tratamiento con tetraciclina.

–Sahra –le dijo–, ¿te has lavado las manos con jabón antes de preparar las comidas, tal como te dije que hicieras?

–Sí, mi amo. Me las lavo cien veces al día –contestó Sahra, extendiendo la mano derecha para que viera lo áspera que la tenía.

Ibrahim contempló el cuenco que Sahra sostenía en las manos y cuyo contenido estaba a punto de echar en los platos de las bandejas.

–¿Qué es eso? –preguntó.

–Es *kibbeh*, mi amo. Muy bueno para los enfermos. A ti te gusta mucho.

Ibrahim frunció el ceño.

–Sí, pero el *kibbeh* siempre se cuece, ¿verdad?

–Ésta es una nueva receta en la que no hace falta cocer la carne, mi amo. El mismo carnicero me lo dijo. Me dijo que es un plato muy popular en Siria. Pero la carne es muy fresca, como puedes ver. Él mismo la cortó en trocitos delante de mí.

Ibrahim se acercó el cuenco a la nariz y olfateó la mezcla de carne de cordero, cebolla, pimienta y trigo machacado.

–Es muy bueno, mi amo –añadió Sahra con inquietud–. A todo el mundo le gustó mucho. No dejaron ninguna sobra.

–¿Qué dices? ¿Habías preparado antes este plato?

–Hace cuatro noches, mi amo. Como la familia se había reunido para celebrar la fiesta, quise preparar algo especial...

–¿La víspera del día en que mi mujer cayó enferma?

Sahra asintió con la cabeza e Ibrahim pensó en aquella noche y de pronto recordó que no había cenado en casa debido a una urgencia en el hospital. Zacarías tampoco habría probado el *kibbeh*, teniendo en cuenta la aversión que le inspiraba la carne.

Ibrahim abandonó rápidamente la cocina y telefoneó al ministerio de Sanidad.

–Doctor Rashid, estaba a punto de llamarle –dijo el doctor Jeir desde el otro extremo de la línea–. Hemos localizado el origen de la enfermedad en un carnicero de su barrio, un sirio. Llegó hace una semana de Damasco y hemos descubierto que es portador. Las bacterias están en la carne. ¿Alguien de su casa le ha comprado carne recientemente?

Ibrahim regresó a la cocina, le arrancó a Sahra el cuenco de las manos y lo arrojó al suelo.

–¿No te he dicho cientos de veces que la carne hay que cocerla siempre? ¡Nos hubieras podido matar a todos!

–Perdón, mi amo –dijo Sahra–. Era un plato especial para la fiesta. El nuevo carnicero...

–Es portador de la enfermedad. ¡Él nos ha contagiado la enfermedad!

Sahra miró a Ibrahim con los ojos muy abiertos.

–¡Pero el señor Gamal no estaba enfermo!

–Un portador no está enfermo, simplemente transmite la enfermedad a los demás. ¿No sabes que nos hubieras podido matar a todos?

Sahra rompió a llorar.

–Perdóname, mi amo. Te juro ante Alá que no quería hacerlo.

Ibrahim se pasó las manos por el cabello sintiéndose súbitamente muy cansado.

–Mira lo que nos ha costado tu equivocación. Y ahora mi enfermera se ha puesto enferma y mi madre también.

–¿La *sayyida* está enferma?

–Reza para que consigamos llegar a tiempo. A su edad, esta enfermedad puede ser mortal.

–Sí, mi amo –musitó Sahra con el rostro surcado por las lágrimas.

Zacarías se despertó antes del amanecer y ya no pudo conciliar nuevamente el sueño. Aquel día le iban a comunicar a Tahia la muerte de su marido. Sabía que su padre tenía previsto decírselo, pero él quería adelantarse y darle la noticia. Decidió desayunar con ella y, al bajar a la cocina, observó que las criadas estaban dominadas por una gran agitación. No habían encendido los hornos, le dijeron, y la masa de pan no se había puesto a fermentar durante la noche.

Sabiendo que Sahra, la jefa de la cocina, prefería encargarse personalmente de aquellas tareas y que, por consiguiente, era la primera en levantarse por la mañana, el muchacho se dirigió a su habitación situada detrás de la cocina, preguntándose si ella también habría sido víctima del cólera. Para su asombro, la cama de Sahra no estaba deshecha y sus ropas habían desaparecido junto con las fotografías de la familia que siempre tenía prendidas con chinchetas en la pared. Y a Sahra no se la veía por ninguna parte.

30

–¡Desde luego, aquí no ha quedado nadie! –dijo Declan Connor mirando a través de la ventana de su despacho–. En mi vida había visto el campus tan vacío.

Un cálido viento vespertino soplaba entre los pinos, los alisos y los jacarandás del jardín de la facultad de Medicina, empujando las hojas secas hacia los caminos iluminados mientras unos pequeños remolinos de brisa agitaban el polvo y los desperdicios del suelo. Aunque faltaban unos cuantos días para la víspera de Todos los Santos, en una ventana del laboratorio de anatomía del otro lado del camino brillaba un cráneo humano pintado de color anaranjado para que pareciera una calabaza con una vela encendida dentro como las que solían utilizarse en aquella fiesta..., una macabra broma de algún estudiante.

Jasmine levantó la vista de la máquina de escribir y le dio un vuelco el corazón al ver la imagen del profesor por partida doble, el verdadero Connor y su figura reflejada en el cristal de la ventana. Era un hombre demasiado serio y conservador para una universidad tan liberal como aquélla, pero siempre parecía generar una energía personal que Jasmine percibía incluso de lejos. O, a lo mejor, pensó Jasmine, no eran más que figuraciones suyas. Tras haberse pasado seis meses trabajando con Connor, sabía lo ambicioso y decidido que era aquel hombre.

–¡Bueno! –dijo Connor, apartándose de la ventana–. ¿Dónde estamos ahora? En el último capítulo, ¿verdad?

El último capítulo. A Jasmine no le gustaba pensarlo. Significaba que la colaboración entre ambos muy pronto tocaría a su fin.

–Ha sido una idea muy brillante –añadió Connor, situándose a su espalda para ver lo que había mecanografiado–. Voy a añadir un capítulo similar a la versión africana.

El nuevo capítulo había sido idea de Jasmine. Se titulaba «Respeto a las costumbres locales», iba dirigido a los no árabes y exponía toda una serie de sencillas pero importantes normas para que los cooperantes sanitarios extranjeros se pudieran llevar bien con los habitantes de las aldeas. Tras unas cuantas recomendaciones bastante obvias, como, por ejemplo: «Muéstrese amable y servicial» o «No discuta con el curandero nativo», Jasmine había enumerado unas normas específicas de la cultura árabe: no preguntarle jamás a un hombre por su mujer; no comer jamás con la mano izquierda; no felicitar jamás a una mujer por sus hijos.

–No tiene usted idea –añadió Connor inclinándose hacia Jasmine con la mano apoyada en el respaldo de su silla de tal forma que ella podía aspirar la fragancia de su Old Spice– de la cantidad de problemas que pueden surgir cuando los cooperantes bienintencionados cometen errores tan sencillos como quebrantar alguna costumbre tribal. Los kikuyu, por ejemplo, consideran un gran honor que apoyes la mano sobre la cabeza de un niño. Si alguien no lo hace, se sienten ofendidos. Eso que ha escrito usted aquí, Jasmine, sobre la necesidad de no felicitar jamás a una mujer por sus hijos...

Mientras le explicaba todo lo relacionado con el mal de ojo y el temor que la envidia les producía a los *fellahin*, Jasmine empezó a soñar. Si su mano resbalara un poco y la rozara accidentalmente...

Greg, pensó. Tenía que pensar constantemente en su marido Greg. Lo malo era que Greg Van Kerk, con quien se había casado para evitar que la expulsaran, no era realmente su marido.

Tal como ya esperaban, el Servicio de Inmigración y Nacionalización había hecho averiguaciones y había interrogado a la casera y a los profesores, a los amigos de Greg y a la familia de Rachel. Los agentes se presentaban de vez en cuando en su domicilio con sus placas, sus cuadernos de notas y sus preguntas de carácter personal, y tanto ella como su marido, siempre dispuestos a colaborar, los recibían amablemente y disipaban todas sus dudas. Legalmente, eran marido y mujer desde hacía casi siete meses; Jasmine se apellidaba oficialmente Van Kerk, pero, a pesar del certificado de matrimonio, ambos seguían siendo simplemente compañeros. Tal como Greg había dicho, ni siquiera el SIN podía colocar un espía en su alcoba.

Jasmine pensó en aquellos seis meses y medio en cuyo transcurso había dicho «buenas noches» y había cerrado la puerta del dormitorio mientras los muelles del sofá del salón crujían bajo el peso de Greg. Seis meses de cómodas relaciones con un hombre inteligente y considerado que la había salvado de la expulsión y que se había ganado todo su respeto. Si, por lo menos, pudiera enamorarse de Greg...

Lo malo era que se había casado con un hombre y se había enamorado de otro.

Declan regresó a su escritorio y, mientras revisaba por última vez el manuscrito, Jasmine no pudo evitar establecer una comparación entre ambos... Declan con su energía y su contagiosa vehemencia, y Greg con aquella indolencia que parecía surgir de la filosofía árabe del *bokra*, es decir, mañana, una actitud que a ella no le desagradaba del todo, pues le hacía recordar su casa. Declan vestía con esmero y Greg todo lo contrario; Declan había alcanzado el éxito y tenía ambición y Greg aún estaba bregando sin demasiado entusiasmo con la tesis de licenciatura. Pero ambos eran amables y la hacían reír y ella apreciaba a éste y amaba a aquél, cuando hubiera tenido que hacer justo al revés.

No tenía ni idea de cuáles eran los sentimientos de Declan con respecto a ella.

Pero no importaba, se decía cada vez que empezaba a pensar en él y a preguntarse qué tal sería vivir a su lado. Connor estaba casado y tenía el camino trazado. Y ella también lo tenía. Aunque no estaba segura de cuál iba a ser su futuro con Greg ni en qué pararía todo aquello, sabía adónde iría ella: a estudiar medicina y llevar sus conocimientos allí donde fueran necesarios. Y eso se lo debía a Declan Connor. Trabajando a su lado, sintiendo la fuerza de su energía y viendo con cuánta claridad tenía definidos sus objetivos, ella había aprendido a definir sus propios propósitos, los cuales no eran otros que los de ejercer la clase de medicina que había visto ejercer a su padre en El Cairo. Ibrahim había sido en otros tiempos el médico personal de un rey y seguía cobrando unos honorarios muy elevados, pero también atendía a la cada vez más numerosa población campesina que afluía a la ciudad. Y allí, trabajando con él en su consultorio y aprendiendo de él el ejercicio de la medicina, había nacido su sueño de convertirse en médica.

Jasmine sabía que tenía que concentrarse en eso, sobre todo en los momentos en que la invadía la tristeza al pensar que Connor dejaría la universidad cuando finalizara el semestre.

–Sybil y yo no podemos estarnos quietos mucho tiempo en ningún sitio –le había explicado Connor al principio del proyecto, allá en el mes de marzo–. Nos conocimos en un barco hospital. Sé que es muy bonito enseñar a la gente a ser médico y me ha gustado mucho trabajar en esta facultad, pero echo de menos la práctica. En cuanto a la traducción esté lista, Sybil y yo nos iremos a Marruecos.

Jasmine había conocido a su mujer, profesora de inmunología, un día en que Sybil acudió al despacho con su hijo de cinco años David, un chiquillo de huesudas rodillas vestido con pantaloncitos cortos, que hablaba con acento inglés y que a ella le había hecho recordar a su hijo Muhammad. En aquel momento, envidió a la esposa de Connor.

El profesor pasó la última página del manuscrito, un glosario básico de términos árabes, diciendo:

–¡Parece que lo hemos conseguido! *Al hamdu lillah!*

Jasmine se rió como siempre hacía cuando él hablaba en árabe, pero con acento británico. Una vez Connor le contó su anécdota preferida y su postura personal con respecto a los idiomas:

–Fue en la misión de Kenia donde me invitaron a rezar la oración de acción de gracias durante un importante almuerzo en honor de unos representantes de la Iglesia que estaban visitando la misión. Me recordaron en voz baja que debería pronunciar la oración en latín, pero, como yo no conocía ninguna oración en latín, empecé a pensar rápidamente. Incliné la cabeza y recité:

»–*Levator labii superioris alaeque nasi* –que es el nombre del pequeño músculo de la parte lateral de la nariz.

»Todos dijeron:

»–Amén.

»Y nos pusimos tranquilamente a comer.

Y ahora habían terminado ya de traducir el libro. En cuanto insertaran el nuevo capítulo de Jasmine, podrían enviar el manuscrito al editor de Londres. Poco después, Declan también se iría.

–Se me ocurre una idea –dijo Connor de repente–, la voy a invitar a cenar esta noche. No le he pagado ni con mucho lo que vale su trabajo y me sentiría un poco más tranquilo si, por lo menos, me permitiera invitarla a cenar.

Jasmine contempló sus dedos sobre el teclado. ¡A cenar! Se habían pasado seis meses trabajando juntos en un proyecto casi siempre en aquel despacho y generalmente por las tardes y a veces hasta bien entrada la noche. Sin embargo, la colaboración, por muy íntima que hubiera sido, no había pasado de ser una relación de tipo profesional y Jasmine siempre había conseguido mantener las distancias. En cambio, una cena los colocaría a un nivel distinto y más peligroso.

–No puede negarse –dijo Connor acercándose a su escritorio y apagando la máquina de escribir eléctrica–. Sé que no ha comido desde el amanecer porque es Ramadán. No comprendo cómo se las arregla –añadió, esbozando una sonrisa–. Los judíos son más razonables en eso del ayuno, un solo día en ocasión del Yom Kippur. Hacerlo treinta días me parece una barbaridad.

Jasmine apoyó las manos en su regazo para ocultar su repentino nerviosismo.

–¡El Ramadán es todavía más duro en verano porque los días son más largos! –dijo.

–Sí, ya me acuerdo. Hasta el viejo y simpático Habib perdía la paciencia mientras planchaba. Entonces me dije que sería mejor no ir jamás a Egipto durante el Ramadán. Bueno pues, elija usted el restaurante –añadió Connor–. El más caro que se le ocurra.

–¿Vendrá también su esposa?

–Sybil tiene una clase esta noche.

Jasmine vaciló. En Egipto las normas estaban muy claras: una mujer no salía sola con un hombre que no fuera pariente suyo. Y tanto menos una mujer casada. Pero ¿estaba ella realmente casada? Ella y Greg habían firmado un papel y él le había dado su apellido. Eso era todo. Sin embargo, por mucho que pensara que sólo iba a ser una cena amistosa con Connor en un lugar público, tenía miedo..., miedo de sus sentimientos y miedo de que se le notaran.

—Además, tengo una sorpresa para usted —dijo Connor, mirándola con un brillo travieso en los ojos, el mismo brillo que ella le vio el día en que le gastó una broma al doctor Miller de Parasitología.

—¿Una sorpresa?

El profesor se dirigió a la parte de atrás del archivador y sacó un gran sobre cuadrado.

—Lo guardaba para un momento especial. Ahora me parece una buena ocasión. Ábralo.

Jasmine vio los sellos británicos y la dirección de Declan en Marina. Mientras abría el sobre, Connor añadió:

—Pedí que me lo mandaran a casa porque no quería que usted lo viera antes que yo.

Jasmine sacó el contenido del sobre y vio la fotocopia de la sobrecubierta de un libro con un título en grandes letras negras: «Cuando usted es el médico, de la doctora Grace Treverton. Manual de sanidad rural para los países árabes».

—Les propuse varios esbozos —explicó Connor— porque no podíamos utilizar la misma ilustración que figura en la versión original. Como ve, la madre y el niño tienen rasgos árabes y, en lugar de la choza de paja del fondo, ahora hay una casa de adobe. Ésta será la cubierta definitiva.

Jasmine descubrió la sorpresa al fondo, bajo la ilustración: *Revisado y traducido por el doctor Declan Connor y Jasmine Van Kerk*.

—Me temo que eso no le va a reportar dinero ni derechos de autor, pero su nombre lo verán muchas personas. Las Fuerzas de Pacificación acaban de hacer un pedido y lo mismo ha hecho la organización francesa de Médicos sin Fronteras.

Jasmine mantuvo los ojos clavados en la fotocopia porque no podía mirarle.

—No sé qué decir —musitó en voz baja.

—No hay nada que decir. Yo, en cambio, doy gracias a Dios de que no se presentara la estudiante que contraté —Connor observó a Jasmine en silencio y después le dijo—: Por supuesto que hizo usted muy bien en casarse.

Jasmine no había entrado en detalles ni le había explicado que Greg y ella eran unos extraños entre sí. Connor debía de suponer que ambos ya eran amantes y ella quería que lo siguiera pensando para conservar las distancias y mantener a raya sus propios sentimientos.

–¿Y bien? ¿Qué le parece? ¿Cenamos en la ciudad?

Cuando al final levantó los ojos y vio su atractiva sonrisa y la forma en que la iluminación del techo perfilaba las bien cinceladas facciones de su rostro, Jasmine sintió que se le aceleraban los latidos del corazón y contestó:

–Sí, sería muy agradable.

En el momento en que se disponían a salir, sonó el teléfono. Jasmine lo tomó; era Rachel.

–Perdona que te moleste, Jas –le dijo ésta en tono apremiante–, ya sé que estás trabajando, pero ¿podrías venir en seguida? La abuela Maryam pregunta por ti.

Jasmine miró a Connor.

–Pero si es el Yom Kippur, Rachel. ¿Queréis recibir visitas?

–No se encuentra bien, Jas. Lleva varias semanas en cama y dice que tiene que hablar contigo inmediatamente. ¿Podrías venir?

Jasmine vaciló.

–Un momento –solicitó, cubriendo el teléfono con la mano–. Doctor Connor, una amiga mía está enferma y pide que vaya a verla inmediatamente.

–Por supuesto que debe usted ir. Podemos dejar la cena para otra noche.

–De acuerdo, Rachel. Dile a tía Maryam que vendré en cuanto pueda.

Jasmine colgó el teléfono experimentando una mezcla de alivio y decepción, pues ahora sabía que ya no tendría otra ocasión de salir a cenar con Connor.

–Espere, Jasmine –dijo Connor–. Antes de que se vaya, quiero decirle una cosa. Pensaba decírselo esta noche durante la cena, pero se lo diré ahora porque puede que no se me ofrezca otra oportunidad –el profesor hizo una pausa con las manos metidas en los bolsillos y Jasmine tuvo la sensación de que había ensayado previamente lo que le iba a decir–. Trabajar con usted en este proyecto ha significado mucho para mí –añadió–, más de lo que pueda expresar con palabras. Será usted una médica extraordinaria, Jasmine, y sé que llevará sus conocimientos allí donde sean necesarios. Espero... bueno, espero que algún día tengamos la ocasión de volver a trabajar juntos.

–Gracias, doctor Connor, yo también lo espero.

Cuando dio la vuelta para marcharse, él se le acercó y apoyó la mano en su brazo.

–Jasmine...

Ambos se miraron un instante a los ojos mientras el viento de octubre hacía crujir los resecos árboles del exterior. Connor inclinó la cabeza y ella levantó el rostro.

–Disculpe, Jasmine. Si usted supiera... –dijo Connor, apartándose de ella.

–No, por favor –dijo ella–. Tal vez nuestros caminos vuelvan a cruzarse algún día, doctor Connor. Si Dios quiere. *Ma salaama*.

–*Ma salaama* –repitió él.

Rachel la estaba esperando en la calzada.

–¿Qué ocurre? –le preguntó Jasmine, entornando los ojos bajo el sol del atardecer.

–No lo sé muy bien. Es algo muy misterioso. La abuela dice que tiene una cosa para ti. Al parecer, la recibió por correo hace unos días.

Jasmine sintió que el corazón le daba un vuelco en el pecho. ¡Algo de la familia tal vez! ¿Una carta? ¿Su padre, pidiéndole que regresara a casa?

Mientras entraban en la casa, a Jasmine le gruñó repentinamente el estómago.

–Perdón –dijo riéndose–, es que estoy ayunando.

–Hoy es una fiesta judía. ¿Por qué has ayunado tú?

–Es el décimo del Ramadán.

Rachel no contestó; siempre se sentía vagamente incómoda cuando recordaba que Jasmine era musulmana. Y ahora experimentaba un nuevo sentimiento de celos por la especial relación que unía a Jasmine con su abuela. Pese a su ascendencia judía egipcia, Rachel se sentía muy poco identificada con el país que Jasmine y Maryam compartían; jamás había estado en Egipto, el país natal de su padre, y apenas sabía nada de él. Sin embargo, sabía que el corazón de su abuela Maryam seguía estando allí y por eso Jasmine ocupaba en él un lugar especial que ella, su propia nieta, jamás podría ocupar.

La casa estaba muy tranquila.

–Los demás se han ido al templo –dijo Rachel–. Yo me he quedado en casa con la abuela Maryam. Se ha debilitado mucho en los últimos meses, Jas. Sólo tiene setenta y dos años y no le encuentro nada. Todos estamos muy preocupados.

Era la primera vez que Jasmine entraba en el dormitorio de Maryam, repleto de objetos personales suyos de El Cairo, entre los cuales figuraban algunas cosas que Jasmine recordaba haber visto tiempo atrás en casa de los Misrahi. Sin embargo, lo que más le llamó la atención fue un gran retrato colgado en la pared. Era de Maryam y Amira años atrás, dos jóvenes con el cabello ondulado a lo Marcel, Maryam en actitud levemente descocada y Amira con un cutis extraordinariamente terso y juvenil y unos ardientes ojos oscuros semejantes a los de una estrella de cine mudo. Y no iba de negro tal como siempre la había visto Jasmine, sino que lucía un vestido blanco que parecía de gasa.

–Te pareces mucho a ella, ¿sabes? –dijo una voz desde la cama–. Si te cubres el cabello rubio, eres Amira.

Jasmine jamás se había dado cuenta del predominio que tenía en ella su mitad árabe. El cabello rubio y los ojos azules eran lo único que había heredado de la familia de Alice. Se sorprendió ahora al observar que la joven del retrato hubiera podido pasar por su hermana gemela.

Se acercó a la cama y se asombró de lo mucho que había envejecido Maryam en pocos meses. Contempló su cabello blanco y recordó a la llamativa pelirroja a la que tan a menudo solía ver por su casa cuando era pequeña.

–Hola, tía –dijo, sentándose–. ¿Qué te pasa?

Maryam habló en árabe.

–Yo estaba presente la noche en que tú naciste. Tu abuela y yo siempre nos ayudábamos mutuamente en nuestros partos. Yo ayudé a venir al mundo a tu tía Nefissa y Amira ayudó a venir al mundo a mi Itzak. Ha pasado mucho tiempo. Entonces la calle de las Vírgenes del Paraíso era otro mundo.

–Es cierto –dijo Jasmine en un susurro, recordando la preciosa fuente turca del jardín y la glorieta donde Amira solía tomar el té con sus visitas cual si fuera una reina recibiendo a sus cortesanos.

–¿Te gusta estudiar en la facultad de Medicina? –preguntó Maryam.

–Tengo mucho que aprender, tía. Estoy muy ocupada.

Jasmine hubiera querido hablarle de Connor. Pero ni siquiera a Rachel le había revelado su secreto.

–Serás una médica estupenda. Siendo hija de Ibrahim Rashid y nieta de Amira, ¿cómo podría ser de otro modo? ¿Qué noticias tienes de la familia? Llevo algún tiempo sin saber nada de tu abuela.

Jasmine le contó lo que le había escrito Alice en su última carta sobre la epidemia de cólera que se había declarado en la casa.

–Temen que el niño de Tahia tenga la dentadura manchada a causa de la tetraciclina. Y nuestra cocinera Sahra ha desaparecido y nadie sabe adónde ni por qué.

Jasmine no comentó lo mucho que la había preocupado la carta, por más que Alice le hubiera asegurado que Muhammad apenas había resultado afectado por la enfermedad. La aterrorizaba pensar que su hijo pudiera ponerse enfermo y morir sin que ella estuviera a su lado.

–¿Por qué me has mandado llamar, tía?

–No expulses de tu corazón el pasado, Yasmina. Veo en tus ojos que no quieres hablar de tu familia. Te he pedido que vengas porque hoy es el Día de la Expiación. Quiero que hagas las paces con tu padre. La familia lo es todo, Yasmina. Amira me escribe, bueno, le pide a su nieto Zacarías que escriba lo que ella le dicta, y me habla de todos los miembros de la familia y me pregunta por ti. Yo no sé lo que ocurrió entre tú y tu padre, Yasmina, pero tienes que hacer las paces con él.

–Tía Maryam, mi padre y yo jamás podremos ser amigos. Él no me quiere...

–¿Que no te quiere, dices? Ay, hija mía, tú no sabes lo que es querer –Maryam extendió la mano para tomar la de Jasmine–. Ya sé por qué te has casado con un americano, cariño. Sé que quieres quedarte en los Estados Unidos. Pero yo te pido que me escuches. Esta tierra no nos corresponde ni a ti ni a mí. Tú y yo pertenecemos al lugar en el que tenemos el corazón y que no es otro que la calle de las Vírgenes del Paraíso. Tú tienes un hijo allí, un niño que necesita a su madre.

–Jamás me permitirían verle –dijo Jasmine, contemplando la envejecida mano que sostenía en la suya–. Omar me quitó a Muhammad y la ley dice que no puedo ver a mi hijo.

«Para mi familia, estoy muerta.»

–¿Qué sabrá la ley sobre el corazón de una madre? Regresa allí, Yasmina, Dios te ayudará a encontrar un camino –Maryam le dirigió a Jasmine una larga mirada inquisitiva y después alargó la mano hacia la mesita de noche–. Eso lo recibí el otro día. Me lo envió mi hermana desde Beirut.

Jasmine vio que era un libro escrito en árabe, *La sentencia de la mujer*. El nombre de la autora era Dahiba Rauf.

–Es tu tía Fátima, ¿lo sabías?

–Sí –musitó Jasmine con asombro mientras pasaba las páginas y echaba un vistazo a los poemas.

Cuando llegó al final del libro y leyó el título «Ensayo de Camelia Rashid», sintió que un estremecimiento le recorría el cuerpo de arriba abajo.

Maryam lanzó un suspiro.

–Vosotras las mujeres Rashid siempre habéis sido muy testarudas. No sé si Amira sabrá algo de este libro.

Jasmine se quedó de una pieza al leer lo que había escrito su hermana:

«En materia sexual –decía Camelia– el hombre se lanza a la batalla completamente armado. Su armadura es el respaldo de la sociedad en cualquier cosa que haga. Sus armas son las leyes. La mujer, en cambio, no tiene nada; está indefensa. Entra en combate sin un escudo tan siquiera. Por eso está condenada a perder.

»Los hombres son los exclusivos propietarios del planeta. Son dueños de la tierra, de los mares y de las estrellas; son dueños de la historia y del pasado; son dueños de las mujeres y del aire que respiramos. Incluso son los amos de la gota de semen que dejan en nuestro interior; ellos son los propietarios de los productos del vientre de una mujer. Nada es nuestro. Ni siquiera somos dueñas del sol que nos alumbra.»

Jasmine estaba asombrada. ¿De dónde habría sacado Camelia semejantes ideas? ¿De qué manera, en una sociedad como la de Egipto, había aprendido a pensar de aquella forma y a expresar por medio de palabras y frases sus sentimientos y opiniones?

Siguió leyendo:

«Un hombre tiene la posibilidad de reconocer la paternidad de un hijo o de negarla. Puede decir: "Este niño no es mío". Qué arrogantes han sido los hombres al otorgarse a sí mismos este poder, siendo la mujer la que desarrolla la nueva vida en su cuerpo con su sangre, su oxígeno y sus células; ella la lleva en su vientre, la siente, le canta y alimenta el nuevo espíritu con el suyo propio. Y, sin embargo, el hombre, para quien el acto sexual no fue más que un momento de placer, puede reclamar la propiedad de la nueva vida que está creciendo en el cuerpo de otra persona. Tiene el poder de reconocerla y permitir que viva o de negarla y dejar que muera.»

Jasmine contempló la página. ¿Se estaría refiriendo Camelia a ella, su propia hermana, y a su hijo? ¿O acaso pensaba en Hassan al-Sabir y en la desgracia que se había abatido sobre su pobre hermana por el hecho de que el hijo fuera de éste y no de su marido? Jasmine cerró los ojos y evocó el negro cabello y los ojos color ámbar de Camelia. ¡Qué valiente había sido al escribir aquellas palabras! Pero ¿cómo era posible que pudiera escribir con tanta sinceridad y hubiera sido al mismo tiempo tan falsa con ella? ¿Acaso estaba tan enamorada de Hassan que los celos la habían impulsado a revelarle el secreto de su hermana Nefissa?

Un recorte doblado de periódico cayó al suelo de entre las páginas del libro. Correspondía a un periódico de Beirut y alguien había anotado al margen: «Reproducido del *Paris Match*». Era una entrevista con Camelia, «la estrella naciente del firmamento de Egipto».

–¿Me lo quieres leer, por favor? –dijo Maryam–. Tengo muy mala vista y en esta casa ya nadie lee el árabe –añadió tristemente.

El artículo giraba en torno a las dificultades con que había tropezado una celebridad como Camelia, mujer y soltera, para proteger su reputación. «No es fácil ser soltera en Egipto –le había dicho Camelia al reportero del *Match*–. En Egipto, si un desconocido le dirige la palabra a una mujer por la calle y ésta le contesta aunque sólo sea para decirle: "No. Váyase. Déjeme en paz", él lo toma como una indicación de que está disponible, y la sigue acosando. La reacción adecuada es no hacerle caso y fingir no haberle visto; entonces él capta el mensaje y se retira, respetándola y comprendiendo que es una mujer decente. Es difícil tratar a un ser humano como si fuera invisible o no existiera. En Francia, eso se consideraría una grosería, pero así son las costumbres árabes.»

–Yasmina –dijo Maryam–, ¿por qué no sois amigas tú y tu hermana? Una hermana es algo muy valioso, Yasmina.

Jasmine sintió la mirada de Maryam escrutando su rostro, pero no deseaba hablar de cosas en las que ni siquiera quería pensar. Si negara el pasado con la energía suficiente, podría librarse de él y sería como si jamás hubiera existido.

–Camelia traicionó un secreto –contestó finalmente– y, por su culpa, me expulsaron de la familia y me quitaron a mi hijo.

–Ay, los secretos –dijo Maryam, pensando en su propio hijo, el padre de Rachel, que en aquellos momentos estaba en el templo con la familia asistiendo a las ceremonias del Yom Kippur, el que se creía hijo de Suleiman Misrahi y llamaba «tío» a Musa Misrahi. Apoyando una mano en el libro, añadió–: Yo sé mucho de secretos, Yasmina. Pero escúchame, hoy es el Día de la Expiación. Y el Ramadán es el mes de la expiación. Regresa a Egipto. Ibrahim te recibirá con un beso. Y te perdonará.

–Ya es tarde, será mejor que me vaya, tía. Volveré a verte muy pronto.

Maryam sacudió la cabeza.

–He hecho esperar demasiado tiempo a Suleiman. Ya es hora de que me reúna con él. Este nuevo mundo en el que el árabe odia al judío... no puedo entenderlo. No quiero formar parte de él. Adiós, Yasmina. *Ramadan mubarak aleikum.* Que tengas un feliz Ramadán.

Cuando entró en el apartamento, Greg estaba sentado junto a la mesa del comedor pasando a máquina su tesis de licenciatura. A su alrededor, todo el suelo estaba lleno de libros, papeles arrugados y tazas de plástico de café del Dunkin' Donuts.

–Hola –le dijo–. ¿Ya habéis terminado el libro?

Jasmine se apoyó contra la pared, momentáneamente aturdida a causa del prolongado ayuno.

–He ido a casa de Rachel. Tía Maryam quería verme.

–¿Está enferma?

–Me quería dar una cosa.

–Por cierto, hace un rato vino un agente del SIN. Por lo visto, no tienen nada mejor que hacer que hostigarnos. Me hizo las preguntas de rigor, intentó fisgonear un poco... Pero bueno –Greg se levantó y se acercó a ella–, ¿qué te ocurre?

–Perdona. Es que ver a tía Maryam... me ha trastornado.

–¿No has comido nada todavía? Tendré mucho gusto en preparar la cena. Me apetece una enchilada. ¿Qué te parece si esta noche abro dos latas en lugar de una? Sé lo mucho que te gustan los exquisitos platos que yo guiso.

Jasmine hubiera querido regresar a la facultad para ver si Declan estaba todavía allí. Hubiera querido salir a cenar con él y quedarse con él y llorar en sus brazos. Sin embargo, contestó:

–Gracias, Greg, me encantará.

–Ven a sentarte. La cena estará lista en pocos minutos –dijo Greg, encaminándose hacia la cocina.

Mientras abría las latas, sintió que ella le estaba mirando desde la puerta. Últimamente lo solía hacer muy a menudo, deteniéndose a mirarle a hurtadillas cuando creía que él estaba distraído. Intuía su perplejidad e inquietud y se preguntaba si sentiría el mismo deseo que él sentía por ella. Era una mujer virginal, pero, al mismo tiempo, sexualmente experta, una combinación que a él le hacía el efecto de un potente afrodisíaco. Estaba tan triste y parecía tan vulnerable y desamparada que él experimentaba el profundo deseo de cuidarla.

–No sé en qué lugar me corresponde estar –le había confesado una vez–. Mi madre y yo éramos las únicas rubias de la familia. Nunca llegamos a encajar del todo; la gente se volvía a mirarnos. Pensé que, a lo mejor, podría encontrar un lugar entre la raza de mi madre, pero en Inglaterra no me sentía vinculada a nada. Por fuera parezco occidental, pero mi corazón es árabe. Y, sin embargo, jamás podré regresar allí. ¿Habrá algún lugar en el mundo para mí?

Greg comprendió ahora que deseaba ayudarla a encontrar aquel lugar e incluso convertirse él mismo en aquel lugar.

Era la primera vez que experimentaba semejantes sentimientos hacia una persona. Siendo el único hijo de unos desarraigados progenitores de formación científica, educado por unas indiferentes monjas, Greg Van Kerk nunca había sabido lo que significaba que alguien lo necesitara o lo apreciara. La fría ciencia y la religión habían sido su alimento; la «familia» significaba para él recibir felicitaciones navideñas y postales de cumpleaños desde exóticos lugares cuya geología resultaba más fascinante que un hijo. Pero, de pronto, su «tropismo», tal como él lo llamaba, hacia Jasmine había descarrilado por completo.

El televisor estaba encendido. De repente, un boletín interrumpió la programación para decir: «Las tropas egipcias están aplastando a los soldados israelíes a lo largo de la línea Bar Lev en la orilla oriental del canal de Suez».

Jasmine se cubrió el rostro con las manos y rompió a llorar.

–Pero bueno, ¿qué te pasa? –preguntó Greg, apagando el televisor. Después se sentó a su lado y apoyó una mano sobre su hombro–. Perdona. Estás preocupada por tu familia, ¿verdad?

No podía soportar verla estremecerse de aquella manera. Se la veía tan frágil y desvalida... Una vez más experimentó el abrumador deseo de consolarla y protegerla. Le rodeó los hombros con su brazo y se llevó una sorpresa cuando ella se volvió hacia él y hundió el rostro en su pecho. Entonces la estrechó con sus brazos y la atrajo hacia sí.

Los labios de ambos se juntaron en un apasionado beso sazonado con la sal de las lágrimas. Los libros de medicina y antropología cayeron al suelo desde el sofá y Greg empezó a hablar a trompicones entre ardientes besos.

–No puedo soportar... No sabes cuánto te he deseado...

Jasmine no dijo nada. Estaba imaginando que Greg terminaba el beso que Declan había iniciado.

Acabaron en el suelo, donde Jasmine apenas se dio cuenta de la mancha de humedad de una cocacola derramada bajo su espalda desnuda. Hicieron el amor con tanta violencia que volcaron la mesita auxiliar y le rompieron una pata.

Jasmine vio que el techo empezaba a dar vueltas; estaba pensando en Declan.

31

La gente bailaba por las calles y los cañones y cohetes estallaban por todas partes mientras todo el mundo gritaba:

–*Ya Sadat*! *Yahya batal el ubur*! Viva Sadat, viva el héroe del paso del Canal.

Egipto había ganado la guerra y un gigantesco cartel en la plaza de la Liberación mostraba los tanques egipcios cruzando el Canal, a los soldados egipcios plantando una bandera al otro lado y a Sadat de perfil contemplándolo todo. Él había redimido Egipto. Él había devuelto el orgullo a su pueblo.

Desde la más humilde calle hasta la más soberbia mansión, las familias celebraban el regreso del favor de Alá sobre Egipto. En el jardín y a lo largo de los altos muros que rodeaban la casa de la calle de las Vírgenes del Paraíso se habían encendido unos farolillos y, a través de las ventanas abiertas, la música y las risas se escapaban hacia la tibia noche de noviembre mientras la familia festejaba el alto el fuego entre Egipto e Israel.

En el salón, los hombres fumaban, hablaban de política y contaban chistes mientras las mujeres entraban y salían incesantemente de la cocina con fuentes de comida y vasos de té. Casi toda la familia se hallaba reunida en la casa, aunque Ibrahim había tenido que salir urgentemente para atender al hijo de un vecino a quien le había estallado un petardo en una mano.

Zacarías estaba escuchando los comentarios de su primo Tewfik acerca del lamentable estado de la industria del algodón.

–El plan de Nasser no dio resultado. El gobierno paga tan poco por el algodón que la gente abandona su cultivo y se dedica a los productos cuyo precio no está tasado por el gobierno como, por ejemplo, el trébol para forraje. ¿Y qué hace entonces el gobierno para compensar la caída de la producción de algodón? Elevar los precios del mercado internacional para que los costes de nuestro algodón dupliquen el precio que cobran los norteamericanos por la mejor variedad de pima. ¡No me extraña que estemos en bancarrota!

mientras se servía unos cuantos trozos de hígado frito, pensan-
que el plato hubiera mejorado considerablemente con la adi-
ón de un poco de cebolla, Zacarías se preguntó qué habría sido
de Sahra. Al parecer, nadie sabía por qué se había ido tan de repente ni adónde. Echaba de menos sus platos especiales de hígado
frito y cordero con salsa de menta y también sus sencillas historias
de la vida aldeana. ¿Se habría asustado por lo del cólera?

Hakim Rauf, hablando con su sonora voz de director, empezó
a contar un chiste:

–Mi amigo Farid estaba presumiendo el otro día de lo alta que
era su falúa, tanto que no podía pasar por debajo del puente de
Tahir. Mi amigo Salah le replicó que su barca de pesca tampoco
podía pasar por debajo del puente de Tahir debido a su altura. Entonces yo decidí avergonzarlos a los dos diciéndoles que había intentado nadar bajo el puente de Tahir y no había podido.

»–¿Y eso cómo es posible, Rauf? –me preguntaron.

»Y yo les contesté:

»–¡Pues porque nadaba de espaldas!

Mientras los hombres se partían de risa, las mujeres en la cocina pusieron los ojos en blanco.

–¿Habéis oído a este marido mío? –dijo Dahiba–.¡Presume del
tamaño de su nariz!

Las mujeres se rieron y reanudaron sus chismorreos mientras
amontonaban hogazas de pan de pita y, con las mejillas arreboladas por el calor de los hornos, vigilaban los enormes pollos que se
estaban asando en ellos. Los niños jugaban sentados en el suelo o
bien eran amamantados por sus madres o, como la pequeña Zeinab, se entretenían sentados junto a una de las mesas.

La niña había llevado consigo el álbum de recortes de Camelia,
que nunca se cansaba de mirar, fascinada por las fotografías y los
recortes de periódicos y revistas que hablaban de su madre y que ella,
a sus seis años, apenas podía leer. El primer recorte, ya un poco
amarillo, correspondía al año 1966 y Zeinab sólo podía leer algunas palabras sueltas: «gracia... gacela... mariposa». Y una parte del
nombre del autor: Yacob No Sé Qué.

Mientras señalaba la página con el dedo, Zeinab les dijo a sus
primos, sentados también alrededor de la mesa:

–Algún día seré bailarina como mamá.

–No podrás –le contestó el pequeño Muhammad, de diez años–.
Tienes una pata coja.

Al ver que las lágrimas asomaban a sus ojos, Muhammad experimentó una secreta satisfacción. Le encantaba hacer llorar a sus
primas y especialmente a Zeinab. Había llegado a la conclusión de
que las mujeres eran unos seres estúpidos, aunque ciertos detalles
le llamaban poderosamente la atención, como, por ejemplo, los vo-

luminosos pechos de tía Basima y las fugaces visiones que a veces tenía de la suavidad de sus muslos cuando bailaban. Por desgracia, ahora ya se estaba haciendo demasiado mayor como para estar con sus tías y primas en la cocina; pronto le llegaría el momento de tener que reunirse con los hombres. Ya no podría tocar a las niñas siempre que le apeteciera ni sentarse en los anchos y voluptuosos regazos de las mujeres. La cercanía de las mujeres le estaría vedada hasta que creciera, cosa para la cual le parecía que faltaba mucho tiempo.

Camelia entró en la cocina con una fuente llena de huesos de pollo. Al ver las lágrimas que surcaban las mejillas de Zeinab y la expresión triunfal del rostro de Muhammad, se arrodilló al lado de la niña y le enjugó el rostro con un pañuelo.

–¿Sabes que eres un niño muy malo, Muhammad? –le dijo a su sobrino–. Te portas muy mal con tu prima –añadió, mirando a Nefissa, la cual siempre se apresuraba a salir en defensa del niño.

Pero Nefissa estaba ocupada en la tarea de colocar en una bandeja pastelillos de almendras, avellanas azucaradas y tartitas dulces de pistachos.

A Camelia le pareció que la curva descendente de la boca de su tía se había intensificado. A sus cuarenta y ocho años, Nefissa tenía todo el aire de una mujer de mediana edad que no acepta el paso del tiempo. Camelia no pudo por menos que comparar a Nefissa con su hermana Dahiba, la cual, a pesar de llevarle un año, parecía infinitamente más joven y poseía una belleza espectacular.

Camelia se preguntó si la amargura que desde hacía tantos años parecía formar parte de la personalidad de Nefissa se habría intensificado a raíz del regreso de Dahiba a la familia. ¿O acaso aquella expresión de eterno reproche se había iniciado mucho antes?

Camelia sabía que había sido Nefissa la que, en vísperas de la última guerra con Israel, había informado a la familia sobre lo ocurrido entre Yasmina y Hassan al-Sabir. También sabía que Amira le había hecho jurar a Nefissa no volver a hablar jamás de aquel asunto y tanto menos relacionarlo con Zeinab. La familia conocía la verdad acerca del parentesco de la niña, pero los extraños jamás deberían conocerla y la propia niña menos que nadie. El secreto se había divulgado, pero ahora se había vuelto a sellar. Zeinab y los demás niños no sabían que Yasmina era la verdadera madre y Zeinab creía que Muhammad era su primo y no su hermanastro.

Camelia le ofreció un pastelillo a Zeinab mientras las alegres risas y las conversaciones llenaban la cocina. ¿Quién hubiera podido imaginar que aquellas mujeres supieran tantos secretos? Incluso la propia Dahiba: muy pocos miembros de la familia conocían la existencia de su explosivo libro, prohibido en Egipto. A las mayores y más conservadoras y a las más jóvenes, como, por ejemplo,

Narjis, que estaban adoptando la nueva vestimenta islámica, nadie les había dicho nada. Sin embargo, las primas más modernas e instruidas habían podido ver un ejemplar de *La sentencia de la mujer* y habían aplaudido en secreto la valentía de Dahiba y Camelia al hablar con tanta claridad. Pero, por encima de todo, habían procurado que Amira no se enterara. Alice, que había estado ayudando a Nefissa a colocar los pastelillos en la bandeja, se retiró a su habitación para descansar un momento. La última carta de Yasmina aún estaba encima de su cama. «Es curioso, madre –le había escrito su hija–, pero resulta que es el esperma del hombre el que determina el sexo de los hijos. ¡Y pensar que un hombre egipcio se puede divorciar de su mujer si ésta no le da un varón, siendo así que la culpa es del marido!»

Alice pensó: «Qué distintas hubieran sido las cosas si tú hubieras sido un varón...». De pronto, se llevó una sorpresa al ver entrar a Ibrahim en su habitación.

–Ah, estabas aquí, Alice. ¿Has visto los fuegos artificiales? –le preguntó Ibrahim, tomándola de la mano–. ¡Ven, sube a la azotea! ¡El Cairo parece estar girando en medio de las estrellas!

–¡Ibrahim! –exclamó Alice en un susurro.

¿Cuándo había estado su marido por última vez en su habitación?

Ibrahim la acompañó a la escalera, comentándole que el chico de Abdel Rahman «tendría que andarse con mucho cuidado con los petardos a partir de aquel momento». Al llegar a la azotea, los ojos de ambos pudieron contemplar el impresionante espectáculo de los fuegos artificiales que, estallando sobre El Cairo, estaban arrojando una lluvia de oro y plata sobre las cúpulas y los alminares de la ciudad.

Casi gritando, Ibrahim le dijo a su mujer:

–¿Qué mayor prueba podemos tener de que Alá ha vuelto a nosotros que esta victoria sobre nuestro enemigo? ¿Qué mayor demostración de que Él ha perdonado a sus hijos? –tras una breve pausa, añadió en un susurro–: Hubiera tenido que perdonar a Yasmina. Alice, ¿tú me odias por haberla expulsado?

Alice le miró a los ojos y se sorprendió al ver en ellos una expresión de ternura.

–No, Ibrahim, no te odio. A nuestra hija le van muy bien las cosas donde está. Y creo que es feliz.

–Lamento haberla expulsado. La sigo queriendo y deseo que vuelva –una enorme bola de estrellas azules y plateadas estalló casi por encima de sus cabezas. Ibrahim levantó los ojos diciendo–: Puede que le escriba y le pida que regrese a casa.

Alice contempló sus ojos clavados en los fuegos artificiales que estaban estallando en el cielo y el orgulloso gesto de su cabeza mientras las luces multicolores le iluminaban el rostro. Estaba muy guapo y seguía siendo el apuesto joven de quien ella se había enamorado en Montecarlo años atrás.

Sin embargo, cuando Ibrahim se volvió finalmente a mirarla, Alice vio en su semblante una repentina seriedad que la alarmó.

–Alice, te he pedido que subieras aquí porque quiero hablar contigo en privado. Hay algo que debo decirte.

–¿De qué se trata, Ibrahim?

–La única manera de anunciártelo es decírtelo sin rodeos. Alice, voy a tomar una segunda esposa.

Por la calle de abajo pasó un camión militar abarrotado de soldados que gritaban:

–*Ya Sadat! Ya Sadat!* ¡Con nuestra sangre y nuestras almas nos entregamos en sacrificio por ti!

Alice se dio cuenta de que el humo de los fuegos artificiales estaba empezando a llenar el aire nocturno como si todo Egipto estuviera ardiendo.

–¿Una segunda esposa? ¿Me vas a repudiar?

–Yo jamás te repudiaría, Alice. Te amo y te respeto. Y quiero que vivas siempre aquí y seas mi mujer. Pero necesito un hijo varón y tú no me lo vas a dar.

–¿Un hijo varón? ¡Pero si ya tienes a Zacarías!

Tomando la mano de su esposa, Ibrahim le contó con voz entrecortada lo ocurrido la noche en que nació Yasmina. Al terminar su relato, añadió:

–Yo quería a Yasmina, Alice, pero necesitaba un hijo varón. En su lecho de muerte, mi padre me hizo prometer que le daría hijos varones. Tuve miedo y por eso adopté al hijo bastardo de una pordiosera, Sahra, nuestra antigua cocinera.

Alice se puso a temblar.

–¿Que Zacarías no es hijo tuyo? Pero si se parece a ti, Ibrahim.

–Sahra me dijo que yo tenía cierto parecido con el padre del niño. Puede que eso formara parte de mi locura. Sabía que lo que estaba haciendo era contrario a la ley de Alá, pero yo había pronunciado una maldición contra Alá y pensé que Él querría castigarme. Ahora me arrepiento profundamente de haberlo hecho. Nosotros no tenemos que inmiscuirnos en los planes de Alá, Alice. Yo hice mal en cambiar el curso del destino que Alá tenía previsto para Sahra y su hijo. Pero creo que hoy he sido perdonado como lo ha sido Egipto y que el mañana estará lleno de una nueva esperanza.

–¿Con quién... –preguntó Alice en un leve susurro–, con quién te vas a casar?

–Con mi enfermera Huda. Procede de una familia en la que abundan los varones y eso es lo que yo quiero. Sabe que no la amo y ya le he explicado por qué deseo casarme con ella. Y está de acuerdo –apoyando las manos en los hombros de su mujer, Ibrahim la besó con dulzura–. Por favor, no te aflijas, cariño.

De pronto, Alice dejó de estar en la azotea entre los fuegos artificiales y se encontró de nuevo en el jardín, contemplando con asombro los capullos de ciclamen que habían brotado milagrosamente. Ibrahim y Eddie se habían ido al fútbol con Hassan; ella no había sido invitada porque era una mujer. Dos chiquillas estaban con ella en el jardín, Camelia y Yasmina, jugando a vestirse con las *melayas* desechadas de Nefissa. Querían cubrirse con velos y ocultar sus cuerpos y sus rostros como hacían las mujeres egipcias. Las niñas creían estar jugando, pero ella había adivinado la seriedad que entrañaba su juego. Los británicos iban a abandonar Egipto y se hacían comentarios por doquier acerca de la vuelta a las antiguas costumbres.

Las antiguas costumbres de los velos, pensó Alice ahora, de la circuncisión femenina y de las segundas esposas. Y se dio cuenta de que el futuro que ella tanto temía ya había llegado.

–No te preocupes, cariño –le dijo a Ibrahim–. No me importa. Tú necesitas un hijo varón, por supuesto. Baja a reunirte con los demás, yo me quedaré aquí un ratito.

Ibrahim se perdió en la oscuridad y Alice le siguió al poco rato. En cuanto ambos se hubieron retirado, Zacarías emergió de las sombras desde las cuales había estado contemplando los fuegos artificiales.

Tahia miró consternada a Zacarías. Ambos se encontraban sentados en el mismo banco de mármol en el que por primera vez se habían confesado su amor la noche de la boda de Yasmina con Omar.

–¿Cómo que te vas? –preguntó Tahia–. ¿Por qué? ¿Adónde piensas ir?

–Tahia, esta noche he descubierto que mi padre no es realmente mi padre y que toda mi vida ha estado basada en una mentira.

El muchacho le reveló a Tahia lo que había escuchado en la azotea y ésta replicó:

–*Allah*! No puede ser cierto. ¡Seguro que no lo has entendido bien!

Zacarías no estaba disgustado; en realidad, experimentaba una extraña sensación de paz, como si una larga y denodada lucha hubiera tocado repentinamente a su fin.

–Ahora comprendo muchas cosas –dijo en voz baja–. Por qué mi padre nunca me quiso. Por qué, en algunas ocasiones, yo intuía en él una especie de resentimiento hacia mí. Y por qué sorprendía muchas veces a Sahra mirándome fijamente. Siempre pensé que nos contaba aquellas historias de su infancia en la aldea para distraernos, pero ahora comprendo que, en cierto modo, trataba de hablarme de mi verdadera familia. Tahia, yo te quiero con todo mi corazón, pero no puedo casarme contigo hasta que averigüe la verdad sobre mí mismo. Iré en busca de mi madre. Encontraré la aldea donde fui concebido. Puede que allí tenga hermanos y hermanas, toda una nueva familia esperándome.

–Pero ¿cómo la vas a encontrar, Zakki? ¡Hay cientos de aldeas a la orilla del Nilo! ¡Sahra nunca dijo de dónde era!

Tahia tuvo miedo. Justamente el mes anterior, durante el Ramadán, Zacarías había hecho un ayuno tan drástico que había sufrido uno de sus ataques y había caído al suelo, soltando espumarajos por la boca y orinándose encima. ¿Y si sufriera uno de aquellos ataques, yendo de aldea en aldea?

–¡Por favor! Pídeles a Tewfik o a Ahmed que te acompañen...

–Éste es un viaje que tengo que hacer yo solo –Zacarías tomó la mano de Tahia entre las suyas y le dijo con una sonrisa–: No temas por mí, Alá me acompaña. Puede que ése sea el significado de la revelación que tuve en el desierto. Puede que fuera una señal del Todopoderoso para indicarme que tendría que emprender una búsqueda. Nadie puede acompañarme en este camino, Tahia. Ni siquiera tú, a quien amo más que los latidos de mi propio corazón. Por favor –añadió–, procura ser feliz por mí. Podré abrazar a Sahra, mi madre. Y encontraré a mi padre y le rendiré mi homenaje.

Tahia rompió en sollozos y se enjugó las lágrimas de las mejillas con un delicado gesto de la mano.

–¿Cuándo volverás a mí, mi querido Zakki?

–Volveré, mi preciosa Tahia. Ante Alá y el Profeta y todos los santos y ángeles del Cielo, te juro que volveré.

En las estancias privadas de Amira, Qettah consultó una vez más las hojas de té y el aceite que sobrenadaba en el agua. Al final, la astróloga esbozó una sonrisa, diciendo:

–Te has recuperado por completo de tu enfermedad, *sayyida*. La suerte te sonríe como sonríe a Egipto. Es un tiempo propicio para viajar. Ya es hora de que hagas la peregrinación a La Meca y encuentres al joven que te llama en tus sueños.

Amira acompañó a la anciana a la puerta y le pagó la visita. Después, demasiado emocionada como para poder esperar hasta la mañana del día siguiente, decidió comunicarle inmediatamente a Alice que ya podían iniciar los preparativos para su viaje a Arabia Saudí.

Alice se sentó delante de su tocador envuelta en una nube de esencias de baño de almendras y rosas. Se había puesto uno de sus antiguos vestidos de la época en que solía acudir al Cage d'Or, un elegante y sedoso modelo de color blanco. ¿Cuánto tiempo hacía que no se lo ponía? Esbozó una sonrisa. Las sombras de la depresión que la había dominado durante tantos años habían desaparecido como por arte de ensalmo, como si alguien hubiera encendido de pronto una poderosa lámpara y las hubiera disipado, rodeándola por todas partes con su dorada luminosidad. Jamás se había sentido tan serena.

Se levantó y abandonó la estancia. Mientras bajaba por el pasillo y pasaba por delante de la habitación antaño ocupada por su hermano, recordó con asombrosa claridad las últimas dos veces en que le había visto allí: la primera, cometiendo un acto indecente con Hassan al-Sabir; y la segunda con el cerebro traspasado por una bala. No le extrañó ver a Edward en el pasillo con su blanco traje de franela y su bate de jugar al críquet. No había envejecido para nada, era como si ella no llevara más de veinte años sin verle. Claro. Estaba viendo su fantasma.

–Es una noche muy templada para el mes de noviembre –le dijo su hermano–. Perfecta para dar un paseo.

–Sí, Eddie –dijo Alice.

Bajó por la escalera y, al llegar al pie de la misma, sintió de nuevo en sus oídos el fragor del río de la melancolía.

Avanzó entre la gente que celebraba el triunfo por las calles y junto a grupos de hombres que, arracimados alrededor de los aparatos de radio y de televisión, estaban escuchando las palabras del presidente Sadat. El paseo que bordeaba el río estaba lleno a rebosar de automóviles; los peatones se reían y pegaban brincos por las aceras sin apenas prestar atención a la mujer envuelta en un blanco vestido de noche que estaba bajando hacia la orilla del río, donde los pescadores entonaban canciones sentados alrededor de sus fogatas.

Alice vio unas luces reflejadas en el agua y se percató de que procedían del Cage d'Or, situado en la otra orilla. Trató de evocar a la deslumbradora muchacha que antaño fuera, de pie en la terraza del club, totalmente subyugada por la romántica emoción de su fantasía de las Mil y Una Noches.

De pronto, se encontró en un lugar desierto, lejos de las falúas y de las casas flotantes, lejos del ruidoso hotel Hilton y de su embarcadero en el que estaban amarradas las embarcaciones de recreo del Nilo. Le extrañó que el agua estuviera tan fría y que el barro le resultara tan desagradable bajo sus pies desnudos. Siempre había imaginado en cierto modo que el Nilo estaría templado. ¿Acaso Amira no lo llamaba la Madre de Todos los Ríos? La falda se apartó de sus rodillas, se arremolinó alrededor de sus muslos y después flotó unos minutos sobre la superficie cual si fuera una blanca medusa. Cuando el agua le llegó a la altura del pecho, la falda ya se había hundido y se había enredado alrededor de sus piernas, azotada por la corriente del río. El agua le cosquilleó las axilas y la barbilla. Mientras se hundía, experimentó la curiosa ilusión óptica de que era el Cage d'Or y no ella el que se estaba ahogando.

Cuando el agua le cubrió la cabeza y vio su rubio cabello extendiéndose a su alrededor cual unos suaves zarcillos, oyó la voz de Ibrahim:

–¿Me odias por haber declarado muerta a nuestra hija y haberla expulsado?

No –contestó ella con toda sinceridad–, porque la liberaste de esta prisión en la que yo he estado cautiva. Gracias, Ibrahim, por haber liberado a mi hija.

Alice abrió la boca y un agua de acre sabor penetró en ella de inmediato. Extendió los brazos, levantó los pies y sintió que la dulce corriente la acunaba. Le pareció que estaba volando; su cuerpo se mecía suavemente mientras el agua seguía penetrando por su garganta. Después, su cabeza se golpeó contra una superficie dura.

Sintió un agudo dolor, vio una explosión de estrellas y pensó que eran unos fuegos artificiales que celebraban la victoria de Egipto.

Sexta parte

1980

32

Todo el país estaba conmocionado por la blasfemia de aquella mujer. En las calles y en los cafés era el único tema de que hablaba la gente: primero asesina a su hermano, decían, y después se pone una barba postiza y asume los deberes y privilegios de un hombre. ¿Cómo se podía permitir que siguiera viviendo semejante engendro de la naturaleza? ¡Aquella criatura era la indecencia personificada!

–Esta mujer está loca –masculló un recaudador de impuestos, tomando un sorbo de cerveza–; negar su sexo de esta manera y burlarse del papel que la naturaleza le ha asignado en la vida.

–Pero ¿quién se habrá creído que es? –dijo el propietario del café–. Pretender comportarse como un hombre y exigir unos derechos que jamás estuvieron destinados a las mujeres. ¿Qué sería del mundo si todas las mujeres pensaran como ella?

Un exportador de tejidos levantó el puño gritando:

–¡El día menos pensado nos van a decir que tengamos los hijos nosotros!

Dahiba se echó a reír sin poderlo evitar.

Al ver que Hakim se volvía a mirarla con expresión de reproche, le dijo:

–Perdona, cariño. Pero es que esto es tan... gracioso. Los hombres pariendo hijos.

Los actores del improvisado café al aire libre levantado en el exterior del Museo Egipcio iniciaron una pausa de descanso y se sacaron unas cajetillas de cigarrillos de debajo de los taparrabos y de las largas túnicas plisadas. La gente apretujada detrás de las cuerdas de protección empezó a silbar al ver a unos antiguos egipcios encendiendo unos cigarrillos.

–Perdona, cariño –repitió Dahiba, acercándose a su marido y acariciándole la calva con la mano–. Repite la escena. Esta vez te prometo no decir nada.

Sabía lo importante que era aquella película para él y también el peligro que entrañaba. Hasta entonces, los censores del gobierno no se habían entrometido, pero lo vigilaban todo muy de cerca.

¿Serían lo bastante perspicaces como para adivinar el significado del truco de Hakim?

–¡Es una película sobre nuestro glorioso pasado! –les había explicado éste–. ¿Qué puede haber de vergonzoso en una película sobre nuestros faraones? Aquí no entra para nada la política y prometo que las escenas de danzas respetarán la moral y la decencia.

Sin embargo, lo que los censores no habían captado era el significado oculto de la película, la cual giraba aparentemente en torno a una joven del moderno El Cairo que se quedaba dormida en el interior del Museo Egipcio y soñaba que era Hatsepsut, la única mujer faraón de Egipto. Pero el sueño no era, en realidad, más que una parábola. La joven estaba casada con un sádico que la torturaba y ella no podía recurrir a la ley para que la defendiera: en su sueño, los papeles se invertían, ella alcanzaba el poder y, al final, imponía el castigo de la castración. Lo que los censores no sabían era que el actor que encarnaba al marido iba a interpretar también el papel del esclavo castrado.

En aquellos momentos, estaban filmando la secuencia del sueño en las primeras horas de una mañana de noviembre antes de que en El Cairo empezara a haber demasiado ruido. Aunque se habían colocado unas cuerdas para contener a los mirones, la multitud había aumentado tan inesperadamente que habían tenido que solicitar la presencia de unos guardias con porras para que no se alterara el orden.

Hakim y su equipo de filmación andaban con pies de plomo. Los cineastas de El Cairo habían sido últimamente el blanco de los grupos integristas islámicos, que protestaban contra la producción de «películas inmorales cuyos mensajes iban en contra de las enseñanzas del islam». El propio Hakim había recibido amenazas por haber rodado películas en las que se presentaban unos personajes femeninos de fuerte carácter que preferían vivir solas en lugar de casarse. La creciente ola de integrismo que se había ido consolidando a partir de la victoria egipcia en la guerra del Ramadán de 1973 exigía un regreso al papel tradicional y «natural» de las mujeres y, según habían declarado los conservadores islámicos, las películas de Hakim Rauf inculcaban ideas revolucionarias en las mentes de las jóvenes.

Sin embargo, los enemigos de Hakim y otros directores no eran solamente los musulmanes, sino también los cristianos coptos, los cuales habían manifestado su oposición a las películas que, según ellos, mostraban a miembros estereotipados de su comunidad bajo un prisma constantemente negativo. Rauf había sido atacado en concreto por una película acerca de una relación amorosa entre una musulmana y un copto, declarada por ambas partes ofensiva y tan traída por los pelos que lindaba incluso con la parodia.

–No es posible complacer a todo el mundo –decía Hakim–. Soy responsable ante Alá y ante mi conciencia. Si hago comedias musicales y melodramas, no podré estar en paz conmigo mismo. Como cineasta, estoy obligado a ser sincero.

Dahiba apreciaba su valentía, pero aquel día los mirones le daban mala espina. Justo la víspera habían estallado unos disturbios en el barrio copto de El Cairo donde, según se decía, un cristiano había violado a una niña musulmana de cinco años. Varias personas habían resultado muertas, se habían incendiado diversos edificios y habían sido necesarios más de cien policías para restablecer el orden.

–Hakim –dijo Dahiba en voz baja, estremeciéndose bajo el sol de noviembre a pesar de la suave temperatura matinal–, creo que por hoy sería mejor que lo dejaras. Veo rostros enfurecidos entre la gente. El otro día recibiste una amenaza de muerte firmada con una cruz copta.

Ambos habían recibido también amenazas por el libro de Dahiba, *La sentencia de la mujer*, el cual seguía estando prohibido en Egipto, pero había provocado un gran revuelo en todo el mundo árabe a lo largo de los siete años transcurridos desde su publicación. Tras retirarse de la danza seis años atrás, Dahiba había empezado a concentrarse en sus escritos de carácter feminista, pero hasta entonces no había conseguido publicarlos ni siquiera en el Líbano.

–¿Quieres que vivamos como topos? –replicó Hakim–. Alá nos dio mente e inteligencia y capacidad para expresar nuestros pensamientos. Si cedemos, otros imitarán nuestro ejemplo hasta que Egipto se convierta en un lugar de silencio.

Dahiba no tuvo más remedio que darle la razón. Aun así, tenía miedo.

En el interior de su caravana, aparcada junto a una parada de autobuses delante del hotel Hilton, Camelia estaba dando los últimos toques a su maquillaje de Hatsepsut. Iba a interpretar el papel de la mujer faraón renegada, pues ella era la principal protagonista de la película. Mientras alargaba la mano hacia la barba regia que se tenía que poner en último lugar, vio, a través de la pequeña ventana que había al lado del espejo, varios camiones llenos de jóvenes de aspecto airado, acercándose a la muchedumbre de mirones. Varios de ellos portaban pancartas con la cruz copta. Camelia frunció el ceño y se volvió a mirar a su hija de catorce años, la cual estaba haciendo los deberes sentada junto a una mesita.

Al contemplar la pieza ortopédica que le rodeaba la pierna por debajo del uniforme escolar, Camelia se sintió invadida por una

383

oleada de amor y, recordando a la niña no deseada que habían depositado en sus brazos catorce años atrás, se sorprendió de nuevo de que, por la infinita misericordia de Alá, le hubiera sido dado gozar de la dicha de la maternidad. Aquellas reflexiones le hicieron recordar también a Yasmina. Los años no habían borrado la cólera que sentía hacia su hermana; es más, su furia había aumentado a la par que su amor por Zeinab. ¿Cómo era posible que Yasmina hubiera abandonado a su hija?

–Dice que no la quiere –le había explicado Alice cuando Yasmina se marchó de Egipto–. Traté de convencerla de que se quedara con ella, pero dice que le recuerda demasiado a Hassan.

Bismillah! ¡No se castiga a un hijo por los pecados del padre! Sin embargo, la cólera de Camelia se mezclaba también con el miedo..., el miedo de que algún día Yasmina regresara y reclamara a su hija. «Que se vaya preparando mi hermana para luchar, porque Zeinab es mía.»

–Zeinab, querida –dijo al ver que los jóvenes empezaban a saltar al suelo desde los camiones–, llama por favor a Raduan. Dile que quiero verle. Date prisa, cariño.

Raduan era uno de los guardaespaldas personales de Camelia, un gigantesco sirio que llevaba siete años a su servicio. Cuando éste se presentó en la caravana, Camelia le dijo:

–Raduan, ¿quieres acompañar, por favor, a Zeinab a casa de mi madre en la calle de las Vírgenes del Paraíso?

–Pero, mamá –protestó la niña–, ¿por qué no puedo quedarme a ver cómo haces la película?

Camelia abrazó a su hija. El cabello de la pequeña y bonita Zeinab, de estatura más bien baja para su edad, se iba aclarando de año en año y, en aquellos momentos, ya era como el del bronce antiguo.

–Va a ser un día muy largo, cariño, y aquí te distraes demasiado y no puedes hacer los deberes. Ve a casa de la abuela y yo iré por ti más tarde –Camelia se volvió hacia Raduan y le indicó con un gesto de la cabeza la dirección del Nilo–. Llévala por ese camino y date prisa.

El guardaespaldas asintió con la cabeza mientras sus ojos oscuros parpadeaban para dar a entender que lo había comprendido. Poniéndose una bata encima de su túnica plisada de lino y de su antiguo collar egipcio, Camelia salió a la brumosa mañana de El Cairo y contempló la insólita muchedumbre que se apretujaba al otro lado de las cuerdas de seguridad. Se aspiraban disturbios en el aire.

–En el nombre de Alá –musitó.

¿Cómo era posible que ocurriera semejante cosa precisamente cuando Egipto se estaba adentrando finalmente por la senda del progreso? Gracias a la diligencia del señor Sadat, el Parlamento había aprobado las leyes del Estado que garantizaban más derechos a las mujeres y aumentaban el número de representantes del pueblo en el gobierno. Pero ahora estaba surgiendo aquella inquietante ola de conservadurismo y las jóvenes empezaban a adoptar voluntariamente el velo.

Camelia miró hacia la izquierda y vio a Raduan acomodándose en el asiento trasero de su limusina blanca. Mientras el reluciente automóvil se alejaba de la multitud, Camelia se preguntó si su apuesto guardaespaldas estaría todavía enamorado de ella, como en cierta ocasión había tenido la imprudencia de confesarle.

Ahora que ya era una estrella de la danza y actuaba con un conjunto de veinte danzarinas y una orquesta en toda regla, la joven recibía a menudo declaraciones de amor, pero siempre rechazaba amablemente a sus admiradores, como había rechazado a Raduan. No quería enamorarse y no le interesaban los amantes.

Mientras se abría paso entre los cables hacia el lugar donde se estaba rodando la escena, Camelia sintió cientos de ojos mirándola. Sabía lo que estaba pasando por la mente de aquellos mirones y lo que éstos pensarían de ella en los exagerados términos a que tan aficionados eran los egipcios: «Ésta es Camelia Rashid, nuestra amada diosa, la más bella mujer del mundo, la mujer más deseable desde los tiempos de Cleopatra, la que deslumbra incluso a los ángeles». Cuando actuaba en el Hilton, los hombres del público le gritaban:

–¡Eres como la miel! ¡Eres como los brillantes!

Una vez en que una gota de sudor le bajó por la mejilla y el cuello y fue a alojarse entre sus pechos, un apasionado saudí se encaramó a una mesa y gritó:

–¡Oh, dulce lluvia de Alá!

Camelia ya estaba acostumbrada a tales halagos. A lo que no estaba acostumbrada era al amor; jamás había estado enamorada, pese a que los periódicos de El Cairo solían llamarla «la diosa del amor de Egipto». El título era simbólico, pues la prensa sabía muy bien que la vida privada de Camelia era casta y decente. Había, sin embargo, ciertas cosas que la prensa ignoraba: que Zeinab no era realmente su hija, que Camelia jamás había estado casada y tanto menos con un héroe muerto en la guerra de los Seis Días, y que, a los treinta y cinco años, en un secreto celosamente guardado, Camelia seguía siendo virgen.

–Tío Hakim –dijo Camelia en voz baja, acercándose a éste y a Dahiba–, no me gusta la pinta de esta gente. Unos chicos muy raros acaban de bajar de unos camiones.

–Deberíamos irnos –dijo Dahiba.

Al ver el temor que reflejaban los ojos de ambas, Hakim contestó:

–Muy bien, ángeles míos. No tenemos por qué ser temerarios. Al fin y al cabo, cuanto más valiente es el pájaro tanto más gordo se pone el gato. Enviaré al equipo de rodaje a casa. Podemos filmar esta escena en los estudios.

Justo en el momento en que le hacía una seña al cámara, alguien de entre la muchedumbre gritó:

–¡Muerte al engendro de Satanás!

De repente, la multitud, integrada en su mayoría por jóvenes, empujó hacia delante, rompiendo las cuerdas. Los jóvenes, agitando los puños y blandiendo palos, arrojaron al suelo a los guardas de seguridad y se abalanzaron sobre las cámaras y el equipo de rodaje, destruyendo a golpes cuanto encontraban a su paso antes de que los colaboradores de Hakim pudieran reaccionar. Los guardas de seguridad trataron de contraatacar, pero el número de los asaltantes era abrumador. Al ver que un grupo de enfurecidos jóvenes empezaba a golpear al cámara con unos palos, Hakim corrió en su ayuda. Uno de los atacantes tomó un trozo de cuerda y lo pasó alrededor del cuello de Hakim. Otros se unieron a él y lo arrastraron por el suelo. Después lanzaron el extremo libre de la cuerda sobre una jirafa y, mientras empezaban a levantarlo, el rostro de Hakim adquirió un color púrpura encendido y los ojos se le salieron de las órbitas.

–¡Basta! ¡Basta! –gritó Camelia, tratando de abrirse paso entre la chusma–. ¡Tío Hakim! Oh, Alá misericordioso... ¡Hakim!

Muhammad sintió que le ardía la piel de emoción al ver a tantos jóvenes vestidos con *galabeyas* blancas efectuando juntos las postraciones de la plegaria. ¿Cuántos habría? ¿Centenares? Un simple puñado en comparación con los miles de muchachos a los que estaban impidiendo cruzar el campus de la universidad.

–Ahora ocurre todos los días –dijo uno de los presentes–. Ocupan el patio central y se ponen a rezar. ¿Cómo se los puede dispersar? Pero nosotros tenemos que ir a clase.

Muhammad, a sus diecisiete años, también tenía que ir a clase, pues acababa de matricularse en la universidad de El Cairo. Pese a todo, le gustaba aquel orante bloqueo de los alumnos y pensaba que ojalá tuviera el valor de unirse a ellos y adoptar su uniforme: una *galabeya* blanca, barba y casquete en la cabeza. Cuánto envidiaba a aquellos devotos jóvenes que recorrían el campus y aporreaban las puertas de las aulas para anunciar la hora de la oración, provocando la ira de los profesores y el desconcierto a los estudiantes. Tenían un propósito y defendían una noble causa. Pero ¿acaso no ardían como él?

Cuando terminó la plegaria y los jóvenes integristas se dispersaron, Muhammad cruzó el campus y pasó por delante de los tenderetes en los que se vendían libros de tipo religioso a precios de saldo. Unos devotos jóvenes entregaban gratuitamente *galabeyas* o velos a cualquier alumno que se detuviera a escucharles. No todos eran varones; había también algunas apasionadas muchachas, vestidas con largas prendas y cubiertas con velos, que repartían octavillas y folletos en los que se explicaba la necesidad de rechazar las corruptas costumbres de Europa y América y regresar a Alá y el islam. Los estudiantes adquirían cintas con grabaciones de los sermones de los imanes integristas; si veían a un hombre y una mujer juntos, les exigían el certificado de matrimonio; muchachos con barba golpeaban con palos a las chicas en caso de que la falda no les llegara hasta los tobillos; pedían que todas las tiendas y comercios cerraran durante la llamada a la oración; reclamaban la liberación de Jerusalén de las manos de los israelíes y afirmaban que cualquier música, y especialmente la de Occidente, era sacrílega. Por último, los extremistas exigían un regreso a la segregación de los sexos, sobre todo en la escuela, entre las vírgenes y los solteros; los jóvenes señalaban que los chicos y las chicas no podían sentarse juntos en las aulas y los estudiantes de medicina integristas se negaban a estudiar la anatomía del sexo contrario. Al fin y al cabo, decían, ¿acaso la devota religiosidad de los egipcios no les había dado la victoria en la guerra del Ramadán en 1973? ¿Acaso no constituía todo ello una demostración palpable de que aquél era el camino que Alá deseaba para Egipto?

Sí, pensó Muhammad Rashid, en la creencia de que el objeto de su ardor era Alá.

Aquella tarde, al regresar a casa y reunirse con las mujeres de su familia en el gran salón de la calle de las Vírgenes del Paraíso, el muchacho siguió confundiendo el ardor que sentía con el fervor religioso. Sin embargo, sus pensamientos no giraban en torno a Alá sino a una estudiante cuyos ojos eran como charcos de tinta. En el nombre de Alá, ¿cómo podía un joven concentrarse en los pensamientos religiosos habiendo a su alrededor chicas con tales ojos, tales cabellos y tan generosas caderas? Los estudiantes estaban en lo cierto, las mujeres tenían que permanecer apartadas. Se las tenía que refrenar con más fuerza para que su agresiva sexualidad no constituyera una amenaza para los hombres.

Muhammad se hundió en uno de los divanes, pensando: «No hay que fiarse de las mujeres. Y tanto menos de las guapas». ¿Acaso no era guapa su propia madre y no le había traicionado, dejándolo abandonado? Jamás escribía a Yasmina y no quería tener nada que ver con ella. Para que la familia la hubiera declarado muerta tenía que haber cometido un terrible pecado y, por consiguiente, tenía merecido el ostracismo. Sin embargo, siempre que llegaba una carta de California, la leía en secreto varias veces y después, cuando se acostaba por la noche, contemplaba entre lágrimas la fotografía de su madre, ansiando acariciar su blanca piel y su rubio cabello, sin dejar por ello de maldecirla.

Mientras aguardaba a que una de las chicas le sirviera el té, miró a su madrastra Nala, haciendo tranquilamente calceta en uno de los divanes. Estaba nuevamente embarazada. Le había dado siete hijos a Omar, había sufrido un aborto y se le había muerto un hijo a causa de una lesión cardíaca. Nala había soportado sus numerosos embarazos sin una queja y a Muhammad le parecía lo más lógico y natural.

Cuando Zeinab le sirvió el té, no pudo mirarla a los ojos. Pobre chica, su madre bailaba danzas obscenas en presencia de hombres desconocidos. ¿Cómo era posible que Zeinab se pareciera tanto a su propia madre Yasmina?, se preguntó Muhammad, incómodo como siempre en presencia de la que él creía su prima.

Mientras bebía el té caliente aromatizado con azúcar y menta y se le llenaba la cabeza con su vapor y su aroma, recordó unos negros y aterciopelados ojos y unas anchas caderas y comprendió de repente lo que tenía que hacer. Al día siguiente en la universidad cambiaría sus pantalones vaqueros por la larga *galabeya* blanca de los Hermanos. Éste sería su escudo contra los peligros de las mujeres.

En el jardín, Amira estudió la posición del sol, pensando que casi todos los chicos ya deberían de haber regresado a casa de la escuela y ya tendrían que estar empezando a reunirse en el salón para rezar todos juntos la oración del ocaso. Recogió las hierbas que acababa de arrancar y regresó por el camino a la casa, pasando por delante de lo que antaño fuera el jardín de Alice.

Ya no quedaba ni rastro del Edén inglés; los papiros, las adormideras y los lirios silvestres de Egipto habían ocupado el lugar donde antaño crecieran milagrosamente las begonias y los claveles. En siete años, Amira no había dejado de llorar ni un solo momento la pérdida de Alice y de Zacarías. Sin embargo, se consolaba pensando que lo que les había ocurrido estaba predestinado y que los destinos de ambos se habían juntado en el momento en que nació Yasmina y ella envió a su hijo Ibrahim a la ciudad para que hiciera una obra de caridad.

Amira entró en la cocina inundada por los dorados rayos del sol de la tarde y por los celestiales aromas del *musaka* que se estaba cociendo en el horno y del pescado que se estaba friendo en mantequilla en una sartén. Mientras depositaba las hierbas sobre la mesa y escuchaba los parloteos y las risas de las mujeres ocupa-

das en distintas tareas, Amira pensó en su buena suerte: tenía setenta y seis años, estaba en pleno uso de todas sus facultades físicas y
mentales y la rodeaban dieciocho bisnietos y dos más en camino.
¡Alabado fuera el nombre de Alá! La casa volvía a estar llena, ahora que Tahia y sus seis hijos vivían en ella junto con los ocho de
Omar y la mujer de este último, la cual siempre se instalaba en la
casa cuando su marido se encontraba de viaje en el extranjero cumpliendo alguna misión por encargo del gobierno, tal como ocurría
en aquellos momentos. Todos los hijos, tanto los mayores como
los pequeños, cualquiera que fuera su relación con Amira, la llamaban *Umma* por ser la madre de la familia. Como tal, Amira los
tenía bajo su responsabilidad, pues, aunque el deber de buscar maridos a las muchachas correspondiera a sus madres, era Amira en
último extremo la que tomaba la decisión.

Allí estaba Asmahan, la hija de catorce años de Tahia, con la
vestimenta islámica del *hejab*, un velo que cubría el cabello, el cuello y los hombros, una niña muy piadosa y muy parecida físicamente a su abuela Nefissa. Amira le había oído decir una vez a Zeinab que su madre Camelia ardería en el fuego del infierno por ser
una danzarina. Otras chicas de la casa llevaban también el *hejab* y
pertenecían a un fervoroso grupo de estudiantes universitarias que
se autodenominaban *Mohajibaat*, es decir, «mujeres del velo», y se
negaban a sentarse al lado de los chicos en clase. Gracias a su religiosidad, Amira podría arreglarles fácilmente las bodas. Sin embargo, algunas de sus hermanas y primas no serían tan fáciles. Sakinna, rechazada por el hijo de Abdel Rahman, aún estaba soltera
a los veintitrés años. Basima, todavía divorciada y con dos hijos,
hubiera tenido que vivir en su propia casa. Y Samia, la hija menor
de Jamal Rashid, nacida de su unión con su primera esposa, antes de
su boda con Tahia, estaba demasiado delgada y, por consiguiente,
no era una buena candidata al matrimonio.

Tahia, por su parte, llevaba más de siete años viuda y, a sus
treinta y cinco años, era una encantadora joven capaz de hacer feliz a cualquier hombre. Sin embargo, siempre que Amira le plan-
teaba el tema, Tahia contestaba con firmeza que esperaba a Zakki.
En los siete años transcurridos desde su desaparición, nadie había
tenido la menor noticia de Zacarías, pero Tahia seguía creyendo
que algún día regresaría.

Amira no estaba tan segura. Dondequiera que hubiera ido el
chico, ella estaba segura de que estaría sirviendo a Alá.

Entró en el salón, donde algunos miembros de la familia se habían congregado alrededor del televisor para escuchar el noticiario
del atardecer. Aquel día el tema principal era la escalada del conflicto entre los cristianos coptos y los musulmanes. En represalia
por el asesinato de un jeque musulmán en una aldea del Alto Egip-

to, los musulmanes habían arrojado una bomba incendiaria contra una iglesia copta, causando la muerte de diez personas.

Amira contempló el ceño fruncido de su nieto Muhammad y la autoritaria manera con que éste recibió el té que acababa de servirle Zeinab. Eran hermano y hermana, pero se creían primos. Se parecían mucho físicamente, pero sus temperamentos eran tan distintos como el eneldo de la miel. Amira estaba preocupada por Muhammad, tras haberle sorprendido varias veces mirando con ojos de halcón a sus primas. Aquel muchacho llevaba el sexo en la mente. Y no es que fuera distinto de su padre a su edad. Amira recordaba cómo había exigido Omar que le buscaran una esposa. Sin embargo, Muhammad parecía encerrar un cierto peligro, como si por sus venas fluyera una corriente de violencia. Amira se preguntó si ello sería una consecuencia del hecho de haberse visto privado de su madre a una edad todavía muy temprana. Tras la partida de Yasmina, el niño se había puesto tan histérico que Ibrahim no había tenido más remedio que administrarle unos medicamentos para que se calmara. Tal vez fuera conveniente buscarle una esposa a Muhammad antes de que su hambre de sexo le impulsara a cometer alguna barbaridad.

Finalmente, estaba la ardua tarea de la boda de la pobre y lisiada Zeinab.

¡Cuántas cosas pendientes! Últimamente Amira sentía con más fuerza que nunca la llamada de Arabia. Sus sueños eran cada vez más frecuentes y lo mismo le ocurría con los recuerdos. Curiosamente, ya no había vuelto a soñar con el joven que la llamaba. Amira no sabía por qué. ¿Quizá porque estaba vivo cuando ella soñaba con él y ahora ya había muerto? Sin embargo, a pesar de que el intrigante muchacho había desaparecido, su memoria había recuperado otros fragmentos. Ahora la perseguía una voz del pasado: «Seguiremos el camino que tomó el profeta Moisés cuando sacó a los israelitas de Egipto. Nos detendremos en el pozo donde conoció a su mujer...». Debía de ser el camino que seguía la caravana de su madre al ser atacada por los traficantes de esclavos. El oasis de sus sueños... ¿sería acaso el pozo de Moisés?

Todos aquellos fragmentos y sueños iban completando poco a poco el mosaico del pasado. Sin embargo, Amira seguía sin poder recordar la llegada a la casa de la calle de las Tres Perlas; no conservaba ningún recuerdo de sus primeros días en el harén. Era como si se hubiera cerrado una puerta que bloqueara no sólo los días de aquel período sino también sus primeros años. Amira se veía en el pasado como una prisionera en una estancia cerrada. Pero ¿dónde estaba la llave?

A causa de la muerte de Alice, no había podido ir a La Meca siete años atrás, según lo previsto. Después, la familia se había dedicado a buscar a Zacarías y ella se había quedado a la espera de las noticias. Más adelante, una epidemia de fiebre estival infantil había asolado El Cairo y, al año siguiente, la astróloga Qettah sentenció que el momento no era propicio para los viajes. Sin embargo, ahora los signos volvían a ser favorables; Qettah había señalado que el año sería favorable para Amira.

En cuanto resolviera los asuntos pendientes de la familia, Amira emprendería la peregrinación a la ciudad santa de La Meca. Y, a la vuelta, seguiría el camino que habían seguido los israelitas. Tal vez encontrara el alminar cuadrado y el sepulcro de su madre...

Abajo, en la calzada particular, Ibrahim, con aire profundamente cansado, abrió la portezuela para bajar de su automóvil, pensando que un hombre de sesenta y tres años no hubiera tenido que sentirse tan viejo. Puede que la sensación de fracaso le hubiera envejecido prematuramente, pues no cabía la menor duda de que un hombre sin un hijo varón era un fracasado.

El remordimiento también se había cobrado un tributo, pensó. Desde el suicidio de Alice, su conciencia no había conocido ni un solo momento de paz. Hubiera tenido que seguirla, recordando sobre todo el historial de su familia: su madre y su hermano se habían suicidado. Tal vez la hubiera podido salvar. Ahora comprendía el error que había cometido al casarse con Huda, la cual le había dado cuatro hijas, agudizando más si cabe con ello su sensación de fracaso.

Ibrahim apoyó la cabeza en el volante.

Faltaban cuatro días para el aniversario de la muerte de Alice y se sentía acosado por el recuerdo de su pálido rostro, sus violáceos párpados cerrados y su enmarañado cabello rubio entremezclado con el barro del Nilo. Unos turistas la habían pescado en el río desde su falúa. Puesto que había acudido solo al depósito de cadáveres para identificarla, Ibrahim pudo ocultar la verdadera causa de su muerte: sólo Amira conocía la verdad. El resto de la familia creía que Alice había muerto en un accidente de tráfico.

«Oh, Alice, mi queridísima Alice. Yo tuve la culpa; yo te aparté de mi lado.»

A Yasmina, el fruto de su unión con Alice, también la había apartado. La había abandonado tras haber sucumbido a la maldad de Hassan en lugar de recurrir a él en demanda de ayuda. Se había prometido a sí mismo escribirle una carta a California, pidiéndole que regresara a casa. Pero nunca encontraba las palabras adecuadas. «Perdóname, Yasmina, dondequiera que estés.»

No obstante, a la persona a quien más creía haber decepcionado era a su padre. Mirando desde el Cielo, Alí Rashid sólo veía un nieto: Omar, el hijo de su hija Nefissa. Y unos bisnietos nacidos de Omar y Tahia. Pero ningún nieto nacido de su hijo; Ibrahim había fracasado.

Había otros problemas que también le preocupaban. La fortuna de los Rashid ya no era lo que antaño fuera. El algodón de Egipto, antiguamente llamado el «oro blanco», había perdido tanto peso en el mercado mundial a causa de la mala gestión y planificación del gobierno que los expertos predecían el total hundimiento de la industria algodonera egipcia. La fortuna amasada por Alí Rashid gracias al algodón había menguado considerablemente y ahora Ibrahim contaba con unos ingresos cada vez más escasos, con los cuales tenía que hacer frente a unas responsabilidades familiares cada vez mayores.

Al cruzar la enorme puerta de doble hoja labrada a mano e importada de la India más de cien años atrás, Ibrahim contempló el vestíbulo con su pavimento de mármol y su impresionante lámpara de bronce como si lo viera por primera vez. Jamás había reparado en lo grande que era la casa. Mientras admiraba la soberbia escalinata que se dividía en dos al llegar al primer rellano, una para el ala de la casa reservada a los hombres y otra para la de las mujeres, se le ocurrió de pronto una idea.

–Ah, ya estás aquí, hijo de mi corazón –dijo Amira, entrando en el vestíbulo para recibirle.

Ibrahim se sorprendía de que su madre siguiera siendo tan guapa a su edad y siguiera gobernando aquella extensa familia con la misma eficiencia con que siempre lo había hecho. Amira le sonrió con sus labios cuidadosamente pintados de rojo. Llevaba el cabello blanco recogido hacia atrás en un moño francés sujeto con unos pasadores de brillantes. Ibrahim sintió el vigor de la juventud en las manos que ahora estaban comprimiendo las suyas.

–Madre, tengo que pedirte un favor.

Amira se rió.

–¡No hay favores entre madres e hijos! Haré de todo corazón cualquier cosa que tú me pidas.

–Quiero que me busques una esposa. Necesito tener un hijo varón.

La sonrisa de Amira se transformó en una expresión de inquietud.

–¿Acaso has olvidado la desgracia que cayó sobre nuestras cabezas cuando te apropiaste de Zacarías convirtiéndole en tu hijo?

–Una esposa me dará un hijo legítimo –dijo Ibrahim, negándose a hablar del muchacho que había desaparecido de su casa siete años atrás.

Otros miembros de la familia le habían buscado, pero fue en vano.

–Tú tienes medios para saberlo, madre, tienes poderes. Búscame una mujer que me dé hijos varones.

–Alá recompensa a los perseverantes. Huda está embarazada. Esperemos a ver y no nos precipitemos.

Ibrahim tomó las manos de su madre entre las suyas y le dijo:

–Madre, con todo el respeto y el honor que te debo, esta vez no quiero seguir tu consejo. Perdóname, pero tus decisiones no siempre son las mejores.

–¿Qué quieres decir?

–He estado pensando en Camelia. ¿Te has parado alguna vez a pensar en cómo sería ahora su vida si tú no la hubieras llevado a aquella curandera de la calle del 26 de Julio?

–Sí, y ahora veo que, de no haber sido por aquel paso en falso, puede que hoy Camelia estuviera felizmente casada y fuera madre de muchos hijos. Lo siento en el alma.

–Una mujer necesita un marido, madre. Y una niña no se tiene que educar en las salas de fiestas y los estudios cinematográficos. Zeinab necesita una vida como es debido. Le hace falta un padre. Yo soy el responsable de Camelia y de Zeinab. Quiero que me ayudes a buscarle un marido a Camelia.

–Ya es casi la hora de la oración –dijo Amira en un susurro–. ¿Quieres dirigir a la familia, hijo mío? Yo deseo rezar sola.

Amira subió a la azotea bañada por el resplandor que precedía al ocaso. Mientras contemplaba las cúpulas y los alminares iluminados por los anaranjados rayos del sol, imaginó que la luz que se extendía más allá del Nilo no era la del sol poniente sino una suave mano de mujer teñida de alheña que estaba cerrando el día.

Cuando se inició la llamada a la oración, desdobló su alfombra de oración y empezó a rezar.

Allahu akbar. Alá es grande.

Pero su corazón no estaba concentrado en Alá.

Mientras se arrodillaba y rozaba la alfombra con la frente, pensó en lo que Ibrahim le acababa de decir acerca de Camelia. Su hijo tenía razón. Ella no había cumplido con su deber de velar por la felicidad y el futuro de su nieta.

Ash hadu, la illaha illa Allah. Proclamo que no hay más dios que Alá.

Reflexionó acerca de la urgente necesidad de Ibrahim de tener un hijo varón y se sintió vagamente molesta. Se hablaba mucho del linaje de Alí Rashid, pero existía también otro linaje, el de Amira Rashid. Ella había tenido una hija, unas nietas y unas biznietas... pero todas aquellas hermosas muchachas y mujeres no habían sido suficientes. Un varón valía más.

Ash hadu, Annah Muhammad rasulu Allah. Proclamo que Mahoma es el Profeta de Alá.

Amira se preguntó por primera vez en su vida por qué los linajes familiares pasaban por los varones, siendo así que la única certeza procedía de la maternidad. Pensó en los fraudes de los últimos años... la hija de la tercera esposa de Alí Rashid se había acostado con un hombre y había sido casada rápidamente con otro, el cual había creído que el hijo era suyo; Safeya Rageb había presentado una niña a su marido, diciéndole que él la había engendrado cuando, en realidad, la niña era de su hija; Yasmina llevaba en su seno un hijo que todo el mundo creía de Omar hasta que Nefissa reveló el secreto. ¿Cuántos engaños y mentiras se habrían fraguado, se preguntó Amira, a lo largo de los siglos y los milenios desde la madre Eva por el simple hecho de que los linajes familiares no pasaban por las mujeres sino por los hombres? ¿Era lógico que fuera así, teniendo en cuenta que en la maternidad no cabía el engaño mientras que la paternidad sólo era en el mejor de los casos una suposición?

Hi Allah ash Allah.

Si la línea familiar se transmitiera a través de las mujeres, la niña de Yasmina hubiera sido acogida con júbilo quienquiera que fuera su padre, Zeinab tendría en aquellos momentos a su lado a su verdadera madre y la familia no se hubiera quebrado.

Sorprendida ante sus propios pensamientos, Amira trató de centrar su atención en Alá y repitió la plegaria a pesar de que los almuédanos ya habían terminado.

La illaha illa Allah.

Pero una vez más se distrajo pensando: «Una esposa para Ibrahim, un marido para Camelia...».

Se encontraban en el apartamento de Camelia porque Dahiba se había negado a ingresar a su marido en un hospital, aunque fuera de carácter privado. Tan pronto como la policía consiguió reprimir los disturbios y un médico examinó a Hakim en la caravana de Camelia, ambas mujeres le trasladaron al último piso de un edificio del tranquilo y elegante barrio de Zamalek, donde esperaban ponerle a salvo de los fanáticos. Los elevados ingresos que percibía Camelia le habían permitido comprarse una vivienda en la octava planta de un edificio de El Cairo con vistas panorámicas sobre la ciudad, el Nilo y las lejanas pirámides. Un refugio de doce habitaciones con criados y costoso mobiliario para Zeinab y para sí misma. En aquellos momentos, la joven estaba ayudando a Hakim a acomodarse en un sillón de cara a un enorme ventanal que daba a las brillantes luces de la ciudad y a las estrellas que parpadeaban en el cielo.

–Menudo susto me has dado, tío. ¡Pensé que te iban a ahorcar! –dijo Camelia, enjugándose las lágrimas de los ojos.

Hakim le dio unas palmadas en la mano sin poder hablar. Una dolorosa quemadura provocada por el roce de la cuerda le rodeaba todo el cuello.

–Oh, tío, ¿cómo es posible que hayan querido hacerle daño a un hombre tan encantador como tú? ¡Los cristianos son muy sanguinarios! ¡Adoran a un hombre clavado en una cruz! ¡Les debe de gustar ver sufrir a la gente! ¡Los odio por lo que te han hecho!

Una criada entró portando una bandeja de té con pastas. Conociendo la afición de Hakim, como la de casi todos los cairotas, por la serie *Dallas*, Camelia encendió el televisor. La pantalla se iluminó en el momento en que estaban dando los habituales anuncios de la Administración. *Dallas*, la serie más popular de televisión en Egipto, hacía que los jueves por la noche El Cairo se convirtiera en una ciudad desierta, por cuyo motivo el gobierno aprovechaba los minutos previos al inicio de los capítulos para transmitir importantes mensajes a la población. Aquella noche se hablaba de la campaña de planificación familiar y se instaba a las mujeres a acudir a los hospitales públicos para que les colocaran gratuitamente dispositivos de control de la natalidad, asegurándoles, con citas del Corán, que una familia reducida era más feliz.

Dahiba se sentó y empezó a repasar las ediciones nocturnas de todos los periódicos que había podido encontrar para ver si publicaban alguna noticia sobre los incidentes habidos delante del museo.

–Aquí está –dijo–. Los disturbios los provocaron unos estudiantes cristianos coptos. Y nadie sabe cuál fue el motivo.

–¡El tío nunca ha ofendido a los coptos! –dijo Camelia.

–Santo cielo –exclamó súbitamente Dahiba.

–¿Qué pasa?

–Éste es uno de esos pequeños periódicos intelectuales –contestó Dahiba, entregándoselo a Camelia al tiempo que le señalaba con el dedo el artículo de la primera plana–. ¡Mira lo que han publicado!

Camelia leyó:

–«Los hombres nos dominan porque nos temen. Nos odian porque nos desean.» –la joven miró a Dahiba–. ¡Pero si eso es de mi ensayo! ¡Han copiado el ensayo que incluí en tu libro! –Camelia siguió leyendo las palabras que ella misma había escrito diez años atrás–: «Nuestra sexualidad amenaza su virilidad y por eso sólo nos conceden tres medios de ser respetables: como vírgenes, como esposas y como ancianas que ya no pueden tener hijos. No nos queda ningún otro camino. Si una soltera tiene amantes, la llaman puta. Si rechaza a los hombres, la llaman lesbiana porque constituye una amenaza para la virilidad de los hombres. Es propio del hombre reprimir todo aquello que lo amenaza o le da miedo».

Hakim soltó un gruñido y dijo con un áspero hililllo de voz:

–¿Por qué me habrá favorecido Alá con unas mujeres tan inteligentes?

–Sí, es tu ensayo, palabra por palabra –exclamó Dahiba–. ¿Mencionan tu nombre?

–No –contestó Camelia. Al leer el nombre que encabezaba el artículo, le pareció que le sonaba de algo–. Yacob Mansur –dijo.

–Ah, Mansur –terció Hakim en un susurro, acercándose la mano a la garganta–. He oído hablar de él. Lo detuvieron hace algún tiempo por haber escrito un artículo favorable a Israel.

–Un judío –dijo Dahiba–. Eso no está muy bien visto en Egipto últimamente.

–Los judíos –Hakim lanzó un suspiro–. ¡Deben de ser los únicos que no me persiguen!

Camelia frunció el ceño, tratando de recordar de qué le sonaba el nombre de Mansur. De pronto, le vino a la memoria. Abandonó el salón y regresó con uno de sus álbumes de recortes, abriéndolo por la primera página, en la que figuraba una amarillenta reseña fechada en noviembre de 1966. Las palabras «gacela» y «mariposa» parecieron saltar de la página. La reseña estaba firmada por Yacob Mansur.

–¡Es el mismo! –exclamó Camelia–. ¿Por qué ha publicado mi ensayo?

–Hace falta mucho valor para eso –dijo Dahiba.

–¿Dónde está la redacción de este periódico? –preguntó Camelia, consultando su reloj.

Hakim tomó un sorbo de té y consiguió contestar con una especie de graznido:

–En una pequeña travesía de la calle al-Bustan, cerca de la Cámara de Comercio.

–No pensarás ir ahora, ¿verdad?

–Le diré a Raduan que me acompañe. Todo irá bien, *inshallah*.

La redacción del pequeño periódico era muy modesta y constaba de dos pequeñas habitaciones atestadas de papeles en las que apenas había espacio para pasar entre los escritorios. Daba a una tienda de alfombras de la acera de enfrente y la ventana de la fachada, cuyos cristales habían sido rotos a pedradas, aparecía cubierta con unos cartones.

Diciéndole a Raduan que esperara en la puerta, Camelia entró y vio a dos hombres inclinados sobre sendas máquinas de escribir y a una joven de pie junto a un archivador. Los tres se volvieron simultáneamente a mirarla.

–*Al hamdu lillah*! –exclamó la muchacha, acercándose presurosa para quitar el polvo de una silla con la mano y ofrecérsela a Camelia, diciendo–: ¡La paz y la benevolencia de Alá sean contigo, *sayyida*! ¡Nos sentimos muy honrados! –después se volvió y gritó por encima del hombro hacia una puerta protegida por una cortina–: ¡Oye, Aziz! Corre al señor Shafik .¡Trae té en seguida!

–La paz y la misericordia de Alá y sus bendiciones –contestó Camelia–. He venido a ver al señor Mansur. ¿Está aquí?

Un hombre se levantó de uno de los escritorios y se inclinó respetuosamente. Debía de tener unos cuarenta y tantos años, estaba algo grueso, era medio calvo y llevaba unas gafas de montura metálica y una camisa que estaba pidiendo a gritos un golpe de plancha. Camelia recordó a Suleiman Misrahi y se dio cuenta de que en El Cairo apenas quedaban judíos.

–Su presencia es un honor para nuestra redacción, señorita Rashid –dijo el hombre con una sonrisa.

Acostumbrada a que los desconocidos la reconocieran, Camelia contestó:

–El honor es mío, señor Mansur.

–¿Sabe que yo escribí una reseña de una de sus actuaciones hace catorce años? Yo tenía treinta años por aquel entonces y pensé que era usted la danzarina más exquisita que jamás hubiera habido en la tierra –Mansur miró a Raduan, de pie en la entrada, y añadió bajando un poco la voz–: Y lo sigo pensando.

Camelia miró también a Raduan, confiando en que éste no hubiera escuchado las palabras de atrevida familiaridad de Mansur. Quebrantamientos de la etiqueta mucho más leves que aquél habían inducido al guardaespaldas sirio a salir inmediatamente en defensa del honor de su señora.

El joven que había salido a escape del despacho momentos antes regresó con una bandeja y dos tazas de té de menta. A pesar de su ardiente deseo de averiguar por qué razón había reproducido Mansur su ensayo, Camelia pasó por el habitual formalismo de los comentarios sobre el tiempo, los resultados de los encuentros de fútbol y el milagro que había supuesto la presa de Asuán para Egipto. Al final, abrió el bolso, sacó el periódico con el artículo de Mansur marcado con un círculo y preguntó:

–¿De dónde ha salido este ensayo?

–Lo copié del libro de su tía –contestó Mansur. Al ver la mirada de asombro de Camelia, añadió–: Sé que usted escribió estas palabras. Su mensaje me parece importante y por eso lo he publicado. Puede que con ello consigamos abrir algunas mentes.

–¡Pero el libro de donde usted ha sacado el ensayo está prohibido en Egipto! ¿Acaso no lo sabe?

Mansur abrió un cajón de su escritorio y sacó un ejemplar de *La sentencia de la mujer*.

Camelia contuvo la respiración.

–¡Le pueden detener por la posesión de este libro!

El hombre sonrió y Camelia observó que, al hacerlo, se le levantaban las gafas.

–El presidente Sadat afirma creer en la democracia y en la

libertad de expresión. De vez en cuando es bueno ponerlo a prueba.

Camelia pensó que, a pesar de lo explosivos que eran sus escritos y del atrevimiento de que estaba haciendo gala con una mujer a quien no conocía, el señor Mansur hablaba con una curiosa suavidad. Hubiera sido más lógico que hablara a gritos.

—Pero ¿no corre usted peligro al publicar mi ensayo?

—En cierta ocasión oí hablar a Indira Gandhi. Dijo que, a pesar de ser cierto que a veces una mujer va demasiado lejos, sólo cuando va demasiado lejos consigue ser escuchada por los demás.

—No menciona usted mi nombre en el artículo.

—Oh, no quería causarle problemas. Los extremistas... —Mansur señaló con un gesto de la mano los cristales rotos de la ventana—. Especialmente los miembros jóvenes de los Hermanos Musulmanes, esos fanáticos que andan por ahí vestidos con *galabeyas* blancas, no se alegrarían demasiado de saber que el ensayo lo había escrito una mujer. Pensé que, no siendo yo musulmán, me tratarían con menos dureza que a alguien de su propio credo. De esta manera, las palabras que usted escribió serán leídas y usted estará a salvo.

Mansur miró a Camelia con sus risueños ojos castaños y ésta se preguntó algo que no se había preguntado acerca de un hombre desde que tenía diecisiete años y se había enamorado de un censor del gobierno.

¿Estará casado?

33

Jasmine bajó del autobús y se detuvo en la acera antes de echar a andar hacia su edificio de apartamentos. El corazón le latía con fuerza en el pecho. ¿Cómo demonios le iba a comunicar a Greg la noticia? Le había caído encima como un rayo y a él lo iba a dejar totalmente estupefacto. No quería ni pensarlo.

Al entrar en el apartamento que compartía con Greg desde hacía siete años y medio, notando en el rostro las primeras gotas de lluvia de noviembre, vio que, como de costumbre, Greg tenía compañía en el salón. Jasmine se alegró de que aquella noche hubiera sólo hombres. Algunas veces los amigos se presentaban con sus esposas y sus novias y entonces ella cedía al antiguo impulso de atraer a las mujeres a la cocina y dejar a los hombres en el salón, un vestigio de sus viejos tiempos. A menudo, las mujeres se reunían a tomar café con ella en la cocina, pero, en general, preferían quedarse con los hombres y ella imitaba su ejemplo aunque siempre lo hacía a regañadientes y se sentía incómoda.

En cierta ocasión se lo había comentado a Rachel Misrahi, la cual ejercía como médica en el Valle, y ésta le había contestado:

–Eres una mujer con estudios, Jas. Nada menos que una médica. Tienes que adaptarte a los tiempos y aceptar el hecho de la igualdad entre hombres y mujeres. Se acabaron los malditos papeles.

Aquella noche se alegró de que sólo estuvieran allí los habituales compinches de la camarilla de aspirantes al doctorado del departamento de Antropología, unos eternos estudiantes como el propio Greg que sonrieron y le dijeron «hola» cuando la vieron entrar y dejar el maletín médico al lado del teléfono antes de dirigirse a la cocina para quitarse la blanca bata del laboratorio y enchufar la cafetera eléctrica.

Al ver la docena de claveles rojos y blancos en un sencillo jarrón de floristería, Jasmine esbozó una triste sonrisa. Su querido Greg cada año por aquella fecha le compraba sin falta unos claveles en recuerdo de la muerte de su madre. Y, cada vez, Jasmine pensaba que ojalá no lo hubiera hecho, aunque en el fondo se alegraba.

Su querido Greg jamás había conseguido encender en ella la chispa del amor.

Repasó la correspondencia que Greg había dejado sobre la mesa: facturas, anuncios de seminarios médicos, ofertas de empleo de dos hospitales, una nueva petición de dinero para el Fondo de Ex Alumnos Universitarios y una postal de Rachel desde Florida. De Egipto, nada.

Siete años atrás, una carta que ella le había escrito a su madre le había sido devuelta junto con una carta de Amira: «Nuestra querida Alice ha muerto, Alá la tenga en su Paraíso. Murió en un accidente de tráfico». Y Zacarías, añadía Amira, se había ido en busca de Sahra, la cocinera, la cual también había dejado a la familia.

De este modo, se había roto no sólo el único y frágil eslabón que la unía a los suyos, sino también la única esperanza de que su hijo Muhammad la recordara. Jasmine sabía que, tal como había ocurrido con Fátima, no habría en la casa ninguna fotografía suya ni nadie mencionaría jamás su nombre. Para Muhammad, ahora que su abuela Alice había muerto, su madre también estaría muerta. Sólo seis años y medio más tarde, en la primavera pasada, Jasmine había recibido una noticia y una fotografía enviada por Amira en la que aparecía Muhammad en la ceremonia de su graduación en el instituto de enseñanza media. La fotografía mostraba a un joven asombrosamente guapo con unos grandes y líquidos ojos como los de las figuras de los primitivos sarcófagos cristianos. Sin embargo, Muhammad no sonreía, en un visible intento de no mostrar su vulnerabilidad ante la cámara.

En los trece años transcurridos desde que Jasmine se fuera de Egipto, su hijo no le había escrito ni una sola vez.

Jasmine se alegró mucho de que el último objeto de su correspondencia fuera un paquete de Declan Connor. Era la última edición de *Cuando usted es el médico* e incluía una instantánea en blanco y negro del propio Connor, su mujer Sybil y su hijo, y una carta en la que el profesor le describía su labor en Malaysia y su lucha contra la malaria. La misiva era breve y amistosa y no contenía la menor alusión al idilio que había estado a punto de florecer entre ambos siete años atrás. Jasmine no había vuelto a ver a Connor desde entonces, pero ambos se habían mantenido en contacto.

La puerta de la cocina se abrió de repente y Jasmine vio fugazmente en la pantalla del televisor la escena de la liberación de los rehenes norteamericanos, descendiendo de un aparato procedente de Irán.

—Hola —le dijo Greg, besándola en la mejilla—. ¿Qué tal ha ido el trabajo?

Jasmine estaba agotada. Era el miembro más reciente del equipo de una clínica pediátrica de una barriada muy pobre y, como tal, trabajaba más horas que sus compañeros, pero le daba igual. El cuidado de los hijos de otras mujeres la ayudaba a satisfacer la necesidad de hijos propios. Su hijo Muhammad estaba muy lejos y se lo habían arrebatado y la niñita deforme que había nacido muerta... «No. No recuerdes el pasado.» Rodeó con sus brazos la cintura de Greg y le dijo:

–Gracias por los claveles. Son preciosos.

–Espero que no te moleste la presencia de los chicos –Greg la estrechó un instante en sus brazos–. Estamos haciendo unos planes.

Jasmine asintió con la cabeza apoyada en su hombro. Greg siempre estaba haciendo planes, pero muy pocos de ellos fructificaban. Jasmine ya había desistido hacía mucho tiempo de darle consejos sobre la forma de terminar su tesis doctoral.

–No te preocupes –dijo–. Tengo que ir al hospital a pasar unas visitas. Sólo he venido a casa para ducharme y cambiarme y tomar el coche.

Greg se acercó al frigorífico y sacó una cerveza, diciendo:

–Me alegro de que estés aquí. Tengo una noticia.

Jasmine le miró fijamente a los ojos.

–Qué casualidad. Yo también.

Mientras Greg echaba la cabeza hacia atrás para ingerir unos sorbos de cerveza, Jasmine pensó una vez más en la ironía del destino que la había llevado a casarse con un hombre estando enamorada de otro. Siete años después, seguía casada con uno y todavía enamorada del otro. Sin embargo, apreciaba sinceramente a Greg y entre ambos había surgido un profundo afecto que a veces los había conducido incluso a las relaciones sexuales. Jasmine sospechaba que hacían el amor por pura necesidad de contacto humano; no experimentaban la menor pasión el uno por el otro y tanto menos la emoción que en ella solía despertar una sola mirada de Connor. Una vez en que le confesó a Rachel que su matrimonio con Greg estaba basado más bien en el respeto mutuo que en el amor, su amiga había elogiado aquel matrimonio auténticamente liberado en el que no existían ni las anticuadas expectativas ni los juegos que solían entorpecer la mayoría de relaciones. Sin embargo, Jasmine anhelaba un matrimonio anticuado y seguía envidiando a Sybil Connor.

–Estoy embarazada –dijo.

Greg estuvo a punto de escupir la cerveza.

–¡Santo Cielo! –exclamó–. Y lo dices así, sin avisar.

–Perdona. ¿De qué otra forma quieres que te lo diga? –replicó Jasmine, escudriñando su rostro–. ¿Estás contento?

–¡Contento! Espera un poco, que la cabeza me está dando vueltas. ¿Cómo ha podido ocurrir?

–Tuve que dejar la píldora, como ya sabes, porque me provocaba dolor de cabeza.

–Lo sé, pero hay otros medios. No sé cuándo...

–Durante la barbacoa del Día del Trabajador.

Fue la última vez en que ambos habían hecho el amor. Greg se estaba bebiendo una cerveza junto a la piscina donde un grupo de amigos se había reunido para asar a la parrilla unas hamburguesas y unos bistecs. De pronto, Greg convenció a Jasmine de que «entrara en la casa un momento».

–Bueno, supongo que es estupendo –dijo Greg, rodeándola de nuevo con sus brazos–. Pues claro que es estupendo. Sé lo mucho que te gustan los niños. Lo que ocurre es que nunca hablábamos de eso. Pero ¿no tendrás que dejar el trabajo? –preguntó, apartándose un poco–. ¿Cómo vamos a pagar el alquiler?

Los gastos de sus estudios de medicina habían obligado finalmente a Jasmine a vender su casa de Inglaterra y los siete años de convivencia con un hombre que no tenía trabajo habían vaciado sus fondos bancarios. Ahora ambos vivían de lo que ella ganaba en la clínica y aquel embarazo amenazaba la seguridad de sus existencias. Jasmine se sintió de repente en aquella relación «igualitaria» menos libre de lo que jamás se hubiera sentido en cualquier otro momento de su vida. Procuró conservar un tono despreocupado mientras contestaba:

–Supongo que ahora te tocará a ti buscarte un trabajo. Tendrás una familia que mantener.

Greg apartó el rostro y tomó un buen trago de cerveza.

–Por Dios, Jasmine, eso no va conmigo. Tengo que consolidar mi situación antes de que pueda pensar en tener hijos. Aún no sé quién soy ni lo que quiero.

–Tienes treinta y siete años.

Greg soltó una carcajada.

–Sí, la misma edad de mi papá cuando dejó embarazada a mi madre. Qué coincidencia, ¿verdad? –de pronto, Greg miró a Jasmine directamente a los ojos y le dijo–: Te voy a ser sincero, Jasmine. No quiero que ningún hijo mío tenga la clase de educación que tuve yo en todas aquellas escuelas privadas sin ver jamás a mis padres.

Jasmine cerró los ojos y se sintió súbitamente muy cansada.

–Entonces, ¿qué me aconsejas que haga?

Greg arrancó un imán de la puerta del frigorífico y empezó a manosearlo. Era un pequeño tomate de plástico con una sonriente cara en su parte superior.

Al ver que Greg no contestaba, Jasmine empezó a inquietarse.

–Bueno pues, ¿cuál es tu noticia?

Greg volvió a dejar el imán en su sitio, pero éste se cayó al suelo.

–Los chicos y yo estamos organizando una expedición a Kenia. Roger está haciendo un estudio sobre los masais...

–Comprendo –dijo Jasmine. El año anterior había sido Nueva Guinea y el otro la Tierra del Fuego. Al final, Greg nunca había ido a ninguno de los dos sitios, pero puede que esta vez lo hiciera. Jasmine se dio cuenta de que, en realidad, le daba igual–. Tengo que volver a la clínica –añadió–. ¿Dónde están las llaves del coche?

–Esta mañana llevé el coche para que lo revisaran, ¿no te acuerdas? Ya te lo dije. Mira, Jas... –dijo Greg, extendiendo las manos hacia ella.

–Sí, ya lo sé. Pero dijiste que estaría listo a las cinco. ¿No fuiste a recogerlo?

–Pensé que lo recogerías tú. Es lo que siempre hemos hecho... yo lo llevo y tú lo recoges.

Sí, pensó Jasmine. Igualdad total. Es lo más justo.

–No importa, tomaré el autobús.

–Jasmine –dijo Greg, asiéndola del brazo–. Por favor, no sé qué puedo decirte.

Jasmine se apartó.

–Ya hablaremos más tarde. Tengo que tomar el autobús para llegar al garaje antes de que cierren.

Mientras circulaba por la autovía de la Costa del Pacífico, Jasmine contempló las gotas de lluvia en el parabrisas y pensó en sus relaciones con Greg. La situación apenas había cambiado desde que ambos se conocieron. Habían vivido juntos, pero su propia existencia había estado tan ocupada con los estudios de medicina, después las prácticas y finalmente la clínica, que apenas le había quedado tiempo para el matrimonio. Aun así, ella había hecho el esfuerzo de intentar comprender al hombre con quien se había casado, aunque todo había sido en vano. Había buscado las profundidades de Greg y había descubierto para su asombro que éste no las tenía. No había más que la superficie que inicialmente la había atraído. Había intentado acercarse a él, pero incluso cuando hacían el amor notaba en él una cierta reticencia. La única vez en que había visto a la madre de Greg, durante una escala del vuelo de la doctora Mary Van Kerk desde las cuevas de la India a las cuevas de Australia Occidental, Jasmine había descubierto a una mujer tan dura como las rocas que estudiaba y una relación madre-hijo tan rígida y envarada que ambos protagonistas parecían haber olvidado el texto de su guión.

A partir de aquel momento, Jasmine empezó a comparar a Greg con los hombres árabes y recordó la afición a la vida, la espontaneidad y el agudo sentido del humor de estos últimos, amén de su fama de amantes expertos y considerados. Lo que más echaba de menos eran sus pasiones desatadas. Los hombres árabes lloraban sin rebozo, se besaban mutuamente y entre ellos no existían las llamadas carcajadas improcedentes. Y, por si fuera poco, cuando un hombre dejaba embarazada a una mujer, se sentía obligado y consideraba un honor reconocer al hijo y responsabilizarse de él.

Jasmine se apoyó la mano en el vientre y se extrañó de repente. El sobresalto inicial se había disipado y ahora estaba descubriendo con asombro que se sentía realmente feliz. De hecho, llevaba mucho tiempo sin sentirse tan a gusto, prácticamente desde su embarazo de Muhammad y después del de aquella pobrecita que no había sobrevivido. Puede que esta vez fuera una niña, pensó, cediendo finalmente a la emoción. La llamaré Ayesha, se dijo, en recuerdo de la esposa preferida del Profeta. Y, si Greg se va a Kenia, ya encontraré la manera de criar a mi hija yo sola.

Mientras alargaba la mano para encender la radio, oyó un sonido amortiguado en el exterior del automóvil y, de pronto, el volante empezó a vibrar. Aminorando la marcha, consiguió desviarse hacia la cuneta de la resbaladiza autovía. Cuando bajó, cubriéndose la cabeza con una revista porque había olvidado tomar el paraguas, vio que la rueda delantera derecha estaba pinchada.

Le dio un puntapié y empezó a mirar arriba y abajo. Circulaban muy pocos automóviles en aquel momento. Comprendió que, si quería llegar a tiempo al hospital, tendría que cambiar ella misma la rueda.

Mientras colocaba el gato bajo el resbaladizo guardabarros, se enfureció con Greg, pensando que él hubiera tenido que encargarse de ir a recoger el automóvil. El gato no quería colaborar. Empujó con fuerza y su creciente furia se extendió a Hassan por haber abusado de ella y a su padre por haberla expulsado de casa. Mientras seguía forcejeando, su furia se transformó en rabia y entonces se echó a llorar y la lluvia se mezcló con sus lágrimas de impotencia.

De pronto, el gato resbaló y ella cayó hacia atrás sobre el duro asfalto.

–*Allah*! –gritó mientras un agudo dolor le traspasaba el vientre.

Jasmine llevaba un buen rato mirando a través de la ventana de su habitación de hospital. Como era de noche, el cristal reflejaba la luz que había sobre la cabecera de su cama y las luces amortiguadas del pasillo, más allá de la puerta abierta. Había llegado a tiempo al hospital, pero en calidad de paciente y en una ambulancia. Un motorista se había detenido al verla y había avisado a la policía desde una cabina telefónica de la autovía. Inmediatamente la trasladaron al departamento de cirugía con un diagnóstico de aborto incompleto. Los cirujanos lo completaron y, tras despertar de la anestesia, Jasmine no había hecho otra cosa sino pensar.

Cuando llegó Rachel y le dijo: «Oh, Jas, no sabes cuánto lo siento», Jasmine ya había llegado a unas cuantas conclusiones.

–¿Necesitas algo? –le preguntó Rachel, sentándose–. ¿Te atienden bien? Aunque sea médica, me fastidia mucho visitar a mis amigos en el hospital.

–¿Dónde está Greg?

–Abajo, en la tienda de regalos, comprándote unas flores. Se siente fatal, Jas.

–Yo también. ¿Sabes una cosa? Mi madre perdió dos hijos... uno murió en la infancia y con el segundo tuvo un aborto. Es curioso, ¿verdad?, que las hijas repitan las vidas de sus madres –Jasmine se sorbió las lágrimas. Hablar le costaba un esfuerzo y se sentía muy cansada–. He estado pensando en mi padre y en los tiempos en que él y yo estábamos juntos. Ojalá le tuviera aquí ahora, porque hay muchas cosas que quiero decirle y explicarle. Y, además, le quiero hacer unas cuantas preguntas –Jasmine hizo una mueca y se apoyó una mano en el vientre–. Miro hacia atrás –añadió– y veo que, cuando estaba con mi padre atendiendo a las *fellahin* sin hogar y a sus hijos, yo había emprendido un camino... el camino de mi vida. Pero después me desvié. Olvidé las razones por las cuales me había casado con Greg y permanecí a su lado. Pero ahora debo irme, Rachel, tengo cosas que hacer.

–Lo primero que tienes que hacer es descansar y dejar que sane tu cuerpo. Ya tendrás tiempo de ser una supermujer.

Jasmine esbozó una leve sonrisa.

–Tú sí eres una supermujer, Rachel. Con tu marido, tu hijo y tu profesión de médica.

–Tendría que estar un poco más delgada con esta vida tan ajetreada que llevo. Ahora me voy para que descanses un poco. Si me necesitas, estoy en la sala del fondo del pasillo.

Cuando Greg entró con rostro afligido sosteniendo en sus manos un ramo de flores, Jasmine ya no estaba enojada con él y ni siquiera se sentía decepcionada. Era simplemente un desconocido que había compartido su vida durante algún tiempo y que, como tal, se alejaría de ella.

Greg permaneció largo rato sentado junto a la cama sin poder hablar.

–Siento que hayas perdido al niño –dijo al final.

–Tenía que ser. Es la voluntad de Dios.

Consolándose con la idea de que todo estaba preordinado, Jasmine reparó en otra verdad: la palabra *islam* significa en árabe «sumisión», y el hecho de rendirse en aquellos momentos a los proyectos de Alá le producía una profunda sensación de paz.

–Lo que ocurre es que no hacía mucho que tú sabías lo del niño –añadió Greg, retorciéndose los dedos–. No habíamos comprado ningún mueble para él ni nada de todo eso. No habíamos hecho ningún plan.

La miró con lágrimas en los ojos y Jasmine vio en ellos desconcierto y necesidad de ser perdonado, aunque, en realidad, no supiera por qué razón. Después Jasmine se dio cuenta de que Greg soportaba una pesada carga y le estaba suplicando en silencio que se la quitara de encima. Comprendiéndolo así, le dijo:

–Tú y yo nos casamos por un motivo concreto, ¿recuerdas? No nos casamos por amor ni con la intención de traer hijos a este mundo, sino para resolver una situación legal. La situación ya está resuelta y eso constituye una señal de Dios de que ha llegado la hora de que nos separemos –al ver que él iniciaba una leve protesta, añadió–: Ahora creo que no estoy hecha para el matrimonio y los hijos, pues Dios me los ha arrebatado. Tiene otros proyectos para mí.

–Lo siento, Jasmine –dijo Greg–. En cuanto recupere las fuerzas, me iré. El apartamento es tuyo.

Siempre lo había sido y Greg había sido simplemente un huésped.

–Hablaremos mañana, cuando me den de alta. Ahora estoy muy cansada.

Greg vaciló sin poder apartarse de la cama ni comprender exactamente lo que había ocurrido. Un niño, su hijo, se había perdido. ¿No hubiera tenido que sentir algo? ¿No hubiera tenido que pronunciar unas palabras determinadas? Trató de rebuscar en su interior algún programa oculto, un manantial de compasión que tal vez su madre le hubiera inculcado años atrás sin que él se diera cuenta. Pero no había nada.

Y ahora, contemplando su relación con Jasmine, se dio cuenta de que allí tampoco había nada. Cierto que tenían algunos recuerdos en común..., la celebración del primer aniversario de su boda en el paseo marítimo de Santa Mónica, cuando ambos todavía esperaban que el amor floreciera en sus vidas; el descorche de la botella de champán cuando ella terminó sus estudios de medicina; el consuelo que Jasmine le ofreció a Greg cuando a él le rechazaron una vez más la tesis doctoral. Pero ¿qué eran en el fondo aquellos momentos?

De pronto, se dio cuenta de que ella siempre había sido una extraña para él y siempre lo sería.

Se inclinó y le besó la fría frente.

–Aquí tienes las cosas que me has pedido que te traiga –dijo.

En cuanto él hubo cerrado la puerta a su espalda, Jasmine abrió la maleta.

Sacó el libro que Greg había colocado encima de los artículos de aseo, la nueva edición de *Cuando usted es el médico* que Connor le había enviado desde Malaysia. Lo abrió y leyó la dedicatoria que el profesor había escrito en la portada al lado de los nombres de ambos: «Jasmine, si necesita usted alguna vez una oración, recuerde este pequeño músculo que tiene junto a la nariz». Y firmaba «Con amor, Declan». Esbozó una sonrisa.

Después introdujo de nuevo la mano en la maleta y sacó el ejemplar encuadernado en cuero del Corán que había viajado con ella desde Egipto. Estaba escrito en árabe y ella llevaba mucho tiempo sin abrirlo.

Ahora lo abrió.

34

Yacob le daba miedo.

Mejor dicho, lo que le daba miedo era la idea de enamorarse de él y de que él correspondiera a su amor. Camelia había procurado por todos los medios luchar contra ella, pasándose largas horas en los ensayos de su espectáculo, sumergiéndose en la coreografía y el vestuario, llenando por completo su vida de tal forma que por la noche cayera rendida en la cama y se sumiera en un profundo sueño en el que ni siquiera Yacob Mansur pudiese penetrar. Sin embargo, cuando despertaba por la mañana, lo primero que veía era la imagen de un hombre discreto y ligeramente grueso con gafas de montura metálica y cabello ligeramente ralo. Y, más tarde, cuando danzaba en el Hilton y sonreía y recibía los aplausos, le buscaba entre el público hasta que, al fondo de la sala, más allá de las luces y de los espectadores enardecidos, le veía de pie, observándola en silencio.

¿Sentiría él lo mismo por ella?, se preguntaba. Estaba claro que debía de sentir algo. ¿Por qué, si no, hubiera estado entre el público tan a menudo? Y, sin embargo, ni una sola vez la había visitado en su camerino ni le había enviado flores o inundado de billetes de una libra tal como hacían otros hombres. En los cuatro meses transcurridos desde que le conociera en la redacción del periódico, Camelia no había vuelto a intercambiar una sola palabra con Mansur.

No sabía nada de él, pero adivinaba, por el traje que llevaba siempre que iba a verla actuar, que no debía de andar muy sobrado de dinero, aparte el hecho de que su periódico a duras penas podía sobrevivir y sólo se sostenía gracias a las donaciones. Ni siquiera sabía si estaba casado, pues había evitado deliberadamente averiguar nada sobre él en la esperanza de que se le pasara el enamoramiento. Pero no se le había pasado, sino que cada vez era más fuerte.

A lo largo de los años, Camelia había levantado una defensa contra el amor de tal manera que, en las pocas ocasiones en que se había sentido atraída por alguien, el sentimiento había muerto antes de que ella le diera la oportunidad de florecer. Sin embargo, por una extraña razón, Yacob Mansur había encontrado el medio de superar aquella defensa. Y ahora ella no sabía qué hacer.

Sospechaba que no era muy sensato enamorarse de un judío en los tiempos que corrían. Años atrás, antes de que estallaran las guerras con Israel, los judíos egipcios habían convivido pacíficamente con los musulmanes. ¿Acaso las familias Misrahi y Rashid no estaban unidas? Sin embargo, las tres humillantes derrotas sufridas por los egipcios a manos de los israelíes habían provocado la animadversión de los egipcios hacia sus hermanos semitas; las íntimas relaciones de amistad entre los miembros de ambas comunidades eran objeto de reproche y la situación resultaba especialmente intolerable cuando el hombre era judío y la mujer musulmana.

Pero Camelia no podía quitarse a Yacob de la cabeza.

Compraba cada día su periódico y leía su columna. Le parecía que escribía con brillantez sobre temas polémicos, exigiendo audazmente que el gobierno llevara adelante las necesarias reformas, mencionando nombres con temeraria valentía e incluso describiendo casos concretos de injusticia. Mansur también solía publicar elogiosas reseñas de sus actuaciones; jamás se refería a su cuerpo, cosa que se hubiera considerado altamente ofensiva, pero se deshacía en alabanzas al hablar de su habilidad y su talento. ¿Había leído Camelia la palabra «amor» entre aquellas líneas encomiásticas? ¿O eran sólo figuraciones suyas? ¿Se estaría enamorando de verdad de un hombre con el cual sólo había mantenido un breve diálogo y al que únicamente había entrevisto fugazmente al fondo de la sala donde ella actuaba? ¿Cómo podía saberlo si jamás había conocido lo que era el amor? Hubiera querido pedirle consejo a *Umma*, pero la norma de Amira era siempre la misma: primero viene el matrimonio y después el amor.

Mientras su limusina avanzaba entre el denso tráfico de las calles de El Cairo y su guardaespaldas permanecía sentado en el asiento delantero al lado del chófer, Camelia miró a través de la luna tintada de oscuro de la ventanilla y se sorprendió de que aquella tarde se sintiera más emocionada que una colegiala. ¿Cuándo se había sentido tan aturdida? En realidad, se dirigía a la redacción del periódico de Yacob en la calle al-Bustan para cumplir un encargo y había tardado tres horas en prepararse.

Sacudió la cabeza pensando: «Tengo treinta y cinco años y nunca he mantenido una íntima relación con un hombre. Estoy tan nerviosa como cuando era pequeña y Hassan venía a casa y yo pensaba que me iba a morir de amor».

Hassan al-Sabir, cuyo asesinato todavía constaba en los archivos de la policía como crimen no aclarado y que, en opinión de Camelia, se merecía lo que le había ocurrido por lo que le había hecho a Yasmina.

Apartó aquel oscuro recuerdo de su memoria mientras la limusina se detenía delante de un gran edificio de piedra gris del que estaban saliendo en tropel numerosas niñas vestidas con un uniforme azul. Desde que leyera en la prensa que una niña musulmana había sido secuestrada por unos cristianos coptos, Camelia se encargaba personalmente de ir a recoger cada día a su hija a la escuela.

Zeinab se encontraba frente a la entrada, despidiéndose de una niña pelirroja. De no haber sido por el aparato ortopédico que le rodeaba la pierna, hubiera sido como cualquiera de aquellas adolescentes desbordantes de energía, un poco desgarbada y con dos largas trenzas que le bajaban por la espalda. Sólo su forma de andar, cuando se acercó renqueando al automóvil, la diferenciaba de las demás.

–¡Hola, mamá! –dijo la niña, besando a Camelia mientras subía al vehículo.

–¿Con quién estabas hablando, cariño?

–¡Es Angelina, mi mejor amiga! Quiere que vaya mañana a su casa. ¿Me dejarás?

–¿Angelina? ¿Es extranjera?

Zeinab soltó una carcajada.

–¡Es egipcia, mamá! Y es la única niña de la escuela que es amable conmigo y no se burla de mí.

Camelia se conmovió en lo más hondo de su corazón y recordó que, en cuestión de dos meses, Zeinab cumpliría quince años y terminaría sus estudios secundarios. ¿Qué ocurriría entonces? ¿Cuál sería su futuro? ¿Cómo podría andar por la vida una niña tullida? Seguramente Zeinab jamás se casaría y necesitaría a alguien que la protegiera. Hakim Rauf, aunque se portaba maravillosamente bien con ella, ya se estaba haciendo mayor.

Necesita un padre, pensó Camelia.

–¿Mamá? –dijo Zeinab mientras el automóvil se adentraba en el caótico tráfico de la calle al-Bustan y el chófer, siguiendo la costumbre egipcia, hacía sonar el claxon en lugar de pisar el freno–. ¿Puedo ir a casa de Angelina?

–¿Dónde vive?

–En Shubra.

Camelia frunció el ceño.

–Es un barrio cristiano. Puede que no sea muy seguro.

–¡No me puede pasar nada! ¡Angelina es cristiana!

Camelia miró a través de la ventanilla. ¿Qué iba a decir ahora? Había tratado de proteger a su hija del odio que dividía El Cairo y que ella misma estaba empezando a sentir hacia las personas que le habían hecho daño a tío Hakim. Dentro de los seguros muros de su lujoso apartamento del decimoctavo piso, Camelia había visto terribles reportajes filmados de incendios de mezquitas y asesinatos de coptos en una escalada atizada por las leyes de la venganza. Al pedirle el presidente Sadat al pope copto Shenuda que se sentara a negociar en una conferencia de paz y haberse negado éste a acceder a la petición, los coptos habían aparecido como los malos y Camelia pensó: «Quieren seguir matando». Entonces su desconfianza y su temor hacia ellos se intensificó.

–No quiero que vayas, cariño –dijo ahora, apartando unos mechones de cabello del rostro de Zeinab–. En estos momentos no es seguro.

Zeinab ya casi esperaba aquella respuesta de su madre. Desde que le hicieran daño al pobre tío Hakim, todo el mundo hablaba mal de los cristianos. Pero Angelina no era mala sino encantadora y divertida y, además, tenía un hermano tremendamente guapo que a veces acudía a recogerla a la escuela.

–A ti no te gustan los cristianos, ¿verdad, mamá? –preguntó.

Camelia eligió cuidadosamente las palabras, tratando de no transmitir a su hija sus propios prejuicios.

–No es una cuestión de que me gusten o no me gusten, cariño, sino una realidad. Hasta que las autoridades resuelvan esta disputa entre los coptos y los musulmanes, nadie estará a salvo. No tienes que mantener tratos ni con Angelina ni con ningún otro cristiano hasta que haya seguridad. ¿Lo has entendido?

Al ver la expresión cariacontecida de Zeinab, Camelia rodeó los frágiles hombros de la niña con su brazo y la atrajo hacia sí. La pobre Zeinab estaba tan preocupada por su propio aspecto que le resultaba difícil tener amigas en la escuela. Camelia comprendía el ansia de los ojos de la niña y su secreto anhelo de que los demás la aceptaran y le ofrecieran su amistad. Mi hija y yo somos iguales, pensó. Zeinab quiere ser amiga de una cristiana y yo estoy enamorada de un judío.

–Mira, ahora pararé un momento para hacer un recado y después nos iremos a merendar al Groppi's. ¿Qué te parece? ¡Las dos nos hincharemos de comer pasteles!

–Será estupendo –dijo Zeinab, sumiéndose inmediatamente en el silencio.

No era justo que unas pocas personas malas gobernaran los asuntos de todas las demás. Deseaba con toda su alma visitar la casa de Angelina, por lo que, a pesar de haber prometido no ir, ya estaba tratando de buscar algún medio de poder hacerlo. Si su madre no se enterara, no ocurriría nada, pensó.

Al llegar a la callejuela, el chófer introdujo hábilmente el enorme vehículo en un espacio entre un vendedor ambulante de *falafel* y un carro lleno de naranjas tirado por un borrico. Camelia dudó un poco antes de bajar.

Trató de convencerse de que lo hacía por Dahiba, cuyo último trabajo guardaba en su bolso. Lo hacía por la justicia social y las reformas, para ayudar a sus hermanas oprimidas. Sin embargo, mientras se retocaba una vez más el maquillaje y sentía los furiosos latidos de su corazón en el pecho, comprendió la verdadera razón por la cual se había ofrecido a entregarle directamente en mano a Mansur el artículo de Dahiba.

Raduan abrió la portezuela y los peatones la miraron en el momento de bajar. Cuando le pidió al guardaespaldas que se quedara en el automóvil con Zeinab, él frunció el ceño; Camelia sabía que Raduan no estaba muy conforme con la idea de dejarla bajar por la angosta callejuela sin escolta. Cruzando los poderosos brazos, Raduan se apoyó contra el vehículo y la vio adentrarse en la callejuela, alta, elegantemente vestida, calzada con zapatos de tacón y con los labios pintados de rojo y el rostro enmarcado por una nube de negro cabello que atraía las miradas de hombres y mujeres por igual.

La ventana de la redacción del periódico aún estaba cubierta con cartón, pero Camelia observó con inquietud que la puerta había sido arrancada de sus goznes. Al entrar, vio que los escritorios habían sido golpeados con un hacha y que había papeles manchados con pintura diseminados por doquier.

Encontró a Yacob en la estancia de atrás, examinando unas páginas empapadas de pintura.

–¿Cómo está usted? –le preguntó.

–¡Señorita Rashid!

–¿Quién lo ha hecho? ¿Los coptos?

–Puede ser –contestó Mansur, encogiéndose de hombros–. A ambos bandos les encantaría dejarme sin trabajo. Y parece que, de momento, lo han conseguido. Nos han robado los archivos y las máquinas de escribir.

Camelia se encendió de cólera. Primero Hakim y ahora Yacob. Por supuesto que no iba a permitir que Zeinab visitara a Angelina y a su familia cristiana.

–Quizá convendría que dejara usted de publicar el periódico durante algún tiempo –dijo–. Su vida corre peligro. Piense en su familia... en su mujer y sus hijos.

–No tengo hijos –Mansur la miró un instante y se volvió a colocar las gafas como si no pudiera dar crédito a sus ojos y le pareciera imposible que ella estuviera allí–. No estoy casado.

Camelia clavó de pronto la mirada en la fotografía del presidente Sadat que colgaba en la pared. Qué imprevisibles son los misteriosos caminos de Alá, pensó. ¿Acaso no había pensado ella hacía unos momentos que Zeinab necesitaba un padre? ¿Y acaso no estaba ocurriendo algo precisamente en aquel instante entre ella y aquel hombre? Volvió a mirar a Mansur y observó que le faltaba el primer botón de la camisa. No se parecía en absoluto a los acaudalados hombres de negocios y los príncipes saudíes a los que ella estaba acostumbrada a tratar.

«¿Podría yo casarme con un hombre semejante?»

Sí. Sí.

–No me daré por vencido, señorita Rashid –estaba diciendo Mansur–. Amo este país. Egipto fue grande en otros tiempos y puede volver a serlo. Si usted tuviera un hijo indisciplinado, intentaría corregirlo, ¿no es cierto? No lo abandonaría ni siquiera si este hijo se revolviera contra usted, ¿verdad? –tomó una silla y trató de enderezarla, pero vio que tenía una pata rota–. Tengo un título de periodista, señorita Rashid –añadió mientras buscaba algún lugar donde ella pudiera sentarse–. Trabajé durante algún tiempo en grandes periódicos de El Cairo, pero allí me decían lo que tenía que escribir y eso yo no podía hacerlo. Hay cosas que deben denunciarse –miró a Camelia en medio de la débil luz que penetraba desde la estancia exterior–. Usted lo comprende, pues se vio obligada a publicar su ensayo en el Líbano. Sin embargo, yo, como egipcio, quiero publicar mis escritos en Egipto.

En aquel pequeño y abarrotado cuarto, Camelia percibió una sensación de intimidad y se dio cuenta de lo cerca de ella que estaba Mansur.

–¿Aun a riesgo de su vida? –le preguntó.

–¿De qué me sirve la vida si no me mantengo fiel a mis convicciones? Mientras pueda escribir y encuentre a alguien dispuesto a imprimir mis palabras, lo seguiré intentando.

Camelia asintió con la cabeza.

–En tal caso, le ayudaré –dijo–. Me comentó usted que sobreviven gracias a las donaciones. Haré una donación. Mañana recibirá usted nuevas máquinas de escribir y nuevos escritorios y podrá volver a escribir.

Los ojos de ambos se cruzaron y, por un instante, la ruidosa y antigua ciudad que los rodeaba pareció desvanecerse.

–Estoy olvidando las buenas maneras –dijo Mansur en voz baja–. Venga, pediré que nos sirvan el té –añadió, extendiendo el brazo para indicarle la estancia exterior.

Al hacerlo, la manga de la camisa se le subió un poco y Camelia le dijo:

–Tiene una magulladura en la muñeca...

Sin embargo, al mirar con más detenimiento, experimentó un sobresalto. No era una magulladura sino un tatuaje.

De una cruz copta.

Amira no hubiera querido hacer lo que estaba a punto de hacer, pero no tenía más remedio. Buscó bajo las blancas prendas dobladas que aún esperaban la peregrinación a La Meca que ella estaba a punto de emprender y sacó el estuche de madera con incrustaciones de marfil en cuya tapa figuraba grabada la inscripción *Alá, el Misericordioso*.

La cólera de Alá con Ibrahim resultaba evidente en la hija que Huda acababa de dar a luz, la quinta; en el aborto de Fadilla; en su propia imposibilidad de encontrarle a Ibrahim una segunda esposa idónea; en su incapacidad de encontrar un marido para Camelia; y, finalmente, en el insensato plan de Ibrahim de partir la casa, convirtiendo una mitad de la misma en apartamentos de alquiler y dejando la otra mitad para la familia.

Amira no estaba dispuesta a consentirlo.

Ésa era la razón de la visita que iba a recibir de un momento a otro y para la cual se tenía que preparar. Cerró con un suspiro el cajón que contenía sus prendas de peregrina y se dirigió con el estuche a una salita contigua al gran salón, una estancia decorada con gusto exquisito destinada a recibir a los invitados especiales sin interferencias de la familia. Amira había arreglado la estancia y ella misma había preparado los refrescos..., se trataba de una reunión de la que su familia no debería enterarse. Mientras inspeccionaba la cafetera de cobre y la fuente con pastelillos y fruta natural, oyó sonar el timbre de la puerta. Momentos después, una criada acompañó al visitante de Amira a la salita y se retiró, cerrando la puerta.

Amira evaluó a Nabil al-Fahed en un instante: un hombre de cincuenta y tantos años, muy elegante a su juicio, sin apenas hebras grises en su negro cabello y con una buena figura enfundada en un traje confeccionado a la medida; un hombre muy apuesto, que le recordaba al difunto presidente Nasser, con una poderosa nariz y una pronunciada mandíbula. Rico, pensó, extremadamente rico. Y, por consiguiente, sin apuros económicos.

–La paz y la compasión de Alá sean contigo, Nabil al-Fahed –le dijo, invitándole a sentarse mientras vertía café en las tazas–. Honra usted mi casa.

–Sean contigo la paz y la compasión de Alá junto con sus bendiciones –contestó él sentándose–. El honor es mío, *sayyida*.

Amira había oído hablar por primera vez de Nabil al-Fahed a través del señor Abdel Rahman, el cual se lo había mencionado en términos extremadamente elogiosos tras haberle ella comprado un sofá y un sillón antiguos. Todo el mundo decía que era uno de los mejores expertos en antigüedades de El Cairo y que era un hábil tasador de joyas. Y, por si fuera poco, honrado a carta cabal. Por consiguiente, en su desesperado afán de impedir que partieran la casa y la alquilaran a unos extraños, Amira había llegado a la conclusión de que ya era hora de separarse de las joyas que en otros tiempos jurara no permitir que jamás salieran de la familia..., entre ellas, la antigua sortija de cornalina que Andreas Skouras le había regalado como prenda de su amor.

–Pronto empezarán a soplar los *jamsins* –dijo Amira, ofreciéndole a Fahed la tacita de café y la bandeja.

–En efecto, *sayyida* –dijo el visitante, sirviéndose un cuadrado de *baklava*, una naranja.

Amira lanzó un suspiro.

–Entonces habrá polvo y arena por toda la casa.

Fahed sacudió compasivamente la cabeza.

–Los *jamsins* son un verdadero azote para las amas de casa.

Siendo un tasador profesional, Nabil al-Fahed hizo también una rápida valoración por su cuenta. En Amira Rashid vio de inmediato a una mujer de fuerza y voluntad, cuya belleza física procedía de un poder interior, sentada como una reina en su dorado sillón tapizado de brocado. Su ropa era cara y tenía muy buen corte; las joyas no eran excesivas, lo justo para demostrar su buen gusto y su clase; era sin duda una exponente de la antigua generación de nobles y aristocráticas mujeres que habían conocido el harén y el velo..., una raza en fase de extinción, cuya desaparición lamentaba profundamente Nabil al-Fahed, amante de las antigüedades y de los fastos de otros tiempos.

Al entrar en la estancia, lo primero que había visto Fahed había sido una fotografía del rey Faruk en compañía de un joven, colgada en la pared del otro lado. El hijo de la mujer, dedujo, a juzgar por el parecido físico. El anticuario se frotó mentalmente las manos, imaginándose los deliciosos objetos que la señora Amira le invitaría a tasar, probablemente con la intención de venderlos. A juzgar por las dimensiones, la antigüedad y la magnificencia de la casa, la edad de la mujer y la fotografía del Rey, Fahed dedujo que le iban a mostrar insólitos objetos de incalculable valor. ¿Recuerdos tal vez de la familia real? Tales trofeos eran cada vez más escasos y su valor subía como la espuma, pues todos los coleccionistas estaban deseando poseer alguna reliquia del glorioso y escandaloso pasado de Egipto. Nabil al-Fahed hincó el diente en la pegajosa y dulce *baklava* y tomó un sorbo de dulce café, preguntándose con qué suerte de tesoro lo iba a deslumbrar la señora Amira.

Mientras ambos proseguían su conversación intrascendente, haciendo comentarios sobre toda suerte de cosas menos sobre el propósito de aquella reunión, Fahed estudió discretamente las demás fotografías que colgaban en la pared. Al ver una fotografía de Camelia, exclamó:

–*Al hamdu lillah*! –e inmediatamente añadió–: Mil perdones, *sayyida*, pero ¿acaso esta joven es pariente tuya?

–Es mi nieta –contestó Amira con orgullo.

Fahed sacudió la cabeza en gesto de admiración.

–Es la luz que ilumina tu familia, *sayyida*.

Amira arqueó las cejas.

–¿Has visto actuar a mi nieta, Nabil al-Fahed?

–Alá me ha otorgado esta bendición. Perdona mi atrevimiento, pues tú y yo acabamos de conocernos, pero ¿has visto alguna vez la luz del sol danzando sobre el Nilo o los pájaros danzando entre las nubes? Pues no son nada comparados con las danzas de la Camelia.

Amira le miró fijamente. La había llamado «la Camelia».

–Tengo entendido que su esposo murió como un héroe en la guerra de los Seis Días, Alá lo tenga en su Paraíso. Y que dejó a la encantadora Camelia sola con una hija.

–Loado sea Alá, Zeinab es una niña muy buena –contestó Amira muy despacio, un poco sorprendida ante aquella alusión un tanto incorrecta a Camelia en la conversación. Todos los diálogos tenían unas reglas de etiqueta muy precisas y Nabil al-Fahed estaba bordeando los límites de la incorrección.

–Hace mucho tiempo que deseo conocerla, pero no quería ofenderla acercándome a ella sin haber sido debidamente presentado.

Amira parpadeó. ¿Estaba diciendo aquel hombre lo que ella creía que había dicho? Amira se recuperó serenamente del sobresalto y, siguiendo aquel inesperado hilo, comentó:

–Debes de tener una esposa muy comprensiva, Nabil al-Fahed; de otro modo, podría estar celosa.

–Mi esposa es una mujer maravillosa, *sayyida*, pero ya no estoy casado con ella. Hace cinco años nos divorciamos por mutuo acuerdo cuando el mayor de mis hijos se casó y se fue a vivir por su cuenta. Alá me ha bendecido con ocho hijos espléndidos, pero todos ellos son independientes. Y ahora que he completado esta parte de mi vida y gozo de excelente salud, loado sea Alá, me dedico a coleccionar objetos hermosos –al-Fahed posó la taza de café sobre la mesita y sacudió la cabeza–. Me sorprende que tu bellísima nieta no se haya vuelto a casar, *sayyida*.

O sea que no se había equivocado, pensó Amira. Nabil al-Fahed acababa de abrir el diálogo para la negociación de una boda. Mientras dejaba la taza en su platito, Amira pasó revista a los puntos esenciales que Fahed acababa de revelarle: no estaba casado, no le interesaba tener más hijos, gozaba de buena salud, disfrutaba de una desahogada posición económica y le interesaba Camelia.

–A los hombres les gusta contemplar a una danzarina, Nabil al-Fahed –dijo Amira para asegurarse un poco más–, pero pocos desean casarse con ella.

–¡Una debilidad de los celosos, mi estimada señora! Por el Profeta, la paz de Alá sea con él. ¡Yo no soy de ésos! ¡Cuando poseo un objeto de insólita belleza, lo exhibo ante el mundo!

Esbozando una gentil sonrisa, Amira se inclinó hacia la cafetera, añadiendo mentalmente otros dos puntos favorables a la lista de Nabil al-Fahed: no era celoso y permitiría que Camelia siguiera ejerciendo su profesión.

Los ojos de al-Fahed volvieron a posarse en la fotografía de Camelia.

–Claro que una mujer tan bella y de tan impecable reputación como Camelia, viuda nada menos que de un héroe de guerra, exigirá sin duda una elevada compensación. Otra cosa sería un insulto.

Amira volvió a llenar de café las delicadas tazas de porcelana y pensó: «Éste es el punto definitivo, pagará generosamente».

Después, preguntándose bajo qué estrella habría nacido Fahed, ocultó disimuladamente el joyero detrás de un almohadón de raso y dijo:

–Mi querido Nabil al-Fahed, si lo deseas, tendré sumo gusto en presentarte a mi nieta...

Yacob observó la expresión consternada del rostro de Camelia.

–No sabía usted que soy cristiano –dijo.

Se encontraban todavía en la pequeña estancia de la parte de atrás en la que Camelia se había quedado petrificada.

–Yo... pensaba que era usted judío.

–¿Y eso cambia las cosas?

–No. Por supuesto que no. Estas cuestiones jamás deben interferir en los negocios.

–¿Negocios?

Camelia abrió el bolso con trémula mano. ¿Cómo era posible que se hubiera equivocado hasta tal extremo?

–Ésta no es una visita social, señor Mansur. Mi tía me ha pedido que le muestre un ensayo que ella ha escrito para ver si usted podría publicarlo en su periódico.

Como no quería mirarle a la cara, Camelia no vio la decepción que afloró a los ojos de Mansur.

–Tendré mucho gusto en leerlo –dijo éste en voz baja, tomando las hojas.

Camelia apartó la mirada mientras trataba de asimilar aquel terrible e inesperado hecho: Yacob Mansur pertenecía a aquel grupo de atizadores del odio que había intentado matar a tío Hakim.

Mansur leyó en voz alta la primera página mecanografiada de Dahiba: «Las mujeres no pretenden subvertir la Ley Sagrada, pues está escrita en el Corán, sino reparar las injusticias que se cometen fuera de esta ley. Consideramos sagrado lo que está escrito en el

Corán, pero exigimos que se corrija lo que no lo está. Las mujeres de Egipto exigen una ley que obligue al hombre a informar de inmediato a su mujer cuando se divorcie de ella; exigen también que un hombre informe a su mujer cuando haya tomado una segunda o una tercera esposa; el derecho de una primera esposa de divorciarse en caso de que su marido haya tomado una segunda esposa; el derecho de una mujer de divorciarse en caso de que su marido le cause daños físicos; y, por último, el término de la brutal práctica de la circuncisión femenina».

Mansur miró a Camelia con expresión enigmática.

–Lo que exige su tía es muy razonable –dijo–, pero no será considerado así por los hombres. Algunos afirman que el feminismo es un arma del Occidente imperialista destinado a desestabilizar la sociedad árabe y destruir nuestra identidad cultural.

–¿Y usted lo cree?

–Si lo creyera, no habría publicado su ensayo. ¿Sabía usted que la edición que publicamos en noviembre con su ensayo recibió una acogida tan favorable que tuvimos que sacar una segunda edición y nos llovieron las peticiones? Sobre todo por parte de mujeres, pero también de muchos hombres –Mansur hizo una pausa y, al ver que ella no decía nada, añadió–: ¿Por qué nos peleamos? Todos somos árabes, tanto los musulmanes como los coptos.

–Perdone –dijo Camelia sin poder mirarle–. Mi tío fue maltratado por los cristianos. Intentaron ahorcarle..., fue algo horrible.

–Hay gente mala en todos los grupos. ¿Creyó usted entonces que todos éramos asesinos? Señorita Rashid, el cristianismo es la religión de la mansedumbre, una religión de paz...

–Tengo que irme –dijo Camelia, encaminándose hacia la estancia exterior–. Perdóneme, por favor, pero...

De pronto, dos jóvenes vestidos con *galabeyas* blancas bajaron por la callejuela gritando:

–¡Fuera los cristianos!

Camelia se volvió sorprendida justo en el momento en que los jóvenes arrojaban unas piedras, rompiendo los cristales que todavía quedaban en la ventana, cuyos trozos se esparcieron por el suelo. Lanzó un grito y Yacob la apartó rápidamente a un lado para protegerla. Mientras las pisadas se alejaban calle abajo, ambos permanecieron abrazados y no se soltaron ni siquiera cuando se restableció el silencio.

–¿Se encuentra bien? –musitó Yacob, estrechando fuertemente en sus brazos a Camelia.

–Sí –contestó ella en un susurro, sintiendo los latidos del corazón de Yacob contra el suyo.

De pronto, Mansur le cubrió la boca con la suya y la besó y ella le correspondió.

–¡Zeinab! –exclamó súbitamente Camelia–. ¡Mi hija está aquí fuera!

Encontró a Raduan en la calleja corriendo hacia ella con la mano en el interior de la chaqueta, a punto de extraer el arma que siempre llevaba.

–¡Un momento! –le dijo casi sin resuello–. ¡Estoy bien! No ha sido más que... una travesura.

Al ver la recelosa mirada que el gigantesco sirio le dirigía a Yacob, el corazón le dio un vuelco en el pecho. Había estado a solas con un hombre que no era pariente suyo y había permitido que éste la besara. Como Raduan lo supiera, mataría a Mansur.

–No pasa nada, Raduan –añadió–. El señor Mansur es un viejo amigo. De veras, estoy bien. Por favor, vuelve al automóvil y dile a Zeinab que en seguida voy –en cuanto el guardaespaldas se retiró, Camelia se volvió hacia Yacob diciendo–: No volveré más. Y, por favor, no vengas a ver mis actuaciones. Lo nuestro jamás podría ser. Es demasiado peligroso y... –se le quebró la voz al decir–: Debo pensar en mi hija. Alá te guarde, Yacob Mansur. Que el Señor te proteja. *Allah ma'aki*.

35

Cuando rompió el alba sobre el desierto de Nevada, Rachel se volvió hacia Jasmine, que iba al volante, y le dijo:

–Ya no puedo soportar por más tiempo el suspense. ¿Me puedes decir, por favor, adónde vamos?

Jasmine esbozó una sonrisa y pisó el acelerador.

–Ya lo verás. Ya casi estamos llegando.

¿Llegando adónde?, pensó Rachel, contemplando el yermo paisaje. Cuando, dos horas antes, se acercaban a las luces de Las Vegas, había pensado: ¡Jasmine me ha traído aquí para jugar! Pero resultó que sólo se detuvieron para desayunar. Una hora más tarde regresaron a la autovía, atravesando unos desolados eriales en dirección norte. Y ahora el sol estaba empezando a asomar por encima de las colinas de la derecha, iluminando el rojo desierto, los espectrales cactos y las desnudas montañas en cuyas paredes occidentales las sombras parecían haber sido labradas con un cincel. Todo era muy hermoso, pero Rachel tenía miedo porque no sabía dónde estaban ni por qué estaba allí.

–Últimamente te has estado comportando de una manera muy rara, Jas –le dijo a su amiga–. Y yo debo de estar loca por haber accedido a acompañarte. ¿Adónde vamos?

Jasmine soltó una carcajada.

–Vamos, mujer, llevas varias semanas diciéndome que necesitas escaparte, aunque sólo sea por un día. Confiesa que te lo estás pasando bien.

Rachel no tenía más remedio que reconocer que aquel largo viaje había sido extrañamente terapéutico, siguiendo la luz de los faros delanteros del Thunderbird por la impresionante autovía construida exclusivamente para unir Las Vegas con Los Ángeles. Habían pasado otros vehículos, coches de la patrulla de tráfico de California, algunos automóviles que se dirigían al río Colorado remolcando embarcaciones de recreo y un considerable número de autocares de alquiler llenos de gente que se dirigía a fiestas o a jugar en los casinos. Habían cruzado pequeñas ciudades sumidas en el silencio de la noche y habían visto algún que otro bar con las chillonas luces encendidas, pero, más que nada, habían circulado velozmente a través de la silenciosa oscuridad, corriendo hacia un horizonte cuajado de estrellas. Mientras recorrían el laberinto de autovías de Los Ángeles, Rachel y Jasmine habían hablado sobre todo de pacientes y de medicina, pero, cuando los edificios y las señales de vida empezaron a ser cada vez más escasos, Rachel se alegró de haber aceptado la repentina invitación de Jasmine a emprender aquel viaje nocturno a través del desierto. Al fin y al cabo, aquel día no tenía que acudir al trabajo y Mort se había ofrecido a cuidar del niño en su ausencia.

–Te prometo que estaremos de vuelta antes del último telediario –le había dicho Jasmine.

Y ahora, finalmente, tras haber cruzado rápidamente el Mojave, entre el asfalto y la noche, el sol estaba asomando por detrás de las rojas colinas cual si fuera un gran globo amarillo. En un abrir y cerrar de ojos, el mundo quedó inundado de luz y Rachel pudo distinguir a escasos metros de la carretera una valla metálica en la que unos letreros decían: PROPIEDAD ESTATAL. PROHIBIDO EL PASO. Momentos después, vio otros vehículos y Jasmine aminoró la velocidad del Thunderbird.

–¿Dónde estamos? –preguntó Rachel, bajando la luna de la ventanilla y sintiendo en el rostro el frío mordisco del aire del desierto.

Jasmine situó el automóvil entre otros que estaban aparcados en la arena y señaló un letrero a su izquierda. Rachel lo leyó y exclamó:

–¡Emplazamiento de Pruebas de Nevada! Jas, ¿qué demonios estamos haciendo aquí? ¿Y quién es toda esta gente?

–¡Estamos en una concentración, Rachel! –contestó Jasmine–. Una concentración antinuclear. Vi un anuncio en el periódico. Hoy el gobierno va a realizar una prueba nuclear subterránea y todos hemos venido aquí para impedirlo. ¡Vamos!

Rachel vio una brecha en la valla, abierta por una furgoneta; otros vehículos la habían cruzado y un considerable número de personas se había congregado bajo el gélido amanecer. Mientras ella y Jasmine pisaban la crujiente escarcha del suelo, subiéndose el cuello y las cremalleras de las chaquetas acolchadas para protegerse del frío, Rachel calculó que debía de haber varios centenares de personas y otras que seguían llegando. Casi todas ellas estaban entrando a través de la brecha abierta en la valla y la alambrada de espino. Algunas portaban pancartas que decían: «Fuera las bombas» y «Nuclear, no», pero la concentración estaba muy bien organizada y Rachel observó que casi todos los presentes eran intelectuales y profesionales, entre los cuales se mezclaban algunos tipos sospechosos con pinta de pertenecer a la CIA, provistos de cámaras fotográficas. También había vehículos de varias cadenas de televisión y de distintas publicaciones y muchos reporteros tomando fotografías, aparte un considerable número de hombres uniformados..., policías del estado de Nevada y miembros de la policía de las Fuerzas Aéreas. Unos helicópteros militares rugían por encima de sus cabezas.

Cuando estaban a punto de cruzar la brecha de la valla, Jasmine dijo:

—Será mejor que no entremos aquí. Es una zona de seguridad que pertenece al gobierno federal. No está permitido entrar. Si lo hiciéramos, nos podrían detener.

—Pero toda esta gente ha entrado.

—Hay personas que quieren que las detengan para que haya más publicidad. Mira, los federales no pueden llevar a cabo la prueba nuclear si hay personas en algún lugar del emplazamiento. No estamos muy cerca del auténtico emplazamiento de la prueba, pero estos pocos metros que hay a ese lado de la valla son suficientes para impedir la realización de la prueba.

—Entonces, ¿por qué estamos aquí tú y yo?

Jasmine sonrió misteriosamente.

—Ya lo verás.

Rachel sacudió la cabeza y se ajustó un poco más la chaqueta acolchada de color anaranjado alrededor de su voluminoso cuerpo. Desde su incorporación al consultorio de medicina de su padre, Rachel había engordado hasta el extremo de que ahora, con tan sólo treinta y tres años, poseía una figura que su marido calificaba cariñosamente de Madre Tierra supersexy.

Acercándose un poco más a la valla, Jasmine buscó con la mirada entre la gente.

—Uy, cuánta gente famosa hay por aquí —exclamó Rachel sorprendida al ver tantas caras conocidas: allí estaban el astrónomo Carl Sagan, el doctor Spock y el premio Nobel Linus Pauling—. ¿A quién buscas? —preguntó.

Antes de que Jasmine pudiera contestar, le vio de pie al lado del vehículo con un periódico y un vaso de plástico en la mano.

—Oye —dijo—, ¿no es ése el doctor Connor, el de la facultad de Medicina?

—Sí —contestó Jasmine, estudiándole—. Llevo siete años sin verle.

Rachel la miró fijamente.

—¿Él es la razón de que hayamos venido?

—Y allí está su mujer, Sybil.

Jasmine mantuvo los ojos clavados en Connor hasta que le vio mirar en la dirección en la que ella se encontraba y apartar los ojos. Después, él la volvió a mirar como si reaccionara tardíamente a lo que antes había visto. Al ver la expresión de alegría de su rostro, a Jasmine le dio un vuelco el corazón.

–Hola –gritó Connor, acercándose–. ¡Jasmine! Me estaba preguntando si hoy estaría usted aquí.

–Hola, doctor Connor. Creo que no conoce usted a mi amiga Rachel.

Mientras pronunciaba aquellas palabras, Jasmine recordó que había sido Rachel la que había interrumpido la última noche en que ambos estaban juntos, justo en el momento en que iban a besarse. Se preguntó qué habría ocurrido si ella y Declan hubieran salido a cenar juntos. Hubiera dado cualquier cosa por saber si él también recordaba aquella noche y se preguntaba qué hubiera podido ocurrir.

Apenas había cambiado, pensó; si acaso, estaba más atractivo que nunca, con la piel curtida y bronceada y unas arrugas alrededor de los ojos. Pero aún no tenía ni una sola hebra gris en el cabello y sus enérgicas zancadas demostraban que seguía conservando la misma fuerza y el mismo vigor que ella recordaba. En siete años, había recibido nueve cartas suyas desde nueve países distintos.

–¿Dónde está su hijo, doctor Connor? –le preguntó, apartándose a un lado para permitir el paso de la gente que acababa de llegar y estaba entrando a través de la brecha de la valla.

–Hemos preferido no traer a David. Sybil y yo hemos venido con la esperanza de que nos detengan –su sonrisa se ensanchó–. Es la única manera de conseguir que se haga una buena publicidad de esta causa –mirando más allá de Jasmine y de Rachel, preguntó–: ¿Ha venido con su marido?

–No, ya no estoy casada. Greg y yo nos divorciamos este año.

Declan la miró largo rato a los ojos como si quisiera penetrar en su alma y Jasmine se preguntó si aún estaría vivo el sentimiento que antaño hubo entre ambos.

–Ya sabía yo que usted estaría aquí, doctor Connor –dijo Jasmine con la voz ligeramente entrecortada–. Su nombre figuraba en la lista del periódico. He venido porque quería comunicarle una noticia. Y a ti también –añadió, volviéndose hacia Rachel.

–¿La gran sorpresa que me habías prometido?

–Me he incorporado a la Fundación Treverton.

–¿Cómo? –dijo Connor–. Pero, bueno, ¡eso es fabuloso! –por un instante, Jasmine temió que la abrazara. En su lugar, Connor le dijo–: Sybil y yo estamos sólo de pasada en los Estados Unidos en nuestro camino hacia Irak. Como llevo varias semanas sin tener contacto con la Fundación, nadie me lo había dicho. O sea que se va a Egipto, ¿eh? Tenemos un programa muy activo de vacunaciones en el Alto Nilo.

–Oh, no –se apresuró a contestar Jasmine–. No voy a Egipto.

Me he ofrecido voluntaria para ir al Líbano... a los campamentos. Parece que allí tienen muchas necesidades sanitarias.

–Sí, las necesidades son muchas en todas partes –dijo Connor, haciendo otra pausa para mirarla. Jasmine vio en sus ojos un fugaz destello de inquietud o preocupación, pero en seguida se desvaneció–. Me alegro de que haya decidido unirse a nosotros –añadió–. Temía que los de la competencia nos la quitaran. Uno de esos buques-hospital que ofrecen tantas ocasiones de vivir aventuras. Ah, mire, ya está empezando el programa –mientras se volvían hacia la furgoneta, Connor dijo entre risas–: ¡Hemos echado pajas para establecer el orden de intervención de los oradores porque no cabe duda de que sólo los primeros serán escuchados!

De pronto, se propagó un murmullo entre los presentes y todo el mundo guardó silencio. Jasmine vio que una mujer se había encaramado a la capota de la furgoneta y estaba hablando a través de un micrófono.

–Es la doctora Helen Caldicott –explicó Connor–, la fundadora de Médicos por la Responsabilidad Social. La llaman la madre del movimiento antinuclear. Su teoría es la de que los misiles son símbolos fálicos y los dirigentes militares están enzarzados en una contienda que ella califica de «envidia del misil». Una utilización muy inteligente de las teorías de Freud, ¿no le parece?

Jasmine se acercó un poco más a la valla y escuchó la furibunda diatriba de la pediatra australiana contra las armas nucleares.

–¡Hay que contemplar el planeta como si fuera un niño! –dijo Caldicott, levantando la voz por encima de los presentes–. ¡Y a este niño se le ha diagnosticado leucemia! Imagínense que es su hijo. ¿No removerían ustedes cielo y tierra para asegurar la vida de ese niño?

Mientras escuchaba las palabras de la pediatra cuarentona, Jasmine sintió la proximidad de Connor, casi rozándole la ropa. Éste mantenía una mano en la valla y sus dedos estaban doblados con tanta fuerza alrededor de los eslabones metálicos que los nudillos se le habían quedado blancos. Jasmine tuvo que hacer un esfuerzo para no apoyar la mano en la de Connor.

–Bueno, ahora me toca a mí –dijo Connor al ver que Caldicott terminaba su intervención en medio de unos atronadores aplausos–. Crucen los dedos para que pueda pronunciar por lo menos dos palabras –dijo, guiñándole el ojo a Jasmine.

Connor se acercó a la doctora Caldicott en la parte posterior de la furgoneta y ésta le entregó el micrófono. Empezó a hablar con su marcado acento británico y con un tono de voz tan convincente que hasta los agentes de la policía del estado y los hombres de la CIA le prestaron atención.

–La actual proliferación de armamento nuclear no sólo es una irresponsabilidad, sino también una muestra de sorprendente locura. Es una vergüenza que en este país los gastos destinados a la sanidad pública no lleguen ni siquiera al diecisiete por ciento de lo que se dedica a gastos militares –Jasmine, con los ojos clavados en él, observó cómo el viento del desierto le agitaba el cabello castaño oscuro y el cuello de su chaqueta de *tweed*–. ¿Qué puede presagiar eso para el futuro del planeta? –se preguntó Connor–. ¿Qué legado les dejaremos a nuestros hijos? ¿Un legado de bombas, radiaciones y temor?

Cuando él la miró por encima de las cabezas de la gente, Jasmine sintió que se le aceleraba el pulso. Un solitario halcón sobrevoló en círculo la zona, contempló la silenciosa asamblea y se apartó del camino de un helicóptero.

–¡Somos responsables de los niños de todo el mundo! –añadió Connor casi a gritos–. El deber de que nuestros hijos e hijas hereden un planeta pacífico y saludable no corresponde sólo a los padres sino a todas y cada una de las personas que habitan en este mundo.

Jasmine contuvo la respiración. No creía posible enamorarse de él más de lo que ya estaba.

Un agente de la policía local interrumpió súbitamente la reunión, hablando a través de un megáfono.

–Están ustedes ocupando una propiedad del estado. La concentración es ilegal. Si no desocupan de inmediato la zona, serán detenidos.

Connor no le hizo caso y siguió hablando.

El agente repitió la advertencia y, al negarse Connor a bajar, se iniciaron las detenciones. Jasmine se sorprendió de que los manifestantes se dispersaran con tanto orden, sin armar alboroto ni oponer resistencia. Connor bajó de la capota de la furgoneta y un miembro de la policía de las Fuerzas Aéreas le asió del brazo. Jasmine le vio caminar con serena dignidad hacia el vehículo militar estacionado allí cerca. Le seguía Sybil Connor.

–Bueno pues –dijo Rachel–, ¡ya ha conseguido que lo detengan!

Un reportero de la televisión acercó un micrófono al rostro de Connor.

–¿Algún comentario para nuestros espectadores?

Connor le miró con expresión enfurecida.

–Es una vergüenza que en esta época en que vivimos haya en todo el mundo niños que todavía siguen muriendo de poliomielitis. Ves a un pobre niño tullido en Kenia y le tienes que decir que así tendrá que vivir toda la vida. Eso no tiene ninguna justificación. Y, mientras se siguen fabricando estas malditas cabezas nucleares tan enormemente caras y tan peligrosas para el planeta, cuarenta mil niños inocentes del Tercer Mundo mueren cada día por culpa de enfermedades corrientes que se podrían prevenir fácilmente por medio de la vacunación.

–¡Pero vacunar a todos los niños del mundo es un objetivo imposible, doctor Connor! –gritó el reportero a su espalda mientras el agente sujetaba al profesor por el brazo.

–Con recursos y el personal... –contestó Connor sin poder terminar la frase, pues en seguida lo empujaron hacia el vehículo de la policía y la portezuela se cerró ruidosamente a su espalda.

–Tenías razón, me alegro de haber venido –dijo Rachel contemplando cómo se dispersaban los manifestantes antes de regresar con Jasmine a su automóvil–. ¡Mort se alegrará de que haya tenido el sentido común de no dejarme detener! –mientras esperaba a que Jasmine abriera las portezuelas, añadió–: Pero lo que ha dicho el doctor Connor me parece lo más natural. Jas, ¿por qué no regresas a Egipto?

–Me prometí a mí misma no regresar jamás –contestó Jasmine, subiendo al vehículo y abriendo la portezuela del otro lado.

–Pero ¿por qué?

Jasmine miró a su amiga.

–Rachel, te voy a decir una cosa que jamás le he dicho a nadie, ni siquiera a Greg. Me fui de Egipto con deshonor. De hecho, mi padre me echó de casa porque me acosté con un hombre que no era mi marido y quedé embarazada. No éramos amantes sino enemigos. Aquel hombre había amenazado con provocar la ruina de mi familia si yo no me acostaba con él. Intenté resistir, pero él fue más fuerte. Así fue como abandoné Egipto.

–Pero ¿tu familia no sabe que no tuviste la culpa?

–A sus ojos, la tuve. En Egipto el honor lo es todo. Una mujer tiene que preferir la muerte antes que la propia deshonra y la de su familia. Me quitaron a mi hijo y me dijeron que era como si hubiera muerto. No regresaré junto a ellos.

–Pero ¿cómo sabes que no se arrepienten de lo que hicieron? –preguntó Rachel–. ¿Cómo sabes que no desean tu vuelta? Jasmine, eso por lo menos tendrías que averiguarlo. No puedes pasarte la vida enojada con ellos.

Jasmine vio pasar los vehículos de la policía militar y se preguntó adónde llevarían a los Connor. Recordó la expresión de alegría del rostro de Declan al decirle ella que se había incorporado a la Fundación. Tal vez él quiso abrazarla en aquel momento, pero reprimió el impulso.

–¿No echas de menos a tu familia, Jas? –le preguntó Rachel.

Jasmine miró a su amiga. El negro cabello que Rachel llevaba recogido hacia atrás se había soltado un poco y algunos mechones le enmarcaban el rostro.

–Echo de menos a mi hermana –contestó–. Camelia y yo estábamos muy unidas cuando éramos pequeñas –giró la llave de encendido del vehículo e hizo lentamente marcha atrás hacia la carretera, uniéndose a los demás automóviles que también se estaban
retirando–. ¿Te apetece almorzar en Las Vegas? –preguntó.

–Por supuesto que sí –contestó Rachel, soltando una carcajada–. Y de paso me podrás hablar de estos emocionantes campos de
refugiados a los que piensas ir como voluntaria.

Mientras el Thunderbird se adentraba en el tráfico, Jasmine
contempló los vehículos militares a través del parabrisas y se sintió electrificada. En realidad, no colaboraría con Connor, puede
que jamás lo hiciera, pero ambos trabajarían por las mismas cau-
sas y para la misma Fundación. Hubiera querido encaramarse sobre la aplanada formación rocosa que tenía más cerca y gritarle al
mundo su felicidad. En su lugar, asió el volante y experimentó de
pronto el deseo de escribirle una carta a Camelia.

36

Toda la casa estaba revuelta y emocionada ante el inminente regreso de Camelia de Europa. Las criadas se habían pasado toda la mañana limpiando, sacando brillo y barriendo, en tanto que Amira se había dedicado a supervisar los arreglos florales, planificar los menús del almuerzo y de la cena y asignar habitaciones a los parientes que estaban llegando desde fuera de la ciudad.

Sólo Nefissa, examinando en el vestíbulo la correspondencia que acababan de entregarles, no sentía ninguna emoción especial ante el regreso de su sobrina. Sin prestar atención al bullicio de la casa, a los gritos de las niñas ni a los dos aparatos de radio sintonizados con emisoras distintas, repasó metódicamente los sobres y las postales, tomando mentalmente nota de quién recibía qué y de parte de quién, un ritual diario que ella consideraba un honroso privilegio, pues por algo era nada menos que la hija de Amira y la madre de su único nieto varón. En aquella calurosa tarde de agosto se alegró de encontrar entre los sobres precisamente una postal desde Bagdad del nieto de Amira e hijo suyo, Omar, diciendo que regresaría a casa a la semana siguiente. ¡*Al hamdu lillah*!, pensó. «Loado sea Alá. Que él le conceda a mi hijo un venturoso retorno.»

El regreso de Omar significaría que ella, su nuera Nala y los niños regresarían a su apartamento con jardín de Bulaq. Aunque se encontraba a gusto en la mansión de la calle de las Vírgenes del Paraíso cuando Omar estaba de viaje, allí no era la dueña de la casa. En Bulaq, en cambio, gobernaba la casa como una reina, asumiendo la responsabilidad de los ocho niños, supervisando las tareas de la servidumbre, organizando las comidas y dando órdenes a la sumisa Nala. Pero lo que más le gustaba era poder mimar de nuevo a Omar y también a su nieto Muhammad, el cual también regresaría con ellos a Bulaq. Nefissa estaba un poco preocupada por la forma en que su madre miraba a Muhammad últimamente; a Amira se le había vuelto a poner cara de «casamentera». Sin embargo, el chico tenía apenas dieciocho años y aún estudiaba en la universidad; además, Nefissa consideraba que el privilegio de buscarle una esposa a su nieto le correspondía a ella y no a Amira.

Siguió examinando la correspondencia: había cartas de Basima y Sakinna con matasellos de Asyut, una factura de un sastre muy caro de la calle Kasr al-Nil para Tewfik y una nueva nota del padre de Huda, el vendedor de bocadillos, para Ibrahim, en la que seguramente le pediría más dinero. Nefissa pensaba que su hermano había atentado a la dignidad de la familia casándose con alguien de tan baja condición. ¡Nada menos que con su enfermera! ¿Y qué le había dado a cambio la muy holgazana? *Allah*! ¡Cinco hijas!

Al oír el timbre de la puerta, Nefissa levantó la vista y vio en la entrada al acaudalado amigo de Amira, Nabil al-Fahed. Mientras una criada le acompañaba a través del gran vestíbulo hacia el salón, Nefissa volvió a preguntarse qué asunto se llevaría su madre entre manos con aquel hombre. Parecía un buen material de matrimonio, era extremadamente apuesto, tenía la vida asegurada y ganaba un montón de dinero con su negocio de antigüedades, según le habían contado. Pero, material de matrimonio, ¿para quién?, se preguntó. ¿Cuál de las numerosas muchachas Rashid tendría reservada Amira para aquel cincuentón?

Al llegar a la última carta, Nefissa se quedó helada. Iba dirigida a Camelia y llevaba sellos de los Estados Unidos y un matasellos de California. Otra carta de Yasmina. Nefissa la asió con tanta fuerza que estuvo a punto de arrugarla.

Sabía qué le diría Yasmina en su carta a Camelia, lo mismo que en la carta que se había recibido en mayo junto con una postal de felicitación de cumpleaños y que ella había abierto antes de romperla. Yasmina no lo había dicho con claridad, pero era evidente que se proponía regresar a Egipto. Y ella no quería que regresara. Le estaba costando un gran esfuerzo borrar del corazón de Muhammad el recuerdo de su madre y conseguir de este modo que el muchacho fuera enteramente suyo. Era su nieto preferido por ser hijo de Omar. Y no estaba dispuesta a compartirle con una madre que cada año le enviaba una postal de felicitación por su cumpleaños y que había decidido presentarse como llovida del cielo al cabo de catorce años. Ibrahim había declarado muerta a Yasmina, y muerta seguiría estando.

Dejó las cartas en el cesto para que otros las clasificaran y abandonó el vestíbulo con la carta de Yasmina en el bolsillo. Al entrar en el salón donde Amira, tomando el té con al-Fahed, le estaba comentando a su invitado el calor que estaba haciendo en aquel mes de agosto y explicándole que antaño la familia solía veranear en Alejandría, «en tiempos de Faruk», Nefissa vio a su sobrina Zeinab, de quince años, sentada junto a una ventana con los ojos clavados en la calle de abajo. Experimentó una súbita oleada de envidia y nostalgia al recordar que muchos años atrás ella también había permanecido sentada en aquel mismo lugar, mirando ansiosamente a través de aquella misma antigua celosía de *mashrabiya*. Después, se dirigió a toda prisa a la cocina, donde las dos cocineras estaban discutiendo a gritos la cantidad de puerros que había que echar en la sopa de espinacas, y se preguntó una vez más qué sesgo hubiera tomado su vida en caso de que hubiera podido casarse con su teniente inglés.

Zeinab no estaba esperando a ningún hombre en aquella calurosa tarde estival, sino a Camelia. Su madre llevaba casi cinco meses ausente y tenía que regresar aquel día tras haber recorrido toda Europa con su orquesta.

Mientras seguía con la mirada todos los automóviles que bajaban por la calle de las Vírgenes del Paraíso, Zeinab jugueteó con el collar que Nabil al-Fahed le había regalado para su cumpleaños, una perla en forma de lágrima colgada de una cadena antigua de plata. Zeinab estaba un poco desconcertada ante las nuevas sensaciones que experimentaba su cuerpo. De pronto, había empezado a fijarse en lo musculosos que eran algunos de sus primos y a admirar sus cuadradas mandíbulas cuando hablaban. Cada vez que su primo Mustafá abandonaba una estancia, no podía por menos que contemplar sus nalgas tan perfectamente perfiladas por los ajustados pantalones que siempre llevaba.

Se sentía escandalizada y avergonzada de sus pensamientos. ¿Por qué se le ocurrían aquellas cosas? ¿Acaso porque ella no había sido sometida a la secreta operación que a veces comentaban en susurros las niñas en la escuela..., aquella ablación purificadora que les habían practicado siendo pequeñas? Zeinab recordaba que, a los cinco años, una noche había sido despertada por un grito; entonces, mirando a hurtadillas a través de la puerta entornada del cuarto de baño, había visto a su prima Asmahan en el suelo sujetada por su tía Tahia y a *Umma* sosteniendo en la mano una cuchilla de afeitar. ¿Qué le habían hecho a su prima Asmahan de cinco años? ¿Por qué razón no se lo habían hecho a ella también?

Siempre se había sentido distinta del resto de la familia, no a causa de su pierna y del aparato ortopédico que llevaba, sino por otras razones. Los Rashid eran todos morenos, incluida su madre Camelia; en cambio, ella tenía la tez pálida y el cabello se le aclaraba de año en año de tal forma que ahora ya lo tenía del mismo color que el de tía Yasmina, a quien ella jamás había visto, pero cuya fotografía podía contemplar cada vez que le hacía la cama a su primo Muhammad. A veces, sorprendía a *Umma* o al abuelo Ibrahim mirándola con expresión pensativa como si ella fuera un enigma que estuvieran tratando de resolver. Zeinab estaba llena de preguntas. ¿Por qué en los álbumes de la familia no figuraba ninguna fotografía de su padre, el que había muerto en la guerra? ¿Ni tampoco ninguna fotografía de la familia de su padre? ¿Dónde estaban sus otros abuelos y primos? Preguntar tales cosas, le había dicho cariñosamente *Umma* en cierta ocasión, era una falta de respeto hacia los muertos y por esa razón Zeinab se había guardado las preguntas.

Pero ahora tenía otras preguntas, «un mercadillo de preguntas», hubiera dicho tío Hakim. Y éstas giraban en torno a los chicos, el amor y el sexo.

De pronto, sus ojos se posaron en una figura que bajaba por la calle... su prima Asmahan. Experimentó una punzada de envidia. Asmahan, también de quince años, poseía una belleza impresionante; todo el mundo decía que era el vivo retrato de su abuela Nefissa a su edad. Pero, curiosamente, Asmahan había optado por ocultar su belleza. A pesar de aquel caluroso atardecer en que los viandantes paseaban por la calle de las Vírgenes del Paraíso vestidos con atuendos estivales, pantalones deportivos y camisas con el cuello desabrochado, la prima de Zeinab llevaba un vestido largo hasta los tobillos, un *hejab* alrededor de la cabeza, las manos cubiertas por guantes, los pies protegidos por calcetines y...

Zeinab no podía dar crédito a sus ojos.

¡El rostro de Asmahan estaba totalmente cubierto por un velo! ¡No se le veían tan siquiera los ojos! ¿Cómo podía ver adónde iba?

Mientras Asmahan desaparecía en el interior de la casa, Zeinab se preguntó si su prima también se sentiría turbada por inquietantes pensamientos a propósito de los chicos. Y no sólo de los chicos, descubrió Zeinab consternada mientras unas risas masculinas llenaban el salón. Nabil al-Fahed, el acaudalado anticuario, le estaba contando un chiste a *Umma* entre risas. Zeinab se había enamorado locamente de él. Desde el día en que el anticuario le regaló el collar de la perla y le dijo que era muy guapa. Y ahora, cada vez que soñaba con su boda, siempre era con alguien como Nabil al-Fahed.

Al final, apareció un taxi al fondo de la calle y se detuvo junto al bordillo delante de la casa. Al ver bajar a Camelia, Zeinab se apartó de la ventana y gritó:

—*Y'Allah*! ¡Ya están aquí! ¡Ya han vuelto de Europa!

Amira se levantó y musitó, mirando con una sonrisa a Nabil al-Fahed:

—Loado sea Alá.

Le había invitado a la fiesta de bienvenida en honor de Camelia con una secreta intención: para que él pudiera comprobar por sí mismo lo buena madre que era.

Camelia, Dahiba y Hakim llegaron con un montón de maletas esbozando unas cansadas sonrisas mientras los miembros de la familia, sobre todo las ancianas y las niñas, se congregaban a su alrededor alabando a Alá por su feliz retorno. Aquella noche, cuando los hombres regresaran del trabajo y los chicos volvieran de la escuela, se iba a celebrar una gran fiesta tras la cual Camelia ofrecería un espectáculo especial en el hotel Hilton.

Mientras se arrojaba en brazos de su madre, la estrechaba con fuerza y aspiraba su dulce fragancia, Zeinab se mordió la lengua para que no se le escaparan otras preguntas. ¿Por qué había decidido su madre hacer una gira por Europa tan de repente? Lo había anunciado a su regreso de la visita a la pequeña redacción de un periódico situada en una callejuela de las inmediaciones de la calle al-Bustan. Zeinab ignoraba lo que había ocurrido..., oyó ruido de rotura de cristales, vio que Raduan echaba a correr y, al final, su madre regresó al automóvil con el rostro pálido y desencajado. Tres horas después, Camelia había anunciado su decisión de llevar su espectáculo a Europa.

Sin embargo, ahora ya no importaba el motivo del viaje, pensó Zeinab abrazada a su madre. Mamá había vuelto y ahora ya podrían irse a casa.

Mientras estrechaba a su hija en sus brazos, Camelia pensó: «¡Cuánto ha crecido Zeinab en tan sólo cuatro meses! ¡Ya es casi una mujer! Tan guapa y tan cariñosa».

Después sus pensamientos se ensombrecieron. ¿Qué hombre aceptaría a una esposa minusválida? ¿Qué hombre podría contemplar su pierna encogida sin temer que la misma enfermedad pudiera transmitirse a sus hijos? A partir de la hora en que nació Zeinab, todo el mundo supo cuál sería su destino y por esa razón no la habían sometido a aquella operación especial en su infancia. El propósito de la circuncisión femenina era el de reducir el deseo sexual y conseguir con ello que una esposa fuera fiel a su marido. En el caso de Zeinab, tal preocupación sería innecesaria.

Sin embargo, aunque Camelia no tuviera que pensar en buscarle un marido a su hija adoptada, Zeinab necesitaba un protector, sobre todo en aquellos momentos en que estaba entrando en la plenitud de la feminidad y sería doblemente vulnerable. Camelia sabía muy bien los peligros a que estaban expuestas en el mundo incluso las mujeres más protegidas. ¿Acaso su propia hermana no estaba casada y era una respetable esposa y madre cuando fue víctima de Hassan al-Sabir?

La súbita evocación de Yasmina le hizo recordar a Camelia un temor que había ido progresivamente en aumento a medida que Zeinab se acercaba a la edad adulta: el temor de que Yasmina regresara inesperadamente algún día y exigiera la devolución de su hija.

Es mía, pensaba ahora Camelia mientras ocupaba el asiento de honor en el salón. Yasmina la abandonó. Zeinab es mi hija, jamás la cederé y nadie deberá decirle nunca la verdad sobre su verdadero padre, aquel monstruo depravado de Hassan al-Sabir.

Todos los miembros de la familia le dieron la bienvenida a Camelia con un beso, incluso Nefissa, que todavía guardaba la carta de Yasmina en su bolsillo; más tarde, la destruiría como había destruido la otra. Cuando todos se sentaron y las criadas empezaron a servir el té con pastas, Amira presentó a Nabil al-Fahed a Camelia, Dahiba y Hakim, calificándole de «viejo amigo» a pesar de que ellos jamás habían oído pronunciar su nombre.

–Bienvenido a nuestra casa, señor al-Fahed –dijo Camelia–. Que Alá le conceda la paz.

Pero miró a su abuela con recelo. ¿Por qué había invitado Amira a aquel desconocido precisamente en aquella ocasión? Tenía que haber sin duda una razón; Camelia nunca había visto actuar a su abuela sin un motivo.

–Nabil al-Fahed es un tasador de objetos de arte –explicó Amira con inequívoco orgullo.

–Ah ¿sí? –dijo Camelia, preguntándose si su abuela habría decidido vender algunas de las antigüedades de la familia–. Debe de ser una tarea muy interesante, señor al-Fahed.

Nabil al-Fahed contestó sonriendo:

–Es una tarea que, gracias a Alá, me permite gozar de la compañía de personas tan deliciosas como la *sayyida* Amira. Disfruto tasando objetos bellos a la vista. Y además –añadió con intención–, soy coleccionista. Dedico mi vida a rodearme de belleza, señorita Camelia. Por eso he tenido el placer de asistir muchas veces a su espectáculo.

Se produjo una breve pausa de silencio durante la cual los adultos del salón, incluida Nefissa, cuyo rostro mostraba una expresión escandalizada, empezaron a comprender el verdadero propósito de la visita de al-Fahed.

–Precisamente Nabil al-Fahed me estaba comentando con extrañeza que no estés casada, querida –dijo Amira.

Hakim Rauf, pillado también por sorpresa, terció hábilmente en la conversación. El deber de salvaguardar el honor de una mujer en unas negociaciones matrimoniales correspondía normalmente al padre, pero, como Ibrahim no estaba presente, el tío decidió asumir su papel.

–Por desgracia, señor al-Fahed –dijo Rauf sin apenas poder disimular la alegría que sentía por Camelia–, a los hombres les gusta ver danzar a una hermosa mujer, pero no desean casarse con una danzarina.

Los ojos de al-Fahed se posaron en Dahiba, la cual se había retirado de la danza, pero poseía una espléndida belleza a sus cincuenta y siete años.

–Por lo visto, es usted una excepción, señor Rauf –dijo, evitando referirse directamente a la esposa de Hakim o mirarla con excesivo detenimiento, cosas ambas consideradas altamente ofensivas–. Como yo lo sería también si estuviera casado con una danzarina adorada en todo Egipto. Y no sería tan egoísta como para ocultarla de aquellos que la veneran.

Camelia, escuchando en silencio las palabras que Hakim estaba pronunciado en su nombre, se sorprendió de que, después de tantos años de haber sido menospreciada como material de matrimonio y de haber sido testigo de las negociaciones matrimoniales de sus primas, aquella conversación, oh, prodigio de los prodigios, ¡se estuviera centrando precisamente en ella! Mientras prestaba atención con sobrecogido asombro a la hábil discusión del tema por parte de Hakim y al-Fahed sin que éstos lo mencionaran explícitamente, pues la menor referencia directa al mismo por cualquiera de ambas partes hubiera sido considerada una grave incorrección, pensó en lo curiosa que era aquella coincidencia. Porque, ¿acaso ella no había estado pensando últimamente en el matrimonio por el bien de Zeinab? Sin embargo, sus pensamientos se habían quedado sólo en eso, pues, ¿con quién hubiera podido ella casarse y quién se hubiera casado con una danzarina? Pero ahora al-Fahed se le estaba declarando a través de su familia y ella empezaba a preguntarse qué tal sería estar casada con semejante hombre. No cabía duda de que era atractivo y estaba bien situado y, a juzgar por la forma en que Zeinab le sonreía, resultaba evidente que también se había ganado la aprobación de su hija.

Mientras Hakim le arrancaba diplomáticamente a al-Fahed los detalles vitales –una casa en el lujoso barrio de Heliópolis, unos antecedentes familiares en los que figuraban dos bajás y un bey y una sólida base económica que impresionó incluso al riquísimo Rauf–, Camelia estudió al apuesto anticuario por el rabillo del ojo.

Al-Fahed no buscaba una esposa que le diera hijos. «Soy un coleccionista de objetos bellos», había dicho.

Pero ¿quería ella a semejante marido?

Se había ido a Europa para quitarse de la cabeza a Yacob Mansur. Durante cuatro meses, mientras danzaba ante el enfervorizado público de los hoteles y las salas de fiestas de París, Múnich y Roma, no había conseguido olvidar la sensación del cuerpo de Yacob contra el suyo y la forma en que éste la había estrechado protectoramente entre sus brazos cuando aquellos bárbaros rompieron la luna de la ventana de la redacción de su periódico. Yacob olía a jabón y a tabaco y a una embriagadora especia que ella no había podido identificar. Incluso en aquellos momentos, mientras evocaba su imagen ligeramente gruesa, su ralo cabello y sus anticuadas gafas de montura metálica, seguía sintiendo el ardor de su beso en sus labios y su cuerpo permanentemente grabado en el suyo. Pero había tomado la decisión de no volver a verle nunca más.

Y tanto menos en aquellos momentos en que la violencia religiosa estaba causando estragos en El Cairo. Durante su ausencia, la situación entre los musulmanes y los cristianos coptos se había agravado. La policía montaba guardia delante de todas las iglesias coptas de El Cairo, los musulmanes exhibían el Corán en los salpicaderos de sus automóviles, los cristianos llevaban fotografías del pope Shenuda en sus guardabarros y los musulmanes aplicaban a sus vehículos unas pegatinas que decían: «No hay más dios que Alá». Durante el trayecto en taxi desde el aeropuerto, el taxista le había comentado las detenciones que se estaban practicando en todo El Cairo... «Se detiene a cualquier persona que sea sospechosa de estar vinculada con estos actos de violencia religiosa.»

Sí, por el bien de todos, le convenía olvidar a Yacob Mansur.

Al ver que la conversación estaba tocando a su fin y que tanto Hakim como al-Fahed parecían satisfechos, Camelia se volvió hacia el invitado de su abuela y le preguntó:

–¿Asistirá usted a mi actuación especial de esta noche en el hotel Hilton, señor Fahed?

–¡Por las barbas del Profeta, la paz de Alá sea con él! ¡No me la perdería por nada del mundo! ¿Querrán usted y sus amigos hacerme el honor de cenar conmigo después?

Camelia vaciló durante una décima de segundo, en cuyo transcurso vio el rostro de Yacob Mansur y las gafas que se levantaban sobre sus mejillas cuando sonreía. Pero en seguida contestó:

–Será un honor para nosotros cenar con usted, señor Fahed.

Nada más salir al escenario, Camelia se adueñó de él. El público, tras haber esperado durante dos horas el comienzo del espectáculo, al ver a su adorada Camelia vestida de oro, plata y pedrería, estalló en una atronadora ovación. Ella era la diosa y ellos los adoradores. Mientras se deslizaba por el escenario y agitaba el velo en el aire como si quisiera apresar toda la fulgurante luz que la rodeaba, los hombres se levantaron y gritaron:

–*Allah!* ¡Oh, más dulce que la miel!

Y ella sonrió extendiendo los brazos como para abarcarlos a todos, prestando una especial atención a los que se encontraban más cerca del escenario, pues se había jurado a sí misma no buscar a Yacob entre el público; buscaría a Nabil al-Fahed y le dedicaría una sonrisa especial. Pero no intentaría localizar a Yacob.

Soltó el velo e inició una sensual danza, controlando todos los músculos mientras su abdomen y sus caderas se ondulaban en rápidos círculos y sus brazos flotaban sin esfuerzo hacia arriba y hacia abajo. Primero coqueteó y jugó con el público, pero después se apartó y se convirtió en el ideal árabe de la feminidad: deseable pero inaccesible. Al ver a al-Fahed sentado a una de las codiciadas mesas de la primera fila, rico, refinado y elegante, vestido con un traje azul oscuro a la medida y luciendo un reloj de oro Rolex y varias sortijas de oro, le dirigió una sonrisa especial. Después evolucionó por el escenario, recorriendo con los ojos los rostros de sus adoradores hasta que, al final, sin poder evitarlo, miró hacia el fondo de la sala.

Yacob no estaba.

Cuando cesó repentinamente la música y sólo se oía una flauta, el antiguo *nai* de madera del Alto Egipto que producía un obsesivo y melancólico sonido semejante al de una serpiente, las luces de la sala se apagaron y Camelia quedó iluminada por un solo foco. Los hipnóticos balanceos que inició a continuación y que hacían evocar a la gente los sinuosos movimientos de las cobras y de las volutas de humo no fueron fruto de la coreografía sino que le brotaron de lo más hondo del corazón.

Al terminar el número, Camelia se retiró entre ensordecedores aplausos. Mientras las veinte danzarinas de su espectáculo salían vestidas con *galabeyas* al escenario para interpretar una movida danza popular en medio de estridentes gritos y *zigarits*, Camelia regresó corriendo a su camerino donde sus ayudantes y una peluquera la ayudaron a cambiarse de traje.

Hakim las sorprendió, irrumpiendo repentinamente en la estancia.

–¡La redacción del periódico de Mansur ha sufrido un atentado con bomba hace una hora! –gritó.

–¡Cómo! ¿Había alguien dentro? ¿Ha resultado herido Mansur?

–No lo sé. ¡Que Alá se apiade de nosotros, eso es terrible! Publicó el artículo de Dahiba y ahora...

–Tengo que irme –dijo Camelia, tomando la negra *melaya* que se ponía para interpretar su número folklórico–. Encárgate de Zeinab, llévala a tu casa y dile a Raduan que se quede con ella y no la deje sola en ningún momento.

–¡Camelia, espera! ¡Voy contigo!

Pero ella ya se había ido.

La callejuela estaba sumida en el caos y la muchedumbre la tenía bloqueada e impedía el paso de los vehículos de la policía. Camelia aparcó al fondo de la calle y avanzó a pie entre la gente. Al ver el destripado edificio y los cristales y papeles diseminados por la calzada, echó a correr.

Yacob estaba dentro, todavía ligeramente aturdido, caminando entre los cascotes.

–¡Loado sea Alá! –gritó Camelia, arrojándose en sus brazos.

La gente se quedó boquiabierta de asombro al reconocerla. El nombre de Camelia se propagó entre la muchedumbre entre gritos de «*Allah*!» mientras todo el mundo se preguntaba qué tenía que ver su adorada Camelia con aquel periodista subversivo.

Camelia examinó el rostro de Yacob. Se le habían roto las gafas y la sangre le manaba de una herida en la cabeza.

–¿Quién te lo ha hecho?

–No lo sé –contestó él, todavía trastornado.

–¿Por qué no podemos vivir todos en paz?

–No se pueden estrechar las manos cuando se aprietan los puños –Yacob miró a Camelia como si se hubiera percatado repentinamente de su presencia–. ¡Has regresado de Europa! –Al ver el brillo de las perlas y la gasa de color rosa de su traje asomando bajo el negro manto, añadió–: ¡Tu espectáculo! ¡Era esta noche! ¿Qué estás haciendo aquí?

–Cuando me dijeron... –Camelia le tocó la frente–. Estás herido. Deja que te acompañe a un médico.

Yacob tomó sus manos entre las suyas y le dijo en tono apremiante:

–Escúchame bien, Camelia. Tienes que irte de aquí en seguida. Se han estado practicando detenciones por todas partes desde que te fuiste. Sadat ha mandado peinar El Cairo en busca de los intelectuales y liberales que, según dicen ellos, son los responsables de estas contiendas. Los están deteniendo de conformidad con la llamada ley para la Protección de los Valores contra el Deshonor. Con esta nueva ley, cualquiera puede ser detenido durante un período de tiempo indefinido. Mi hermano fue detenido la semana pasada. Y ayer detuvieron al escritor Yusuf Haddad. No sé quién ha puesto la bomba en mi redacción, Camelia. Puede que lo hayan hecho los Hermanos Musulmanes. Puede que haya sido el propio gobierno. Sólo sé que corres peligro si te ven conmigo.

–¡Por Alá que no te dejaré! No puedes irte a tu casa, no es segura. Ven conmigo –dijo Camelia saliendo con él a la callejuela–. Tengo el coche aparcado en la calle al-Bustan. Date prisa. La policía secreta podría llegar de un momento a otro.

De pie en el balcón del apartamento del último piso de Camelia, Yacob sintió la refrescante brisa del Nilo contra su rostro. Ella le había limpiado y vendado la herida y ahora estaba en el salón, encendiendo la radio para escuchar las noticias. Yacob asió la barandilla de hierro y contempló el negro Nilo en el que las falúas llenas de turistas estaban surcando las aguas en todas direcciones. Pensó que ojalá no hubiera acompañado a Camelia. La gente de la callejuela los había visto marcharse juntos. Ahora ella también corría peligro.

–En el noticiario no han hecho ningún comentario –dijo Camelia, saliendo al balcón.

Se había cambiado el traje de danzarina y se había puesto una blanca *galabeya* de lino con bordados de oro en las mangas y el cuello. Llevaba el cabello suelto y se había quitado el maquillaje de teatro. Esperaba que el agua fresca con que se había lavado el rostro la enfriara por dentro, pero se sentía febril, como si el calor de agosto hubiera penetrado a través de su piel y se hubiera aposentado en sus huesos. Una vez lavada y vendada la herida de Yacob, ambos se sentaron en el sofá, rozándose ligeramente las rodillas. Y, cuando rozó la piel de Yacob con las yemas de los dedos, Camelia experimentó un estremecimiento por todo el cuerpo.

Pensó en el refinado y riquísimo Nabil al-Fahed y llegó a la conclusión de que éste había despertado en ella tanta pasión como la que hubiera podido provocarle uno de sus sillones antiguos. En cambio, Yacob Mansur, que todavía no había conseguido coserse el botón que le faltaba en la camisa...

Y ahora, ¿qué?, se preguntó, contemplando el perfil de Mansur y comprendiendo que, al haberle ella conducido allí, ambos habían dado un peligroso paso irreversible.

Yacob levantó la vista hacia las estrellas estudiando sus arcanos mensajes hasta que, al final, dijo en un susurro:

–Mañana, Sirio efectuará su salida anual. Puedes ver el lugar por donde asomará en el horizonte, siguiendo las tres estrellas de la cinta de Orión. Son las que señalan el camino, ¿ves?

Se encontraba muy cerca de ella, con el brazo levantado y señalando con el dedo la constelación. Camelia asintió con la cabeza sin poder hablar.

–En la antigüedad –añadió Yacob mientras el susurro de su voz parecía surcar la brisa del Nilo–, antes del nacimiento de Jesucristo, Sirio era la estrella de Osiris, un joven dios salvador, y cada año los egipcios contemplaban la primera aparición de la estrella en el horizonte como un signo de la inminente resurrección de Osiris. Y esas tres estrellas de la cinta de Orión que apuntan directamente hacia el lugar del horizonte donde surgirá la estrella recibían el nombre de los Tres Sabios. Si las sigues –dijo, trazando con un gesto de la mano un camino en el cielo desde Orión hacia el horizonte–, encontrarás la estrella de Osiris. Te quiero, Camelia –añadió, mirándola–. Quiero tocarte.

–Por favor, no lo hagas –dijo Camelia–. Hay cosas de mí que no sabes...

–Sé todo lo que necesito saber. Quiero casarme contigo, Camelia.

–Escúchame, Yacob –dijo Camelia, hablando rápidamente antes de que perdiera el valor–. Zeinab no es mi hija sino mi sobrina. No soy viuda y nunca he estado casada. Ni siquiera he estado nunca... con un hombre –añadió, apartando la mirada.

–¿Y de eso te avergüenzas?

–¿Una mujer como yo a quien todos los egipcios llaman la Diosa del Amor?

–¿Cómo puedes avergonzarte si todas las santas de la historia han sido vírgenes?

–Pero es que yo no soy una santa.

–Mientras estuviste en Europa, cada día fue una tortura para mí. Te quiero, Camelia, y deseo casarme contigo. Eso es lo único que me importa.

Camelia abandonó el balcón y regresó al salón donde la radio estaba dejando escapar los sones de una melodiosa canción interpretada por la seductora voz de Farid al-Attrach, la cual estaba llenando el cálido aire nocturno con dulces palabras de romántico amor.

–Hay más –dijo, volviéndose para mirar a Yacob–. La razón de que jamás me haya casado es que no puedo tener hijos. Estuve enferma cuando era pequeña, pillé unas fiebres.

–Yo no quiero tener hijos –dijo Yacob, asiéndola por los hombros–. Te quiero a ti.

–¡Pero pertenecemos a religiones distintas! –gritó Camelia, apartándose.

–Incluso el Profeta tuvo una esposa cristiana.

–Yacob, es imposible que nos casemos. Tu familia jamás aceptaría que tuvieras una danzarina por esposa y mi familia no aprobaría que yo eligiera a un no musulmán como padre de Zeinab. ¿Qué pensarían mis admiradores y tus fieles lectores? ¡Ambos bandos nos acusarían de traidores!

–¿Acaso es una traición seguir los impulsos del propio corazón? –preguntó Yacob en voz baja, atrayéndola de nuevo hacia sí–. Te juro, Camelia, que te amo desde el día en que escribí, hace años, mi primera crítica sobre tu actuación. Te quiero desde aquel día y, ahora que te tengo, amor mío, no pienso perderte.

Cuando él la besó, ya no hubo más resistencia. Camelia le devolvió el beso y le abrazó con fuerza. Primero hicieron el amor en el suelo en el mismo lugar donde estaban, cayendo sobre la alfombra que antaño adornara uno de los soberbios salones del palacio del rey Faruk. Se amaron con la urgencia y el ansia de quienes ven que sus días se acaban. Después, Camelia acompañó a Yacob al dormitorio, cuya cama estaba cubierta por unas sábanas de raso del color del amanecer. Esta vez hicieron el amor muy despacio para saborear con fruición todas las sensaciones, en la certeza de que, a partir de aquel momento, iban a pasar todos los días de su vida juntos.

Más tarde, tras haberse bañado y vestido y haber recuperado el resuello, ambos examinaron la realidad y decidieron afrontar juntos el futuro, a pesar de todos los obstáculos y dificultades. Cuando Yacob estaba a punto de hacerle por tercera vez el amor bajo la luz de la jorobada luna de agosto que penetraba a través de los vaporosos cortinajes del balcón, la cálida noche fue repentinamente desgarrada por unos violentos golpes en la puerta.

Antes de que cualquiera de ellos tuviera tiempo de reaccionar, la puerta fue derribada y unos hombres armados que ostentaban unas placas y sostenían en sus manos unas esposas irrumpieron en la estancia y los detuvieron en virtud de la ley de la Protección contra el Deshonor.

37

Cuando Jasmine oyó la llamada a la oración, se sintió invadida por unos sentimientos tan hondos de calor, seguridad y hogar que rompió a reír. Y su propia risa la despertó.

Permaneció tendida en la cama un instante, tratando de evocar las sensaciones de su sueño: una brumosa mañana de El Cairo, unos pájaros gorjeando ruidosamente sobre los tejados de las casas para celebrar el nacimiento del nuevo día, y unas calles que en seguida se empezaron a llenar de automóviles Fiat y de carros tirados por asnos. Y, por encima de todo, la penetrante y terrosa fragancia del Nilo.

Aunque ningún almuédano hubiera elevado su voz por encima del océano Pacífico para dirigir sus plegarias, Jasmine efectuó las abluciones rituales en el cuarto de baño y después se arrodilló y se postró bajo las primeras luces del amanecer. Al terminar, permaneció de hinojos, escuchando la sinfonía de las gaviotas y de las olas que rompían contra los acantilados en medio de la brisa de septiembre. Sabía que tardaría mucho tiempo en volver a escuchar la llamada a la oración sobre El Cairo.

Camelia jamás le había escrito.

Para su familia, seguía estando muerta; ni siquiera su hermana la perdonaba. Que así fuera. Aunque no pudiera regresar a Egipto, Jasmine estaba a punto de abandonar los Estados Unidos. Y ahora tenía que terminar de hacer el equipaje que había empezado la víspera, pues Rachel llegaría de un momento a otro para acompañarla al aeropuerto.

Jasmine hizo la maleta con sumo cuidado, siguiendo las indicaciones que le había facilitado la Fundación Treverton. Puesto que su destino era el Oriente Próximo, llevaría ligeras prendas de algodón, lociones para protegerse del sol y de los insectos y calzado cómodo. Encima de todo colocó la fotografía de su hijo Muhammad a los diecisiete años y una fotografía suya con Greg en el paseo marítimo de Santa Mónica cuando ambos eran dos personas esperanzadas que todavía se preguntaban cuándo se iba a encender la chispa de la magia entre ellos. Puso también en la maleta un ejemplar de *La sentencia de una mujer* que Maryam Misrahi le había regalado y otro de *Cuando usted es el médico*, en el cual había introducido un artículo doblado del *Los Angeles Times* publicado al día siguiente de la manifestación antinuclear en el Emplazamiento de Pruebas del Desierto de Nevada. El artículo iba acompañado de una fotografía del doctor Declan Connor en el momento de su detención.

Cerró la maleta justo en el momento en que Rachel aparecía en la puerta, llamando y entrando a la vez.

–¿Ya estás lista? –preguntó Rachel con las llaves todavía en la mano.

–Voy por el sombrero y el bolso.

Rachel la siguió a un dormitorio que, totalmente vacío, no daba la impresión de que alguien lo hubiera ocupado recientemente.

–¿Qué vas a hacer con tus cosas? –preguntó, observando una funda de almohada llena de sábanas y toallas. En el salón había visto unas cajas de cartón con ollas, cacerolas, platos y un tocadiscos.

Jasmine se encasquetó en la cabeza un sombrero de paja de ala ancha adornado con un largo y anticuado alfiler, y contestó:

–La casera lo entregará al Ejército de Salvación. Allí donde voy no necesitaré nada de todo eso, desde luego.

Rachel contempló la solitaria maleta, la bolsa de mano de lona y el bolso de Jasmine y se asombró de que una médica de treinta y cinco años pudiera condensar su vida en tan reducido espacio. La casa que Rachel compartía con su marido Mort estaba tan llena de muebles y otras pertenencias que ya habían empezado a pensar en mudarse a otra más grande.

–¡El Líbano! –musitó, sacudiendo la cabeza–. ¿Por qué demonios has elegido ir al Líbano? Y nada menos que a un campo de refugiados.

–Porque los refugiados palestinos son unas víctimas y yo sé lo que significa ser una víctima –Jasmine miró a su amiga a través del espejo–. En Egipto, la expulsión de alguien de su familia, tal como me expulsaron a mí, equivale a una sentencia de muerte. Y una mujer sin familia tiene una vida durísima. Los palestinos son unos proscritos y las mujeres y los niños son los que sufren las peores consecuencias. Cuando en la Fundación me dijeron que estaban organizando este proyecto conjunto con la Agencia de Bienestar y Socorro de las Naciones Unidas, sentí la necesidad de ofrecerme como voluntaria. Pero no te preocupes, no me va a pasar nada.

En el momento en que recogió la bolsa de lona, algunos objetos se esparcieron sobre la cama, entre ellos, una fotografía.

Rachel la tomó y la estudió. La había visto en otra ocasión; era una fotografía de cinco niños y niñas sonriendo con entusiasmo en un jardín.

–Dime otra vez quiénes son. Sé que una de las niñas eres tú.

Jasmine la estudió un instante y después señaló al mayor de los niños.

–Éste es Omar, mi primo; fue mi primer marido. Ésta es Tahia, su hermana. Ella y mi hermano Zakki hubieran tenido que casarse, pero mi abuela casó, no sé por qué razón, a Tahia con un pariente de más edad llamado Jamal. Y ésta es Camelia...

Jasmine admiró la morena belleza de la niña que, en la fotografía, le rodeaba los hombros con su brazo.

–¿Y éste es tu hermano?

–Éste es Zacarías. Zakki. Estábamos muy unidos. Me llamaba *Mishmish* porque me gustaban con locura los albaricoques.

–¿No me dijiste una vez que había desaparecido?

–Fue en busca de una cocinera que teníamos en casa. Nadie sabe qué fue de él.

Jasmine lo volvió a colocar todo en la bolsa. Al ver que incluía también un ejemplar del Corán, Rachel le preguntó:

–¿Estás segura de que te quieres llevar eso?

Jasmine miró a su amiga y contestó:

–No recuerdo que nunca haya estado más segura de nada.

–Pues entonces, ¿por qué tengo yo esta sensación de que estás intentando demostrar algo? Jasmine, tú tienes que reconciliarte con tu pasado. Creo que andas por la vida con mucha cólera dentro del cuerpo y que necesitas librarte de ella. Reconcíliate con tu familia, Jas, antes de huir a los campos de batalla.

–Tú eres una ginecóloga, Rachel, no una psiquiatra. Puedes creerme, me he reconciliado con el pasado. Camelia jamás contestó a mis cartas.

–A lo mejor, está arrepentida de haber revelado tu secreto y de haber provocado tu desgracia. Quizá convendría que lo volvieras a intentar.

–Cualquiera que sea la razón de su silencio y del de toda mi familia durante los últimos catorce años, yo tengo que seguir mi camino en esta vida. Sé lo que hago y adónde voy.

–Pero... eso de haber elegido el Líbano. ¡Te pueden pegar un tiro!

Jasmine sonrió diciendo:

–Mira, Rachel, es curioso pensarlo, pero el niño hubiera nacido alrededor de mi cumpleaños y, si hubiera vivido, ahora yo tendría un hijo de cuatro meses y tú y yo estaríamos hablando de pañales y no de armas de fuego.

–¿Crees de veras que Greg te hubiera dejado sola con el niño? Es un tipo honrado.

–Honrado, sí. Pero hubieras tenido que ver la cara de terror que puso cuando le dije que estaba embarazada.

–En fin –dijo Rachel, tomando la maleta y comprobando que ésta era sorprendentemente ligera–. Ya encontrarás a alguien algún día.

Ya lo he encontrado, pensó Jasmine, evocando la imagen de Declan, que en aquellos momentos se encontraba en Irak tratando de prestar ayuda médica a los kurdos. Declan, a quien ella jamás podría tener.

Al final, se detuvo para mirar a la que había sido su mejor amiga durante sus horas más solitarias, la que la había consolado en los oscuros días que siguieron a su aborto y la que antes la había ayudado a entrar en el extraño y desconocido mundo de la universidad, suavizando el trauma del choque cultural.

–Gracias por preocuparte por mí, Rachel –le dijo.

–¿Sabes una cosa? –dijo Rachel con lágrimas en los ojos–. Te voy a echar de menos una barbaridad. No te olvides de mí, Jas. Y recuerda siempre que tienes una amiga si alguna vez tropiezas con dificultades y necesitas ayuda. ¡El Líbano! ¡Madre mía!

–Será mejor que nos pongamos en marcha –dijo Jasmine, abrazando a su amiga–. ¡Voy a perder el avión!

38

Ibrahim entró corriendo en el salón.

–¡Las he encontrado! –gritó–. ¡He encontrado a mi hermana y a mi hija!

–¡Alabada sea la misericordia de Alá! –exclamó Amira.

La miríada de parientes Rashid que ocupaban los divanes y las alfombras del suelo repitieron como un eco su exclamación.

En medio del sofocante calor de septiembre, Ibrahim tuvo que sentarse y enjugarse el sudor de la frente. Las tres semanas que se había pasado buscando el paradero de Dahiba y Camelia habían sido una auténtica pesadilla y le habían hecho recordar los meses que él había pasado en la cárcel casi treinta años atrás. Los demás miembros de la familia también estaban destrozados. Al enterarse de la detención, todos los parientes, incluso los que vivían en lugares tan alejados como Asuan y Port Said, se congregaron en la casa de la calle de las Vírgenes del Paraíso, donde una vez más, como en otras ocasiones pasadas, ocuparon todos los dormitorios y mantuvieron las cocinas en marcha día y noche. Los tíos y los primos que tenían amistades en El Cairo trataron inmediatamente de averiguar adónde habían sido conducidas Dahiba y Camelia: algunas mujeres también colaboraron... como Sakinna, cuya mejor amiga estaba casada con un alto funcionario del gobierno; Fadilla, cuyo suegro era juez; y Amira, entre cuyas amigas se contaban varias mujeres muy influyentes.

Sin embargo, al cabo de tres semanas de pesquisas, de pagos de sobornos y propinas y de perder horas y horas en las salas de espera para que al final les dijeran *bokra*, mañana, no habían conseguido obtener la menor información sobre Dahiba y Camelia. Hasta aquel momento.

Mientras Basima le servía a Ibrahim un vaso de limonada fresca, éste explicó:

–Uno de mis pacientes, el señor Ahmed Kamal, que ocupa un alto cargo en el ministerio de Justicia, me presentó a su hermano, cuya esposa tiene a un hermano en el departamento de Prisiones

–Ibrahim apuró rápidamente el vaso de limonada y volvió a enjugarse la frente. Tenía mucho calor y sus sesenta y cuatro años le estaban empezando a pesar–. Dahiba y Camelia fueron conducidas a la cárcel de mujeres de al-Kanatir.

Todos le miraron sobrecogidos de espanto, pues conocían muy bien el impresionante y siniestro edificio amarillo de las afueras de El Cairo que paradójicamente se levantaba entre verdes prados y jardines floridos. Todos conocían los relatos de horror que circulaban a propósito de aquel lugar.

Amira también había oído contar historias y rumores sobre algunas mujeres que se habían pasado varios años encerradas en al-Kanatir sin juicio y sin condena oficial... por el simple hecho de ser «presas políticas». Justamente lo que eran Camelia y Dahiba.

Amira empezó a organizar inmediatamente a la familia. Las mujeres ya habían vendido sus joyas para pagar los sobornos; ahora prepararían cestas de comida y maletas llenas de prendas de vestir y ropa de cama y reunirían dinero para pagar propinas en la cárcel. Amira se movía con enfurecida energía... ¡su hija y su nieta en aquel lugar tan monstruoso!

Mientras Amira ordenaba a los sobrinos y primos que empezaran a redactar cartas de protesta dirigidas al presidente Sadat, Ibrahim se apartó con ella y le dijo:

–Madre, hay otra cosa que los demás no deben saber. Camelia... –hizo una pausa y miró a su alrededor para asegurarse de que nadie le podía oír–. Madre, mi hija fue detenida en compañía de un hombre.

Amira arqueó las cejas delicadamente pintadas.

–¿Un hombre? ¿Qué clase de hombre?

–El director de un periódico. Bueno, es el propietario del periódico, él mismo escribe los artículos y los imprime. Un pequeño periódico de tendencias radicales. Ha publicado algunos escritos de Camelia y Dahiba.

–¿Escritos? Pero ¿de qué me estás hablando?

–Escribían ensayos y poesía. Ése fue el motivo de las detenciones. Camelia y Dahiba escribían artículos muy polémicos.

–¿Estaba Camelia en la redacción del periódico cuando los detuvieron?

–No –contestó Ibrahim, mordiéndose el labio–. Ambos estaban en el apartamento de Camelia. Solos y ya pasada la medianoche.

Antes de que Amira pudiera decir algo, oyeron la sonora voz de Omar en el salón.

–¿Dónde está el tío? ¡Me he enterado de la noticia a través de mi supervisor, que es amigo de Ahmed Kamal! Bueno pues, ¿vamos a al-Kanatir o qué?

–Ya hablaremos de eso después. No les digas nada a los demás –dijo Amira en voz baja a su hijo.

–¡Las gracias y las bendiciones de Alá sean contigo! –dijo Omar, al ver a su abuela–. ¡No tengas miedo, *Umma*, sacaremos a nuestra prima y a nuestra tía de esa cochina cárcel! –A sus casi cuarenta años, Omar estaba un poco grueso debido a su notoria afición a la vida nocturna de Damasco, Kuwait y Bagdad. Tras haberse pasado dieciocho años dando órdenes a gritos a los hombres de los campos petrolíferos, había adquirido la costumbre de gritar incluso cuando estaba en casa–. ¿Dónde está mi hijo? Ya es hora de que espabile y haga algo. Quiero que vaya al despacho de Samir Shoukri, el mejor abogado de El Cairo...

El joven de dieciocho años entró vestido con la larga *galabeya* blanca y el casquete, que se habían convertido en el uniforme característico de los Hermanos Musulmanes, una organización recientemente ilegalizada por el presidente Sadat.

–¿Qué es este disfraz? –dijo Omar, agarrando a su hijo por el brazo–. ¿Es que pretendes que nos detengan a todos? ¡Por Alá que tu madre y yo debíamos de estar dormidos cuando te engendramos! ¡Vístete como es debido!

Nadie se escandalizó ante aquella muestra de prepotencia y tanto menos Muhammad, el cual se fue a cambiar inmediatamente de ropa. ¿Cómo hubiera podido un hombre ganarse el respeto de su hijo sin enseñarle quién era el amo? Ibrahim recordó las muchas veces que su padre Alí le había abofeteado e insultado.

Mientras todos empezaban a subir a los automóviles para visitar a los funcionarios del gobierno y tratar de negociar la puesta en libertad de sus dos familiares, Ibrahim decidió ir a ver al abogado Shoukri y otros parientes tomaron sus vehículos para desplazarse directamente a la cárcel. Amira se apartó con su hijo en el vestíbulo y le dijo:

–Tráeme los escritos por los cuales mi hija y mi nieta fueron detenidas. Y averigua todo lo que puedas sobre el hombre que fue detenido con Camelia..., su apellido y su familia. Tenemos que evitar que se divulgue esta información y, sobre todo, el hecho de que ambos estuvieran solos en el apartamento de mi nieta cuando los detuvieron. Está en juego el honor de Camelia.

Las habían encerrado con otras seis mujeres en una celda para cuatro. Sólo una de ellas había sido detenida, como Camelia y Dahiba, por motivos políticos; las demás, acusadas de distintos delitos, compartían una historia similar: abandonadas por sus maridos y sin medios para subsistir, se habían visto obligadas a mendigar, robar o vender sus cuerpos. Una era prostituta y había asesinado a su proxeneta, motivo suficiente para que la hubieran ejecutado. Sin embargo, el psiquiatra de la cárcel había apelado al presidente Sadat, consiguiendo que la pena de muerte le fuera conmutada por la de cadena perpetua. La chica se llamaba Ruhiya y tenía apenas dieciocho años.

La noche en que tuvieron lugar las fulminantes redadas políticas, Dahiba y Hakim fueron los primeros en ser detenidos en su apartamento. Aunque irrumpieron inesperadamente en la vivienda y lo registraron todo, confiscando papeles y libros, los agentes les permitieron enviar a Zeinab con Raduan a la calle de las Vírgenes del Paraíso. Dahiba vio por última vez a su marido en la comisaría de policía, donde la arrestaron y le tomaron las huellas dactilares sin ninguna acusación formal. Después se la llevaron en un vehículo mientras Hakim gritaba sus protestas a la indiferente noche. Al amanecer, llegó a la cárcel donde, sin darle la menor explicación, la despojaron de su ropa y sus joyas, le entregaron una áspera túnica de color gris y una manta, y la introdujeron a empujones en la celda que ahora compartía con otras siete mujeres. En los veinte días transcurridos desde entonces, no había recibido la menor noticia del exterior y no había hablado con ningún abogado y ni siquiera con ningún funcionario de la prisión.

Camelia fue conducida allí un poco más tarde aquella misma mañana. La habían separado de Yacob en su apartamento y posteriormente se los habían llevado a los dos en distintos vehículos. Le habían quitado su preciosa *galabeya* con bordados de oro y le habían entregado a cambio una áspera túnica y una manta. Su único consuelo en las tres angustiosas semanas transcurridas desde entonces había sido el hecho de saber que su hija se encontraba a salvo con su familia.

Pero ¿y Yacob?, se preguntaba incesantemente en sus momentos de vela en aquella celda de piedra en la que sólo había cuatro catres. ¿Se encontraría en una situación similar en una celda de prisión con otros hombres? ¿O acaso ya lo habrían juzgado y sentenciado? ¿Habría sido condenado a cadena perpetua por traición? ¿Estaría vivo?

¿Y qué habría sido de tío Hakim?

En aquellas primeras y aterradoras horas de confusión, Camelia y Dahiba habían conseguido sacar fuerzas de flaqueza para consolarse mutuamente en la confianza de que las iban a poner en libertad de un momento a otro. Su familia no las dejaría allí, se decían, tenía muchos amigos importantes.

Las horas se convirtieron en días, pero ellas siguieron pensando que su liberación sería sólo cuestión de tiempo, a pesar de que una de sus compañeras de celda era también una presa política y llevaba allí más de un año sin mantener el menor contacto con el exterior. Por consiguiente, decidieron depositar su confianza en Alá y en la familia y procuraron sacar el mejor provecho de aquella terrible situación.

Las demás reclusas habían reconocido a las recién llegadas y se consideraban en la obligación de dispensarles un trato preferente en atención a su fama.

–Son unas auténticas señoras –les decía Ruhiya a las demás en tono reverente–. Mejores que nosotras.

Las demás estaban de acuerdo. En cambio, la *fellaha* que vigilaba la galería y creía que alguien le había echado el mal de ojo en el momento de nacer, no veía ningún motivo para tratar a las recién llegadas con mayor consideración. Que suelten dinero como las otras, pensaba.

Pero Dahiba y Camelia habían sido despojadas de todos sus objetos de valor y, por consiguiente, tenían que vivir como todas las demás reclusas.

En la cálida noche de septiembre, cuando se apagaban las luces y la rabia o el miedo les impedían dormir, las mujeres se pasaban el rato hablando en voz baja de sus cosas y, de este modo, Camelia y Dahiba empezaron a conocer poco a poco a sus compañeras de celda, unas pobres proscritas a las que se les negaba el amparo de la justicia legal por el simple hecho de ser mujeres.

A través de sus relatos, las mujeres Rashid averiguaron que la ley ejecutaba a una mujer que matara a un hombre, aunque lo hiciera en legítima defensa, pero raras veces se molestaba en detener tan siquiera a un hombre que hubiera matado a una mujer en defensa de su propio honor.

La ley perseguía a la prostituta, pero jamás al hombre que solicitaba sus servicios.

La ley cerraba los ojos ante el hombre que abandonaba a su mujer y su familia, pero castigaba a la mujer abandonada por robar comida para alimentar a sus hijos.

La ley era muy dura con una esposa que abandonara a su marido, pero reconocía al marido el derecho de abandonar a su mujer cuando quisiera y sin previa advertencia ni obligación de mantenerla.

La ley establecía que, cuando una niña cumplía nueve años y un niño cumplía siete, éstos pasaban a convertirse en propiedad legal de su padre aunque éste ya no estuviera casado con su madre, otorgándole su custodia y reconociéndole el derecho de no permitir que la madre volviera a verlos jamás.

La ley permitía que un hombre golpeara a su mujer o utilizara cualquier otro medio para someterla.

De las seis mujeres que compartían la celda con las Rashid, cinco eran analfabetas, jamás habían oído hablar del feminismo y no acertaban a imaginar por qué razón aquellas dos actrices cinematográficas estaban allí.

«Qué arrogancia poseen los hombres –leyó Ibrahim en voz alta– al ejercer su dominio sobre nosotras. Una arrogancia que, combinada con su ignorancia, los convierte en unos matones. Un niño, cuando se siente impotente, se abalanza sobre la víctima inocente que tiene más cerca. Lo mismo hacen los hombres. Un ejemplo es el marido que golpea a su mujer por el hecho de haberle dado sólo hijas. Sin embargo, el sexo de un hijo lo determina el esperma del marido y no el óvulo de la mujer; por consiguiente, el culpable de que no tenga hijos es el marido. ¿Se enoja éste consigo mismo? Ni hablar, vuelca sus sentimientos de cólera e impotencia sobre la inocente.»

Ibrahim dejó el periódico.

Amira se levantó y se acercó a los peldaños de la glorieta en la que ambos se encontraban, deteniéndose allí para contemplar el jardín cuyos árboles ya eran viejos cuando ella llegó a aquella casa sesenta y cinco años atrás.

Cerró los ojos, aspiró las exóticas fragancias que llenaban el aire y pensó: «Mi nieta es muy valiente».

–¿Por qué nunca se me dijo nada de todo esto? –preguntó, volviéndose para mirar a Ibrahim. Ambos se encontraban solos en la glorieta, pues los restantes miembros de la familia o bien se habían desplazado a la cárcel en un intento de pasarles dinero y comida a Camelia y Dahiba o bien estaban recorriendo los intrincados laberintos burocráticos de El Cairo para tratar de conseguir la liberación de sus parientes–. ¿Cómo ha podido ocurrir todo esto sin que yo me enterara?

–Madre –contestó Ibrahim, reuniéndose con ella bajo el rosal que formaba la entrada de la glorieta–. Mi hija pertenece a una nueva generación de mujeres. No las entiendo, pero están dejando oír su voz.

–¿Y tú tuviste miedo de hablarme de estos escritos? Ibrahim, cuando yo era joven no tenía voz ni voto y me trataban como si fuera un objeto sin inteligencia ni alma. En cambio, mi hija y mi nieta tienen un valor que me llena de orgullo. Y ahora háblame de este hombre que fue detenido con Camelia. ¿Dónde está?

–No lo sé, madre.

–Búscalo. Tenemos que averiguar qué ha sido de él.

El rumor de las llaves en el pasillo las despertó bruscamente de su siesta. Después, el rostro de la carcelera apareció en la pequeña abertura de la sólida puerta de hierro. Como no era la hora de la comida ni la de los ejercicios, las mujeres se pusieron de inmediato en estado de alerta. A veces, se llevaban a una reclusa sin previo aviso y jamás la devolvían ni se volvía a saber de ella. La puerta chirrió al abrirse y la carcelera, una rechoncha mujer con los rasgos típicos de una *fellaha*, vestida con un manchado uniforme, les dijo a Camelia y Dahiba:

–Vosotras dos. Venid conmigo.

Dahiba tomó a Camelia de la mano mientras abandonaban la celda y las otras mujeres les gritaban:

–¡Buena suerte! ¡Que Alá os acompañe!

Para su gran asombro, las condujeron a una celda del final del pasillo, lo suficientemente grande como para albergar a cuatro personas, pero vacía y con dos camas pulcramente hechas, una mesa, unas sillas y una ventana desde la cual se veían las palmeras y los verdes prados.

–Ésta es vuestra nueva habitación –dijo la carcelera.

–¡Gracias a Alá, la familia nos ha localizado! –exclamó Camelia.

Unos minutos después la carcelera entró con cestas de comida, ropa, sábanas, artículos de aseo, material de escritorio y un ejemplar del Corán. Dentro del Corán había un sobre lleno de billetes de diez y cincuenta piastras y una carta de Ibrahim.

Como la comida era excesiva para ellas dos, Dahiba eligió una hogaza de pan, queso, pollo frío y algunas piezas de fruta, se volvió hacia la carcelera y, entregándole un billete de cincuenta piastras, le dijo:

–Por favor, repártelo entre las mujeres de la otra celda. Y comunica a mi familia que estamos bien.

Una vez ya solas, leyeron la carta de Ibrahim. Hakim Rauf, decía, también había sido detenido, pero no había sufrido daños y el abogado señor Shoukri ya había iniciado los trámites para su pronta liberación.

Nadie sabía qué había sido de Yacob Mansur, detenido en compañía de Camelia.

Los miembros de la familia empezaron a montar guardia en la cárcel adonde llegaban cada día poco después de la puesta del sol, aparcando junto a la puerta en la esperanza de poder entrar y ver a Camelia y Dahiba. De vez en cuando, algún administrador de la prisión permitía la entrada de Amira o Ibrahim y entablaba con ellos un cortés diálogo lleno de disculpas («No está permitido visitar a las presas políticas») y de seguridades de que al día siguiente quizá habría mejores noticias, *inshallah*.

Ibrahim y Omar trabajaban sin descanso para la liberación de

Dahiba y Camelia, recorriendo despachos oficiales, solicitando favores y reuniéndose con hombres influyentes en cafés o en sus domicilios particulares. Puesto que no habían sido detenidas por delitos comunes, para los cuales existían unas normas y unos procedimientos muy concretos y precisos, sino por confusos motivos políticos, la defensa tenía que moverse en terrenos mucho más peligrosos. Hacer una petición en su favor colocaba al interesado en una situación arriesgada; todo el mundo conocía casos de abogados que habían presentado peticiones de libertad en favor de presos políticos y habían acabado ellos mismos en la cárcel. Los más temerosos, le decían a Ibrahim:

–*Bokra*. Vuelve mañana.

Otros comprendían su apuro, pero tenían miedo y le decían:

–*Ma'alesh*. Lo siento. No puedo.

Y los que no veían el menor provecho en la tarea de echar una mano a los Rashid, se encogían de hombros diciendo:

–*Inshallah*. Resígnate. Es la voluntad de Alá.

Incluso Nabil al-Fahed, el acaudalado anticuario que tantos amigos tenía entre los altos funcionarios del Estado, se había vuelto sospechosamente escurridizo tras la detención de Camelia.

Al parecer, para sacar a Dahiba y Camelia de la cárcel, tendría que ocurrir un milagro.

Amira se dispuso a dirigir los rezos de las mujeres, las cuales extendieron unas pequeñas alfombras sobre el agrietado pavimento del párking de la cárcel y se arrodillaron de cara a La Meca. A pesar del calor de octubre, las veintiséis mujeres Rashid, con edades comprendidas entre los doce y los ochenta años, efectuaron las inclinaciones en perfecta sincronía; dos vestían atuendos islámicos, Amira llevaba la tradicional *melaya* negra y las demás vestían faldas, blusas y prendas occidentales. La hija mayor de Omar y Nala se arrodilló con pantalones vaqueros y una camiseta Nike.

Una vez finalizada la plegaria, las mujeres regresaron a sus automóviles, sillas y parasoles, reanudando sus labores de calceta, sus deberes escolares o sus chismorreos mientras Amira se acomodaba en la silla colocada bajo un álamo con los ojos clavados en los siniestros muros amarillos de la cárcel. Aquél era el cuadragésimosexto día del encarcelamiento de su hija y su nieta.

De pronto, vio el vehículo de su hijo acercándose al párking.

–He localizado a Mansur –dijo Ibrahim en voz baja para que los demás no le oyeran–. Está en la cárcel que hay junto a la carretera de salida de la ciudad. La misma donde yo estuve en 1952.

Amira se levantó y extendió la mano hacia su hijo.

–Llévame allí –dijo–. Quiero hablar con él.

Camelia estaba indispuesta. Tendida en la cama, procuraba reprimir las náuseas mientras evocaba con estremecedora claridad el antiguo brote de cólera. Aunque había evitado cuidadosamente la comida de la cárcel, no había tenido más remedio que beber el agua que les llevaban cada día en un cubo. No había posibilidad de hervirla, pues las cerillas estaban prohibidas, y las manos de la *fellaha* nunca estaban limpias.

Dahiba se sentó junto a la cama y tocó la frente de su sobrina.

–Estás ardiendo –le dijo, mirándola con inquietud sin poder quitarse de la cabeza la epidemia de cólera que había sufrido su familia en otros tiempos.

–Cualquier cosa que sea –dijo Camelia con un hilillo de voz–, ¿por qué no la has pillado tú también?

–Debiste comer algo que yo no comí. Algo picante que te ha revuelto el estómago. Estoy segura de que no será nada...

Camelia se inclinó súbitamente hacia un lado y vomitó.

Dahiba corrió a la puerta y llamó a gritos a la carcelera.

–¡Necesitamos un médico! ¡En seguida!

La mujer se acercó presurosa, esperando el *bakshish*, la propina. Miró a Camelia y dijo con aspereza:

–El médico no visita las celdas. Es un hombre importante. Tendré que llevársela yo a la enfermería.

Mientras ayudaba a Camelia a cruzar la puerta, la carcelera empujó a Dahiba hacia el interior de la celda.

–Tú te quedas aquí –dijo.

El director de la cárcel de hombres de la carretera de Ismailía era más tolerante y permitía que los presos recibieran visitas bajo determinadas condiciones. En el caso de Yacob Mansur, las condiciones fueron una generosa recompensa por parte de Ibrahim Rashid.

Amira le pidió a su hijo que permaneciera en el despacho del director. Un guarda la acompañó a una mugrienta estancia con mesas y sillas cuyas paredes estaban llenas de signos árabes que ella no pudo descifrar.

Al oír que abrían la puerta, se volvió y vio a un hombre pálido y demacrado que caminaba renqueando con los pies descalzos e iba atado de pies y manos. Cuando los carceleros le empujaron de cualquier manera hacia la otra silla, Amira se quedó estupefacta.

Tenía el rostro magullado y lleno de cortes y las heridas se le estaban empezando a infectar; cuando el hombre abrió la boca para hablar, Amira observó que le habían hecho saltar dos dientes. Las lágrimas asomaron inmediatamente a sus ojos.

–*Sayyida* Amira –dijo el hombre con voz chirriante, como si tuviera la boca reseca o hubiera gritado demasiado–. Me siento muy honrado. La paz de Alá sea contigo.

–¿Me conoces? –preguntó Amira.

–Sí, te conozco, *sayyida* –contestó el hombre en un susurro–. Camelia me habló de ti. Os parecéis y veo en tus ojos la misma fuerza que en los de Camelia. Perdona –añadió, entornando los ojos–, me quitaron las gafas.

–Te han maltratado –dijo Amira.

–Por favor, ¿qué sabes de Camelia? ¿Sabes si se encuentra bien? ¿La han puesto en libertad?

Amira se sorprendió de sus gentiles modales y de la dulzura que reflejaban sus ojos a pesar de sus sufrimientos. Le miró las manos y vio la quemadura de un cigarrillo en una muñeca; en los bordes exteriores se observaban unos restos de tatuaje.

–Mi nieta se encuentra en la cárcel de al-Kanatir –contestó–. Estamos intentando sacarla de allí.

–Pero ¿la han tratado bien?

–Sí. Nos escribe notas y nos dice que está bien. Ha... preguntado por ti.

–Tu nieta es muy valerosa e inteligente, *sayyida* –dijo Mansur, encorvando la espalda–. Quiere corregir las injusticias de este mundo. Sabía que estaba haciendo algo muy peligroso y, sin embargo, decidió hablar. Amo a Camelia, *sayyida*, y ella me ama a mí. Queremos casarnos. En cuanto...

–¿Cómo puedes hablar de matrimonio si lo que le ofreces a mi nieta es una vida de peligros y de temor a las detenciones y a la policía? Y además tú eres cristiano, Mansur, y mi nieta es musulmana.

–Me han dicho que tu propio hijo se casó con una cristiana.

–Es cierto.

Yacob ladeó la cabeza.

–¿Acaso no somos todos Pueblos del Libro, *sayyida*? ¿Acaso no somos primero árabes y después egipcios? Tu profeta, la paz sea con él, habló de mi Señor en el Corán. Y nos relata cómo el ángel se apareció a María y le dijo que ella, que jamás había conocido varón, concebiría muy pronto un hijo que sería llamado Jesús, el Mesías. Si tú crees lo que está escrito en el Corán, *sayyida*, ¿acaso no creemos todos lo mismo?

Amira hizo una pausa en cuyo transcurso oyó los distantes rumores de la cárcel..., una puerta cerrándose ruidosamente de golpe, unos hombres riéndose, un grito enfurecido.

–Sí, Yacob Mansur –contestó Amira–. Así es, en efecto.

Dahiba paseaba arriba y abajo en la celda, deteniéndose de vez en cuando para prestar atención por si podía oír los pasos de Camelia.

Cuando al final apareció una carcelera, se extrañó de que no fuera la misma *fellaha* de siempre, sino una mujer a la que jamás había visto.

–¿Cómo está mi sobrina? –preguntó alarmada.

–Recoge tus cosas –dijo la carcelera, consultando con gesto impaciente su reloj.

–¿Adónde me llevas? ¿Es que se va a celebrar el juicio?

–No habrá juicio. Eres libre de irte.

Dahiba la miró fijamente.

–¡Libre de irme!

–Por orden del presidente. Se os ha concedido la amnistía.

–¡Pero si fue Sadat quien precisamente nos mandó detener! ¿Por qué nos concede ahora la amnistía?

La mujer la miró con expresión sorprendida.

–Pero ¿es que nadie te lo ha dicho? ¡Sadat fue asesinado hace cinco días! Ahora hay un nuevo presidente llamado Mubarak que ha concedido la amnistía a todos los presos políticos.

Recogiendo rápidamente sus cosas mientras algunas se le caían al suelo en su prisa por salir de allí antes de que la carcelera o Mubarak cambiaran de opinión, Dahiba chocó con Camelia, que regresaba de la enfermería.

–¿Cómo estás? –preguntó Dahiba, arrojando un hato de ropa a los brazos de su sobrina–. ¿Qué te ha dicho el médico? ¿Por qué estás indispuesta?

–Tía, ¿qué es lo que ocurre?

–¡Nos han concedido la libertad! ¡Date prisa antes de que se arrepientan y digan que ha sido un error!

Al salir, vieron a toda la familia esperándolas. Las perplejas tía y sobrina fueron acogidas con vítores y aplausos.

–¡Hakim! –gritó Dahiba, corriendo hacia su marido–. Santo cielo, ¿cómo estás?

Amira abrazó a Camelia, murmurando entre lágrimas:

–Alabado sea Alá en su misericordia.

Al ver que Zeinab se acercaba a su madre, Dahiba dijo:

–Camelia no se encuentra bien. Tenemos que llevarla al médico en seguida.

–No, me encuentro perfectamente –dijo Camelia–. ¡Lo que ocurre es que estoy embarazada! ¡*Umma*, aquellos médicos de años atrás se equivocaron! ¡Puedo tener hijos!

Las mujeres la miraron escandalizadas. Después, en medio de un profundo silencio, todos los ojos se posaron en Amira. Ésta tomó las manos de Camelia, diciendo:

–A cada cual el destino que Alá le concede, nieta de mi corazón. Hágase su voluntad, *inshallah*.

–*Umma*, hay un hombre, Yacob Mansur...

Justo en aquel momento, el automóvil de Ibrahim entró rugiendo en el párking y se detuvo en medio de un chirrido de neumáticos. Al ver a Yacob, más delgado, con barba y con la cara llena de cicatrices, Camelia corrió hacia él riendo y llorando a la vez.

–Pero ¿cómo estás aquí? –le preguntó.

–Gracias a tu padre. De no haber sido por él, hubiera podido morir en la cárcel.

–Nos vamos a casar, *Umma* –anunció Camelia.

Mientras todos los rodeaban para felicitarlos, Amira dio silenciosamente gracias a Alá y dedicó un pensamiento a su otra nieta, Yasmina, rezando para que, dondequiera que estuviera, ella también hubiera encontrado la felicidad y el amor.

Séptima parte

1988

39

El LandCruiser Toyota avanzó velozmente por el camino sin asfaltar que discurría paralelo a la acequia, asustando a las cabras y las gallinas y levantando una roja nube de polvo. Las *fellahin* que se encontraban a la orilla del río colocándose unas altas jarras sobre la cabeza se volvieron al paso del conocido vehículo con el despintado logotipo de la Fundación Treverton apenas visible en las portezuelas. Al ver con cuánta velocidad conducía el nubio Nasr, las mujeres pensaron: «Será una urgencia para el doctor».

En la galería de su pequeña vivienda que daba a los verdes campos y a las azules aguas del Nilo, el doctor Declan Connor oyó el rumor del vehículo acercándose mientras terminaba de aplicar unos puntos de sutura y un vendaje al pie de un hombre que se había hecho un corte con un azadón. Ambos se volvieron mientras el Toyota se acercaba a ellos rugiendo por el camino. Cuando el *fellah* vio el polvo que levantaba el vehículo de tracción en las cuatro ruedas, exclamó:

–¡Por mis tres dioses, Su Presencia! ¡Éste tiene prisa por llegar cuanto antes al Paraíso!

El Toyota se detuvo en medio de un chirrido de neumáticos y el negro y sudoroso rostro de Nasr asomó entre el polvo que ya se estaba volviendo a posar en el suelo.

–¡Ya llega el avión, saíd! –gritó el nubio, esbozando una sonrisa–. *Al hamdu lillah!*, ¡Ya han llegado finalmente los suministros!

–¡Gracias a Dios! ¡Corre a la pista de aterrizaje! ¡No permitas que nadie ponga las manos en el cargamento!

Nasr aceleró la marcha del motor y el Toyota se alejó velozmente por el camino sin asfaltar.

–Bueno, Muhammad –dijo Connor–, eso ya está. Procura que no se te ensucie el pie.

Entrando en la casa para recoger el sombrero que había colgado de un gancho al lado de un calendario con todos los días marcados, Connor observó que la X de aquel día indicaba que faltaban exactamente once semanas para su despedida de Egipto y del ejercicio de la medicina.

Mientras rodeaba la casa por la parte de atrás donde otro Land-Cruiser se encontraba estacionado, el *fellah* se le acercó cojeando y le preguntó con una sonrisa:

–¿Va a llegar hoy el nuevo ayudante? A lo mejor, esta vez será una bonita enfermera, Su Presencia. Con un trasero muy gordo.

Connor se rió sacudiendo la cabeza.

–Se terminaron las enfermeras, Muhammad –dijo, subiendo al Toyota–. Ya he aprendido la lección. Esta vez me han prometido un médico. Mi sustituto. El hombre que se hará cargo de todo eso cuando yo me vaya.

Jasmine se preguntó si se habría mareado a causa del turbulento vuelo del aparato o si todavía no estaría plenamente restablecida.

El médico de Londres ya le había dicho que todavía era demasiado pronto para viajar, pero, sabiendo que finalmente podría volver a trabajar con el doctor Connor, Jasmine decidió hacer el viaje sin pérdida de tiempo. Se había jurado a sí misma no regresar jamás a Egipto, pero, durante su recuperación en un hospital de Londres tras haber caído enferma en Gaza, un representante de la Fundación la visitó, explicándole que necesitaban a un médico con conocimientos de árabe para trabajar como ayudante del doctor Connor en el Alto Egipto. Y entonces ella se ofreció a ocupar el puesto.

Se le antojaba muy extraño viajar a bordo de aquel bimotor y sobrevolar a baja altura los fértiles campos y las acequias donde los búfalos hacían girar incesantemente las norias con los ojos vendados para que no se marearan; le parecía raro volar en una moderna máquina sobre una tierra antigua e infinita a la vez y tenía la impresión de estar viajando en una alfombra mágica sobre las minúsculas aldeas con sus pequeñas cúpulas y sus alminares... sin formar parte de nada de todo aquello. Al llegar al aeropuerto internacional de El Cairo, pensó que iba a experimentar una especie de sacudida psicológica o tal vez una recaída mental en la furia y la depresión. Y, cuando puso los pies en la pista y aspiró la primera bocanada de aire egipcio después de veintiún años de ausencia, se preparó para recibir un impresionante golpe espiritual.

Pero no sucedió nada. Corrió con los demás pasajeros hacia el control de aduanas y la cinta de los equipajes como si se encontrara en cualquier aeropuerto del mundo y se dispusiera a enlazar con otro vuelo. Aun así, se sintió ligeramente aturdida, como si se encontrara en la cama y estuviera soñando cosas raras. Tenía la sensación de que, si se mirara a un espejo, descubriría que era transparente.

Eran los efectos de la medicación, pensó, combinados con los efectos de la enfermedad que ya estaba tocando a su fin, pero todavía influía en su mente. ¿Por qué otra razón hubiera imaginado, dos horas después de despegar del mismo aeropuerto a bordo de aquel pequeño aparato, que era un fantasma flotando sobre El Cairo? Miró hacia abajo y vio el desierto, el verdor de la vegetación y después, a lo lejos, la ciudad en la que había nacido y había muerto tras recibir una maldición. Y se le ocurrió pensar que había dado un largo rodeo para regresar finalmente allí y encontrarse en las nubes en compañía de los pájaros y los ángeles y los fantasmas de los muertos.

¿He regresado?, se preguntó mientras percibía la súbita vibración del bimotor De Havilland. ¿De veras he vuelto? ¿O no es más que una alucinación provocada por la enfermedad? En Londres, entre el ardor de la fiebre, había imaginado que se encontraba de nuevo en la sala de autopsias de la facultad de Medicina disecando por una extraña razón el cadáver de Greg.

Era un día de febrero más bien fresco, pero ella tenía calor. Tomando el periódico que había comprado en el aeropuerto y cuyo titular de primera plana decía: LLEGA EL NUEVO EMBAJADOR DE LA ADMINISTRACIÓN BUSH, Jasmine empezó a abanicarse. Previamente había echado un vistazo a sus páginas, leyendo los editoriales, las críticas de las películas y una novedad: los anuncios por palabras de mujeres solteras que buscaban pareja para casarse. Los anuncios especificaban los datos acostumbrados, es decir, la edad, la educación y la familia, pero incluían también una sutil discriminación relativa al color, pues las mujeres se describían a sí mismas en orden decreciente de calidad desde el color blanco y «trigueño» hasta el aceitunado y, finalmente, el negro. En la primera plana se publicaba un reportaje sobre un joven que había viajado al extranjero con una beca de estudios y que, al regresar a casa, había descubierto un frasco de medicamento en el dormitorio de su hermana soltera. Al decirle un farmacéutico que aquello era un abortivo, el joven había matado a su hermana. La autopsia había revelado que la muchacha no sólo no estaba embarazada sino que seguía siendo virgen. Después se supo que la víctima tenía algunos problemas menstruales y que el farmacéutico de su barrio le había facilitado aquel «remedio». El defensor había afirmado en el juicio por asesinato que su cliente era inocente, alegando que el móvil había sido la defensa del honor de la familia, razón por la cual el joven había sido absuelto del delito que se le imputaba.

Jasmine apartó a un lado el periódico y contempló el panorama que se divisaba a través de la ventanilla..., el gran océano amarillo del desierto, dividido en dos por la brillante franja verde del valle del Nilo. La línea divisoria entre el desierto y la vegetación era tan nítida que, desde el aire, daba la impresión de que una persona hubiera podido permanecer con un pie en la tupida hierba y otro en la arena. Jasmine se vio a sí misma de la misma manera, dividida en dos y deseando por un lado regresar a Egipto y, por otro, temiendo hacerlo. Había tenido que hacer un enorme esfuerzo para distanciarse de su cruel pasado y de sus insoportables recuerdos. ¿El hecho de encontrarse de nuevo allí volvería a abrir las viejas heridas?

Sin embargo, no quería pensar en su familia de El Cairo ni en Hassan al-Sabir, el culpable de su exilio. Sólo quería pensar en Declan Connor. Habían transcurrido casi quince años desde que ambos terminaran la traducción del manual sanitario, y ahora volverían a trabajar juntos.

El piloto dijo algo sobre el trasfondo del rugido de los motores y, cuando el aparato empezó a perder altura, Jasmine vio unas cremosas dunas de arena, unas formaciones rocosas, un amasijo de ruinas que tal vez pertenecieran a una antigua necrópolis, un primitivo camino abierto en el desierto y, finalmente, un cobertizo, una manga eólica y una pista de aterrizaje.

Después vio dos vehículos que, acercándose en medio de una nube de arena y brincando sobre el áspero camino, se detenían al final de la pista donde no había más que un cobertizo de radiocomunicaciones y un letrero despintado que decía AL-TAFLA en árabe y en inglés. A continuación, los conductores de los Toyota descendieron de los vehículos y corrieron hacia el aparato, sujetándose los sombreros con las manos mientras el avión se iba aproximando a ellos. Vestían prendas de color caqui y llevaban sombreros de ala ancha. Un negro nubio y un inglés con la cara requemada por el sol. ¡Connor! El corazón de Jasmine empezó a galopar.

Cuando el aparato se detuvo, ambos hombres se acercaron corriendo y un *fellah* vestido con una *galabeya* salió del cobertizo de comunicaciones y llamó por señas a unos beduinos vestidos de negro que estaban sentados con sus camellos a la sombra de una enorme roca.

–*Al hamdu lillah*! –le gritó Connor al piloto, el cual agitó la mano a través de la ventanilla abierta de la cabina–. *Salaamat!*

–*Salaamat*! –contestó el hombre.

Como Nasr, el piloto trabajaba para la Fundación Treverton, volando con su aparato hasta remotas zonas desérticas o hasta las más alejadas regiones del Alto Nilo siempre que se necesitaban suministros médicos o personal.

Mientras el nubio abría la escotilla posterior de carga, Connor ayudó al *fellah* a calzar las ruedas y sujetar el aparato. Después se dirigió a la portezuela del pasaje, rezando para que su sustituto se encontrara a bordo. Al ver salir a una mujer vestida con camiseta y pantalones vaqueros y con el largo cabello rubio recogido en una sedosa cola de caballo, frunció el ceño. De pronto, abrió enormemente los ojos con expresión de sorpresa.

–¿Jasmine?

–Hola, doctor Connor –dijo ella, saltando al suelo–. No sabe cuánto me alegro de volver a verle.

–Dios mío –exclamó Connor, estrechando su mano–. ¡Jasmine Van Kerk! ¿Qué demonios está usted haciendo aquí?

–¿No le dijo la oficina de Londres que yo iba a venir?

–Me temo que las comunicaciones en esta apartada región del Nilo no son muy de fiar. ¡Supongo que recibiré la noticia de su llegada dentro de una o dos semanas! ¡Eso es fantástico! ¿Cuánto tiempo llevábamos sin vernos?

–Seis años y medio. Nos vimos por última vez en Nevada, en el emplazamiento de pruebas, ¿no lo recuerda?

–¿Cómo hubiera podido olvidarlo? –dijo Connor, sosteniendo un instante su mano en la suya. Después añadió–: Bueno pues, será mejor que procedamos al traslado del cargamento. Espero que hayan enviado las vacunas antipolio que les pedí.

Mientras Connor se adelantaba para ayudar a Nasr a cargar en uno de los Toyota las cajas de aluminio con la etiqueta de la Organización Mundial de la Salud, Jasmine se volvió hacia el este en dirección al Nilo, cerró los ojos y percibió la sensación del aire fresco en el rostro. Se encuentran a ochocientos kilómetros de distancia, pensó. Están en la lejana El Cairo; no pueden hacerme daño.

Al final, Connor regresó y le preguntó:

–¿Ése es todo su equipaje?

–Sí, sólo esta maleta.

Connor la colocó en la parte posterior del segundo Toyota y dijo:

–Será mejor que regresemos. Tenemos que colocar estas vacunas en el frigorífico.

Jasmine tuvo que agarrarse al salpicadero cuando Connor pisó el acelerador y el vehículo de tracción en las cuatro ruedas derrapó en la arena y se alejó velozmente de la pista de aterrizaje. Al llegar a un camino muy mal asfaltado que discurría entre las dunas de arena, Connor dijo:

–O sea que ha regresado finalmente a Egipto. Si no recuerdo mal, la idea no le hacía demasiada gracia. Su familia se habrá alegrado mucho de verla.

–No saben que estoy aquí. No me detuve en El Cairo.

–Ah, ¿no? La última vez que la vi se dirigía usted al Líbano. ¿Qué tal fue aquello?

–Decepcionante. Después me destinaron a los campos de refugiados de Gaza y todavía fue peor. Al parecer, el mundo se ha olvidado de los palestinos.

–Al mundo le importan un bledo muchas cosas.

Jasmine miró a Connor sorprendida. Aunque todavía conservaba el acento británico y hablaba con la misma vehemencia de siempre, se advertía en su voz un insólito filo cortante. Físicamente, Connor también había cambiado, pensó Jasmine contemplando su perfil sobre el telón de fondo del amarillo desierto sin árboles. Daba la impresión de que por él hubieran pasado más de siete años desde la última vez que ella le había visto. Como si, durante aquel tiempo, la vida le hubiera tratado con mucha dureza. Connor siempre había sido alto y delgado, pero ahora su delgadez era más acusada y tanto los pómulos como la mandíbula estaban más perfilados que antes. Seguía conservando la intensidad, la energía y la contagiosa vitalidad de antaño. Pero ahora se percibía por debajo de ellas una corriente subterránea de cólera.

–No sabe lo que me alegro de volver a verla, Jasmine. Y de que haya decidido venir aquí. He tenido muchos quebraderos de cabeza con el personal. Londres me sigue enviando mujeres solteras y yo siempre acabo enviándolas de nuevo a casa. No es que causen problemas, usted ya me entiende, pero bueno, ya sabe cómo son las *fellahin*. Las mujeres libres siempre son una fuente de dificultades.

–¿Y los hombres? –preguntó Jasmine sin saber si Connor hablaba realmente en serio o si eran sólo figuraciones suyas.

Observó también que Connor sujetaba con fuerza el volante como si quisiera domesticarlo.

–He tenido dos colaboradores varones –añadió Connor, entornando los ojos para protegerlos de la brillante luz del parabrisas con expresión casi de rabia–. El primero fue un estudiante de medicina egipcio que estaba haciendo las prácticas que exige el gobierno. Se pasó un mes tratando con desprecio a los *fellahin* y después se fue repentinamente, alegando falsos motivos de salud. El segundo era un entusiasta voluntario norteamericano que vino con la esperanza de convertir a los *fellahin* al cristianismo y yo le tuve que enviar a casa al cabo de una semana –Connor sacudió la cabeza–. La verdad es que no se lo reprocho. No es fácil tratar con los *fellahin*. Son como niños y hay que vigilarlos. A veces, creen que tomar un medicamento de golpe es mejor que tomarlo espaciado. Y que, si una vacuna es buena, cinco tienen que ser cinco veces más eficaces –enfilando con el Toyota un camino sin asfaltar que bordeaba el límite de la vegetación, Connor añadió–: El año pasado un *fellah* regresó de La Meca con agua sagrada y la echó en el pozo de la aldea, confiando en que fuera una bendición para todo el mundo. Resultó que el agua estaba infectada con el bacilo del cólera y estuvimos a punto de sufrir una epidemia regional, por lo que hubo que actuar con rapidez y vacunar a todos los habitantes de la zona. Lo malo es que a esta gente le aterran las inyecciones y hacen cualquier cosa por evitarlas. Un desgraciado que no le tenía miedo a la aguja vio en ello un medio fácil de ganar dinero. A cambio de una tarifa, ocupaba el lugar de otros hombres en la cola de la clínica móvil. Le administramos veinte vacunas del cólera antes de darnos cuenta, pero para entonces él ya había muerto.

Jasmine bajó la luna de su ventanilla y percibió en las mejillas el fresco y seco aire del desierto. Respiró hondo para aclararse la cabeza. Todo aquello le parecía demasiado..., encontrarse de nuevo en Egipto y volver a estar con Connor.

–En tal caso, me alegraré de poder ayudarle –dijo.

–No ha venido usted aquí para ser simplemente mi ayudante, Jasmine. Es usted mi sustituta.

–¿Su sustituta?

–Pero ¿es que no se lo han dicho? Va usted a ocupar mi lugar cuando yo me vaya.

–No, no me lo han dicho. ¿Cuándo se va?

–Lo siento, pensé que ya lo sabía. Me voy dentro de once semanas. La Knight Pharmaceuticals de Escocia me ha ofrecido el puesto de director de su subdivisión de Medicina Tropical.

–¡Escocia! ¿Será un trabajo de investigación y desarrollo?

–Puramente administrativo. Un trabajo burocrático de nueve a cinco. Se acabaron los pacientes y los hospitales de campaña donde hay que colocar a dos personas en una misma cama. Le seré sincero, Jasmine, estoy harto de intentar ayudar a personas que no quieren ayudarse a sí mismas. También estoy cansado del sol y de las palmeras. Casi todo el mundo sueña con retirarse a vivir en los trópicos. Yo, en cambio, me voy a un lugar donde siempre llueve y abunda la niebla.

Jasmine le miró fijamente.

–¿Y su esposa? ¿Qué hará ella?

Connor asió con fuerza el volante mientras circulaba velozmente por la carretera del desierto.

–Sybil murió hace tres años en Tanzania.

–Oh, cuánto lo siento.

Jasmine volvió el rostro hacia la ventanilla y cerró los ojos, aspirando el vigorizante aire que ya estaba empezando a transportar las húmedas fragancias del barro, la hierba y el río. Declan estaba enojado; se le notaba en los nudillos y en el tono de su voz. Pero enojado, ¿por qué y contra quién?

Dejaron atrás el desierto y empezaron a circular entre campos de trigo y alfalfa invernales, vigilados por unos andrajosos espantapájaros y unos *fellahin* que, inclinados sobre los azadones y con las *galabeyas* recogidas hacia arriba, interrumpieron su labor para saludar alegremente con la mano el paso del vehículo.

–¿Cómo está su hijo David? –preguntó Jasmine.

–Ahora tiene diecinueve años y estudia en un colegio universitario de Inglaterra. Un chico muy inteligente. Me asombra que haya salido tan bien con la educación tan rara que ha tenido. Pero tengo intención de compensarle. En cuanto me instale en mi nuevo trabajo, me lo llevaré a casa y saldremos juntos a pescar truchas.

–Habla usted como si quisiera dejar por entero la Fundación.

–En efecto. Quiero dejarlo todo. Se acabaron las visitas domiciliarias.

Mientras el vehículo brincaba sobre la carretera entre campos de altas cañas de azúcar, pasaron junto a un viejo montado a mujeriegas en un asno al que arreaba con un bastón. El anciano levantó la mano a modo de saludo y preguntó en árabe:

–¿Es su nueva novia, señoría? ¿Cuándo será la noche de bodas?

A lo cual Connor contestó:

–¡*Bokra fil mishmish*, Abu Aziz!

El viejo se echó a reír.

–*Bokra fil mishmish* –musitó Jasmine, pensando en Zacarías, que por primera vez la había llamado *mishmish*, mientras se preguntaba qué habría sido de él. En la única carta que le había escrito, Amira le decía que Zacarías se había ido en busca de Sahra, la cocinera. ¿Por qué? ¿Qué tenía él que ver con ella?

Declan dijo casi hablando para sus adentros:

–Mañana, cuando florezcan los albaricoqueros. Una bonita manera de decir: «No te metas en lo que no te importa».

Jasmine observó la tensión de su cuello y su mandíbula. Hubiera querido preguntarle cómo había muerto Sybil.

–Parece que su árabe ha mejorado mucho, doctor Connor.

–Me he dado mucha maña. Recuerdo cómo se burlaba usted de mi acento cuando traducíamos el manual.

–Confío en que no se ofendiera.

–¡En absoluto! Me gusta su forma de reírse –Connor la miró brevemente, pero en seguida apartó los ojos–. Mi acento era realmente atroz. Pese a ello, siempre se me dio mejor hablar el árabe que leerlo o escribirlo. El hecho de haber nacido en Kenia y haberme criado hablando el swahili, idioma fuertemente influido por el árabe, siempre fue una ventaja. Es un idioma muy hermoso. ¿No dijo usted una vez que el árabe sonaba como el agua que fluye sobre las rocas?

–Sí, es cierto. Pero era simplemente una cita de otra persona. ¿O sea que sigue usted recitando los nombres de los músculos cuando reza la acción de gracias?

Connor se rió y a Jasmine le pareció que se relajaba un poco y volvía a ser en parte el mismo de antes.

–Conque se acuerda de eso, ¿eh? –dijo.

«Me acuerdo de muchas cosas de aquellos meses que pasamos haciendo la traducción», hubiera querido contestar Jasmine. «Y me acuerdo especialmente de nuestra última noche juntos, cuando estuvimos a punto de besarnos.»

Llegaron a las afueras de la aldea donde unas achaparradas edificaciones de adobe miraban a las vías del tren. Muchas de las viviendas tenían las puertas pintadas de azul o unas huellas de manos aplicadas con pintura azul, el símbolo de la buena suerte de Fátima, la hija del Profeta. Algunas fachadas mostraban dibujos de barcos, aviones y automóviles para indicar que el afortunado ocupante había realizado la peregrinación a La Meca y casi todas las casas estaban adornadas con el nombre de «Alá» escrito en complicados caracteres para alejar a los *yinns* y evitar el mal de ojo. Mientras pasaban por delante de mujeres de pie en las puertas de sus casas y de ancianos sentados en los bancos para ver pasar el tiempo, aspirando los conocidos aromas de las alubias fritas con aceite, el pan cocido en los hornos y las boñigas puestas a secar en los tejados, Jasmine sintió que sus veintiún años de ausencia empezaban a caer poco a poco como los pétalos de una flor. Centímetro a centímetro, Egipto le estaba volviendo a penetrar en los huesos, la sangre y los músculos. ¿Qué iba a ocurrir, se preguntó, cuando llegara al corazón?

Tras despedirse de Nasr, que se estaba alejando en otra dirección, Connor se dirigió con el LandCruiser hacia el extremo sur de la aldea donde un camino de tierra más ancho permitía el paso de carros tirados por asnos y camellos cargados con cañas de azúcar.

–Primero quiero enseñarle la residencia de la Fundación.

Pasaron por delante de un cartel que decía: CADA VEINTE SEGUNDOS NACE UN NIÑO. Lo había colocado la Asociación de Planificación Familiar de El Cairo.

–Aquí está nuestro mayor problema. El crecimiento demográfico. Mientras la gente siga teniendo tantos hijos, jamás podremos derrotar la pobreza y la enfermedad. Y es un problema de alcance mundial, doctora, no un simple fenómeno del Tercer Mundo, donde la gente se reproduce sin el menor sentido de la responsabilidad. Un desarrollo equilibrado de la población significa una familia reducida, con un hombre, una mujer y dos hijos. ¿Para qué más? ¿Cómo se puede salvaguardar el futuro del planeta si las familias tienen más de dos hijos? –Connor señaló con la mano el cartel–. Eso no sirve de nada, por supuesto. La radio y la televisión pasan anuncios sobre el control de la natalidad cada media hora, pero la propaganda del gobierno no resulta demasiado eficaz, especialmente aquí, en el Alto Egipto, donde se producen niños con más rapidez de la que empleamos nosotros para vacunarlos. El año pasado, las clínicas de planificación familiar de todo Egipto repartieron cuatro millones de preservativos para controlar la natalidad, pero la gente acabó vendiéndolos como si fueran globos para los niños, puesto que un preservativo cuesta sólo cinco piastras, ¡mientras que un globo cuesta treinta!

Connor descendió por una callejuela lo bastante ancha como para permitir el paso de un asno con sus alforjas y salió a un espacio abierto donde Jasmine vio ante sus ojos la vasta extensión del Nilo bajo el anaranjado esplendor del ocaso. Mientras detenía el LandCruiser delante de una pequeña casa de piedra rodeada de plátanos, Connor dijo:

–Allí detrás está la clínica donde usted trabajará. Cuando yo me vaya, se trasladará usted a vivir a esta casa que es propiedad de la Fundación. Hay tres habitaciones, electricidad y una criada –hizo una momentánea pausa para mirar a Jasmine–. Me ha encantado volver a verla, Jasmine –añadió en tono más pausado–. Sólo lamento que no dispongamos de más tiempo para estar juntos antes de que yo me vaya. En fin –añadió, extendiendo el brazo hacia atrás para tomar la maleta de Jasmine–. La acompañaré a la clínica. Tenemos que dejar el vehículo aquí.

Mientras atravesaban la aldea, el sol poniente pareció inundar el día de mil tonalidades distintas y Jasmine contempló con deleite las fachadas pintadas de brillantes colores turquesa, amarillo limón y melocotón que alegraban la vista después del interminable color beige de las sencillas viviendas de adobe. Cuando llegaron a la clínica, escondida entre una minúscula mezquita encalada y una barbería, el sol ya se había ocultado tras las rojas colinas del otro lado del Nilo y en la calle se estaba congregando una muchedumbre, integrada sobre todo, según Jasmine pudo observar, por hombres, niños y ancianas. Jasmine sabía que las muchachas y las esposas jóvenes estaban encerradas en sus casas. Se habían colocado bancos y tiras de bombillas de colores, de las cuales colgaban lienzos de saludo escritos tanto en árabe como en inglés: BIENVENIDA LA NUEVA DOCTORA, AHLAN WAH SAHLAN (bancos instalados por cortesía del Café de Walid). Jasmine vio también unas grandes ollas de humeantes alubias, bandejas de hortalizas frescas y fruta, pirámides de hogazas de pan y enormes recipientes de cobre cuyo contenido Jasmine sabía que era de regaliz y zumo de tamarindo.

–Han organizado una recepción en su honor –dijo Connor mientras ambos se abrían paso entre la gente que miraba respetuosamente a la recién llegada. Al ver a las mujeres envueltas en las negras *melayas* y con los niños pegados a sus piernas y a los hombres vestidos con *galabeyas* y casquetes, Jasmine experimentó finalmente la sacudida que esperaba sentir en el aeropuerto de El Cairo. De pronto, se encontró de nuevo en El Cairo, recorriendo las viejas calles con Tahia, Zakki y Camelia, riéndose con ellos, comiendo bocadillos de *shwarma* y pensando que el futuro era una cosa que sólo les ocurría a los demás. Por un instante, se sintió aturdida y se comprimió la nuca con la mano.

Los habitantes de la aldea se apartaron tímidamente a su paso y la miraron sonriendo, aunque ella advirtió una cierta perplejidad en sus ojos. Un *fellah* con cuerpo de toro, vestido con una limpia *galabeya* de color azul, dio un paso al frente y les gritó a todos que se callaran.

–Bienvenida a Egipto, *sayyida* –dijo en inglés, volviéndose hacia la nueva doctora–. Bienvenida a nuestra humilde aldea que usted hace resplandecer con su honor. La paz y las bendiciones de Alá sean con usted.

Jasmine vio en sus ojos una expresión de desconcierto y oyó los murmullos de los aldeanos: ¿Qué es eso? ¿Al saíd lo va a sustituir una mujer? ¡Pero mira qué joven es! ¿Dónde estará su marido?

–Gracias, me siento muy honrada de estar aquí –contestó Jasmine. Todos la miraron con actitud expectante en medio de un silencio roto tan sólo por el rumor de los lienzos de bienvenida agitados por el viento. Jasmine contempló los rostros que la rodeaban y adivinó las preguntas que los aldeanos no se atrevían a hacerle. Buscando alguna manera de romper el recelo inicial, se volvió hacia una mujer que sostenía en brazos a una niña junto a la puerta de la clínica. Estaba claro que no era su madre, tratándose de una anciana cuyo cabello gris asomaba por debajo del negro velo. Al ver que Jasmine miraba a la chiquilla, la mujer la estrechó con fuerza contra sí y la cubrió con la *melaya*. Jasmine esbozó una sonrisa y le preguntó en árabe:

–¿Es tu nieta, *Umma*? Haces bien en esconderla porque es muy feúcha, la pobrecilla.

La mujer contuvo la respiración y los demás emitieron un jadeo de asombro.

–Me ha caído encima la desgracia de unos nietos muy feos, *sayyida*. Es la voluntad de Alá –contestó la anciana con un destello de respeto en los ojos.

–Tienes toda mi comprensión, *Umma* –después, Jasmine se volvió hacia Jalid, el portavoz de cuerpo de toro, y le dijo–: Con todo el debido respeto y honor, Jalid, te he oído decir que soy joven. ¿Cuántos años crees que tengo?

–¡Por mis tres dioses, *sayyida*! ¡Eres joven, muy joven! ¡Más joven que la menor de mis hijas!

–Jalid, cumpliré cuarenta y dos años cuando empiecen a soplar los *jamsins*.

469

Un murmullo se propagó entre la muchedumbre mientras Declan decía:

–Acompañaré a la doctora Van Kerk al interior de la clínica, Jalid. Ha tenido un viaje muy largo.

Jasmine le siguió a una pequeña sala de recepción con las paredes recién pintadas de blanco, apenas amueblada con un frigorífico Ideal, reliquia de los tiempos de Nasser, cuyo lema era «Compremos productos egipcios», un mapa del Oriente Próximo fechado de 1986 con el área de Israel indicada como «territorio palestino ocupado» y unos cuantos textos de medicina, entre ellos *Cuando usted es el médico*. El gigantesco nubio estaba guardando las últimas vacunas en el frigorífico. Al enderezar la espalda, pareció llenar con su figura todo el reducido espacio de la estancia.

–Bienvenida, doctora –dijo en un suave susurro–. *Ahlan wah sahlan*.

–Éste es Nasr –dijo Connor–. Nuestro chófer y mecánico. Jalid, el *fellah* de la *galabeya* azul, también forma parte del equipo. Jalid estudió en la escuela y habla inglés; por consiguiente, es nuestro intermediario cuando visitamos las aldeas. Es nuestro embajador y nos allana el camino, por así decirlo.

Nasr se inclinó tímidamente antes de retirarse.

–Su vivienda está por aquí –añadió Declan–. Me temo que no es de lujo precisamente.

–Esto es un palacio comparado con... –dijo Jasmine, tambaleándose sin poder terminar la frase.

–¿Qué ocurre? –preguntó Connor, tomándola del brazo–. ¿Se encuentra mal?

–No es nada. Contraje la malaria en Gaza. Me he sometido a tratamiento en un hospital de Londres.

–Se fue de allí demasiado pronto.

–Tenía prisa por venir aquí, doctor Connor.

Él la miró sonriendo.

–¿No cree que ya sería hora de que me llamara Declan?

Jasmine sintió su mano en su brazo; estaba tan cerca que le podía ver una pequeña cicatriz por encima de una ceja y se preguntó cómo se la habría hecho.

–No se preocupe... Declan –dijo Jasmine.

La sensación de su nombre en la lengua le supo a ella a gloria. Los ojos de Connor se clavaron en los suyos durante una décima de segundo. Después, éste se dirigió a la puerta diciendo:

–Los habitantes de la aldea están esperando para darle la bienvenida.

–Dígales, por favor, que salgo en seguida.

Tras cerrar Connor la puerta a su espalda, Jasmine permaneció de pie en la penumbra, pensando: «Ha cambiado». Pero ¿cómo?

¿Y por qué? La última carta que había recibido de él cuatro años atrás se la había escrito el Connor de siempre... divertido, ambicioso, idealista. Pero algo había ocurrido desde entonces. Se intuía una amargura en su forma de hablar; sus palabras rezumaban un pesimismo que ella jamás hubiera imaginado en Declan Connor. ¿Tendría ello algo que ver con la muerte de su esposa?, se preguntó. ¿Cómo habría muerto Sybil?

Miró a su alrededor en la pequeña clínica y empezó a hacer planes para colocar más sillas, un biombo plegable y tal vez algunas plantas. De pronto, pensó en su padre y se extrañó. A pesar de los años que llevaba trabajando para la Fundación Treverton en distintas clínicas, hospitales y ambulatorios ubicados en remotas zonas del mundo, casi todas ellas con escasez de personal y de equipos médicos, aquélla era la primera vez que pensaba en su padre. Se preguntó ahora si éste seguiría ejerciendo la medicina y tendría todavía su consultorio en la acera de enfrente del cine Roxy. Y más si cabe le extrañó su repentino deseo de que él estuviera a su lado en aquella pequeña estancia y ella pudiera pedirle consejo sobre la manera de sacar el mejor provecho posible de lo que allí había.

¿Por qué pienso ahora en él?, se preguntó.

Pero seguida supo la razón: «Porque he regresado a Egipto y estoy en casa».

Jasmine se dirigió al dormitorio y abrió la maleta. Sobre la ropa había dos cartas que tenía intención de contestar en cuanto estuviera instalada. La primera era de Greg, el cual se había ido a vivir a Australia Occidental con su madre, viuda desde hacía poco tiempo. Le había escrito para decirle que seguía pensando en ella. La segunda era de Rachel e incluía una fotografía de sus dos hijas pequeñas.

A través de la ventana abierta, Jasmine oyó a los habitantes de la aldea hablando con Declan Connor.

–Respetamos a la nueva doctora, Su Presencia, pero una mujer de cuarenta y tantos años sin marido y sin hijos, ¿para qué sirve? Debe de tener algún fallo.

Después, Jasmine reconoció la voz de Jalid, el representante del equipo de colaboradores.

–Esa mujer con pantalones vaqueros, ¡por mis tres dioses, saíd! Por su culpa los chicos no querrán ir a trabajar a los campos y las mujeres se pondrán celosas. Eso está muy mal, saíd.

Declan trató de tranquilizarlos, diciéndoles que la doctora Van Kerk era una médica experta y los atendería muy bien. Sin embargo, ellos estaban preocupados por la condición moral de Jasmine y temían que influyera en la ordenada vida de la aldea. Los pocos que, como Jalid, tenían televisor y vídeo lo sabían todo sobre las mujeres norteamericanas. Exceptuando las que aparecían en «La casa de la pradera», todas eran descaradas y no se podía uno fiar de ellas.

Sin embargo, cuando Jasmine salió momentos después, todos enmudecieron de golpe y se la quedaron mirando boquiabiertos de asombro.

Había cambiado los pantalones vaqueros azules por un caftán, se había ocultado el cabello rubio bajo un pañuelo y sostenía en la mano un ejemplar del Corán y una fotografía.

–Me siento muy honrada por poder vivir aquí con vosotros. Pido a Alá, el único dios –añadió, tocando con la otra mano el Corán mientras los lugareños la miraban sin dar crédito a sus ojos–, que nos conceda a todos salud y prosperidad. Mi nombre es Yasmina Rashid y mi padre era un bajá. Pero me llaman *Um* Muhammad. Éste es mi hijo –añadió, mostrando la fotografía.

Las exclamaciones de «*Bismillah*!» y de «¡Por mis tres dioses!» llenaron el aire del anochecer mientras en los ojos de todos se encendía un destello de admiración. ¡Qué hijo tan crecido y tan apuesto, se dijeron unas a otras las mujeres, y ella es hija nada menos que de un bajá!

Una anciana con los blancos ropajes propios de las personas que habían peregrinado a La Meca preguntó:

–Con el debido respeto, *Um* Muhammad, ¿eso quiere decir que tu marido está en El Cairo?

–He tenido dos maridos y el segundo se divorció de mí cuando perdí al hijo que esperaba. Soy la madre de este hijo y de dos niños que no sobrevivieron.

–*Allah*! –exclamaron las mujeres, musitando condolencias y chasqueando la lengua.

La nueva doctora había conocido todas las tragedias y los dolores que podían afligir a una mujer. Tomándola del brazo, la acompañaron a un sillón de honor cuyo almohadón estaba adornado con borlas; después, sacaron la comida y los hombres prepararon los instrumentos musicales. Sentados a un lado de la callejuela, los hombres encendieron los narguiles y empezaron a contarse chistes mientras las mujeres se arracimaban alrededor de la nueva doctora, instándola a que probara esto y bebiera aquello, comentando sus desgracias y añadiendo que todos los hombres eran unos sinvergüenzas, pues no se podía calificar de otra cosa a un marido que abandona a su mujer porque sus hijos no sobreviven.

Declan contempló la fotografía que los *fellahin* se estaban pasando unos a otros. El hermoso rostro del joven árabe mostraba una inequívoca expresión de inquietud. Su boca estaba levemente torcida en una mueca de desafío, sus ojos denotaban infelicidad y la frente aparecía fruncida, como si el muchacho estuviera perplejo en el momento en que se disparó la cámara. Sus facciones evidenciaban también un acusado parecido con Jasmine.

Jalid se sentó al lado de Connor y soltó un gruñido diciendo:

–Por mis tres dioses, saíd, la nueva doctora nos ha dado una buena sorpresa.

–Desde luego –convino Declan, contemplando cómo Jasmine conversaba con las mujeres y cómo se formaban en sus mejillas, al sonreír, aquellos hoyuelos que él recordaba de quince años atrás.

Jasmine jamás le había comentado que tuviera un hijo; el joven árabe de la fotografía había constituido una sorpresa para él. Se preguntó qué otras sorpresas le esperaban todavía.

40

Por la sangre de Muhammad Rashid corría veneno..., un veneno que tenía el cabello rubio, los ojos azules y un cuerpo como de crema batida. Se llamaba Mimí, bailaba en la sala de fiestas Cage d'Or y no tenía ni idea de quién era Muhammad.

Pero él sí sabía quién era ella. Luchando contra aquella nueva obsesión, el joven miró a su alrededor con expresión enfurruñada en el pequeño despacho que compartía con unos archivadores, varios montones de papeles que se apilaban desde el suelo hasta el techo y un ventilador que no funcionaba. Se preguntaba de qué forma podría conseguir que la deslumbrante Mimí se fijara en un ser tan insignificante como él.

Aquello no era en absoluto lo que él había imaginado cuando estudiaba en la universidad. Sin embargo, él no tenía la culpa; todo el mundo decía que el plan de Nasser de facilitar puestos de trabajo en la Administración a todos los licenciados universitarios estaba resultando un fracaso, a pesar de que, en un principio, la idea hubiera sido buena. Cuando el padre de Muhammad era más joven, había sido un proyecto viable... pues Omar había conseguido un puesto prestigioso y muy bien remunerado. Pero ya habían transcurrido más de veinte años desde entonces y ahora las universidades estaban produciendo unas hornadas tan enormes de licenciados que la Administración no podía absorberlas y los licenciados tenían que apretujarse en una burocracia en la cual a los hombres se les ofrecía empleo, pero muy pocas cosas que hacer. El cometido de Muhammad consistía en llevarle el té a su jefe, sellar montones ingentes de inútiles impresos y encauzar a los ciudadanos y sus quejas a través del laberinto burocrático con un «*Bokra*. Vuelva usted mañana».

Poca cosa para un joven que cumpliría veinticinco años en cuestión de dos meses. De pronto se imaginó a los treinta e incluso a los cuarenta años todavía atrapado en aquel mísero despacho, todavía soltero y virgen y todavía ardiendo por Mimí.

Estaba obsesionado con ella y quería tenerla al precio que fuera. Si por lo menos pudiera casarse, tal vez conseguiría librarse de aquel veneno. Sin embargo, el matrimonio era algo casi tan inasequible como la propia Mimí, pues, como todos los jóvenes de El Cairo, Muhammad tenía que ahorrar dinero para demostrar que estaba en condiciones de mantener una familia, tras lo cual tendría que apuntarse a la interminable lista de espera para conseguir un apartamento en aquella ciudad cada vez más abarrotada de gente. Con su mísero sueldo, ¿cómo podría realizar tan prodigiosa hazaña? No podía pedirle ayuda a su padre, pues Omar aún tenía un montón de hijos que mantener. Y el tío Ibrahim bastantes responsabilidades tenía ya con la cantidad de gente que vivía en la calle de las Vírgenes del Paraíso.

Muhammad hubiera estado dispuesto a hacer cualquier sacrificio con tal de poder estrechar a Mimí entre sus brazos...

Cuando sonó el teléfono, despertándole bruscamente de su ensueño, apartó a un lado los papeles que ya hubiera tenido que clasificar varias semanas atrás, pero ¿para qué molestarse en hacerlo?, y contestó:

–Despacho del saíd Yusuf.

Ya se estaba disponiendo a añadir la consabida frase de «El saíd Yusuf es un hombre muy ocupado» y a insinuar que una gratificación especial podría acelerar los trámites. El *bakshish* era el único medio de que un funcionario mal pagado de la Administración pudiera salir adelante.

Para su asombro, era su tío Ibrahim, hablando en tono muy nervioso y alterado.

–Muhammad, he estado intentando comunicarme con tu tía Dahiba, pero los teléfonos de su edificio vuelven a estar averiados. Pásate por allí al volver a casa y dile que venga a mi consultorio en seguida. Es muy importante.

–Sí, tío –contestó Muhammad, colgando el aparato y preguntándose a qué vendría aquello.

Como no le apetecía ir al estudio de su tía, tomó el teléfono y marcó su número al estilo cairota, marcando una cifra y escuchando para ver si había conexión, marcando la siguiente y escuchando, y así sucesivamente. Pero, al llegar a la última cifra, se encontró con el habitual silencio de una línea telefónica averiada.

Consultó su reloj. Era apenas la una. Su horario de trabajo era de nueve a dos, con una pausa de una hora para el almuerzo. Sin embargo, sabía que nadie le echaría en falta, por lo que decidió marcharse y dirigirse al único lugar de la ciudad donde podía perderse en sus ensueños protagonizados por Mimí.

Ibrahim colgó el teléfono y miró a través de la ventana de su consultorio desde la cual se podía contemplar una vista del masificado El Cairo. Las calles estaban llenas de automóviles Fiat, taxis, limusinas, carritos de mano, carros tirados por asnos y autobuses que avanzaban muy despacio y peligrosamente inclinados. Por las aceras caminaban hombres vestidos con trajes de calle o *galabeyas* y mujeres vestidas con modelos de París o *melayas*. Ibrahim había oído decir que la ciudad había alcanzado los quince millones de habitantes y que, en cuestión de diez años, dicho número se duplicaría... y treinta millones de almas ocuparían una ciudad construida para albergar la décima parte de aquel número. Recordó con nostalgia los apacibles días de reinado de Faruk, en que apenas había tráfico y se podía caminar con comodidad por las aceras y la ciudad tenía todo un aire de elegancia y amplitud. ¿De dónde había venido toda aquella gente?

Se apartó de aquel deprimente espectáculo, sabiendo que su sombrío estado de ánimo no era fruto de la contemplación de la ciudad a la que tanto seguía amando, sino de los resultados que acababa de recibir del laboratorio.

Los análisis habían dado positivo.

Ahora la cuestión era cómo comunicarle la noticia a la familia. Contempló las dos fotografías que había en su escritorio: Alice, joven, vibrante y enamorada, y Yasmina, cuyo nacimiento parecía haber ocurrido justo la víspera. Se le conmovió el corazón. De todas sus hijas, incluidas Camelia y las cinco hijas que le había dado Huda, Yasmina seguía siendo la preferida. Su destierro de la familia había sido prácticamente su muerte. Y él la lloró como si la hubiera enterrado. Experimentó un cierto consuelo mientras Alice mantuvo un vínculo con su hija en California. Sin embargo, el suicidio de Alice había cortado aquel frágil nexo y ahora Ibrahim contemplaba de vez en cuando el cielo y se preguntaba qué cielo protegería a Yasmina en aquel momento y en qué lugar del mundo estaría su hija.

Pese a todo, su vida era muy satisfactoria. Recordó ahora que de nada le servía a un hombre pensar en las desgracias del pasado y que a veces era necesario detenerse a pensar en los beneficios de que uno disfrutaba. Ibrahim Rashid había llegado a la conclusión de que era un privilegiado. Al fin y al cabo, era un hombre rico y un médico prestigioso, es decir, un componente vital de la sociedad. En un país donde la pobreza y el incremento de la población constituían un lastre para el servicio de atención sanitaria, los buenos médicos que atendían con eficacia a sus pacientes no abundaban demasiado, por lo que Ibrahim estaba muy solicitado. Cada día le agradecía a Alá la salud y el vigor que le había otorgado, pues, a pesar de haber cumplido los setenta años, podía presumir de poseer la constitución de un hombre mucho más joven. Qué mejor prueba de ello que el hecho de que su nueva esposa hubiera quedado finalmente embarazada.

El breve instante de euforia se esfumó en un santiamén. Recordando los resultados del laboratorio, Ibrahim marcó de nuevo el número de Dahiba, pero se encontró una vez más con el silencio.

–La cadera oscila en ocho fases que terminan con un brusco movimiento –dijo Dahiba. Vestida con falda y leotardos, hizo una demostración ante su alumna, extendiendo los brazos y haciendo oscilar las caderas sin mover los hombros ni la caja torácica–. Ahora escucha el *taqsim*. Deja que la música te penetre como la luz del sol, siéntela correr por las venas y los huesos hasta que te conviertas tú misma en la luz del sol. Es un tipo de música muy difícil, tienes que sentirla para poder bailar a su compás.

Dahiba y su alumna contemplaron la grabadora mientras escuchaban la música, como si esperaran ver surgir de ella las notas musicales. Eran las únicas que se encontraban en el estudio, pues Dahiba ya no daba clases sino que tan sólo enseñaba coreografía a danzarinas individuales, especialmente elegidas por ella. Todo el mundo quería recibir lecciones de Dahiba, pero no todo el mundo era elegido. Mimí se consideraba una privilegiada.

–Bueno pues –dijo Dahiba, pulsando el botón de detención y el de retroceso de la cinta–. ¿La has sentido? ¿Podrías danzar con este acompañamiento?

–¡Oh, sí, señora!

A sus veintiún años, Mimí ya tenía un historial de ocho años de danza oriental precedidos por diez años de ballet clásico. Lo hacía muy bien y tenía ambición. Aunque sólo actuaba en salas de fiestas y no en los hoteles de cinco estrellas, se estaba abriendo rápidamente camino en el competitivo mundo de la danza y la ambición le brillaba en los ojos azules cuando se ajustó el chal alrededor de las caderas y se dispuso a imitar a su maestra. El verdadero nombre de Mimí era Afaf Fawwaz, pero ella había decidido seguir la última moda de usar nombres franceses.

Mientras pulsaba el botón de puesta en marcha de la grabadora y se volvía para mirar a Mimí, Dahiba vio a su sobrino Muhammad en la puerta, mirando a la chica con unos ojos abiertos como platos.

–¡Sal de aquí, chico! –le gritó, haciendo ademán de cerrarle la puerta en las narices–. ¿Es que no tienes vergüenza?

Muhammad retrocedió, desconcertado.

Mimí.

Con leotardos rojos y mallas negras.

–Bueno, ¿qué pasa? –le preguntó Dahiba.

–Mmm... ha telefoneado tío Ibrahim... tienes que ir en seguida a su consultorio. Ha dicho que es importante...

Muhammad dio media vuelta y se alejó a toda prisa mientras la expresión burlona de Mimí le perseguía como un *yinn*.

El café de Feyruz daba a la placita que había al final de la calle de Fahmy Pasha, a dos pasos del bloque de edificios de la Administración donde Muhammad trabajaba. Era un pequeño y vetusto establecimiento con una fachada de azulejos decorada con elegantes caracteres árabes. En el oscuro interior había unos bancos adosados a las paredes en los cuales los hombres pasaban el día bebiendo café fuertemente azucarado y jugando a los dados o las cartas mientras se burlaban de los dirigentes políticos, de sus propios jefes y de sí mismos. El café de Feyruz era un habitual lugar de reunión de los jóvenes burócratas; otros cafés de la ciudad eran frecuentados por artistas, intelectuales, *fellahin* desplazados, acaudalados hombres de negocios u homosexuales. Había un café para cada grupo y casi todos ellos eran dominio exclusivo de los hombres.

Mientras abandonaba el amplio paseo y entraba en la estrecha callejuela, Muhammad no vio las paredes llenas de pintadas ni la roja motocicleta montada por cuatro hombres sino la sonrisa y los hoyuelos de Mimí mientras él tartamudeaba como un colegial delante de ella. Sólo la había visto personalmente en dos ocasiones: cuando bajaba de un taxi delante del Cage d'Or con unas piernas impresionantemente largas precediendo su voluptuoso cuerpo, y en el Jan Jalili mientras corría entre la gente con un traje de danzarina colgado del brazo. Antes sólo la había visto en la televisión, interpretando un pequeño papel en un serial. Pero había sido suficiente para que se enamorara de ella.

Ahora, en cambio, la había visto de cerca. Con mallas y leotardos. Prácticamente desnuda.

En el momento en que entraba en la plaza, una egipcia vestida con prendas occidentales salió de una tienda de lencería, taconeando sobre la agrietada acera delante de él. La atención de Muhammad se desvió desde Mimí hacia el voluminoso trasero apresado por una ajustada falda y, al llegar a la altura del café, donde sus amigos ya estaban sentados junto a una de las mesas del interior, el joven alargó súbitamente la mano y agarró un buen cacho de firmes nalgas femeninas.

–¡Ay! –gritó la mujer, dando media vuelta y golpeándole con el bolso. Muhammad se cubrió la cabeza para protegerse, mientras los viandantes agitaban los puños y proferían insultos contra él y sus amigos sentados junto a la entrada del café, que soltaban aullidos y carcajadas.

–¡*Ya*, Muhammad! –gritó un apuesto joven mientras la mujer

se alejaba calle abajo y la muchedumbre se dispersaba–. «Dicen que en el Paraíso moran las vírgenes / y mana vino de las fuentes –cantó–. Si se las puede amar en la otra vida / ¡cómo no se las podrá amar en ésta!»

Con la cara colorada como un tomate, Muhammad entró en el local y soportó con buen ánimo las bromas de los parroquianos y del dueño del establecimiento.

Feyruz, un mutilado veterano de la guerra de los Seis Días que se distraía jugando al chaquete con sus amigos ex combatientes como él, le sirvió un té al avergonzado joven mientras su esposa, la oronda mujer vestida de negro y cubierta por una *melaya*, que atendía la caja mientras escuchaba los chistes subidos de tono que contaban los jóvenes, le gritaba:

–¡Por Alá, Muhammad Bajá! ¡Donde a ti te hace falta la cremallera es en la mano!

Todos se echaron a reír, incluido el propio Muhammad, el cual, sentándose junto a sus amigos, aceptó el té que le ofrecía Feyruz. Mientras escuchaba los últimos chismorreos y chistes de sus amigos, sus pensamientos volaron de nuevo hacia Mimí. *Bismillah!* ¡Su tía Dahiba le estaba dando clases! En tal caso, ¿no sería posible que se la presentara? ¡La cabeza le empezó a dar vueltas!

Salah, un apuesto joven que trabajaba como administrativo en el ministerio de Bienes Culturales y era famoso por los divertidos chistes que solía contar, dijo:

–Un alejandrino, un cairota y un *fellah* se habían perdido en el desierto y se estaban muriendo de sed. De pronto, se les apareció un *yinn* y ofreció a cada uno de ellos el cumplimiento de un deseo. El alejandrino dijo: «Envíame a la Costa Azul en compañía de bellas mujeres». Y, zas, el alejandrino desapareció. El cairota dijo: «Colócame en una espléndida embarcación en el Nilo, llena de comida y mujeres». Zas, el cairota también desapareció. Finalmente, le tocó el turno al *fellah*. «Oh, *yinn* –dijo éste–, me siento muy solo, ¡te ruego que me devuelvas a mis amigos!».

Los jóvenes rompieron a reír mientras se tomaban un té tan fuertemente azucarado que casi parecía melaza.

–¡*Ya*, Muhammad Bajá! –dijo el bigotudo Habib, utilizando afectuosamente el antiguo título, como previamente había hecho la rolliza esposa de Feyruz–. Tengo un premio para ti –añadió, sacándose del bolsillo una conocida revista cinematográfica y arrojándosela a Muhammad.

Los cuatro jóvenes se inclinaron hacia delante y Muhammad empezó a pasar las páginas, preguntándose qué premio sería aquél hasta que llegó a una fotografía en color y todos estallaron en gritos de entusiasmo.

Muhammad contempló la fotografía boquiabierto de asombro.

Era una imagen de Mimí vestida con un modelo que cortaba la respiración.

–¡Es una auténtica bomba! –afirmó Salah.

–¿A que te gustaría casarte con ella? –dijo otro, dándole un codazo a Muhammad.

–¡Nos conformaríamos con cualquier mujer! –exclamó Salah, el cual, como Muhammad y los demás chicos, necesitaba ahorrar dinero para poder casarse–. Pero tú tienes suerte, Muhammad Bajá. Tu tío es un hombre muy rico que vive en una casa muy grande de la Ciudad Jardín. Podrías irte a vivir allí con tu esposa.

Muhammad se rió con sus amigos, pero se sintió invadido por la misma angustia de siempre. Salah sólo contaba cuentos de hadas y fantasías. La casa de la calle de las Vírgenes del Paraíso estaba gobernada por su bisabuela Amira y a él no le apetecía demasiado estar bajo su dominio. La casa de su propio padre no era mejor, pues Omar estaba siempre de viaje y la abuela Nefissa se pasaba la vida dando órdenes a Nala y a sus hermanastros y hermanastras. ¡Por Alá, que un hombre necesitaba disfrutar de un poco de intimidad con su esposa!

–*Bokra*. Mañana –dijo en tono abatido–. *Inshallah*.

Salah le dio a su amigo una palmada en la espalda diciendo:

–¡Se comenta que hoy en día Egipto está dirigido por la IBM! –enumerándolo con tres dedos, añadió–: *Inshallah. Bokra. Ma'alesh!*

Todos le rieron la gracia, pero la risa de Muhammad era un poco forzada. No podía dejar de pensar en Mimí. La fotografía de la revista correspondía a una escena de una película en la cual ella interpretaba el papel de una perversa mujer que seducía a un hombre piadoso. Muhammad no podía apartar los ojos de su largo y sedoso cabello rubio, capaz de quitarle a un hombre el sentido. Por Alá que las leyes antiguas que obligaban a las mujeres a cubrirse el cabello estaban plenamente justificadas. ¿De qué otro modo hubiera podido un hombre llevar una vida casta y piadosa?

Los rizos color platino de Mimí le hacían evocar la imagen de su propia madre, la cual, por una razón que él ignoraba, había sido declarada muerta por su familia. Jamás tenía noticias suyas excepto por su cumpleaños, en que siempre recibía una postal de felicitación. Las había guardado todas y ahora tenía una colección de veinte. Muhammad procuraba no hacerse las preguntas más inquietantes y significativas: ¿por qué se había ido su madre, por qué no regresaba y por qué nadie en la familia hablaba de ella?

–¡Por Alá! –exclamó Salah–. ¡Vamos al cine a ver esta película de Mimí!

–La dan en el Roxy –dijo Habib, apurando su té y dejando sobre la mesa un billete de cinco piastras.

Mientras los jóvenes se levantaban apresuradamente y los parroquianos más viejos hacían comentarios sobre la impaciencia de la juventud y la inutilidad de las prisas siendo la vida tan corta, Muhammad reparó en un hombre que le estaba observando desde la calle. Frunció el entrecejo. Le conocía de algo. Pero ¿de qué? Entonces le recordó de sus tiempos en los Hermanos Musulmanes, organización a la cual él había pertenecido brevemente antes de que su padre le obligara a dejarla. ¿Cómo se llamaba aquel hombre?

–*Y'Allah*! –gritó Salah, tirando de su manga–. ¡Vámonos!

Mientras los exuberantes jóvenes, tomados del brazo, abandonaban la plaza entre risas, Muhammad sintió los ojos de aquel hombre clavados en él. Al llegar al abarrotado paseo, recordó súbitamente cómo se llamaba. Se llamaba Hussein y siempre le había infundido un cierto temor.

En el momento de entregarle el *bakshish* a un chiquillo que le había vigilado el automóvil mientras ella subía al consultorio de Ibrahim, Dahiba vio una enorme cantidad de gente entrando en el cine Roxy de la acera de enfrente. Al ver a su sobrino Muhammad, casi estuvo a punto de llamarle, pero lo pensó mejor. Se sentó al volante de su Mercedes, hizo sonar el claxon y se adentró en el tráfico de la calle; cuando, a los pocos minutos, se produjo un embotellamiento y tuvo que detenerse bajo un anuncio de la marca Rolex, apoyó la cabeza sobre el volante y se echó a llorar.

Las tías, primas y sobrinas Rashid se hallaban reunidas en la glorieta, disfrutando de la fresca temperatura y de las delicias culinarias de *Umma* mientras la propia Amira supervisaba la recolección del romero recién florecido, cuyas delicadas flores azules y hojas verde-grises iban a parar a dos cestos distintos sostenidos por dos de sus bisnietas; la hija mediana de Nala, una niña de trece años que no tenía la menor afición a las hierbas ni a las artes curativas, y la hija de diez años de Basima, que sí la tenía. De la misma manera que la madre de Alí Rashid le había transmitido a Amira los antiguos conocimientos curativos que ella había aprendido a su vez de su madre, Amira había procurado, a lo largo de los años, transmitir todos aquellos secretos a las mujeres Rashid. Algunas de las recetas de sus remedios eran tan antiguas que se decía que las había inventado la Madre Eva en los albores de la humanidad.

–¿Sabíais –les dijo Amira a las niñas– que la planta del romero no crece más allá de ciento ochenta centímetros en treinta y tres años para no ser más alta que el profeta Jesús?

–¿Y para qué se usa, *Umma*? –preguntó la niña de diez años.

Amira pensó con nostalgia: «Yasmina también tenía esta sed de conocimientos y siempre preguntaba para qué dolencia servían las distintas hierbas. Yasmina, a quien siempre lloro cuando me acuerdo de nuestros queridos difuntos».

–Las flores nos dan un linimento y con las hojas hacemos una infusión para las indigestiones.

Contempló el plomizo cielo de febrero y se preguntó si llovería. Le pareció recordar que antaño no llovía tanto. Alguien había dicho en la televisión que ya empezaban a dejarse sentir los inesperados efectos de la presa de Asuán, terminada en 1971, y que uno de ellos era el mayor índice de precipitaciones del valle del Nilo causado por la evaporación del inmenso lago Nasser que había detrás de la presa. Ahora llovía donde antes no llovía jamás; las pinturas de los antiguos sepulcros estaban siendo atacadas por la humedad y los hongos; los charcos de agua estancada que había a lo largo del Nilo y que en otros tiempos desaparecían durante la estación de las crecidas, ahora eran permanentes y provocaban enfermedades. No sólo estaban cambiando los tiempos sino también el mundo físico, pensó.

Ahora los días pasaban volando. ¿Acaso no fue ayer cuando nació Zeinab y la semana pasada cuando vinieron al mundo Tahia y Omar? La artritis se había apoderado de las manos de Amira y, de vez en cuando, ésta sentía una opresión en el pecho. Pero había entrado en los ochenta años con donaire. Gracias a los cuidados que había prodigado a su cuerpo, utilizando antiguos secretos de belleza, poseía un cutis y un porte extremadamente juveniles. Pero se notaba el alma cansada. ¿Cuántas páginas le quedarían en el gran libro de Alá?

En los últimos tiempos había recuperado nuevos recuerdos y sus sueños eran cada vez más frecuentes. Tenía la sensación de estar nadando en una especie de gran círculo cósmico como si, cuanto más se acercara al final de su vida, tanto más cerca estuviera de su principio. Ahora veía los detalles de aquella caravana de tantos años atrás: las multicolores borlas de los arreos de los camellos; las sólidas tiendas levantándose hacia las estrellas; unos hombres cantando alrededor de una hoguera de campamento: «*Ya*, rayo de luna, derrámate sobre mi almohada y caliéntame el cuerpo...».

A la visión del alminar cuadrado se añadía ahora el recuerdo de una dulce fragancia celestial. ¿Se encontraba tal vez en un cenador cuando contemplaba aquella humilde torre? ¿O aspiraba quizá el perfume de alguien? ¿Cuándo lo averiguaría? Durante años había pensado: «Este año viajaré a Arabia». Pero el tiempo se le había escapado a través de los dedos como la arena. Siempre había dicho: «Mañana iré», pero ahora los mañanas ya eran menos que los ayeres.

–El romero es bueno para los calambres –dijo Camelia, sacando una delicada florecita azul de uno de los cestos.

Estaba sentada en la glorieta con su hijo de seis años Najib, un chiquillo muy guapo que había heredado los ojos color ámbar de su madre y la tendencia a la gordura de su padre. Aunque el niño ostentaba el tatuaje de una cruz copta en la muñeca, Camelia y Yacob le estaban educando simultáneamente en las religiones cristiana y musulmana. Debido a su profesión de danzarina, Camelia no había querido tener más hijos después de Najib, pero Yacob estaba muy contento con el niño y con su hija adoptada Zeinab. Sus temores de un futuro turbulento no se habían hecho realidad. A pesar de que seguían produciéndose brotes de violencia entre los musulmanes y los coptos, Camelia y su marido disfrutaban de una nueva prosperidad, la circulación del periódico estaba aumentando, el prestigio de Yacob como periodista era cada vez mayor y Camelia se había convertido en la mejor danzarina de Egipto. Sus admiradores no la habían abandonado por el hecho de haberse casado con un cristiano. «Ma'alesh –decía todo el mundo–. No importa. Es voluntad de Alá que estéis juntos.»

Camelia echó un vistazo a las exquisiteces que acababan de servir las criadas, pero no tomó nada. Había empezado la Cuaresma y, a partir de aquel momento hasta Pascua, a los cristianos coptos les estaba vedado comer cualquier cosa que tuviera alma. De hecho, se limitaban a comer alubias, verduras y ensaladas, pues el queso procedía de la vaca, y los huevos, de las gallinas. Pero a ella le daba igual. Su vida se había enriquecido al casarse con Yacob, el cual la había atraído al místico y hermoso mundo de un pueblo asentado en Egipto desde antes de los tiempos de Mahoma. Los coptos, seguidores del evangelista san Marcos, tenían una historia cuajada de leyendas y milagros; el propio Yacob se llamaba así en honor del primer hombre a quien el Niño Jesús había sanado durante la huida a Egipto de la Sagrada Familia.

Camelia contempló a Zeinab sentada bajo una cascada de glicinas con una primita en su regazo. A los veinte años, Zeinab era una muchacha encantadora. Sólo el aparato ortopédico de la pierna empañaba la belleza de su rostro y su cautivadora sonrisa. Y además, pensó Camelia, qué bien se estaba portando con su hermanito Najib. Desde que naciera el niño, Zeinab había sido como una madre para él. ¿No podría haber en algún lugar de Egipto un hombre que quisiera casarse con Zeinab, un hombre que no se fijara en su defecto físico y viera sólo el corazón rebosante de amor que había debajo?

Algunas veces, cuando Zeinab se reía o agitaba sus bucles castaño claro, Camelia veía fugazmente la imagen de Hassan al-Sabir y recordaba los orígenes de la joven. Entonces experimentaba una punzada de su antigua desazón, temiendo que Yasmina apareciera un día de repente y le dijera a Zeinab la verdad, es decir, que era fruto de una unión adúltera, que su padre había sido asesinado y que su madre había sido desterrada. A lo largo de los años no había habido el menor peligro de que el secreto se divulgara entre la familia: los Rashid más jóvenes creían que Camelia era efectivamente la madre de la chica y los mayores ocultaban la verdad. Sin embargo, la aparición de Yasmina hubiera destruido aquella ilusión tan cuidadosamente construida y ella temía que la verdad destrozara a Zeinab.

Siempre dispuesta a rebatir las opiniones de los demás, Nefissa replicó:

–¡El romero! Todo el mundo sabe que el mejor remedio para los calambres es la infusión de manzanilla!

Después contempló sonriendo a la chiquilla que sostenía en sus brazos, su nueva bisnieta, la hija de Asmahan. A sus sesenta y dos años, la curva descendente de su boca había adquirido un carácter tan permanente que, incluso cuando sonreía, sus labios se curvaban hacia abajo en lugar de hacia arriba. La arrogancia también se evidenciaba en sus facciones a través de sus enarcadas cejas cuidadosamente pintadas, pues ahora había alcanzado la venerada condición de bisabuela.

Cuando la niña se echó a llorar, Nefissa se levantó para llevársela a Asmahan, la cual estaba chismorreando con Fadilla. Al bajar los peldaños de la glorieta, vio a través de la verja abierta un automóvil aparcado junto al bordillo..., el Mercedes de su hermana. Inmediatamente sintió curiosidad. ¿Por qué razón Dahiba y su marido permanecían sentados en el interior del vehículo y no salían?

–Iremos a los Estados Unidos –dijo Hakim Rauf en un susurro mientras las lágrimas le bajaban por las mejillas–. Iremos a Francia, a Suiza. Buscaremos los mejores especialistas y el mejor tratamiento. Por el Profeta, amor mío, que, si tú te mueres, yo también me moriré. Eres toda mi vida, Dahiba.

Al verle estallar en sollozos, Dahiba le estrechó en sus brazos diciendo:

–Eres el hombre más maravilloso que jamás ha vivido en este mundo. Yo no podía tener hijos y no te importó. Quería bailar y me lo permitiste. Escribía artículos peligrosos y tú me apoyabas. ¿Cuándo ha creado Alá un hombre más perfecto?

–¡Yo no soy perfecto, Dahiba! ¡No he sido el mejor marido para ti!

Dahiba tomó su rostro entre sus manos.

–El marido de Alifa Rifaat le prohibió escribir y ella escribía sus relatos en secreto encerrada en el cuarto de baño y sólo después de la muerte de su marido los pudo publicar. Tú eres un hombre bueno, Hakim Rauf. Tú me rescataste de la calle Muhammad Alí.

–¿Quieres que entre contigo?

–Prefiero ver a mi madre a solas. Regresaré a casa más tarde.

Dahiba entró en el jardín y le hizo señas a su madre con la mano desde el camino. Amira la miró extrañada. No era propio de su hija ser tan mal educada.

Ya en el interior de la casa, Dahiba le comunicó serenamente la noticia:

–Fui a visitar a Ibrahim porque tenía un problema, *Umma*. Me ha hecho unos análisis. Y los análisis dicen que tengo cáncer.

–¡En el nombre de Alá el Misericordioso!

–Ibrahim cree que quizá ya es demasiado tarde para atajarlo. Me tendrán que operar, pero él no me ha dado demasiadas esperanzas.

Amira la rodeó con su brazo, murmurando:

–Fátima, hija de mi corazón.

Mientras Dahiba le hablaba de cirugía, quimioterapia y radiaciones, los pensamientos de Amira consideraron otra forma de tratamiento.

El tratamiento de Alá.

Muhammad entró corriendo en la casa, confiando en poder subir al piso de arriba sin que le vieran. Oyó un guirigay de voces en el gran salón donde todas las mujeres estaban hablando a gritos simultáneamente y pensó que debía de haber ocurrido algo, pero le dio igual. Él quería encerrarse en su habitación del ala de la casa reservada a los hombres. Tras haberse pasado dos horas sentado en un cine a oscuras en medio de un público integrado por hombres que no paraban de gritar, el fuego lo devoraba por dentro. ¡Mimí allí en la pantalla, tan hermosa y tan necesitada de que alguien la amara! Una vez en su habitación, se sentó en la cama, fijó la fotografía de la chica al lado de la de su madre y experimentó un sobresalto. Como la fotografía de su madre era muy antigua, ambas mujeres parecían más o menos de la misma edad e incluso tenían una inquietante semejanza física, aunque él jamás hubiera reparado en ello anteriormente. Mientras contemplaba los dos bellos rostros, se preguntó cómo era posible que la belleza fuera tan destructiva. ¿Cómo era posible que aquel encanto provocara tanta desdicha? ¿Acaso su madre no le había hecho desgraciado durante casi toda su vida? Y ahora, ¿acaso aquella segunda belleza rubia no le estaba haciendo igualmente desgraciado?

Las lágrimas le empañaron los ojos hasta que ambas fotografías se confundieron y Muhammad no pudo distinguir entre una y otra.

41

–Por las barbas del Profeta, un hombre necesita una mujer –dijo Hadj Tayeb mientras Declan Connor lo examinaba. Tayeb, un anciano *fellah* tocado con un casquete blanco adornado con abalorios y vestido con un blanco caftán que le cubría el huesudo cuerpo, se había ganado el título honorífico de *hadj*, peregrino, tras haber ido a La Meca–. No es bueno guardarse dentro la esencia –añadió con su vieja voz cascada–. Un hombre tiene que desahogarse cada noche.

–¡Cada noche! –exclamó Jalid, el cual, en su calidad de miembro del equipo móvil sanitario, tenía el privilegio de sentarse en una silla al lado del doctor. Los demás hombres ocupaban unas sillas y unos bancos delante del café de la plaza de la aldea–. Por mis tres dioses –añadió el corpulento *fellah* de al-Tafla–. ¿Cómo puede un hombre hacerlo cada noche?

–Yo lo hacía –contestó devotamente Hadj Tayeb.

–¡Claro, y por eso te cargaste a tus cuatro esposas! –le gritó Abu Hosni desde el interior del café mientras los demás se reían a carcajadas.

–De veras, saíd –añadió Hadj Tayeb–, se tendría usted que casar con la doctora.

Mientras todos los hombres se mostraban de acuerdo y hacían picantes comentarios sobre la noche de bodas, Declan Connor miró a Jasmine, a quien, al otro lado de la plaza de la aldea, las jóvenes madres *fellahin* estaban entregando sus hijos cual si fueran ofrendas. Y pensó que últimamente había estado soñando mucho... con hacerle el amor a la doctora

En aquel dorado y azul mediodía lleno de moscas y calor, las *fellahin* estaban preparando la plaza para los festejos que aquella noche se iban a celebrar en conmemoración de la natividad del Profeta y en cuyo transcurso se contarían chistes, se bailaría el *beledi* y la danza de los bastones, habría espectáculos de marionetas y más cantidad de comida de la que todos los aldeanos hubieran comido en un mes. Los festejos comenzarían tras la plegaria del ocaso. Las jóvenes subirían a las azoteas para ver sin ser vistas, en tanto que los hombres, los niños y las ancianas ocuparían la plaza para compartir un opíparo festín con sus invitados de honor de la unidad móvil sanitaria de la Fundación Treverton.

La plaza era el corazón de aquella pequeña aldea sin nombre del Alto Nilo y de ella irradiaban las angostas y tortuosas callejuelas cual si fueran los radios de una rueda. Allí, en el centro de la vida de los campesinos, se encontraban los pilares de todas las aldeas egipcias: el pozo, dominio exclusivo de las mujeres; el café, que pertenecía a los hombres; la pequeña mezquita encalada; la carnicería, donde los corderos se seguían degollando de conformidad con las disposiciones del Corán; y la panadería, a la cual los aldeanos llevaban cada mañana sus masas de harina con unas marcas de identificación grabadas para que las cocieran en los hornos, acudiendo a recogerlas al término de la jornada. Los granjeros permanecían sentados junto a los muros vigilando las naranjas y los tomates, pepinos y lechugas que tenían a la venta mientras que los vendedores ambulantes ofrecían sandalias de plástico, libros de humor, casquetes adornados con abalorios y pulcros montones de especias... azafrán, cilantro, albahaca y pimienta, que vendían a un penique en cucuruchos de papel. La ruidosa plaza estaba constantemente animada por la presencia de cabras, borricos y perros, de niños que correteaban incesantemente y de aldeanos que se apiñaban con curiosidad alrededor de las dos clínicas al aire libre en las que los dos médicos extranjeros Declan Connor y Jasmine atendían por separado a sus pacientes.

–Tienes tracoma, Hadj Tayeb –le dijo Declan al anciano peregrino, que permanecía sentado en una desvencijada silla delante de un muro de adobe que ostentaba un anuncio de Pepsi Cola y unas complicadas caligrafías de «Alá»–. Se puede curar, pero tendrás que usar la medicina tal como yo te diga.

Abu Hosni, el propietario del café, un cuchitril encajado entre la panadería de la aldea y el zapatero remendón, gritó jovialmente:

–Por el Profeta, señoría, Hadj Tayeb tiene razón. ¿Por qué no se casa con la doctora?

–No tengo tiempo para una esposa –contestó Declan abriendo su maletín–. Estoy aquí para trabajar, lo mismo que la doctora Van Kerk.

–Con el debido respeto y honor, saíd –dijo Hadj Tayeb–, ¿cuántos hijos tiene?

Declan aplicó unas gotas de tetraciclina a los ojos del anciano y, después, tras haberle entregado el frasco diciéndole que se echara gotas durante tres semanas, contestó:

–Tengo un hijo que estudia en la universidad.

–¿Sólo uno? ¡Por mis tres dioses, saíd! ¡Un hombre necesita tener muchos hijos!

Declan le hizo señas al siguiente paciente, un joven *fellah* que, al levantarse la *galabeya*, dejó al descubierto una herida espectacularmente infectada. Mientras Declan la examinaba, Abu Hosni le preguntó a gritos desde el interior del café:

–Dígame, saíd, ¿por qué se habla tanto del control de la natalidad? No lo entiendo.

–En el mundo cada vez hay más gente, Abu Hosni –le contestó Declan al dueño del café, el cual salió a la puerta con un sucio delantal por encima de su *galabeya*–. Es necesario que la gente empiece a reducir el tamaño de sus familias –al ver que el hombre le miraba perplejo, añadió–: Tú y tu mujer tenéis cinco hijos, ¿no es cierto?

–Así es, loado sea Alá.

–Y cinco nietos, ¿verdad?

–Hemos sido favorecidos con esta gracia.

–Eso son doce personas donde inicialmente había sólo dos. Si cada dos personas produjeran diez nuevas personas, ¿te imaginas lo abarrotado que estaría el mundo?

El dueño del café extendió el brazo en dirección al desierto.

–¡Hay espacio de sobra, saíd!

–Pero tu país no puede alimentar tan siquiera a las personas que ahora viven en él. ¿Qué ocurrirá con tus nietos? ¿Cómo vivirán en un mundo lleno de gente?

–*Ma'alesh*, saíd. No hay que preocuparse. Alá proveerá.

Hadj Tayeb, dando una chupada a su narguile, comentó en tono despectivo:

–La enfermera del distrito viene a dar clase a nuestras niñas. Darles instrucción a las niñas es muy peligroso.

–Si educas a un hombre, Hadj Tayeb –dijo Declan Connor–, educas a una persona. En cambio, si educas a una mujer, educas a una familia.

Tras decir esto, siguió examinando la herida del *fellah*, trató de contener su impaciencia mientras pensaba que faltaban sólo cinco semanas para su partida y procuró ignorar las risas femeninas que habían estallado súbitamente junto al pozo alrededor del cual se habían congregado las mujeres.

No podía quitarse a Jasmine de la cabeza.

Ambos se habían pasado las seis semanas anteriores recorriendo las aldeas en un intento de vacunar a los niños. La tarea no era nada fácil: el equipo, formado por Connor y Jasmine, Nasr y Jalid, llegaba a una aldea, se instalaba en la plaza y, con la ayuda de una enfermera o un médico del distrito, administraba vacunas antituberculosas e inyecciones de DPT-polio a los niños de entre tres y ocho meses e inyecciones de refuerzo de DPT-polio en combinación con vacunas contra la fiebre amarilla y el sarampión a los ni-

ños de entre nueve y catorce meses de edad. A las mujeres embarazadas se les administraba la vacuna antitetánica debido al alto
riesgo de infección que entrañaba el corte del cordón umbilical.

Era un trabajo que exigía mucho esfuerzo, pues había que convencer a los maridos de que permitieran a las mujeres salir de sus
casas, resultaba muy difícil mantener las fichas al día y había que
convencer a las madres de que las niñas también merecían ser va-
cunadas. Al terminar, el nubio Nasr y la enfermera del distrito guardaban las jeringas y cargaban los Toyota mientras Declan y Jasmine montaban sus consultorios separados en la plaza, uno para las
mujeres junto al pozo y otro para los hombres en el café.

–Esta herida es muy grave –le dijo Declan con la cara muy seria al campesino, procurando concentrarse en la tarea que tenía
entre manos y no en Jasmine–. Tienes que ir al hospital del distrito para que te la limpien. De lo contrario, podrías morir.

–La muerte nos llega a todos –afirmó Hadj Tayeb–. Está escrito: «Dondequiera que te encuentres, la muerte se te llevará, aunque te halles en un castillo fortificado. Nada de lo que hagas pro-
longará tu vida tan siquiera un minuto».

–Muy cierto, Hadj Tayeb –dijo Declan–. Pero, aun así, un hombre que un día estaba interrogando al Profeta acerca del destino, le
preguntó a éste si debería atar su camello antes de entrar a orar en
la mezquita o si debería simplemente confiar en que Alá se lo guar-
dara. Y entonces el Profeta le contestó: «Ata tu camello y confía
en Alá».

Los otros se rieron mientras Hadj Tayeb murmuraba por lo
bajo y daba una chupada a su narguile.

–Te lo digo en serio, Mohssein –añadió Declan, dirigiéndose al
joven *fellah*–. Tienes que ir al hospital.

El joven le aseguró que le había pagado tres piastras al jeque de
la aldea para que le escribiera un conjuro mágico en un trozo de papel que llevaba pegado al pecho.

–Te han tomado el pelo, Mohssein –le dijo Declan–. Este trozo
de papel no te va a curar la herida. Esta forma de pensar está muy
atrasada, ¿no lo comprendes? Ahora estamos en el siglo xx y tienes
que ir al hospital para que te limpien debidamente esta herida; de
lo contrario, el veneno se extenderá por todo el cuerpo.

Mientras Declan aplicaba un antibiótico y vendaba la herida,
Jalid empezó a contar un chiste sobre tres *fellahin* que fueron a visitar a una prostituta. Pero Declan ya llevaba seis semanas oyendo
el mismo chiste y, por consiguiente, se concentró en el examen del
siguiente paciente mientras miraba por el rabillo del ojo a Jasmine
de pie junto al pozo en compañía de las mujeres. Éstas le estaban
enseñando a atarse el pañuelo a la cabeza según el nuevo estilo de
turbante que se había puesto de moda.

Sin embargo, Declan sabía que, por más que las jóvenes esposas y las ancianas suegras se rieran y bromearan y halagaran a la doctora, aquello era algo más que un simple ejercicio de moda.

La experiencia que Connor había adquirido en el Alto Nilo le había enseñado que las mujeres eran las únicas que sufrían y se preocupaban por las cosas. Mientras los hombres se pasaban horas y horas en el café, disfrutando de los dos dones más preciados que Alá había otorgado a Egipto, es decir, el ocio y la infinita luz del sol, y asegurando que lo único que necesitaba un hombre para gozar del Paraíso aquí en la tierra eran una esposa con un buen trasero y multitud de hijos que pudieran trabajar en los campos, las mujeres habían asumido la tarea de preparar el futuro.

Y eso era lo que precisamente estaban haciendo mientras Declan las observaba alrededor de Jasmine vestidas con sus holgadas faldas de volantes al estilo campesino, cumpliendo un ritual tan antiguo como el tiempo. Con un caftán de color pastel, Jasmine, cuya estatura rebasaba la de todas las *fellahin* que la rodeaban, parecía casi una sacerdotisa a quien las mujeres se acercaban tímidamente por pura curiosidad, mostrándose extremadamente corteses y deferentes con ella, murmurando y conspirando cual si fueran unas siervas, guardianas de arcanos misterios. ¿Qué secretas peticiones le estarían formulando en voz baja?, se preguntó Declan. Quizá le estaban haciendo preguntas sobre la fecundidad, la concepción, los anticonceptivos, los métodos para abortar, los brebajes de vida o muerte. Cualquier cosa que fuera, allí, junto al humilde pozo de la aldea, se estaba fraguando el futuro de la raza mientras los hombres calentaban las sillas del café, contaban chistes y decían:

–¿Por qué te preocupas? Si ves que te falla la cosecha, *ma'alesh*, no importa. Siempre hay un *bokra*, un mañana. Si Alá quiere, *inshallah*.

Declan miró de nuevo a Jasmine mientras, con la ayuda de sus sonrientes compañeras, intentaba envolverse una vez más el turbante alrededor de su rubio cabello, extendiendo un triángulo de seda de color albaricoque sobre su cabeza, tomando los dos extremos, atándolos arriba y remetiéndolos después en la nuca. Cuando levantó los brazos, Declan distinguió el perfil de su cuerpo bajo el caftán, las finas caderas y el firme busto. Un estremecimiento de deseo sexual le recorrió de arriba abajo como una flecha y le hizo recordar las muchas noches que ambos habían pasado juntos en su despacho trabajando en la traducción. Habían transcurrido quince años y entonces Jasmine era todavía una joven muy ingenua, a pesar de sus conocimientos y de haber recorrido medio mundo, mientras que él era todavía un idealista y aún creía en la posibilidad de salvar el mundo.

Recordó ahora la primera vez que la había visto, cuando ella entró en su despacho un lluvioso día de marzo. Su apariencia física le llamó inmediatamente la atención y le pareció exótica antes incluso de que ella le dijera que era egipcia. Había en ella una cierta timidez no exenta de firmeza. Bajo la tímida fachada propia de casi todas las mujeres árabes en la flor de la edad, Connor había descubierto una insólita determinación. En los días sucesivos, mientras ambos revisaban el manual sanitario y lo adaptaban al mundo árabe, trabajando codo con codo en el despacho, riéndose o compartiendo momentos de seriedad, ya entonces Connor había intuido en Jasmine una fractura, como si dos almas pugnaran por habitar en un mismo cuerpo. Hablaba libremente de Egipto e incluso a veces de su propio pasado, pero, cuando él intentaba plantear el tema de la familia, Jasmine guardaba silencio. En sus ojos brillaba el amor hacia Egipto y su cultura, lo cual se puso especialmente de manifiesto cuando escribió el capítulo especial dedicado a las tradiciones locales, y, sin embargo, parecía renegar de sus propias relaciones con aquel país y sus gentes. Era casi como si no supiera qué lugar le correspondía, lo cual le hacía recordar a veces a Declan el libro que algunos estudiantes de la universidad estaban leyendo en aquellos momentos, *Forastero en tierra extraña*. Eso es ella, se decía.

De este modo, cuando finalizó el proyecto y el manuscrito se envió a Londres, Declan se dio cuenta de que no sabía gran cosa acerca de aquella joven de la cual, para su gran asombro, se había enamorado. En los años siguientes y a través de la esporádica correspondencia que ambos habían mantenido, apenas había averiguado nada más. Las cartas de Jasmine estaban llenas de noticias sobre la facultad de Medicina, su trabajo como interna y, finalmente, su empleo en una clínica; de ahí que, al llegar a al-Tafla, Jasmine siguiera siendo todavía un gran misterio para él.

Sin embargo, en las seis semanas que llevaban trabajando juntos, había ocurrido algo muy curioso.

El equipo se había desplazado con la unidad móvil sanitaria a las aldeas situadas entre Luxor y Asuán donde las *fellahin*, que eran iguales en todas partes, inmediatamente le preguntaron a Jasmine, tal como le preguntaban a cualquier mujer desconocida que llegara a la aldea: ¿Estás casada, tienes hijos, tienes varones?, detalles todos ellos necesarios para poder establecer la jerarquía y el protocolo; en cuanto la persona sabía qué lugar ocupaba, se tranquilizaba. Al principio, Jasmine no había sido muy pródiga en informaciones y se había mostrado casi reacia a enseñar las fotografías de su hijo y hablar de sus dos maridos..., el que la pegaba y el que la había abandonado tras sufrir ella un aborto. Sólo se había referido de pasada a la gran casa de El Cairo donde se había criado, a las escuelas a las que había asistido y a los personajes famosos que su padre conocía.

Pero eso fue sólo al principio. Pasadas dos semanas, Connor observó una curiosa y sutil apertura, algo así como una casa en la que alguien desde dentro empezara a abrir las ventanas una a una hasta lograr que el aire y la luz del sol penetraran en ella a raudales. Ahora Jasmine mencionaba nombres, hablaba voluntariamente de su abuela Amira, de su tía Dahiba y de su prima Doreya. Su risa era también más fácil y espontánea a medida que pasaban los días. Declan se dio cuenta incluso de que había empezado a coquetear... con el viejo Jalid, con las hurañas mujeres y con los niños.

Se está volviendo nuevamente egipcia, pensó Declan, sacando una jeringa ante la horrorizada expresión de su paciente. Es como una mujer que hubiera regresado a casa. Que él supiera, Jasmine no había telefoneado ni escrito a su familia de El Cairo y no tenía previsto visitarla. Teniendo en cuenta la determinación que había observado en ella quince años atrás y su desesperación ante la posibilidad de que la devolvieran a Egipto y viendo ahora la nueva vitalidad de que estaba haciendo gala en aquellas aldeas, Declan se preguntó qué razón la impulsaba a entregarse tan a fondo a ayudar a aquellas gentes y a volver la espalda a las personas con las cuales estaba emparentada.

Mientras se remetía los extremos del pañuelo color albaricoque bajo el turbante, Jasmine miró al doctor Connor sentado frente al café en compañía de los hombres y le vio apartar rápidamente la vista.

Connor la desconcertaba. A pesar de seguir pareciendo el mismo hombre que había tomado el micrófono y se había encaramado a la capota de la furgoneta para exigir casi a gritos el establecimiento de una nueva conciencia social y a pesar de que su sonrisa era la misma que le había llegado hasta lo más hondo del corazón quince años atrás, ella sabía que por dentro había cambiado. Casi parecía un desconocido. ¿Qué ha ocurrido para que haya cambiado tanto?, hubiera querido preguntarle Jasmine. ¿Por qué se empeña en decir que ya todo le da igual? ¿Por qué dice que sus esfuerzos aquí en Egipto son inútiles? Cuando a veces le veía sentado solo al anochecer, fumando un cigarrillo tras otro y escudriñando el humo con los ojos entornados como si buscara alguna respuesta, hubiera querido decirle: «Por favor, no se vaya. Quédese aquí». Faltaban apenas cinco semanas para que lo perdiera.

No era sólo el amor que sentía por él lo que la inducía a querer ayudarle..., aquel amor nacido una lluviosa tarde en que ella tomó el fatídico atajo a través de Lathrop Hall para dirigirse al despacho del decano. Declan Connor era la razón de su regreso a Egipto. Y sólo por eso le estaría eternamente agradecida.

Porque, paulatinamente, se había obrado un milagro.

–Dime, *sayyida* doctora –le dijo *Um* Tewfik, la «Madre de Tewfik», dando el pecho a su hijo–. ¿De veras da resultado la medicina moderna?

Mientras aplicaba el estetoscopio al tórax de una anciana que se quejaba de fiebre y debilidad, Jasmine contestó:

–La medicina moderna da resultado, *Um* Tewfik, pero depende del paciente. Por ejemplo, un día me vino a ver un *fellah* llamado Ahmed que tosía de mala manera. Le di un frasco de medicina y le dije que tomara una cucharada sopera al día. Él me contestó:

»–Sí, *sayyida*.

»Y se fue. Cuando volvió a la semana siguiente, la tos había empeorado.

»–¿Tomaste la medicina, Ahmed? –le pregunté.

»–No, *sayyida* –me replicó.

»–¿Y por qué no? –pregunté.

»–Pues porque no pude introducir la cuchara en el frasco.

Las mujeres se echaron a reír, comentando que todos los hombres eran unos inútiles y Jasmine se rió con ellas de su propio chiste. No recordaba haberse sentido jamás tan feliz y tan rebosante de vida. Ése era el milagro.

Mientras examinaba el extraño salpullido que tenía la paciente en el brazo, Jasmine recordó sus primeros tiempos en Inglaterra más de veinte años atrás, cuando acudió a reclamar su herencia y conoció a su única parienta Westfall, la anciana hermana del conde, *lady* Penelope. Jasmine había sido recibida cordialmente por la mujer en su casa y, mientras ambas tomaban el té, la anciana *lady* Penelope le dijo:

–Tu madre heredó la afición por todo lo del Oriente Próximo de su propia madre y abuela tuya, *lady* Frances. Frances y yo éramos inmejorables amigas y creo recordar que me llevó a ver la película *El caíd* por lo menos cien veces. ¡Pobrecita, casada con mi aburrido hermano, eminentemente práctico y sin la menor tendencia al romanticismo! Frances se suicidó, ¿sabes?

Jasmine no lo sabía y la noticia constituyó un duro golpe para ella. Su madre jamás le había comentado cómo había muerto la abuela Westfall ni que ésta, en palabras de tía Penelope, «había introducido un día la cabeza en el horno y había abierto la espita del gas». Aquel nuevo conocimiento la indujo a pensar en cosas que antes no había tomado en consideración: en la presunta muerte accidental de su tío Edward mientras limpiaba un arma de fuego y en la muerte de Alice en un accidente de tráfico. ¿Serían ciertas las historias o acaso le habían ocultado la verdad? ¿Existía efectivamente en la familia una tendencia a la depresión y el suicidio?

Aunque ella jamás había mostrado la menor inclinación a quitarse la vida, durante los primeros meses que siguieron a su salida de Egipto, se sumió en una oscura y profunda depresión que la llenó de espanto. En cambio, cuando tomó la decisión de regresar a Egipto para trabajar con el doctor Connor y se preparó para afrontar la rabia, el dolor y todas las emociones que había reprimido desde que Ibrahim la declarara muerta, resultó que, para su gran sorpresa, no ocurrió nada. En su lugar, experimentó un milagroso resurgimiento y, junto con éste, recuperó la felicidad y la alegría de antaño, como si aquellas emociones también hubieran estado reprimidas, aunque no borradas. El solo hecho de volver a hablar el árabe de Egipto, tan dulce para ella como la miel, y de saborear una vez más las especialidades culinarias de su infancia, de oír las características carcajadas de los egipcios que sabían burlarse de sí mismos y nunca se tomaban la vida en serio, de sentarse a la orilla del Nilo y contemplar sus pintorescos cambios desde el amanecer hasta el ocaso y de tocar con sus manos la fértil tierra, de sentir sobre sus hombros el calor del sol y volver a vivir el antiguo ritmo del valle del Nilo... todo aquello la había despertado y hecho revivir, no sólo desde el punto de vista físico sino también espiritual.

Pero, por una curiosa ironía, su resurrección había coincidido con la muerte de algo en el interior de Declan Connor.

–¿Haces sangre con la orina, *Umma*? –le preguntó respetuosamente a la anciana enteramente cubierta por un velo negro–. ¿Te duele el vientre?

Al ver que la anciana asentía a ambas preguntas, Jasmine dijo:

–Tienes una enfermedad de la sangre provocada por el agua estancada –le hubiera querido administrar inmediatamente una inyección, pero el equipo sanitario había tropezado en los últimos días con un número tan elevado de casos de bilharziosis que se le habían agotado todas las existencias de praziquantel–. Tendrás que ir a ver al médico del distrito, *Umma* –añadió, escribiendo una nota de instrucciones en un trozo de papel–. Esta medicina te eliminará la enfermedad de la sangre, pero tienes que evitar caminar sobre el agua estancada a partir de ahora porque, en tal caso, te volverías a infectar.

La anciana contempló un instante el trozo de papel y después se retiró en silencio. Jasmine sospechaba que no visitaría al médico y que herviría el papel con el té a modo de brebaje mágico.

–¡Por el corazón de la bienaventurada Ayesha, *sayyida*! –exclamó *Um* Tewfik, apartándose el niño del pecho y volviendo a cubrirse–. ¿No podrías darme algún elixir para tener hijos? Mi hermana lleva tres meses casada y, hasta ahora, no ha quedado embarazada. Tiene miedo de que su marido se canse de ella y se busque otra esposa.

Las demás sacudieron comprensivamente la cabeza. Con un poco de suerte, una mujer quedaba embarazada al primer mes.

–Tu hermana tendrá que ir a ver a un médico para que.la examine y descubra la causa del problema –contestó Jasmine.

Um Tewfik sacudió la cabeza.

–Mi hermana ya sabe cuál es el problema. Me contó que, tres días después de su boda, dos cuervos volaron por encima de su cabeza mientras atravesaba un campo. Después, los cuervos se posaron en una acacia y la miraron fijamente. En aquel momento, ella sintió que un *yinn* le penetraba en el cuerpo. Está claro, *sayyida*, que ésa es la causa de su esterilidad.

Al ver la firmeza con la cual la mujer apretaba las mandíbulas, Jasmine le dijo a *Um* Tewfik:

–Puede que tu hermana tenga razón. Dile que tome dos plumas negras y se las ponga aquí debajo del vestido –añadió, señalándose el propio vientre–. Tendrá que llevar las plumas siete días y recitar siete veces cada día la primera sura del Corán. Después, deberá guardar las plumas durante siete días y, transcurrido este período, volver a ponérselas. Si lo hace durante varias semanas, el *yinn* será expulsado.

No era la primera vez que Jasmine utilizaba la magia en sus recetas. Cada dorado amanecer y cada ocaso escarlata sentía que Egipto la llamaba... el antiguo y místico Egipto que Amira le había enseñado muchos años atrás. Por consiguiente, cuando ahora escuchaba el rumor del viento, oía en él los aullidos de los *yinns* y cuando ayudaba a algún niño a venir al mundo, recitaba antiguas fórmulas mágicas para alejar el mal de ojo. Conocía el poder de los milenarios misterios, había visto cómo la magia curaba lo que no podían curar los antibióticos y había comprobado que el poder de la superstición triunfaba allí donde la medicina fracasaba.

–¡Fíjate en cómo te mira el saíd, doctora! –exclamó *Um* Jamal. Las mujeres miraron tímidamente por el rabillo del ojo a Declan, de pie al otro lado de la plaza–. ¡Por Alá, que me repudie mi marido si este hombre no está enamorado de ti!

Las risas de las mujeres se escaparon flotando desde la plaza cual alas de pájaros en pleno vuelo. Las jóvenes esposas disfrutaban de aquella insólita ocasión de conversar y alternar con sus congéneres, sabiendo que pronto tendrían que regresar a sus casas de adobe y permanecer encerradas en ellas como prisioneras.

–Esta noche, en la fiesta del Profeta –dijo *Um* Jamal–, haré un conjuro amoroso para el saíd y para ti, doctora.

–No servirá de nada –dijo Jasmine–. El doctor Connor se irá muy pronto de aquí.

–Pues, entonces, tienes que conseguir que se quede, *sayyida*. Es tu deber. Los hombres creen que pueden ir y venir a su antojo, pero lo hacen porque nosotras queremos, aunque ellos no lo sepan.

Las mujeres más jóvenes, que estaban empezando a comprender cuál era su verdadero poder oculto, se rieron por lo bajo.

–La doctora tiene que casarse con el saíd y darle hijos –dijo *Um* Tewfik.

Las más ancianas se mostraron de acuerdo, asintiendo con las cabezas cubiertas por los negros velos.

–Oh, ya soy demasiado mayor para tener hijos, *Umma* –contestó Jasmine, recogiendo el estetoscopio y guardándolo en su maletín–. Estoy a punto de cumplir cuarenta y dos años.

Um Jamal, una mujer de impresionante presencia que tenía nada menos que veintidós nietos, le dijo a Jasmine, mirándola con picardía:

–Pues claro que puedes tener hijos, *sayyida*. Yo tuve uno a los cincuenta. ¡Que me repudie mi marido si no le he dado diecinueve hijos vivos! –exclamó, lanzando un suspiro de satisfacción–. ¡Jamás ha mirado a ninguna otra mujer!

Jasmine se rió, pero recordó que a veces, cuando depositaban a un niño en sus brazos o cuando veía la estrecha unión que reinaba entre madres e hijas, experimentaba el dolor de la pérdida de sus dos hijos. Aunque lo aceptaba como voluntad de Alá, a veces se preguntaba qué tal sería tener una hijita propia. Pensó en el pobre ángel nacido en vísperas de la guerra de los Seis Días. Ahora hubiera tenido veintidós años. A ella no le hubiera importado que su padre fuera Hassan al-Sabir. Su amor hubiera sido tan profundo como el que aquellas campesinas sentían por los frutos de sus entrañas.

Y cada día pensaba en su hijo: ¿pensaría Muhammad en ella, la mencionaría alguna vez o preguntaría por ella? ¿La imaginaría viva o acaso sería para él como la tía Fátima, la mujer cuyas fotografías habían sido eliminadas del álbum familiar y a la que todo el mundo consideraba muerta? Le hubiera gustado poder contemplar a Muhammad sin que él la viera. No se acercaría a él ni trastornaría su vida ni suscitaría en él ningún dolor o sentimiento de vergüenza, simplemente le contemplaría con amorosos ojos de madre para ver cómo se reía y caminaba, para oír su voz y grabársela en la memoria. Muhammad ya era un hombre. Ella le había llevado en su corazón durante todos aquellos años, pero no acertaba a imaginar cómo debía de ser ahora. ¿Se parecería a Omar? ¿Lo habrían mimado y sería un egoísta? No, pensó. Muhammad formaba parte de ella y también de Alice; sin duda sería amable y cariñoso.

Um Jamal le dijo, poniéndose súbitamente muy seria:

–Con todo el debido respeto y honor, *sayyida*, tendrías que casarte con el saíd. Vais juntos a todas partes. No está bien que una mujer soltera vaya con un hombre.

–Por eso no te preocupes –contestó Jasmine.

Lo cierto era que ella y Declan raras veces permanecían a solas en ningún sitio y ni siquiera estaban juntos, pues, cada vez que llegaban a una aldea y les ofrecían hospitalidad, Jasmine y Declan siempre iban por separado, ella con las mujeres y él con los hombres. Y normalmente, a la hora de dormir, Jasmine era acompañada a una casa y Declan a otra. En las únicas ocasiones en que estaban realmente juntos, tanto que incluso se rozaban, era cuando viajaban en los LandCruisers, brincando sobre los baches de las carreteras y circulando por caminos sin asfaltar entre campos de algodón y caña de azúcar.

Al final, Jasmine les deseó a las mujeres *mulid mubarak aleikum*, feliz natividad del Profeta, y las jóvenes esposas se dispersaron con la misma eficiencia con que antes se habían congregado, perdiéndose por las angostas callejuelas con los niños de pecho en brazos o sujetos con correas a la espalda y los niños más crecidos agarrados a sus amplias faldas multicolores. Las ancianas, envueltas en sus negros velos y chales, se desperdigaron hacia los pocos lugares umbríos que había en la plaza para comer nueces, chismorrear y ver pasar la tarde hasta que empezaran los festejos del anochecer. Una vez sola, Jasmine recogió su equipo médico y sus recuerdos.

Al mirar hacia el otro lado de la plaza, la mirada de Declan se cruzó con la suya.

Al darse cuenta de que ella lo había estado observando, Declan apartó rápidamente la mirada. Cerrando el maletín, les dijo a los hombres reunidos delante del café de Abu Hosni:

–Nos veremos en la fiesta de esta noche, *inshallah*.

Cuando ya estaba a punto de marcharse, un *fellah* vestido con una raída *galabeya* se apartó del grupo de mirones que había en la plaza y mostró un enorme escarabajo egipcio labrado en un fragmento de piedra caliza.

–Te lo vendo, saíd –le dijo alegremente a Declan–. Es muy antiguo. Cuatro mil años tiene. Sé personalmente de qué tumba procede. A ti te lo dejo en cincuenta libras.

–Lo siento, amigo. No me interesan las cosas viejas.

–¡Es totalmente nuevo! –gritó el *fellah*, lanzándole el escarabajo–. ¡Conozco personalmente al hombre que lo ha hecho! El mejor artesano de todo Egipto. Treinta libras, saíd.

Declan cruzó la plaza riéndose y, a medio camino, se tropezó con Jasmine.

–Le he prometido a Hadj Tayeb que lo llevaría en el Toyota al cementerio –dijo–. Desea hacer una ofrenda ante la tumba de su padre. ¿Quiere que la deje en el convento?

En el convento, Jasmine disfrutaba de la hospitalidad de unas monjas católicas mientras que Declan se alojaba en la casa del imán, al otro lado de la aldea. Pronto empezarían los festejos y ella y Declan volverían a separarse para unirse respectivamente a los grupos de las mujeres y de los hombres.

–Me gustaría ir con ustedes –contestó Jasmine–, si es correcto. Me han dicho que hay unas ruinas muy interesantes cerca del cementerio.

El LandCruiser brincó sobre los baches del camino hasta que dejó atrás los campos de cultivo y las casas de adobe y se adentró en el inmenso desierto. Hadj Tayeb permanecía sentado entre Jasmine y Declan, sujetándose al salpicadero con una mano e indicando el camino con la otra. El sol poniente era como una bola de fuego que, desde un pálido cielo sin mancha, arrojaba sobre el desierto unas intensas tonalidades amarillas y anaranjadas, surcadas por las alargadas sombras negras de las rocas y los peñascos. Al final, les pareció ver una pequeña aldea en la lejanía, pero, al acercarse un poco más, no oyeron la menor señal de vida, tan sólo el silencio del desierto y el solitario silbido del viento.

Los tres descendieron del vehículo y el anciano *fellah* acompañó a Jasmine y Connor por unas estrechas callejuelas que hubieran podido pertenecer a cualquier aldea, pasando por delante de puertas y ventanas y bajo arcos de piedra medio derruidos. Todas las «casas» ostentaban una cúpula. Mientras las contemplaba, a Jasmine se le antojaron unas grandes colmenas de adobe cubiertas con una capa de tierra y arena.

Cuando llegaron a la tumba de la familia de Tayeb, el anciano *hadj* señaló con un trémulo dedo, diciendo:

–Las ruinas están por allí, saíd, junto a la antigua ruta de las caravanas.

Mientras le dejaban solo para que rezara bajo los últimos rayos del ocaso, Jasmine le dijo a Connor:

–Las mujeres de la aldea me han comentado que las ruinas tienen poderes curativos. Los aldeanos vienen aquí algunas veces para arrancar fragmentos de piedra de las columnas y elaborar medicinas con ellos.

Apenas quedaba nada del santuario de la diosa, muy frecuentado por los viajeros del desierto miles de años atrás..., sólo permanecían en pie dos de las columnas originarias; las demás aparecían rotas entre los cascotes y los escombros. Se podían ver todavía algunas piedras de pavimentación entre la arena, vestigios de un camino que conducía a lo que parecía ser un pequeño santuario. Por detrás de éste, se elevaba una escarpada formación rocosa, surgida muchos milenios atrás cual un inmenso y desnudo costurón que separaba el valle del Nilo del Sahara.

–Ésta era antiguamente una ruta de caravanas muy transitada –explicó Declan mientras ambos se abrían camino entre los cascotes. El silencio era sobrecogedor y el sol poniente había conferido una sorprendente coloración rojiza a las columnas que se recortaban contra el cielo–. Supongo que los viajeros se debían de detener aquí para orar por un feliz viaje. Y seguramente acampaban en aquellas cavernas de allí.

–Parece como si alguien hubiera acampado aquí –dijo Jasmine, rozando con la puntera de su zapato un círculo de ennegrecidas piedras.

–Los santos varones del desierto se sienten atraídos por estos solitarios lugares. Sobre todo, los místicos suffíes. Y los ermitaños cristianos.

Jasmine tropezó con la estatua de un carnero. Le faltaba la cabeza y la plana superficie correspondiente al cuello se había convertido en un asiento ideal.

–¿Por qué no se hacen excavaciones aquí? –preguntó, sentándose–. ¿Por qué no han vallado este lugar los arqueólogos?

Connor contempló la yerma llanura que se extendía hasta el horizonte. En la distancia, distinguió las achaparradas tiendas negras de los beduinos.

–Probablemente por falta de subvenciones –contestó–. Éste debe de ser un santuario pequeño e insignificante. No debe de merecer la pena, supongo. Puede que, en el siglo pasado, los egiptólogos se acercaran por aquí cuando los arqueólogos europeos empezaron a saquear Egipto. Hadj Tayeb me ha dicho que él y Abu Hosni convencieron una vez a los capitanes de los barcos que hacen cruceros por el Nilo de que se detuvieran aquí para que bajaran los turistas. Sin embargo, después de una larga marcha desde el río, los turistas se decepcionaban. Y, al final, los barcos ya no se detuvieron.

Jasmine contempló su silueta recortada contra el cielo color lavanda. Mientras el viento le agitaba el cabello, algo más largo que antaño, observó que en sus sienes ya habían asomado las primeras hebras de plata.

–Declan –dijo–, ¿por qué se va usted?

Connor se apartó un poco, pisando ruidosamente con sus botas el agrietado pavimento antiguo.

–Tengo que irme. Por mi propia supervivencia.

–Pero aquí es usted muy necesario. Escúcheme, se lo ruego. Cuando llegué a los campos de refugiados de Gaza, me quedé tan pasmada ante las condiciones que allí imperaban y la forma en que eran tratados los palestinos, que estuve casi a punto de marcharme. Después visité la clínica de la Fundación Treverton y, al ver el bien que allí estaban haciendo...

—Jasmine —dijo Connor, de pie a la sombra de una alta columna—, lo sé todo sobre los campos. Lo sé todo sobre las condiciones en que vive la gente en todo el mundo. Pero ni usted ni yo podremos cambiar ni un ápice la situación. Mire ahí —añadió, volviéndose hacia la columna adornada por unos grabados tan consumidos por el viento y la arena que apenas se distinguían, a pesar de que, en el momento en que los últimos rayos del sol asomaron por encima de la formación rocosa, acentuando todas las sombras, los grabados destacaron en relieve—. ¿Ve usted esto? —preguntó, señalando las escenas de hombres trabajando en los campos, búfalos haciendo girar unas norias y mujeres moliendo maíz—. Estas escenas fueron labradas probablemente hace tres mil años y, sin embargo, podrían haberlo sido ayer, pues los *fellahin* viven hoy en día exactamente igual que sus antepasados. Nada ha cambiado. Ésta es la lección que he aprendido al cabo de veinticinco años de ejercer la medicina en el Tercer Mundo. Por mucho que hagamos usted y yo, la gente se quedará igual. Nada cambia.

—Menos usted —dijo Jasmine—. Usted ha cambiado.

—Digamos que he despertado.

—¿A qué?

—Al hecho de que lo que estamos haciendo aquí... en Egipto, en los campos de refugiados... no es más que un ejercicio inútil.

—Antes no pensaba usted así. Antes pensaba que podía salvar a los niños del mundo.

—Eso fue durante mi fase de arrogancia, en que aún pensaba que sería capaz de modificar las cosas.

—Todavía sigue siendo capaz de modificarlas —dijo Jasmine, mirándole con expresión de desafío.

El rumor de unas pisadas sobre la grava turbó de repente el silencio del desierto. Hadj Tayeb se estaba acercando a ellos entre jadeos.

—Por mis tres dioses —exclamó el anciano—. Será mejor que Alá me llame pronto a su lado, ¡de lo contrario, no le serviré de nada en el Paraíso! Ah, estas ruinas. Mi aldea podría ganar mucho dinero con ellas si vinieran los turistas. Pero, después de haber visto lo que hay en Karnak y Kom Obo, ven esto y dicen: «¿Sólo dos columnas? ¿Y por qué vamos a pagar dinero para ver sólo dos columnas?». Abu Hosni y yo hemos pensado construir otras columnas aquí y darles apariencia de antiguas. Pero, por Alá, me siento muy cansado.

—Voy por el vehículo —dijo Connor—. Ustedes dos esperen aquí.

Mientras esperaban, Jasmine le ofreció al anciano peregrino su asiento sobre la estatua del carnero y Tayeb lo aceptó de buen grado, extendiendo a su alrededor la blanca *galabeya*. Tayeb escudriñó el cielo cada vez más oscuro.

–No me gusta estar aquí después de la puesta del sol –dijo, acercándose una mano al pecho.

–¿Te encuentras mal? –le preguntó Jasmine.

–Soy un pobre viejo, Alá me guarde.

Al regresar y oír que Tayeb se quejaba de sus achaques, Connor sacó su botiquín médico del vehículo y, en el momento en que estaba a punto de abrirlo, el anciano irguió la cabeza y preguntó:

–¿Qué ha sido ese ruido?

–Es el viento, Hadj Tayeb –contestó Connor.

–Pues a mí me ha parecido un *yinn*. Por Alá que será mejor que nos vayamos cuanto antes de aquí, saíd. Los fantasmas salen por la noche y, mira, el sol ya se ha ocultado.

–Un momento –dijo Jasmine–. Yo también he oído algo.

Los tres permanecieron inmóviles, escuchando el silbido lastimero del viento entre las ruinas. De repente, otro sonido se juntó con el del viento..., un prolongado y débil lamento.

–¡Aquí hay alguien! –dijo Jasmine.

Se volvieron en la dirección de donde procedía el sonido y prestaron nuevamente atención. Esta vez, el sonido fue más claro.

–Tienes razón –dijo Declan–. Aquí hay alguien. El sonido procede de aquella pequeña edificación.

El santuario de la antigua diosa tenía la altura de un hombre y unos tres metros cuadrados de superficie. Tuvieron que trepar por las rocas y los escombros para alcanzarlo; como, de vez en cuando, resbalaban sobre la grava y la pizarra suelta, Declan tomó a Jasmine de la mano. La puerta miraba al este, donde el cielo estaba más oscuro, por lo que no se podía ver nada de lo que había dentro. Se inclinaron para escuchar.

Se oyó otro gemido.

–*Allah*! –exclamó Hadj Tayeb, haciendo un signo para alejar el mal de ojo.

Connor entró y descubrió a un hombre reclinado contra un antiguo altar; respiraba afanosamente y mantenía los ojos cerrados, llevaba la túnica y el turbante propios de un místico sufí y ostentaba una larga barba gris que le llegaba hasta el pecho. Se veían manchas de sangre en la túnica.

Declan se arrodilló a su lado y le dijo en voz baja:

–Tranquilo, abuelo, hemos venido para ayudarte.

Después, abrió su maletín médico y sacó un estetoscopio y un manguito para medir la presión arterial.

Mientras Connor controlaba las constantes vitales del hombre, Jasmine levantó el dobladillo de su áspera túnica de lana y descubrió un hueso de la pierna asomando a través de la carne gangrenada.

–Se debió de caer y debió de arrastrarse hasta aquí para estar más protegido –dijo Jasmine, abriendo su maletín. Bajo la débil luz del interior del santuario, llenó rápidamente su jeringa con una ampolla de morfina–. Esto te aliviará el dolor –le dijo al hombre sin estar muy segura de que éste se hubiera percatado de su presencia.

Declan auscultó al herido con el estetoscopio y después se incorporó diciendo:

–El pulso es débil e irregular. Está gravemente deshidratado y seguramente sufre intensos dolores. Le pondré un suero y después lo trasladaremos al hospital del distrito.

Se sorprendieron cuando el hombre dijo de pronto en un áspero susurro:

–¡No! No me saquéis de aquí.

–Vamos a cuidarte, *Abu* –dijo Jasmine, utilizando el respetuoso término de «padre»–. Somos médicos.

El hombre la miró y Jasmine contempló con asombro sus claros ojos verdes. Cuando el herido hizo una mueca de dolor dejando al descubierto una fuerte dentadura, Jasmine le dijo a Declan:

–Este hombre no es viejo.

–No, pero está muy grave –dijo Connor, haciéndole una seña a Tayeb, que aguardaba junto a la entrada–. ¿Puedes ir por la caja metálica que hay en la parte de atrás del vehículo, Hadj?

El anciano se retiró a toda prisa. Declan envolvió cuidadosamente el manguito de la presión arterial alrededor de la parte superior de un brazo tremendamente escuálido y esquelético.

–Tiene la tensión muy baja –dijo, tras hacer la lectura–. Tendremos que rehidratarle inmediatamente.

Mientras esperaban a que Tayeb regresara con el equipo del suero intravenoso, Jasmine apoyó la mano en la frente del ermitaño. Tenía la piel tan reseca y cuarteada como si fuera un viejo de cien años y, sin embargo, Jasmine calculaba que no debía de ser mucho mayor que ella. Después, examinó la herida con Declan y ambos llegaron tácitamente a la misma conclusión: amputación por encima de la rodilla.

Hadj Tayeb regresó portando con gran esfuerzo la caja de aluminio. Declan buscó rápidamente una vena para iniciar un gota a gota, colocando la botella de solución de dextrosa sobre el altar de piedra.

–Escúchame, *Abu* –dijo después–, vamos a entablillarte la pierna y a llevarte a...

–No –repitió el ermitaño, esta vez con más energía–, no me saquéis de aquí.

–¿Qué te ocurrió?

–Estaba fuera, rezando en la cuesta de la roca. Soplaba el viento y perdí el equilibrio. Logré arrastrarme hasta aquí.

–¿Cuánto tiempo llevas así? –le preguntó Jasmine.

–Horas, días...

Gracias a la tierra sobre la cual se había arrastrado, la sangre se le había coagulado, evitando que muriera desangrado. Pero las moscas habían tenido tiempo de darse un festín con la desgarrada carne. Jasmine se preguntó cuándo se le habrían terminado el agua y la comida mientras yacía en medio de terribles dolores, esperando ayuda.

Por suerte, llevaban consigo una cantimplora. Jasmine desenroscó el tapón y, deslizando un brazo bajo los escuálidos hombros, acercó el agua a sus labios. El herido consiguió tomar unos cuantos sorbos.

Al final, la morfina empezó a hacerle efecto y, tras tomar un poco más de agua, el ermitaño recuperó poco a poco la coherencia.

–Pasaron por aquí unas buenas gentes... unos beduinos que se dirigían a El Cairo. Me dieron de comer y de beber. Loado sea Alá en su misericordia.

–Te vas a poner bien –dijo Declan–. En cuanto te llevemos al hospital.

Pero el ermitaño pareció no haberle oído, pues, de repente, clavó los ojos en Jasmine.

La miró un buen rato con el ceño fruncido. Después, levantó una esquelética mano y le echó el turbante hacia atrás, dejando al descubierto su rubio cabello. Una expresión de asombro se dibujó en su descarnado rostro.

–¿*Mishmish*? –dijo en un susurro.

–¿Cómo? ¿Qué has dicho?

–¿Eres tú, *Mishmish*?

–¿Zacarías?

–Pensé que estaba soñando. Eres tú, *Mishmish*.

–¡Zacarías! ¡Oh, Zakki! –Jasmine miró a Declan–. ¡Es mi hermano! ¡Este hombre es mi hermano!

–¿Cómo?

–La busqué, ¿sabes? –añadió Zacarías–. Busqué a Sahra, pero jamás la encontré.

–¿De qué está hablando?

–Fui de aldea en aldea, *Mishmish* –dijo Zacarías con un hilillo de voz–. Pregunté por ella... pero había desaparecido. No era mi destino encontrarla.

–No hables, Zakki –dijo Jasmine con lágrimas en los ojos–. Te vamos a curar.

Zacarías esbozó una sonrisa y sacudió la cabeza.

–*Mishmish*... –dijo, respirando afanosamente–. Después de tantos años, estás aquí. Loado sea su nombre, el Todopoderoso ha escuchado mi última plegaria y me ha concedido poder verte antes de reunirme con Él.

–Sí –dijo Jasmine–, loado sea su nombre. Pero, Zakki, ¿qué estás haciendo aquí? ¿Cómo llegaste hasta aquí, tan lejos de casa?

Zacarías la miró con los ojos desenfocados.

–¿Recuerdas, *Mishmish*... la fuente del jardín?

–La recuerdo, pero, por favor, ahorra las fuerzas.

–No necesito fuerzas allí adonde voy. *Mishmish*... ¿has visto a la familia desde entonces...? –Zacarías hizo súbitamente una mueca–. ¿Desde que nuestro padre te echó de casa? Me sumí en la desesperación cuando te fuiste, *Mishmish*.

Las lágrimas de Jasmine cayeron sobre las manos de su hermano.

–No hables, Zakki. Vamos a cuidar de ti.

–Alá está contigo, Yasmina. Veo su mano sobre tu hombro. Casi no te roza, pero está ahí.

–Oh, Zakki –dijo Jasmine, rompiendo en sollozos–, me parece imposible haberte encontrado. Qué horrible debió de ser para ti vivir tan solo.

–Alá estaba conmigo... –contestó Zacarías, emitiendo un chirriante suspiro.

–Tenemos que sacarlo inmediatamente de aquí, de lo contrario será demasiado tarde –dijo Declan.

–*Mishmish*... ya casi no siento el dolor.

–Te he dado una cosa para aliviarlo.

–Bendita seas, hermana de mi corazón –mirando a Declan, Zacarías añadió–: Pero tú estás sufriendo, amigo mío. Lo veo en el halo que te rodea.

–No hables ahora, *Abu*, no gastes energía.

Zacarías alargó la mano y, tomando la de Declan, añadió:

–Sí, tú estás sufriendo –contempló el rostro de Declan y pareció leer algo en él–. No tienes que reprocharte nada. No tuviste la culpa.

–¿Cómo?

–Ella dice que está en paz y quiere que tú también lo estés.

Declan le miró un instante y después se puso en pie de un salto. Zacarías se volvió hacia Jasmine.

–Deja que me vaya junto a Alá. Es mi hora –levantó una mano y acarició el dorado cabello que, libre del turbante, se derramaba sobre los hombros de Jasmine–. Alá te ha devuelto a casa, *Mishmish*. Tus días errantes en tierras extrañas han tocado a su fin –esbozando una sonrisa, añadió–: Dile a Tahia que la amo y la esperaré en el Paraíso.

Dicho lo cual, cerró los ojos y expiró.

Jasmine le sostuvo en sus brazos y, acunando el cuerpo sin vida, murmuró:

–«En el nombre de Alá, el Clemente y Misericordioso. No hay más dios que Alá y Mahoma es su Profeta.»

Lo sostuvo largo rato en medio del silencio del desierto mientras las sombras de la noche iban penetrando poco a poco en el santuario y un solitario chacal aullaba en las colinas circundantes sobre el trasfondo de los sollozos de Hadj Tayeb. Al final, Declan dijo:

–Lo tenemos que enterrar, Jasmine.

–Mi madre me escribió hace tiempo contándome que Zacarías había vivido una experiencia mística en el Sinaí durante la guerra de los Seis Días. Dijo que había muerto en el campo de batalla y que regresó a la vida. A partir de entonces, mi hermano cambió. Aseguró que había visto el Paraíso. Se volvió muy religioso y *Umma* dijo que había sido elegido por Alá. Después, se fue en busca de Sahra, nuestra cocinera, no sé por qué.

–Jasmine –dijo Declan–, está anocheciendo. Tenemos que enterrarle. Vaya a sentarse en el LandCruiser con Tayeb. Yo cavaré la tumba.

–No. Tengo el deber de enterrar a mi hermano. Quiero ser yo quien le deposite en la tierra.

La noche ya había caído cuando amontonaron unas piedras sobre la tumba para evitar que los animales carroñeros se apoderaran del cuerpo. Al terminar, Jasmine grabó el nombre de Alá sobre la roca que cubría la cabeza de Zacarías.

Hadj Tayeb se pasó la manga bajo la nariz, diciendo:

–Loado sea Alá, *sayyida*, tu hermano descansará en dos paraísos, pues este lugar también está consagrado a los antiguos dioses.

Jasmine se echó a llorar y Declan la estrechó largamente en sus brazos.

42

Cuando Amira descendió del automóvil, todo el mundo enmudeció de golpe.

El ruidoso clan de los Rashid acababa de llegar en una caravana de vehículos y sus miembros se congregaron alegremente en el muelle, aspirando la vigorizante brisa marina y empapándose los huesos de sol. Allá en El Cairo, los *jamsins* habían envuelto la ciudad en un sudario de cálida arena, pero allí, en el puerto Suez, adonde la familia se había desplazado para despedir a Amira en su ansiada peregrinación a La Meca, el sol derramaba sus doradas bendiciones desde un purísimo cielo azul y las aguas del golfo de Suez eran de un color turquesa tan profundo que dolían los ojos de sólo mirarlo.

Sin embargo, el centro de la atención de todos era en aquellos momentos Amira, la cual acababa de emerger desde el Cadillac a la brillante luz del sol, vestida con sus ropajes de peregrina. Y la blancura de su atuendo era tan cegadora que todos se la quedaron mirando boquiabiertos de asombro.

Nadie recordaba haberla visto jamás vestida de otro color que no fuera el negro. Y ahora la blancura de las holgadas prendas y del velo de gasa, guardados en un cajón durante incontables años de esperanza, había obrado en ella una curiosa transformación. Amira aparecía extrañamente joven y virginal, como si el color blanco hubiera purificado sus años y borrado los achaques. Incluso parecía caminar con paso más ligero, como si las articulaciones se hubieran librado del dolor y la rigidez y las vestiduras tuvieran poderes mágicos y le hubieran devuelto la juventud.

Sin embargo, no eran aquellas tradicionales prendas las que habían transformado a Amira, sino el hecho de saber que, al final, podría peregrinar a la santa ciudad de La Meca. Se había pasado las últimas semanas rezando y ayunando para poder entrar en el *Ihram*, el estado de pureza, prescindiendo del maquillaje y las joyas, símbolos de su vida secular y terrenal, y apartando de su mente todos los pensamientos mundanos para concentrarse exclusivamente en Alá. Ahora ya estaba preparada para entrar en la ciudad santa de La Meca, lugar natal del Profeta en el que, desde hacía cuatrocientos años, sólo estaban autorizados a entrar los creyentes.

Mientras Ibrahim acompañaba a su madre a la terminal de los *hadj* donde los transbordadores aguardaban para trasladar a los peregrinos al sur del mar Rojo hacia la costa occidental de Arabia Saudí, los Rashid se mezclaron con la muchedumbre de pasajeros y familiares para acompañar alegremente a *Umma* hasta el barco.

Estaban todos menos Nefissa, la cual se había torcido un tobillo y había tenido que permanecer en El Cairo, y su nieto Muhammad, que se había quedado para cuidar de ella y hacerle compañía. Sin embargo, sí estaba su hija Tahia, llevando de la mano a sus dos nietecitas.

Tahia, que acababa de cumplir los cuarenta y tres años, contempló con orgullo a su hija Asmahan, cuyo cumpleaños se celebraría al día siguiente: la joven iba a cumplir veintiún años y ya estaba embarazada de su segundo hijo. Después miró a Zeinab, que pronto cumpliría también veintiún años, pero para quien no había ninguna perspectiva de matrimonio ni de hijos. No obstante, Alá podía obrar prodigiosos milagros. ¿Acaso a la familia no le habían dicho una vez que la propia Camelia jamás podría tener hijos a causa de la infección que había sufrido en su adolescencia? Y, sin embargo, allí estaba su hijo Najib, un precioso chiquillo moreno y de ojos claros como el ámbar. Por consiguiente, ¿quién podía afirmar que el destino de Zeinab ya estaba escrito en el libro de Alá? Lo que verdaderamente hacía soportable la vida era la confianza en la misericordia y la clemencia de Alá; de otro modo, ¿cómo hubiera podido la gente seguir viviendo? ¿Cuántas veces ella misma había estado tentada de abandonar a su familia e ir en busca de Zacarías? Pero la confianza en Alá la había sostenido. Cuando Zakki cumpliera la misión que le había encomendado Alá, regresaría. Y entonces ambos podrían casarse sin ningún impedimento.

Huda, la esposa de Ibrahim, caminaba detrás de Tahia con sus cinco hijas, unas encantadoras niñas con los característicos ojos almendrados de los Rashid y cuyas edades oscilaban entre los siete y los catorce años. Ellas eran el centro de todo su universo. Desde que Ibrahim la rescatara de su vida de estrecheces, trabajando todo el día como enfermera en su consultorio y atendiendo después a su padre, el vendedor de bocadillos, y a los holgazanes de sus hermanos, su existencia había estado enteramente dedicada a la crianza y el cuidado de aquellos ángeles. No le importó que Ibrahim llevara a casa a una segunda esposa, la dulce y sumisa Atiya, que ya la había librado de los aburridos deberes conyugales. Si alguien se lo hubiera preguntado, Huda hubiera dicho que disfrutaba haciendo el amor con Ibrahim, aunque en el fondo de su corazón detestaba aquel acto y sólo se había sometido a él para poder tener hijos. Muchas veces le había insinuado a Ibrahim la conveniencia de hacer una saludable pausa, pero él seguía entregándose a ello con prodigiosa determinación. Estaba a punto de cumplir setenta años y aún no había conseguido tener un hijo varón como prueba de su virilidad. Bueno, ahora el peso de aquella carga lo soportaría Atiya y ella se alegraría de que así fuera. Mientras acompañaba a su madre avanzando por el ruidoso muelle, Ibrahim miró a Atiya. El viento le pegaba el veraniego vestido al cuerpo, revelando la generosa prominencia de su vientre. Tenía que darle un varón. Siete hijas... nueve, contando la pequeña que había muerto en el verano de 1952 y la que Alice había perdido en 1963. Sin embargo, se consolaba pensando en la clemencia de Alá. El hecho de no tener un hijo varón era el mayor castigo que pudiera sufrir un hombre. ¿Estaría su padre Alí mirándole todavía desde el Paraíso y esperando que le diera un nieto? ¿Qué significaban los años para un alma en el Cielo? Puede que toda una vida no fuera más que un instante y que la impaciencia y los reproches de Alí no hubieran disminuido ni un ápice. Pero ahora la prominencia que se observaba bajo el vestido de Atiya lo llenaba de esperanza.

Mientras seguía a los demás miembros de su familia hacia la terminal, Dahiba se apoyó en Hakim. A pesar de que Ibrahim había dicho que en la operación quirúrgica le habían quitado todo el cáncer, la estaban sometiendo a un tratamiento de quimioterapia y radiaciones que la dejaba muy debilitada. Sin embargo, aunque la fuerza física le fallara, su espíritu se mantenía tan vigoroso como siempre. Las últimas cuatro semanas habían infundido un nuevo significado y una nueva determinación en su vida y también en la de su marido. Hakim y Dahiba seguirían viviendo con el mismo entusiasmo de siempre aunque el futuro permaneciera oculto tras un velo. Habían aceptado la voluntad de Alá y se someterían a sus designios; y, entre tanto, tras haber saboreado su propia mortalidad y sabiendo que todas las horas de las personas estaban contadas, dedicarían el resto de sus días a trabajar en sus respectivos proyectos para poder dejar un legado significativo a la posteridad. Hakim rodaría finalmente la película más importante de su carrera, una producción que, antes incluso de haberla terminado, ya había armado un gran revuelo en El Cairo, pues estaba basada en la historia real de una mujer tan terriblemente maltratada por su marido y por un sistema jurídico extremadamente benévolo con los monstruosos comportamientos de los hombres; que, al final, se había visto empujada al asesinato. Hakim estaba seguro de que la película se prohibiría en Egipto, pero ya se imaginaba a los espectadores de todo el mundo vitoreando a su heroína en el momento en que ésta disparaba primero contra la ingle y después contra el corazón de su marido. El proyecto de Dahiba era el manuscrito de una novela que los editores le habían rechazado años atrás. *Bahithat al-Badiyya*, «El buscador del desierto», había sido rechazada por los editores por considerarla una obra autobiográfica, calificación habitualmente utilizada para menospreciar la producción literaria de una mujer, dando a entender con ello que ésta sólo tenía una historia que contar, la suya propia. Pero ahora le habían comprado el manuscrito y, gracias al clima más liberal instaurado por el presidente Mubarak, la obra se publicaría en Egipto y, por consiguiente, en todo el mundo árabe. Así pues, a pesar de sus dolores y su debilidad, Dahiba había acudido a despedir a *Umma* muy animada.

Pero la familia no le quitaba los ojos de encima. Aunque fingiera disfrutar de la fresca brisa marina, de la fabulosa extensión del mar y del espectáculo de los buques cisterna y los demás barcos surcando las aguas sobre el impresionante telón de fondo color malva del Sinaí, Camelia estaba muy preocupada por su tía. Sabía lo mucho que la debilitaba la quimioterapia y también sabía que Dahiba se había cubierto la cabeza con un pañuelo color melocotón para disimular la pérdida de cabello provocada por las radiaciones. Por eso se le había ocurrido la idea de darle a su tía una sorpresa; en la conspiración participaba toda la familia menos Dahiba y Hakim, y ella confiaba en que todo el mundo supiera guardar el secreto. Si de algo podía estar segura, era de la habilidad de la familia para guardar secretos.

Llegó el momento de la despedida. Mientras otros peregrinos subían al transbordador y saludaban a su familia y amigos, Zeinab y dos primas suyas de veintitantos años ocuparon sus puestos al lado de Amira. Ellas también vestían enteramente de blanco porque iban a hacer la peregrinación a Arabia.

–Voy a La Meca para rezar por la recuperación de mi hija –dijo Amira, abrazando a Dahiba y Hakim–. Alá es clemente –después abrazó a Camelia y le guiñó el ojo, musitando–: No te preocupes, regresaremos a tiempo, *inshallah*.

Ibrahim estrechó largo rato a su madre en sus brazos. Hubiera querido enviar a uno de los chicos con ella, tal vez a Muhammad, para que la protegiera. Omar había secundado la decisión, señalando que no quería que su abuela recorriera sola Arabia Saudí. Sin embargo, Amira había trastocado sus planes, decidiendo que la acompañaran las tres chicas, con lo cual la presencia de Muhammad se había hecho innecesaria. Sin embargo, el origen de la inquietud de Ibrahim no era sólo la peregrinación a La Meca... al fin y al cabo, su madre viajaría en compañía de un montón de gente que también se dirigía a la ciudad santa. Era también lo que Amira tenía previsto para la vuelta.

–Quiero tratar de encontrar el camino que seguimos mi madre y yo cuando yo era pequeña y emprendimos un viaje.

Ibrahim no veía la importancia que pudiera tener aquel largo viaje de su madre y experimentaba la premonición de que jamás volvería a verla.

–Alégrate por mí, hijo de mi corazón –le dijo Amira–. Emprendo un viaje que me llena de júbilo.

Después, volviéndose a mirar el transbordador, se preguntó si aquel deslumbrante mar azul sería el mismo que había visto en sus más recientes sueños.

Mimí lucía el último grito en trajes de danza oriental: un modelo de noche de raso escarlata y lentejuelas carmesí, estilo años cincuenta; calzaba zapatos de tacón con correas alrededor de los tobillos y un largo guante de noche en un solo brazo, con el otro al aire. La hábil iluminación de la fotografía realzaba su rubia melena, confiriéndole una apariencia un tanto salvaje. Como si fuera una devoradora de hombres... capaz de comerse vivo a un hombre y conseguir que éste le suplicara tormentos todavía mayores.

De pie frente al Cage d'Or con las manos metidas en los bolsillos, Muhammad permanecía ajeno a la gente que estaba entrando en la sala de fiestas, los autobuses de turistas y los vociferantes hombres de negocios que se disponían a pasar un buen rato. Ardía por Mimí. Pero no se atrevía a entrar.

Ojalá tía Dahiba no se hubiera puesto enferma. Tras haber visto a Mimí en el estudio de ella, Muhammad se había quedado dormido por la noche con la imagen de Mimí grabada en la mente, tratando, con la ingenuidad propia de la adolescencia, aunque movido por el deseo de un hombre adulto, de inventarse algún medio de conocerla. Pero, de pronto, tía Dahiba tuvo que ingresar en el hospital, cerrando su estudio y dando al traste con su sueño de conocer a Mimí. En las cuatro semanas transcurridas desde entonces, el joven había acudido casi todas las noches a aquel lugar colgado sobre el Nilo para contemplar la sala de fiestas que años atrás había sido una de las casas de juego preferidas del rey Faruk. Y allí se quedaba, contemplando la imagen de Mimí en la marquesina sin atreverse a entrar.

¿Por qué no lo hacía? Tenía dinero y edad suficiente, pues acababa de cumplir veinticinco años dos días antes. La familia había organizado una gran fiesta en su honor y le habían hecho muchos regalos. Pero no le habían dado mucho dinero y eso era lo que más falta le hacía. Mimí no mostraría el menor interés por un funcionario del Estado sin un céntimo en el bolsillo.

Mientras contemplaba absorto la cascada de rubios bucles,

pensando que aún no había recibido la postal de felicitación que su madre le enviaba cada año por su cumpleaños desde cualquier lugar del mundo donde estuviera, no se dio cuenta de que un hombre se había situado a su lado. De pronto, oyó una voz que le decía en un susurro:

–Decadencia imperialista occidental.

Volvió la cabeza para ver a quién se dirigía el comentario.

Experimentó un sobresalto al ver a Hussein, el que le había vigilado en el café de Feyruz, su antiguo y temible compañero de los Hermanos Musulmanes. Al darse cuenta de que era la segunda vez en cuatro semanas que tropezaba con Hussein, pues casi había chocado con él en la acera la semana anterior al salir del edificio oficial donde trabajaba, se preguntó si tales encuentros habrían sido pura coincidencia.

–¿Cómo dices? –preguntó, simultáneamente consciente de dos sensaciones: del cálido y arenoso aliento del *jamsin* y de los oscuros y siniestros ojos de Hussein.

–Estuviste una vez con nosotros, hermano –dijo Hussein–. Te recuerdo de nuestras reuniones. Pero después desapareciste.

–Mi padre...

Muhammad tuvo miedo de repente y se preguntó por qué. Hussein sonrió sin la menor cordialidad.

–¿Sigues creyendo, amigo mío?

–¿Creyendo?

Hussein le señaló la imagen de Mimí.

–Esta basura está socavando los valores de Egipto y destruyendo nuestra fe islámica fundamental.

Muhammad contempló el cartel y después miró a Hussein.

Desde el interior de la sala de fiestas se escapaban los acordes de la orquesta. Su amada Mimí estaba a punto de salir al escenario para bailar ante todos aquellos desconocidos. La deseaba y detestaba a la vez. Empezó a sudar.

Hussein se le acercó un poco más y le dijo casi con un gruñido:

–¿Cómo puede un hombre concentrar sus pensamientos en Alá, cómo puede mantenerse fiel a su esposa y a su familia cuando Satanás arroja tales tentaciones en su camino? Estas salas de fiestas están subvencionadas con los dólares occidentales y forman parte de una conspiración para privar a Egipto de su orgullo, su honor y su honradez.

Muhammad contempló la imagen de Mimí, clavó los ojos en la turgencia de su busto y en sus caderas y se percató de pronto de que su sonrisa era en cierto modo burlona.

El cálido *jamsin* pareció traspasarle la piel con miles de alfileres. El sudor le bajaba por las mejillas, por el interior del cuello de la camisa y entre los omoplatos. Un fuego le ardía en las entrañas.

–Tenemos que limpiar Egipto de esta pestilencia –murmuró Hussein–. Y regresar a los caminos de Alá y a la rectitud. Tenemos que usar todos los medios a nuestro alcance.

Muhammad le miró atemorizado. Después, dio media vuelta y huyó corriendo.

Nefissa se alegraba de haberse torcido el tobillo y de no haber podido acompañar a la familia a Suez, pues su accidente había obligado a Muhammad a quedarse con ella y a renunciar a su viaje a La Meca con Amira. Estaba furiosa con su hermano y su hijo por el hecho de que éstos hubieran sugerido aquella posibilidad que sólo hubiera servido para que Amira tuviera una nueva ocasión de reforzar su dominio sobre Muhammad, tal como dominaba a todos los demás miembros de la familia. Pero ella lo tenía muy claro: el chico era suyo.

Y había forjado para él unos planes en los que nadie, ni siquiera Omar o Ibrahim, y tanto menos Amira, iban a meter las narices. Puede que la felicidad se le hubiera escapado en los últimos años, pero aún podría recuperarla cuando su nieto se casara con la chica que ella ya le había elegido y se fueran a vivir los tres al nuevo apartamento que ella había adquirido en secreto.

Precisamente estaba mirando el reloj y preguntándose dónde estaría Muhammad y adónde iría todas las noches, cuando oyó que se abría y cerraba la puerta de entrada. Muhammad entró en el salón donde ella se encontraba recostada en un sofá, con el pie lastimado sobre un almohadón. El joven la besó rápidamente y apartó el rostro, pero no sin que antes ella observara su intensa palidez y la trastornada expresión de sus ojos.

–¿Cómo estás esta noche, nieto de mi corazón? –le preguntó, súbitamente preocupada.

Muhammad permaneció de espaldas a ella mientras examinaba la correspondencia que había recogido en el buzón del vestíbulo de abajo.

–Estoy bien, abuela...

De pronto, el joven interrumpió la frase y Nefissa vio que contraía los hombros.

–¿Qué ocurre? –le preguntó.

–Mi postal de felicitación de cumpleaños –contestó Muhammad con la voz entrecortada por la emoción–. Ha llegado.

Muhammad se sentó en el diván y contempló largo rato el sobre antes de abrirlo. En otros tiempos, Nefissa había conseguido ocultarle a Camelia las cartas de Yasmina, pero ni siquiera había intentado ocultarle las postales a su nieto. Muhammad las esperaba con ansia cada año y ella sabía incluso en qué cajón las guardaba. Sabía que, si le hubiera prohibido guardarlas, él hubiera convertido a su madre en una mártir y la hubiera colocado en un pedestal. La fruta que está al alcance de la mano, pensó Nefissa, es menos tentadora que la prohibida.

Al ver que Muhammad fruncía súbitamente el ceño, le preguntó:

–¿Qué ocurre, cariño?

Muhammad se acercó a ella.

–No lo entiendo, abuela. Fíjate, el sobre lleva franqueo egipcio.

–Entonces no lo envía ella.

–¡Pero la caligrafía es la suya! –Muhammad rasgó el sobre y leyó la consabida frase: «Siempre en mi corazón, Tu madre». Después, examinó más detenidamente el sobre y, al ver el matasellos, exclamó–: *Bismillah*! ¡Está en Egipto!

–¡Cómo! –Nefissa le quitó el sobre de las manos y lo examinó bajo la luz de la lámpara. Al ver el matasellos, de al-Tafla, R.A.E., se quedó súbitamente helada–. En el nombre de Alá –musitó–. ¿Yasmina en Egipto? ¿Dónde está al-Tafla?

Muhammad sacó rápidamente el pequeño atlas que había en la librería entre un diccionario y una colección de obras de poesía de Ibn Hamdis, y pasó rápidamente las páginas con trémulas manos. Era importante encontrar el lugar exacto, tenía que saber con toda precisión dónde estaba al-Tafla. El libro se le cayó de las manos, se agachó para recogerlo y, al final, llegó a la página en la que el verde valle del Nilo dividía dos amarillos desiertos. Deslizó el dedo hacia abajo siguiendo el curso del río, volvió a deslizarlo hacia arriba y otra vez hacia abajo y, al final, exclamó:

–*Y'allah*! ¡Aquí está! Al sur de Luxor y antes de...

Después arrojó el atlas al otro lado de la estancia y éste fue a dar contra el televisor, cayendo al suelo mientras las páginas sueltas se escapaban volando.

Nefissa trató de incorporarse, se agarró al respaldo de una silla y se levantó, haciendo una mueca de dolor.

–Nieto de mi corazón –dijo–. Por favor...

–¿Cómo es posible que esté aquí y no haya venido a verme? –dijo Muhammad–. ¿Qué clase de madre es ésa? ¡Oh, abuela, estoy desolado!

Al ver cómo lloraba Muhammad y cómo su delgado cuerpo se estremecía al ritmo de los convulsos sollozos, Nefissa se alarmó y experimentó un repentino temor. ¡Yasmina en Egipto! ¿Y si reclamara a su hijo? Legalmente, Yasmina no podía hacerlo. Pero Muhammad ya era un hombre y una dulce palabra de su madre hubiera podido ser suficiente para que ella lo perdiera para siempre.

–Escúchame, cariño –dijo, alargando la mano hacia su brazo–. Ayúdame a sentarme. Verás, tengo que decirte una cosa. Ha llegado el momento de que sepas la verdad sobre tu madre.

Muhammad se pasó una mano bajo la nariz mientras ayudaba a su abuela a sentarse en el costoso sillón de brocado especialmente reservado para ella. Desde aquel trono, Nefissa daba órdenes a Nala y las criadas y mimaba a Omar, Muhammad y las niñas. Lanzando un profundo suspiro para serenarse, Nefissa añadió:

–No va a ser fácil para mí, nieto de mi corazón. La familia lleva muchos años sin mencionar a tu madre, desde que ella se fue. Siéntate, por favor.

Pero Muhammad no podía sentarse. El *jamsin* azotaba las ventanas cual si unos perversos *yinns* estuvieran haciendo travesuras y en el apartamento hacía un calor insoportable. El joven permaneció de pie en el centro de la estancia, sobre la alfombra que su abuela había adquirido tiempo atrás en una subasta por haber pertenecido a su amiga la princesa Faiza.

–Dime, abuela, ¿qué le ocurrió a mi madre? –preguntó sin poder disimular la tensión de su voz.

Nefissa enderezó la espalda.

–Pobre muchacho mío, tu madre fue sorprendida en adulterio con el mejor amigo de tu tío Ibrahim –mientras pronunciaba aquellas palabras, Nefissa se avergonzó del placer que sentía–. Ella estaba casada por aquel entonces con tu padre.

–No... no te creo –dijo Muhammad con lágrimas en los ojos.

–Pregúntaselo a tu tío cuando regrese de Suez. Ibrahim te dirá la verdad. Aunque fuera su hija, su desvergüenza nos deshonró.

–¡No! –gritó Muhammad–. ¡No puedes decir eso de mi madre!

–Me duele decírtelo porque deshonró a nuestra familia. Por eso nadie habla de ella. Ibrahim expulsó a tu madre la víspera de la guerra de los Seis Días, un día negro para Egipto y para todos nosotros.

Nefissa apretó fuertemente los labios. No quería contarle a Muhammad todo lo demás, cómo Yasmina había suplicado clemencia y había pedido que le permitieran quedarse con su hijo y cómo Omar se lo había llevado aquella misma noche sin que jamás su madre hubiera podido volver a verlo.

De pie sobre la alfombra de la princesa Faiza, Muhammad se estremeció violentamente mientras el sudor le bajaba profusamente por las mejillas. De pronto, abandonó la estancia y Nefissa le oyó vomitar en el cuarto de baño.

Salió tambaleándose y con el rostro intensamente pálido. Nefissa extendió los brazos como para retenerle, pero él salió del apartamento y bajó a la calle, empujando a la gente a su paso. Se dirigió al café de Feyruz confiando en encontrar a sus amigos... confiando en que Salah y Habib le hicieran reír y disiparan su pesadilla con sus chistes y sus bromas. Pero no estaban. Encontró en su lugar a Hussein, con sus siniestros ojos y sus siniestras ideas. Se sentó a su lado, sosteniéndose la cabeza con las manos mientras Hussein le hablaba de la necesidad de librar a Egipto de los impíos. Mientras escuchaba, el joven Muhammad vio unas negras nubes acercándose a él cual si fueran una malsana niebla o las fauces de un perverso *yinn* dispuesto a devorarle.

–Sí –dijo, asintiendo a las palabras de Hussein mientras se juraba a sí mismo en silencio: «Iré a al-Tafla y la castigaré tal como la hubieran tenido que castigar hace veinte años».

43

Jasmine escudriñó el cielo nocturno en busca de la estrella de su nacimiento, Mirach de Andrómeda, en la esperanza de que ésta le infundiera fuerza para lo que estaba a punto de hacer. Sin embargo, las estrellas eran tan brillantes como unos fuegos artificiales y resultaba imposible distinguir una sola entre tantas. Por consiguiente, contempló la redonda y plateada luna que iluminaba el Nilo con su benévolo resplandor y extendió los brazos hacia ella como si quisiera abrazar su poder.

Tras pronunciar una silenciosa plegaria, se apartó del río y regresó a la aldea dormida de al-Tafla a través de las oscuras callejuelas hasta llegar a la casa de la comadrona, que era al mismo tiempo adivina y vidente. Tenía que actuar con rapidez. Faltaban tres días para la partida de Declan Connor.

Declan paseaba sobre las crujientes tablas de la galería sin poder dormir. De vez en cuando, se detenía para examinar el cielo de medianoche y ver si estaba nublado. Durante todo el día los lugareños habían oído los distantes rugidos de los truenos, el aire había estado electrizado y se habían visto enormes bandadas de aves en el cielo. ¿Se estaría acercando una tormenta? Pero ¿cómo era posible si el cielo no estaba encapotado? Declan se sacó una cajetilla del bolsillo y, mientras encendía un cigarrillo, reflexionó acerca de su propia tormenta personal.

Faltaban tres días para que abandonara Egipto y no podía quitarse a Jasmine de la cabeza... la sensación de tenerla en sus brazos cuando la consoló cuatro semanas atrás, después de enterrar a su hermano. Le obsesionaba el recuerdo de su cuerpo contra el suyo, de su calor, de su busto apretado contra su pecho, de sus lágrimas empapándole la camisa y de la forma en que ella se había aferrado a él. Jamás había deseado a una mujer en la medida en que estaba deseando a Jasmine y se maldecía por ello. No tenía ningún derecho a sentir semejantes deseos, estando Sybil en el sepulcro.

Se acercó a la barandilla de la galería y contempló el oscuro río en cuya superficie, más negra que la pez, la luna trazaba una cinta de plata.

Cuando volvió a oír el rugido, Declan comprendió por vez primera que lo que había estado oyendo todo el día no eran truenos sino otra cosa... el redoble de unos lejanos tambores. Arrojó el cigarrillo al suelo y lo pisó con el pie para apagarlo. Eran sin la menor duda unos tambores. Pero ¿dónde, a aquella hora?

Se alejó muy despacio de su casita de la orilla del Nilo y se encaminó hacia la aldea. Los tambores sonaban cada vez más próximos y seguían un ritmo especial. ¿Quién podía estar celebrando una fiesta a aquella hora de la noche?

Al-Tafla estaba cerrada a cal y canto, no brillaba ninguna luz, ni siquiera en el café de Walid. Ningún *fellah* salía de noche para no tropezarse con los *yinns* y los malos espíritus que poblaban la oscuridad. A pesar del calor, todas las puertas y ventanas estaban atrancadas para impedir la entrada de los demonios o de las maldiciones de los vecinos envidiosos.

Declan vio que la clínica también estaba a oscuras; la luz tampoco estaba encendida en la ventana de Jasmine en la parte de atrás. Sin embargo, vio para su asombro el parpadeo de una antorcha iluminando los muros del patio de la parte posterior de la clínica donde estaban el horno, los lavaderos y los corrales de las gallinas. Bajando por una callejuela tan estrecha que sus hombros rozaban los muros de adobe de las casas, vio en el patio un grupo de hombres con instrumentos musicales... flautas de madera, violines de dos cuerdas y unos grandes y planos tambores que tocaban rítmicamente sobre unas brasas de carbón encendidas. Había también algunas mujeres; Declan reconoció a la esposa de Jalid, la hermana de Walid y la anciana y respetada Bint Omar, moviéndose alrededor de unos recipientes en los que estaban quemando incienso mientras murmuraban conjuros. No podía entender las palabras porque no hablaban en árabe.

De pronto, comprendió lo que estaban preparando: un *zaar*, una danza ritual para exorcizar a los demonios, en cuyo transcurso los participantes eran presa de una especie de frenesí y perdían el dominio de sí mismos. Aunque no se permitía normalmente que los forasteros tomaran parte y ni siquiera presenciaran los *zaars*, Declan había sido testigo en secreto de una de aquellas danzas hipnóticas en Túnez, un llamado *stambali*, durante el cual el danzarín había muerto a causa de una parada cardíaca.

Declan se alarmó. ¿Dónde estaba Jasmine?

Quiso acercarse, pero una mujer le cerró el paso.

–*Haram*! –le dijo–. ¡Tabú!

Sin embargo, otra mujer, la comadrona de la aldea, se acercó a él y le miró con sus inquisitivos ojos oscuros. Era una mujer muy poderosa en al-Tafla, cuyos tatuajes en la barbilla proclamaban con orgullo sus orígenes beduinos. Declan se había enfrentado algunas veces con ella a propósito de la brutal y bárbara costumbre de circuncidar a las niñas. Estaba a punto de preguntar qué ocurría y dónde estaba la doctora cuando, para su asombro, la mujer se apartó a un lado y le dijo:

–Puedes entrar, saíd.

Algunos de los que estaban sentados en los bancos que rodeaban el patio le saludaron con una sonrisa o un movimiento de la cabeza. Otros paseaban por el reducido espacio como si se estuvieran precalentando para un ejercicio. Las mujeres describían lentos círculos, subiendo y bajando los brazos, golpeando el suelo con los pies y ladeando las cabezas sin mover el cuello mientras los tamborileros calentaban sus tambores sobre las brasas, el violinista templaba su instrumento y la comadrona, envuelta en sus negros ropajes, iba encendiendo velas e incienso hasta que el sofocante aire nocturno se llenó de humo y exóticos perfumes.

Declan miró a su alrededor, buscando a Jasmine. Se guardó muy bien de entrometerse en la danza hipnótica o de intentar interrumpirla, pero quería saber por qué razón la estaban llevando a cabo allí en la clínica y qué tenía Jasmine que ver con todo aquello. El hombre que había visto morir en Túnez era muy joven y su estado de frenesí acabó con su vida. Todo el mundo sabía que las danzas *zaar* podían ser peligrosas porque su propósito era el de expulsar a los malos espíritus, los cuales se mostraban generalmente reacios a marcharse. A juicio de Declan, lo más peligroso era la pérdida del control consciente.

¿Alguien se habría puesto enfermo?, se preguntó, acomodándose al lado de la señora Rajat, la cual, sentada junto a la pared, fumaba en pipa con los ojos cerrados. ¿Se trataría de un *zaar* curativo? ¿O acaso alguien se sentía desgraciado por algún motivo y quería librarse de las energías negativas? Tal vez los truenos que se habían oído durante todo el día habían puesto nerviosos a los aldeanos y éstos querían ahora ahuyentar a los *yinns* que sin duda llevaría consigo la tormenta. Declan apoyó la espalda con aire cansado en el muro de adobe que todavía conservaba el calor del día y, mientras los tambores sonaban rítmicamente sobre las brasas, sintió que su inquietud se intensificaba por momentos.

Una vez encendidas las velas, la comadrona hizo una señal y todos los tamborileros, excepto uno, hicieron callar sus instrumentos. El solitario tamborilero, vestido con una larga *galabeya* blanca y tocado con un turbante blanco, se movió alrededor del patio tocando el tambor con ritmo monótono. Las mujeres cerraron los ojos y permanecieron donde estaban, oscilando lentamente de uno a otro lado. Tras describir unos cuantos círculos, el tamborilero modificó el ritmo y siguió recorriendo el patio mientras golpeaba hipnóticamente el tambor con el pulgar y los demás dedos de las manos. Al poco rato, cambió de nuevo el compás y se le unió otro tamborilero que volvió a alterar levemente el ritmo.

Declan sabía lo que estaban haciendo. Los *fellahin* creían que los malos espíritus reaccionaban a ritmos determinados y que cada espíritu tenía su propia cadencia, por lo que los tamborileros estaban tendiendo trampas, por así decirlo, a los espíritus malignos que vagaban por el aire con el propósito de atraparlos. Al final, una de las mujeres inició una danza. Cobró vida como si de pronto la hubieran atrapado también a ella y empezó a moverse con precisión al ritmo del tambor. Declan se sorprendió de que la voluminosa mujer de Jalid pudiera moverse con tal gracia y donaire. Pero ésta no había entrado en trance. Todavía.

Los demás tamborileros se unieron a su compañero, creando inicialmente una cacofonía que, al final, se transformó en una orquestación de compases prodigiosamente ensamblados. Otras mujeres empezaron a danzar, cada una de ellas a su propio aire y con distintos movimientos, como si sus espíritus respondieran a unos personales ritmos internos. Al ver que la comadrona desaparecía súbitamente en la parte de atrás de la clínica donde estaba la vivienda de Jasmine, Declan se puso súbitamente en estado de alerta.

En cuanto vio aparecer a Jasmine, se levantó de un salto.

Sin embargo, Jasmine no caminaba por su propio pie sino que, con los ojos cerrados y la cabeza inclinada hacia un lado, era sostenida por dos mujeres. ¿La habrían drogado, se preguntó Declan, o acaso ella misma habría conseguido alcanzar por sí sola aquel estado de relajación? Vestía un caftán deslumbradoramente azul, el color simbólico que calmaba y serenaba los espíritus.

Declan contempló fascinado cómo los tamborileros se movían en círculo alrededor de Jasmine, rozando el suelo con los dobladillos de sus *galabeyas* mientras las mujeres la sostenían. Cuando la comadrona empezó a hablar con voz estridente, Declan se la quedó mirando asombrado. No tenía ni idea de lo que estaba diciendo ni en qué lengua se expresaba... Al parecer, estaba pronunciando nombres, como si llamara a alguien, tal vez a los espíritus. Levantó los brazos y su silueta se proyectó contra el muro del otro lado y, aunque ella permaneció inmóvil, su sombra pareció danzar en una ilusión creada por el parpadeo de las antorchas.

Cuando Jasmine se desplomó repentinamente al suelo, Declan hizo ademán de acercarse a ella, pero la fuerte mano de la señora Rajat le retuvo de inmediato. Las mujeres se alejaron, dejando a Jasmine arrodillada y con los ojos cerrados en el centro del círculo. Cuando ésta empezó a oscilar lentamente de uno a otro lado, los demás músicos tomaron finalmente sus instrumentos y se unieron a los tamborileros.

La música era obsesiva, melódica e hipnótica. Declan permaneció clavado donde estaba mientras Jasmine, todavía arrodillada, oscilaba hacia uno y otro lado con los brazos extendidos y la cabeza echada hacia atrás. Cuando el turbante le resbaló por ello, la comadrona se apresuró a recogerlo y el dorado cabello se derramó a su espalda. Las mujeres seguían danzando a su alrededor, pero Declan observó que sus penetrantes ojos no se apartaban ni un solo momento de Jasmine; el círculo adquirió un aire protector mientras la señora Rajat y las demás murmuraban de vez en cuando palabras tranquilizadoras para que Jasmine supiera que estaba a salvo y entre amigos.

Los movimientos de Jasmine se hicieron más pronunciados hasta el extremo de que, al doblarse hacia atrás, su largo cabello rozó el suelo a su espalda. La luna asomó por encima de las azoteas circundantes, arrojando una luz espectral sobre el brillante caftán azul.

La música se intensificó y alguien empezó a entonar un canto. Jasmine se inclinó hacia delante, oscilando de un lado a otro y rozando el suelo con su cabello.

Declan sintió que se le aceleraba el pulso al ritmo de los tambores. Las luces de las antorchas parpadeaban como si soplara en el patio un fuerte viento a pesar de la absoluta inmovilidad del aire nocturno. La comadrona siguió pronunciando unas extrañas palabras como si estuviera llamando a alguien.

De pronto, Jasmine hizo una cosa muy rara. Con los brazos extendidos lateralmente como si estuviera suspendida de unos hilos invisibles por las muñecas, empezó a mover la cabeza en círculo. Su largo cabello rubio se agitaba a su alrededor a la luz de las antorchas, despidiendo destellos cual si fuera un fuego de artificio. Giró incesantemente, primero despacio y después cada vez más rápido mientras la música aceleraba su ritmo y la comadrona pronunciaba atropelladamente las incomprensibles palabras.

Con la música pulsándole en la cabeza, Declan notó que el sudor le bajaba por la espalda; no podía apartar los ojos de aquel cabello que daba incesantes vueltas hacia arriba, hacia abajo y alrededor de la cabeza de Jasmine mientras ésta movía el cuello en bruscos movimientos sincopados. Al ver su rostro, la palidez de su sudorosa piel, su boca entreabierta y sus ojos...

Sus ojos estaban abiertos, pero sólo se le veía el blanco. Los tenía vueltos hacia el interior de la cabeza porque ya había alcanzado el punto de la trascendencia y había perdido el conocimiento.

–¡Ya basta! –gritó Declan, adelantándose hacia el círculo–. ¡Deteneos!

Al extender el brazo hacia Jasmine, la comadrona le cerró el paso.

–*Haram*, saíd –le dijo.

Pero él la apartó a un lado, tomó rápidamente a Jasmine en sus brazos y la sacó del patio, lejos del sofocante humo y el incienso.

Jasmine yacía inmóvil en sus brazos cuando Declan bajó corriendo por la oscura callejuela. Sin embargo, en cuanto llegó al Nilo y la depositó suavemente sobre la herbosa orilla, Jasmine empezó a volver en sí.

–Declan... –dijo.

–¿Qué demonios estaba usted haciendo allí? –le preguntó Declan, apartándole el húmedo cabello del rostro–. ¿No sabe que las danzas hipnóticas son muy peligrosas? Maldita sea, me ha dado usted un susto de muerte.

–Lo he hecho por usted, Declan.

–¿Por mí? Pero ¿está usted loca? ¿Sabe el mal rato que he pasado?

–Pero es que yo quería...

De pronto, Declan la estrechó en sus brazos y juntó la boca con la suya.

–Jasmine –dijo en un susurro, besándole el rostro, el cabello y el cuello–. ¡Qué miedo he pasado! Temía que sufrieras algún daño.

Jasmine le devolvió ávidamente los besos, arrojándole los brazos al cuello y estrechándose con fuerza contra él.

–No hubiera tenido que quedarme cruzado de brazos –dijo Declan–. Hubiera tenido que impedirlo antes de que empezara.

–Declan, amor mío...

–Por Dios bendito, no puedo perderte, Jasmine –Declan comprimió el rostro contra su cabello y la abrazó con tal fuerza que casi la dejó sin respiración. Después, la cubrió con su musculoso cuerpo y ella contempló los altos y verdes carrizos que los rodeaban, elevándose hacia las estrellas mientras aspiraba la almizcleña fragancia del Nilo y él le decía–: Te quiero, Jasmine.

Después ya no hubo más palabras.

Pasearon por la orilla del río tomados de la mano mientras la luna iniciaba su descenso hacia el horizonte. Jasmine pensó que el Nilo jamás había estado tan hermoso. Saboreaba la sensación de la mano de Declan alrededor de la suya y le parecía que él le sostenía todo el cuerpo en su mano y la abarcaba por todas partes. Eso habían sido sus efusiones amorosas... no tanto una unión cuanto un envolvimiento. A pesar de que la había penetrado físicamente, ella había tenido más bien la sensación de que la absorbía hacia su interior. Declan era el cuarto hombre con quien ella había mantenido contacto íntimo en su vida, pero el primero con quien se había sentido enteramente a gusto.

–Declan –le dijo–, esta noche te han permitido presenciar el *zaar* porque yo lo hacía por ti. No he corrido ningún peligro. Ellos saben lo que hay que hacer cuando la cosa llega demasiado lejos.

Declan contempló el cielo y se preguntó si siempre habría habido en él tantas estrellas y si éstas habrían sido siempre tan brillantes.

–He pasado mucho miedo –dijo en voz baja como si temiera turbar la paz del río–. ¿Por qué demonios has hecho eso por mí?

–Quería ofrecerte un regalo a cambio de lo que tú has hecho por mí.

–¿Y qué es lo que he hecho por ti?

–De no haber sido por ti, puede que jamás hubiera regresado a Egipto y no hubiera podido estar al lado de Zakki en su hora final. Pero, porque yo estuve con él, mi hermano no murió solo en medio del dolor. Y eso te lo tengo que agradecer a ti.

–Pero yo no te traje a Egipto, Jasmine. No tuve nada que ver con eso.

Jasmine se detuvo y contempló su bello rostro iluminado con un nítido claroscuro por el resplandor de la luna. Jamás se había sentido tan completamente enamorada.

–Desde que enterramos a Zacarías, sólo he estado pensando en lo que podría hacer por ti. Recordaba incesantemente lo que él te había dicho, que estabas sufriendo. Y entonces pensé que, si pudiera librarte de tu dolor, ése sería mi regalo.

–¿Y querías librarme de los malos espíritus?

Jasmine esbozó una sonrisa.

–En cierto modo. Las personas que han participado en el *zaar* de esta noche te honran y respetan. Por eso se han juntado para generar energías positivas y enviártelas a ti.

–Pues me temo que no ha dado resultado –Declan lanzó un suspiro–. No me siento demasiado positivo en este momento –se volvió y se acercó a la orilla del río. Al oír de nuevo el distante rugido de los truenos, comprendió que la tormenta del desierto se estaba acercando–. Un día me preguntaste cuál había sido la razón de mi cambio. Es algo relacionado con la muerte de mi mujer. Sybil no murió sin más, Jasmine. Murió asesinada.

Jasmine se le acercó.

–¿Y tú te sientes culpable? ¿A eso se refería mi hermano al decirte que tú no habías tenido la culpa?

–No –Declan extrajo una cajetilla de cigarrillos de su bolsillo–. No es eso.

–Entonces, ¿qué?

Declan estudió un instante el cigarrillo y la cerilla que sostenía en la mano y arrojó ambas cosas al suelo.

–Yo maté a alguien –dijo–. En realidad, lo ejecuté.

Jasmine sintió que la antigua y sabia noche se movía a su alrededor y aspiró la fragancia de las flores de azahar y el fértil perfume del Nilo mientras esperaba la explicación de Declan.

–Sybil y yo estábamos trabajando cerca de Arusha, en Tanzania –añadió Declan tras una pausa–. Yo sabía quién la había matado. Era el hijo del cacique. Sybil tenía una pequeña cámara que él ambicionaba poseer. De hecho, nos la había robado hacía un mes. Yo hice correr la voz de que le había pedido al hechicero que lanzara una maldición sobre quienquiera que hubiera robado la cámara y que, si la devolvían, no habría castigo ni se harían preguntas. Al día siguiente, la encontramos en nuestro Land Rover. Sin embargo, al cabo de un mes, Sybil fue hallada asesinada en el camino que conducía a nuestra misión. Le habían cortado el cuello con una *panga* nativa. Lo único que faltaba en el vehículo era aquella pequeña cámara –Declan contempló un mechón de rubio cabello pegado al húmedo cuello de Jasmine y se lo apartó con delicadeza–. Como el ladrón era el hijo del cacique –añadió–, pensé que no lo harían comparecer en juicio. Entonces reuní inmediatamente a los ancianos del poblado. Éstos tomaron la decisión de resolver el asunto por medio de la expeditiva justicia local, sobre todo tras haberles yo explicado lo que me proponía hacer. Lo que yo quería hacer era justo, dijeron.

»Cuatro corpulentos hombres sujetaron al ladronzuelo mientras yo le administraba una inyección. Le dije al chico que era un suero especial que serviría para establecer su inocencia o su culpabilidad. Si era inocente de la muerte de mi mujer, nada malo le ocurriría, pero, si era culpable, yo mismo le mataría antes de que se pusiera el sol –tras una pausa, Declan añadió–: Murió en el preciso momento en que se puso el sol.

–¿Qué le inyectaste?

–Agua esterilizada. Algo absolutamente inocuo. Yo no creí que muriera. Pensé que se asustaría y confesaría –Declan contempló las oscuras aguas del río–. Tenía sólo dieciséis años.

Jasmine apoyó una mano en su brazo diciendo:

–Estaba escrito hace tiempo el momento en que Sybil moriría, tal como está escrita mi hora y también la tuya. El Profeta dijo: «Hasta que llegue mi hora, nada me podrá causar daño; cuando llegue mi hora, nada me podrá salvar». Zakki tenía razón. Tú no tuviste la culpa. Quiero ayudarte, Declan. Llevas una carga muy pesada y yo también. Me preguntaste una vez por qué no quería regresar junto a mi familia en El Cairo. Te voy a decir por qué –añadió Jasmine, contemplando las estrellas primaverales–. Mi padre me expulsó de mi familia. Me arrebató a mi hijo y me sacó de casa. Lo hizo porque mantuve relaciones sexuales con un hombre que no era mi marido y quedé embarazada de él.

Se volvió a mirar a Declan, tratando de adivinar en sus ojos su reacción. Pero sólo vio el reflejo de la luz de la luna.

–No le amaba –añadió–. Fui su víctima. Hassan al-Sabir había amenazado con arruinar a mi familia y yo fui a verle para suplicarle que no lo hiciera, pero acabé deshonrando a mi familia. Sé que hubiera tenido que acudir a mi padre... puede que eso fuera lo que más enfureció a mi padre, el hecho de pensar que yo no le creía capaz de luchar contra Hassan y de que yo no confiaba en su fuerza. No lo sé. La noche en que me desterró, mi padre me dijo que, al nacer yo, había atraído una maldición sobre nuestra familia. Por eso no puedo regresar.

–Jasmine –dijo Connor, acercándose un poco más a ella–, recuerdo cuando viniste a mi despacho aquel día, preguntándome si podría ayudarte en caso de que recibieras una notificación del Servicio de Inmigración. Jamás olvidaré el temor en tus ojos. Tres de mis alumnos ya habían sido deportados; me habían pedido ayuda, pero no tenían miedo. Para ellos, volver a casa era una molestia, algo que los irritaba y los indignaba. Tú, en cambio, estabas asustada, Jasmine. Y siempre me he preguntado por qué, pues me parece que lo sigues estando. ¿Por qué temes regresar? ¿Por culpa de este Hassan?

–No. Hassan al-Sabir ya no puede hacerme daño. Ni siquiera sé dónde está, si sigue en El Cairo o si todavía vive. Mi familia me repudió, ya no soy una Rashid.

Jasmine se volvió de espaldas, pero Declan la asió por los hombros y la obligó a mirarle.

–Jasmine, has dicho que querías ayudarme. Olvídate de mí. Ayúdate a ti misma. Exorciza tus propios demonios.

Por un instante, Jasmine se perdió en la intensidad de su mirada.

–No lo entiendes –dijo después.

–Yo sólo entiendo una cosa... Dices que me estás agradecida por haberte devuelto a Egipto. Yo no te he devuelto, tú misma lo has hecho. Yo he sido simplemente el pretexto que necesitabas.

–No es verdad...

–Pero aún no has vuelto del todo, ¿no es cierto? Has trabajado en el Líbano, en Gaza y en el Alto Nilo. Es como si estuvieras dando vueltas alrededor de un gigante dormido al que temes despertar.

–Es cierto, Declan, tengo miedo. Quiero ver a mi familia, los echo a todos de menos... a mi hermana Camelia y a mi abuela Amira. ¡Pero no sé cómo regresar!

Declan esbozó una sonrisa.

–Pasito a paso y sin darte por vencida.

–Pero tú, en cambio, te has dado por vencido.

–Sí. He aprendido que la ciencia es inútil en lugares como éste. He aprendido que, por mucho que intentes vacunar a los niños, ellos siguen pensando que un abalorio de color azul colgado alrededor del cuello es más eficaz. He intentado enseñarles que los parásitos del río son causa de enfermedades y de muerte y les he enseñado a adoptar unas sencillas precauciones, pero ellos prefieren confiar en un amuleto mágico y caminar en medio del agua contaminada. Vienen a mí durante el día con sus enfermedades y su desnutrición, pero por la noche visitan a escondidas la casa del hechicero para que les dé polvo de serpiente y talismanes. Aquellas ruinas donde encontramos a tu hermano poseen más poder curativo que mi jeringa hipodérmica. Incluso tú, Jasmine, creíste que la danza *zaar* podría ayudarme. ¿Acaso no te das cuenta de lo vanos que han sido mis esfuerzos? Sí, me he dado por vencido. Y por eso tengo que irme antes de que la absoluta inutilidad de todo esto me destruya como destruyó a Sybil.

–Pero a tu mujer no la mataron ni la superstición ni la magia.

–No, pero yo maté al chico que la asesinó para apoderarse de una cámara que no valía una gorda. Mira, Jasmine, Sybil y yo estábamos en aquel poblado tratando de convencer a los ancianos de que instaran a la gente a vacunar a sus niños. Ya casi lo habíamos conseguido gracias a los denodados esfuerzos de Sybil por vencer la resistencia del hechicero local. ¡Y entonces voy yo y echo mano precisamente de la brujería que habíamos condenado! Después de lo mucho que había trabajado Sybil, hice retroceder aquel poblado por lo menos cien años. La decepcioné, Jasmine. Escarnecí su muerte.

–No, no es verdad –dijo Jasmine, acariciándole la mejilla–. Oh, Declan, quisiera librarte de tu dolor, pero no sé cómo. Dime qué debo hacer. ¿Quieres que me vaya contigo?

–No –contestó él, atrayéndola de nuevo hacia sí–. Tú tienes que quedarte aquí, Jasmine. Es el lugar que te corresponde.

–No sé cuál es el lugar que me corresponde –dijo Jasmine, apoyando la cabeza en el hombro de Declan y descansando el cuerpo contra el suyo–. Yo sólo sé que te quiero, Declan. Es lo único que sé.

–Por ahora –dijo Declan, inclinando la cabeza para volver a besarla–, nos basta con eso.

44

–No te preocupes, amigo mío –dijo Hussein, colocando el dispositivo de explosión en la bomba de tiempo–. Nadie va a sufrir el menor daño. Hoy es lunes y la sala de fiestas está cerrada esta noche –hizo una pausa para mirar al tembloroso Muhammad, acomodado en el asiento posterior del automóvil con el rostro más pálido que la cera–. La bomba es una cosa puramente simbólica para que se enteren de que estamos decididos a librar a Egipto de la impía decadencia. La he preparado para que estalle a las nueve en punto de esta noche.

Muhammad contempló la interminable riada de automóviles que estaba cruzando el puente bajo el cual discurría el Nilo con sus aguas verde-oscuras siniestramente iluminadas por el sol de la tarde. El automóvil de Hussein estaba aparcado en la calle algo más abajo de la sala de fiestas Cage d'Or, y Muhammad podía ver el cartel de Mimí en la entrada. Contempló de nuevo la bomba que Hussein estaba preparando y tragó saliva, notándose la garganta seca.

¿Qué estaba haciendo él allí con aquellos hombres tan peligrosos? ¿Qué se le había perdido a él, Muhammad Rashid, un insignificante funcionario de la Administración, con aquella gente? Las últimas semanas habían transcurrido como un sueño desde el día en que descubriera que su madre estaba en Egipto. Cada mañana esperaba que ella fuera a verle y cada noche veía morir sus esperanzas y crecer su desazón y su inquietud espiritual. Y, en su desesperación, acudía todas las noches al apartamento de Hussein y escuchaba a aquellos jóvenes hablando apasionadamente de Alá y de la revolución. A Muhammad no le gustaban Hussein y sus amigos, más bien les tenía miedo, pero le servían de desahogo para sus penas y sus sentimientos reprimidos. Decían que las mujeres desvergonzadas e inmorales tenían que ser expulsadas de Egipto y él se mostraba de acuerdo. Y, cuando dijeron que, para demostrar sus intenciones, destruirían el local en el que actuaba Mimí, pensó: «Así aprenderá», aunque, en su confusión, no supiera a cuál de las dos mujeres quería castigar.

Ahora, sentado a cierta distancia de la sala de fiestas, mientras

Hussein conectaba el dispositivo de tiempo con la batería de la bomba, se asustó y experimentó el impulso de echar a correr.

Se retorció las manos. ¿Cómo era posible que su madre estuviera en Egipto y no quisiera ver a su hijo? ¿Estaría todavía en al-Tafla o ya se habría marchado de Egipto sin ni ir a verle tan siquiera?

Había llegado el momento de colocar la bomba.

–Te concedemos este honor a ti, amigo mío –dijo Hussein, entregándole la caja a Muhammad–. De esta manera, demostrarás tu lealtad a la causa y a Alá. Aquí tienes la llave de entrada posterior de la sala de fiestas. Si te tropiezas con alguien, algún portero o vigilante, dale *bakshish* y dile que es un regalo para Mimí de parte de un alto funcionario del Estado y que tienes orden de entregarlo personalmente en su camerino. Colocarás la bomba en el escenario, en el lugar que yo te he indicado en el plano. Que Alá te acompañe, amigo.

Al otro lado de la sala de fiestas, en la entrada principal, Camelia acababa de salir y estaba estrechando la mano del propietario. Los preparativos para la fiesta sorpresa que aquella noche se iba a celebrar en honor de Dahiba ya estaban muy adelantados; toda la familia estaría presente y también los amigos de Dahiba, los antiguos miembros de su orquesta, gentes del cine y personajes famosos e incluso un representante del ministerio de Bienes Culturales, que haría entrega a Dahiba de una distinción. Habría reporteros y cámaras de televisión que filmarían la fiesta, la cual tendría lugar después de una fabulosa cena. Al final, convencerían a Dahiba de que volviera a danzar... en su primera actuación en público después de catorce años. Tras darle nuevamente las gracias al propietario, Camelia regresó corriendo a su limusina sin percatarse de que su sobrino acababa de pasar subrepticiamente por la parte de atrás de la sala de fiestas con una caja bajo el brazo.

Dahiba contempló cómo las azoteas, las cúpulas y los alminares de El Cairo adquirían una tonalidad dorada bajo el sol del atardecer y pensó que el mundo era un lugar maravilloso porque se le había concedido una segunda oportunidad de seguir viviendo. Los últimos resultados de los análisis habían sido negativos. El cáncer se encontraba en fase de remisión.

Hakim entró en el apartamento sosteniendo un paquete de gran tamaño y miró a su mujer con una expresión sospechosamente satisfecha.

–¿Qué es? –preguntó Dahiba cuando él se lo entregó sonriendo.

–Un regalo para ti, cariño. Ábrelo y lo verás.

Dahiba quitó cuidadosamente la cinta, levantó la tapa y, al separar el papel de seda, lanzó un grito de asombro.

–¿A que no te lo esperabas? –preguntó Hakim mientras su mofletudo rostro se iluminaba con una sonrisa.

–¡No sé qué decir! –Dahiba sacó cuidadosamente el traje de la caja y lo sostuvo en sus manos para contemplar con admiración cómo los hilos de oro y plata entretejidos en la tela de gasa negra brillaban bajo la luz del sol–. ¡Es una preciosidad, Hakim!

–Y además, es auténtico. ¡Me ha costado una fortuna!

Era un «traje de Asyut», un traje regional confeccionado con un bellísimo e insólito tejido ya casi imposible de encontrar.

–Tiene más de cien años –explicó Hakim, levantando el dobladillo y acariciando el suave tejido–. Es como el que luciste en tu debut en el Cage d'Or en 1944, ¿recuerdas?

–¡Pero aquél era una imitación, Hakim! ¡Y éste es de verdad!

–Vamos a celebrarlo. Ponte el vestido y dejarás deslumbrado a todo El Cairo.

–¿Qué vamos a celebrar? –preguntó Dahiba, abrazando y besando a su marido.

–Que Alá te ha curado del cáncer, loado sea su nombre.

–¿Y adónde iremos?

–Déjame darte una sorpresa.

Mientras contemplaba el azul del mar a la izquierda de la carretera por la cual estaban circulando, Amira pensó en su familia de El Cairo. Ya se estarían preparando para la fiesta en honor de Dahiba. Lamentaba que ella y Zeinab no pudieran estar presentes. Le había prometido a Camelia regresar a tiempo, pero se habían demorado a su regreso de la peregrinación a La Meca porque, al salir de Medina, empezó a sentir unos dolores torácicos y el médico de allí le recomendó que tomara un vuelo y regresara inmediatamente a El Cairo, pero ella estaba firmemente decidida a encontrar la ruta de la caravana de su infancia, pues sabía que no se le ofrecería otra oportunidad de hacerlo.

Contemplando ahora las centelleantes aguas azul cobalto del golfo de Áqaba, Amira se llenó de júbilo. Se sentía purificada y más cerca de Alá por el hecho de haber estado en La Meca, el lugar más sagrado de la tierra. Ella, Zeinab y las dos primas habían rezado en la Kaaba, la gran Piedra Negra de La Meca en la cual el profeta Abraham había preparado el sacrificio de su hijo Isaac; habían visitado el pozo de Agar y bebido el agua sagrada y después habían arrojado guijarros a las columnas de piedra que simbolizaban a Satanás, para alejar de sí al demonio. Posteriormente, se habían desplazado en transbordador hasta la costa de Áqaba, donde habían tomado un taxi para dirigirse a la península del Sinaí.

Y ahora Amira estaba siguiendo la ruta que, según la tradición, habían seguido los judíos para salir de Egipto. Sin embargo, como el verdadero camino jamás se había logrado establecer y algunos estudiosos habían sugerido otras rutas, Amira estaba un poco preocupada. Su madre le había dicho muchos años atrás que estaban siguiendo el camino del Éxodo. Pero ¿sería aquél o quizá hubieran tenido que tomar el del norte, tal como algunos decían?

Como si leyera sus pensamientos, el chófer jordano, tocado con una *jaffiyeh* a cuadros blancos y rojos, le dijo:

–Éste es el camino de la 9.ª Brigada, *sayyida*.

El enorme Buick cubierto de polvo circulaba velozmente por una carretera a cuya derecha se elevaban unas escarpadas rocas de granito y a cuya izquierda se extendían las palmeras, las doradas playas y las aguas intensamente azules del golfo. Al otro lado, se divisaba débilmente la costa color espliego de Arabia.

–Pero ¿estamos siguiendo el mismo camino que siguió el profeta Moisés cuando sacó a los judíos de Egipto?

–Éste es un camino muy conocido, *sayyida* –contestó el taxista–. Pero los monjes del monasterio de Santa Catalina te lo podrán decir. Si Alá quiere, nos quedaremos a pasar la noche allí.

Al final, el vehículo se apartó de la costa y empezó a bajar por un camino sin asfaltar entre pedregosos campos de margaritas habitados por las pardas alondras del desierto, los zorzales, las perdices, las liebres del desierto y los pequeños lagartos verdes. El camino era abrupto y difícil, por más que el taxista procuraba no zarandear demasiado a las pasajeras. Por el camino se cruzaron con unos beduinos que, de pie a la entrada de sus tiendas, saludaron con la mano el paso del vehículo. Mientras atravesaban aquel yermo territorio en el que apenas crecía vegetación, exceptuando algunas palmeras que luchaban por sobrevivir entre las piedras, Amira no cesaba de mirar a su alrededor. ¿Hubiera tenido que reconocer aquel paisaje?

Al final, llegaron al monasterio.

–*Yébel Musa* –dijo el taxista, señalando un alto y escarpado picacho–. El monte de Moisés.

Al contemplar los pardos, grises y rojos montes graníticos, el corazón de Amira se desbocó de emoción. ¿Tendría que recordar estas desnudas colinas? ¿Estaba yo cerca de aquí cuando atacaron nuestra caravana? ¿Fue aquí donde me arrebataron de los brazos de mi madre? ¿Estará ella enterrada cerca de aquí y podré yo encontrar finalmente su sepulcro? De momento, Amira había contemplado el mar intensamente azul de sus sueños, había oído las esquilas de una caravana de camellos y había experimentado una profunda sensación de familiaridad en aquel territorio desconocido. ¿Qué otros recuerdos iba a despertar en ella aquel lugar?

Mientras enfilaban la carretera que conducía al monasterio de

Santa Catalina, construido en la base del monte Sinaí, Amira y sus acompañantes se tropezaron con numerosos autocares de turistas, caravanas y estudiantes en bicicleta, todos ellos circulando en dirección contraria.

–*Bismillah* –dijo el taxista–. Eso no es buena señal. Creo que llegamos demasiado tarde. Los monjes habrán cerrado las puertas.

La carretera se fue convirtiendo poco a poco en un camino sin asfaltar. Al pasar por delante de una pequeña capilla blanca, el taxista explicó:

–Aquí es donde el profeta Moisés habló por primera vez con Alá.

Al final, llegaron a una especie de fortaleza agazapada entre los cipreses.

–Yo me encargo de todo –dijo el taxista, aparcando y subiendo por unos peldaños de piedra.

Regresó al poco rato, diciendo:

–Lo lamento, *sayyida*. Los monjes ya han tenido suficientes turistas por hoy. Dicen que volvamos mañana.

Amira experimentó una súbita sensación de apremio. Si los dolores torácicos que había sufrido en Medina habían sido efectivamente un aviso, puede que ya no tuviera un mañana.

–Zeinab –dijo–, ayúdame a subir estos peldaños, por favor. Yo misma hablaré con los padres –mirando al taxista con una extraña expresión, añadió–: Nosotros no somos turistas, señor Mustafá. Somos unas peregrinas que vienen en busca de la verdad.

Al llegar a la puerta de la antigua muralla, Amira tuvo que detenerse para recuperar el resuello. «Te lo ruego, Señor, no dejes que me muera antes de haber encontrado las respuestas que busco.»

Zeinab tocó la campanilla y apareció un barbudo monje vestido con el hábito pardo oscuro de su orden greco-ortodoxa.

–Por favor, santo padre –le dijo Zeinab en árabe–, ¿tienes la bondad de permitir que mi abuela entre a descansar? Venimos desde muy lejos.

Al ver que el monje no parecía comprenderla, repitió las palabras en inglés y entonces el monje la comprendió y, asintiendo con la cabeza, dijo que reconocía las vestiduras de la peregrinación religiosa y abrió la puerta para acoger al grupo.

Entraron en el patio encalado del monasterio cristiano y, mientras seguía al monje pisando un antiguo pavimento de piedra, Amira pensó: «Yo he estado antes aquí».

Mientras las sombras del anochecer caían sobre al-Tafla en el Alto Egipto, Jasmine hizo su última visita domiciliaria antes de regresar a la clínica para atender a los pacientes del consultorio.

–¿Hoy se va el saíd, doctora? –le preguntó *Um* Jamal mientras Jasmine le tomaba la tensión en el pequeño patio de su casa.

–Sí, el doctor se tiene que ir a otro sitio.

–Me parece una equivocación, doctora. Tienes que conseguir que se quede aquí.

–O irte con él –terció la señora Rajat–. Una mujer tan joven como tú... ¡Ya tendrás tiempo de ser vieja y quedarte sola como yo!

Jasmine se apartó de las mujeres y volvió a guardar el manguito de medir la tensión en su maletín. No podía concentrarse en su trabajo. Cuando dos noches atrás, hizo el amor con Declan después del *zaar*, todo había sido una delicia. Se pasaron la noche hablando y, al llegar el amanecer, volvieron a hacer el amor y ella sintió que sus lealtades empezaban a dividirse. Tal como había dicho *Um* Jamal, ¿cómo podía permitir que él se fuera? Sin embargo, Declan no quería quedarse.

–Te quiero, Jasmine –le había dicho–, pero me moriré si me quedo. Les he dado tantas cosas a esta gente que ya no me queda nada más. Es como si me hubieran devorado el alma y sólo pudiera salvarme huyendo de aquí.

Mientras abandonaba la casa de *Um* Jamal y caminaba bajo los últimos rayos del sol de la tarde, Jasmine pensó que su destino era vivir sola, que Alá tenía otros planes para Declan y que la despedida de aquella mañana era lo que tenía que ser y ella jamás volvería a verle. Sin embargo, mientras regresaba a la clínica, descubrió que sus pasos la habían conducido a la casa de la Fundación junto al río, donde Declan estaba cargando sus cosas en el Toyota para poder salir hacia El Cairo aquella misma noche.

Le vio bajo la dorada luz del ocaso cargando con bruscos movimientos las bolsas de nailon en la parte de atrás del vehículo.

–¡Espera! –le gritó. Cuando él se volvió, se arrojó en sus brazos–. Te quiero, Declan. Te quiero tanto que no puedo perderte.

Él la besó con fuerza, hundiendo los dedos en su cabello.

–He perdido a todas las personas que he amado –añadió Jasmine, estrechándole con fuerza–, incluso a mi hijo. Pero a ti no te perderé. Quiero irme contigo, Declan. Quiero ser tu mujer.

Muhammad se moría de miedo. Todo le había salido a la perfección, tal como Hussein le había prometido: nadie le había preguntado nada al entrar en la sala de fiestas con la caja de regalo y nadie le había visto colocar la bomba al fondo del escenario, cerca de los camerinos. Antes de marcharse, había comprobado el dispositivo de explosión por última vez: estaba preparado para dispararse a las nueve en punto...; presa de un gélido temor, se dio cuenta, mientras se acercaba a la casa de la calle de las Vírgenes del Paraíso, de que faltaban apenas treinta minutos.

Por la tarde, en el café de Feyruz, había vivido una pesadilla tratando de disimular su inquietud en presencia de sus amigos funcionarios. Salah se había pasado el rato contando chistes como de costumbre y Habib le había tomado el pelo a propósito de su pasión por Mimí. Rezó para que sus amigos no se dieran cuenta de que estaba sudando a mares ni de que consultaba el reloj con excesiva frecuencia ni de que no había podido beberse el dulce té azucarado de Feyruz. Y ahora, cuando ya se acercaba la hora cero, comprendió que se iba a marear.

«Santo cielo, ¿qué es lo que he hecho?», pensó mientras entraba en la casa, extrañamente silenciosa y vacía. «¿Cómo podré vivir después con este remordimiento? ¿Y si alguien resultara herido o incluso muerto? ¡Algún inocente que pasara por allí, por ejemplo! ¡Santo cielo, ojalá pudiera deshacer lo que he hecho!»

El silencio de la casa le distrajo de sus pensamientos; se detuvo en el vestíbulo y prestó atención, esperando oír rumores de música, voces y risas. Pero, por primera vez en su vida, la casa de su tío estaba ahora más muda que una tumba. ¿Qué había ocurrido? ¿Dónde estaba todo el mundo?

–¡Muhammad! –le llamó su prima Asmahan, bajando por la escalinata envuelta en una nube de perfume y luciendo un centelleante traje de noche–. ¿Por qué no estás vestido?

–¿Vestido para qué?

–Para la fiesta sorpresa en honor de tía Dahiba. Te lo dijimos hace varias semanas. Los otros ya se han ido. Si te das prisa, te llevo en mi coche.

¿Una fiesta?, pensó Muhammad. Entonces lo recordó: la sorpresa que le habían preparado a tía Dahiba. ¿Era aquella noche?

–Lo había olvidado, Asmahan. Sí, me daré prisa e iré contigo. ¿Dónde se celebrará la fiesta?

–En el Cage d'Or.

Amira se despertó con una opresión en el pecho y, por un aterrador instante, no supo dónde estaba. Después, recordando que ella y sus acompañantes se habían quedado a pasar la noche en el monasterio de Santa Catalina, miró a Zeinab y a sus primas dormidas en sus camas. Sin despertarlas se levantó, se envolvió en sus blancas vestiduras y salió a la fría noche del desierto.

Rezó para que aquellas molestias se debieran a la copiosa cena que les habían servido los monjes y no a algún trastorno del corazón. Tenía que vivir un poco más. No había recuperado ningún otro recuerdo. Ella y las chicas habían recorrido el monasterio, que era casi una aldea en miniatura, visitando la hermosa iglesia, los jardines y el osario donde se amontonaban los huesos de monjes muertos muchos siglos atrás. Pero su memoria no experimentó ninguna sacudida; si había visitado aquel lugar en su infancia, no se acordaba.

Salió al desierto patio bañado por la luz de la luna y contempló las humildes edificaciones que rodeaban su perímetro. Le parecía curioso haber encontrado una antigua mezquita en el interior de un monasterio cristiano; se había construido hacía muchos años como defensa contra los invasores árabes, pero ahora la usaban los beduinos de la zona durante el Ramadán y otras fiestas religiosas, le explicaron los monjes. Temblando de frío, decidió regresar al dormitorio, pero algo la indujo a detenerse.

Contempló el negro cielo y las rutilantes estrellas y, empujada por una voluntad que no parecía la suya, subió lentamente por los peldaños de piedra que conducían al muro del parapeto.

La limusina quedó atrapada en el denso tráfico de El Cairo. Dominada por una incontenible emoción, Dahiba contempló las brillantes luces y a los peatones que caminaban presurosos por las aceras.

–¡Me gustaría que me dijeras adónde vamos, Hakim! –dijo riéndose.

Él se limitó a comprimirle la mano y le contestó:

–Ya lo verás, cariño, es una sorpresa.

Muhammad consultó su reloj. Faltaban quince minutos para que estallara la bomba. Un sudor frío le empapó la frente mientras tocaba furiosamente el claxon y trataba de abrirse camino entre el intenso tráfico nocturno. Al decirle Asmahan que la fiesta se iba a celebrar en el Cage d'Or, trató de llamar al local, pero la línea estaba ocupada. Pensó en llamar a la policía. Pero no había tiempo. Entonces decidió ir él mismo a la sala de fiestas y desactivar el artefacto o arrojarlo al Nilo. Salió rápidamente de la casa y tomó el automóvil de Asmahan y ahora estaba contemplando a través de la ventanilla el irremediable embotellamiento de tráfico que tenía delante.

«Señor mío, Señor mío. ¡Ayúdame!»

Al final, presa del pánico, abandonó el automóvil con el motor todavía en marcha y se dirigió a pie hacia el río.

Declan se pasó la tarde dando instrucciones a Nasr y Jalid sobre lo que deberían hacer hasta que llegara el nuevo jefe y después decidió ir a ver qué tal estaba Jasmine. Tras haber hecho el amor con él, Jasmine había regresado a la clínica para hacer el equipaje. Ambos se irían juntos al día siguiente.

Al llegar a la clínica en medio de los deliciosos aromas de la comida que se estaba cociendo en las fogatas, Declan oyó la llamada del almuédano a través del altavoz de la mezquita de al lado. La puerta de la clínica no estaba cerrada con llave, por lo que entró sin llamar. Al ver que Jasmine no se encontraba en su dormitorio, salió al patio de la parte de atrás, donde dos noches antes había tenido lugar la danza del *zaar*, y allí la encontró arrodillada sobre una alfombra de oración bajo la luz de la luna.

Jamás la había visto rezar anteriormente: se quedó hechizado ante la visión de su caftán y su turbante blancos mientras ella se postraba repetidamente en el suelo con tanta agilidad como si estuviera interpretando la coreografía de una danza. Escuchó las plegarias en árabe que se escapaban de sus labios y, al ver la expresión de profunda devoción y tal vez también de tristeza o disculpa que reflejaban sus ojos, arrojó súbitamente el cigarrillo al suelo, lo pisó con la bota para apagarlo y se alejó.

Hakim cruzó la entrada del club dando el brazo a una asombrada Dahiba.

–¡Sorpresa! –gritaron todos mientras la antigua orquesta de Dahiba interpretaba en el escenario la melodía con la cual se iniciaba siempre su actuación.

Muhammad entró apresuradamente por la puerta posterior, empujando a su paso a los camareros y los cocineros, y salió al comedor donde se hallaba reunida toda su familia... el tío Ibrahim, la abuela Nefissa, su madrastra Nala, todos sus tíos, tías y primos, desde los mayores hasta los más pequeños, e incluso Atiya, la esposa embarazada de Ibrahim. En el momento en que Camelia subía con Dahiba al escenario, todo el mundo prorrumpió en vítores y aplausos y se apagaron las luces.

–Alá misericordioso –musitó Muhammad e inmediatamente gritó–: ¡Salid todos de aquí! ¡Que salga todo el mundo en seguida!

Amira avanzó por el muro del parapeto del monasterio sintiendo la luz de las estrellas sobre sus hombros y el frío viento del desierto a través de sus vestiduras blancas. Contempló el desolado paisaje y trató de evocar el campamento de sus sueños. Girando lentamente en círculo, contempló las oscuras y melladas montañas elevándose hacia las estrellas y los muros y tejados del monasterio hasta llegar a una curiosa silueta que se recortaba contra el cielo. Se dio cuenta entonces de que aquello era el alminar de la pequeña mezquita construida en el interior del monasterio.

Era un alminar cuadrado... el alminar de sus sueños.

«Aquí estuve yo.»

Y, de repente, aspiró la dulce y celestial fragancia de sus sueños... el perfume de las gardenias... y oyó la clara y pura voz de su madre, diciéndole: «Mira allá arriba, hija de mi corazón. ¿Ves aquella preciosa estrella azul de Orión? Es Rigel, la estrella de tu nacimiento».

Todo se le reveló en un instante, como si acabara de recibir un tremendo golpe y el Sinaí hubiera sido súbitamente iluminado por un nuevo sol: las multicolores tiendas y los estandartes, los cantos y las danzas alrededor de la hoguera del campamento, la visita de los jeques beduinos con sus hermosos ropajes negros y sus sonoras risas. Amira tuvo que agarrarse al muro mientras los recuerdos la inundaban como un diluvio: «Tenemos una casa en Medina y acabamos de regresar de El Cairo, donde hemos visitado a tía Saana, que está a punto de dar a luz a otro niño. *Umma* dice que mi padre se alegrará de volver a vernos porque no puede soportar la separación de la familia. Mi padre pertenece a la nobleza, es un príncipe de la tribu más grande de Arabia. Y, al nacer yo, fui prometida en matrimonio al príncipe Abdullah, que algún día será el jefe de nuestra tribu».

–¡Alá! –exclamó, elevando los ojos a las estrellas.

Mientras Muhammad corría hacia el escenario, su padre Omar lo asió del brazo.

Los ojos de ambos se cruzaron.

Y, de pronto, se produjo un ruido ensordecedor y una bola de fuego los envolvió.

Mientras contemplaba en sobrecogido asombro el cuadrado alminar bajo la luz de la luna e iba asimilando todos los nuevos recuerdos –el patio y la fuente de Medina, los nombres de sus hermanos y hermanas–, experimentó un repentino y agudo dolor detrás del esternón y vio una cegadora luz...

Jasmine se despertó de repente, escuchó el silencio que la rodeaba e, intuyendo que algo había ocurrido, se levantó de la cama, se puso la bata y salió en medio de la oscuridad de la noche. Al llegar a la casa de Declan, encontró la puerta abierta de par en par. Declan no estaba y todas sus pertenencias habían desaparecido; el lugar donde previamente había permanecido aparcado el LandCruiser no era más que un espacio vacío, más allá del cual discurrían las oscuras y silenciosas aguas del Nilo.

Epílogo

El presente

Jasmine separó los visillos de su habitación de hotel y vio una opalescente aurora rompiendo sobre el Nilo. La ciudad acababa de despertar a la llamada del almuédano; los pescadores estaban desplegando las velas triangulares de sus falúas; y, en la calle de abajo que bordeaba la orilla del río, los taxis blanquinegros estaban empezando a formar una cola delante del hotel. Cansada, hambrienta y abrumada por las emociones tras haberse pasado toda una noche reviviendo una existencia con Amira, Jasmine se volvió y contempló a la mujer sentada al otro lado de la estancia. El blanco velo de Amira había caído hacia atrás, dejando al descubierto el blanco cabello y el frágil cráneo.

–Oh, *Umma* –dijo Jasmine, acercándose a ella. Cayó de rodillas a sus pies y Amira la estrechó en un fuerte abrazo–. Cuánto lo siento, *Umma* –añadió–. Me he sentido muy sola. Quería volver, pero no sabía cómo.

–Años atrás yo solía soñar con una niña que había sido arrebatada de los brazos de su madre –dijo Amira sin dejar de abrazarla–. Durante mucho tiempo los sueños me turbaron porque pensé que eran un presagio de futuros acontecimientos. Al final comprendí que estaba viviendo unos hechos del pasado, cuando me secuestraron y me separaron de mi madre. El día en que tu padre te expulsó, Yasmina, nieta mía, pensé que ésta era la hora que vaticinaban mis sueños. Y entonces me fuiste arrebatada. Pero ¿por qué volviste a América tras haber regresado a Egipto? –preguntó, levantando hacia sí el rostro surcado por las lágrimas de Jasmine.

Jasmine se sentó en un sillón al lado del carrito del servicio de habitaciones donde quedaban las sobras de la comida que ella había pedido por la noche.

–Poco después de que Declan se fuera, caí enferma. Tenía malaria y sufrí un ataque muy fuerte. Me enviaron de nuevo a Londres, pero no me recuperé del todo. Entonces la Fundación me dejó en excedencia hasta que mejorara. Decidí irme a California y viví algún tiempo en casa de Rachel.

–Pero, después, ¿por qué no regresaste?

–Me fui con un grupo de médicos a América del Sur. Se había declarado una epidemia de cólera que no había forma de controlar. Volví a los Estados Unidos hace apenas unos meses.

–¿Y ahora estás bien, Yasmina?

–Sí, *Umma*. He contraído una nueva variedad resistente de malaria, pero estoy tomando unos nuevos medicamentos y ya me encuentro mejor.

Amira escudriñó su rostro.

–Y el doctor Connor, ¿dónde está?

–No lo sé. Una vez recuperada de mi enfermedad en Londres, le escribí a la Knight Pharmaceuticals en Escocia, pero me dijeron que nunca llegó a ocupar aquel puesto. La Fundación Treverton tampoco conocía su paradero. Y él nunca ha intentado ponerse nuevamente en contacto conmigo.

–¿Sigues amando a ese hombre?

–Sí.

–Pues entonces tienes que buscarle.

Pero eso Jasmine ya lo sabía. Tras abandonar Egipto sin haber podido encontrar a Declan, llegó a la conclusión de que él no quería que lo encontrara y deseaba que lo dejara en paz. Sin embargo, mientras hablaba aquella noche con su abuela y ambas se contaban historias y se revelaban secretos sobre el amor y la lealtad y los valores que realmente merecían la pena, Jasmine se sintió súbitamente abrumada por un nuevo sentimiento amoroso hacia Declan, como si hubiera estado dormida y despertara de golpe. Esta vez, pensó, lo buscaría hasta que lo encontrara.

Tomó la primera plana de un periódico fechado casi cinco años atrás que Amira había sacado de su caja de recuerdos. El titular decía: UN ARTEFACTO TERRORISTA DESTRUYE UNA SALA DE FIESTAS.

–Como estaba enferma, no leía la prensa y no escuchaba la radio. Por eso no me enteré de lo que había ocurrido.

–Aquello fue el comienzo del declive de tu padre –dijo Amira, levantándose rígidamente del sillón que había ocupado durante toda la noche.

El contenido de su estuche antiguo estaba ahora esparcido sobre la mesa: fotografías, recortes de periódico, recuerdos y joyas... y la postal de felicitación de cumpleaños que Jasmine le había enviado a Muhammad con el matasellos de al-Tafla y que había sido en último extremo la causa de la tragedia.

–Tu padre perdió por completo el interés por la vida, Yasmina. Los médicos dicen que no le pasa nada, pero se está marchitando y morirá muy pronto porque no quiere vivir.

Jasmine contempló cómo su abuela se acercaba a la ventana para mirar. Envuelta en la luz del amanecer, le pareció casi un ángel.

–Nadie de la familia sabe que estoy aquí, Yasmina, excepto Zeinab. Fue ella quien te envió el telegrama diciéndote que yo iba a venir. Me quería acompañar, pero hay ciertos caminos que una mujer tiene que recorrer sola.

–Zeinab –dijo Jasmine–. Mi niña no nació muerta. Tenía una hija y no lo sabía.

–Pensamos que la habías abandonado, Yasmina. Alice dijo que no la querías.

–Creo que mi madre deseaba que me fuera de Egipto y, a lo mejor, comprendió que no lo hubiera hecho de haber sabido que mi niña vivía –contemplando la fotografía de Zeinab, Jasmine añadió en un susurro–: Perdí a mi hijo, pero Alá me ha dado una hija.

–Muhammad murió como un mártir, Yasmina. Los que estaban presentes dijeron que había intentado salvar a los demás. Debió de ver la bomba o quizá vio que alguien la colocaba, pues corrió directamente hacia ella mientras les gritaba a todos que salieran. Tu hijo murió tratando de salvar a los demás, Yasmina, pudiendo salvarse él. Tuvo un entierro de auténtico héroe.

–Que Alá lo tenga siempre en el Paraíso. No fue Camelia la que reveló mi secreto –dijo Jasmine en tono de asombro–. Mi hermana no me traicionó.

–Por supuesto que no. Cuando más tarde le pregunté a Nefissa cómo se había enterado de lo tuyo con Hassan, me confesó que te había seguido hasta la casa de Hassan. Camelia guardó tu secreto, Yasmina.

Recordando al padre de Zeinab, Jasmine volvió a dejar la fotografía sobre la mesa y preguntó:

–¿Quién mató a Hassan?

–No lo sé.

Al ver que la mirada de Jasmine se posaba de nuevo en el terrible titular del periódico, Amira añadió:

–Por la misericordia de Alá, Zeinab y yo nos libramos de aquella bomba. Hubiéramos tenido que asistir a la fiesta en honor de Dahiba, pero nos retrasamos porque yo me puse enferma al salir de Medina. De no haber sido por eso, tu hija y yo hubiéramos podido perecer con ellos –dijo, apoyando una mano sobre las fotografías de los que habían resultado muertos por el estallido de la bomba. Amira contempló con aire pensativo a su nieta y después, recogiéndose los blancos ropajes, volvió a sentarse–. Y ahora, Yasmina, aún te tengo que revelar un último secreto. Te he dicho que no conocía a mi familia y que me habían secuestrado de la caravana de mi madre. Pero lo que ni tú ni nadie sabe, ni siquiera tu padre... de hecho, ni yo misma lo sabía hasta que me fue revelado en el monasterio de Santa Catalina... es lo que ocurrió después. Es algo muy difícil de contar.

Jasmine miró a su abuela con expresión expectante.

–Tras la incursión en la caravana de mi madre cerca del monasterio de Santa Catalina –dijo Amira al final–, fui conducida a la casa de un rico mercader de El Cairo, un hombre aficionado a las niñas de corta edad. Las mujeres de su harén me dieron de comer, me bañaron, me perfumaron el cabello y me condujeron desnuda a un fabuloso dormitorio donde vi a un hombre muy corpulento, sentado en un sillón que parecía un trono. Tuve mucho miedo cuando me acarició y me tocó y me dijo que no me haría daño. Después las mujeres me levantaron del suelo y me sentaron sobre sus rodillas. El dolor fue muy intenso y grité. Tenía seis años –Amira se estudió las manos–. A partir de aquel momento, el rico mercader mandó que me condujeran a su habitación todas las noches. A veces, me prestaba a sus amigos o a sus distinguidos visitantes y se quedaba a mirar mientras yo los «atendía». Tenía yo trece años cuando Alí Rashid, un amigo del rico mercader, llegó un día y fue autorizado a visitar el harén. Se prendó de mí y me quiso comprar. El rico mercader se mostró de acuerdo porque ya se me estaban empezando a redondear las caderas y el busto y eso ya no le interesaba. Advirtió a Alí Rashid de que yo no era virgen y Alí dijo que no le importaba. Me compró y me condujo a su casa de la calle de las Vírgenes del Paraíso –Amira carraspeó–. Por aquel entonces, la esclavitud estaba prohibida y tanto Alí como el rico mercader hubieran podido ser detenidos si se hubiera descubierto la transacción, pues hubo un intercambio de dinero y, por consiguiente, yo era la esclava de Alí. Al llevarme a su casa, Alí me concedió la libertad, se casó conmigo y, un año después, nació Ibrahim.

Los rumores del tráfico de la calle de abajo se elevaron hasta la ventana abierta y penetraron en la estancia junto con la brisa matinal.

–Oh, *Umma* –exclamó Jasmine–, cuánto lo siento. Debió de ser terrible para ti.

–Tan terrible, Yasmina, que me lo borré de la mente. Pero, al enterrar aquel recuerdo insoportable, enterré también toda mi vida anterior. Sin embargo, soñaba cosas... y experimentaba extraños sentimientos. Yasmina, ¿recuerdas el día en que tomamos un taxi y fuimos a la calle de las Tres Perlas? Tu padre te había prometido en matrimonio a Hassan, pero, mientras tú y yo permanecíamos sentadas en el taxi delante de aquella escuela de la calle de las Tres Perlas, me hice el firme propósito de impedirlo.

–¿Por qué?

–Porque aquel rico mercader se llamaba al-Sabir y Hassan era su hijo.

En el pasillo del hotel, se oyó el tintineo de un carrito de servicio y una suave voz femenina diciendo:

–*Y'Allah*!

–Aunque no recordaba las cosas que me habían hecho en el harén –añadió Amira–, tenía la impresión de que la familia de Hassan no era honrada. Por eso no podía permitir que se casara contigo cuando supe que te había pedido en matrimonio. Por eso obligué a Ibrahim a romper el compromiso y te casé con Omar.

Ambas mujeres se miraron, recordando aquella tarde y aquel taxi en el que habían permanecido sentadas muchos años atrás.

–Ahora comprendo que lo que me ocurrió en mi infancia, el secuestro y mi vida en el harén de la calle de las Tres Perlas, me convirtió en lo que soy. Temía salir de la casa de la calle de las Vírgenes del Paraíso y temía quitarme el velo. Incluso me daba miedo que mis hijos y nietos salieran a la calle. Tal vez por eso no pude casarme con Andreas Skouras a pesar de que estaba enamorada de él. Intuía que mi pasado ocultaba algo vergonzoso.

–¿Y ahora lo has vuelto a recordar todo?

–Sí, por la gracia de Alá. Ahora te puedo decir cómo era mi madre y te puedo describir al hermoso joven con quien estaba comprometida en matrimonio, el príncipe Abdullah, el cual también me visitó en sueños años atrás. E incluso puedo oír la voz de mi madre diciéndome: «Recuerda siempre, hija de mi corazón, que eres una Sharif, una descendiente del Profeta».

–¿Buscarás ahora a tu verdadera familia, *Umma*? ¿A tus hermanos y hermanas?

Amira sacudió la cabeza.

–Ya tengo mi verdadera familia.

–Ahora quiero ir a ver a mi padre –dijo Jasmine con una sonrisa.

Al llegar a la casa de la calle de las Vírgenes del Paraíso, Jasmine tuvo que esperar un momento para serenarse. Su padre estaba enfermo, lo cual significaba que toda la familia estaría allí; vería rostros conocidos de antaño y una multitud de rostros nuevos. Pero no se le antojarían extraños. Todos eran Rashid y, por consiguiente, todos se sentirían unidos entre sí.

Cuando entró en la casa y cruzó el umbral, le pareció que regresaba al pasado, pues nada había cambiado. El jardín, la glorieta, las impresionantes puertas de madera labrada, todo estaba igual. Vio a Nefissa en el vestíbulo examinando con el ceño fruncido una bandeja que una de las criadas estaba a punto de subir al piso de arriba. Nefissa miró a Yasmina, esbozó una sonrisa y volvió a clavar los ojos en el estofado. Después, levantó la cabeza de golpe y exclamó:

–*Al hamdu lillah*! ¿Acaso estoy viendo un fantasma?

–Hola, tía –dijo Jasmine sintiendo que el corazón le latía furiosamente en el pecho.

Aquélla era la culpable de su destierro, la culpable de que le hubieran quitado a Muhammad y la culpable en último extremo de la tragedia del Cage d'Or.

–¡Yasmina! –gritó Nefissa con lágrimas en los ojos, estrechando a su sobrina con tal fuerza que apenas la dejaba respirar–. ¡Loado sea el Eterno! ¡Él te ha devuelto a nosotros!

Cuando ambas se miraron, Yasmina vio en los ojos de su tía una súplica que le hizo recordar la mirada implorante de Greg la noche en que ella sufrió el aborto. Nefissa le estaba diciendo: «Perdóname».

–La paz y la bendición de Alá sean contigo, tía –le dijo Jasmine.

–*Al hamdu lillah*! –repitió Nefissa, tomando el brazo de Jasmine y subiendo con ella la escalinata mientras gritaba casi sin resuello–: *Y'Allah*! *Y'Allah*!

Todo el mundo se congregó en lo alto de la escalinata para ver a qué venía aquel alboroto y, tras un instante de perplejidad, Jasmine empezó a ver sonrisas aquí y allá y a oír gritos de «¡Loado sea el Señor!». E inmediatamente se vio cercada por un mar de rostros conocidos y desconocidos, sonrisas y lágrimas y brazos que se alargaban para tocarla como si quisieran asegurarse de que era efectivamente ella.

Al ver a Tahia, Jasmine extendió las manos hacia ella y ambas se fundieron en un abrazo.

–Loado sea Alá –dijo Tahia–. Él te ha devuelto a nosotros.

–En realidad, ha sido *Umma* la que me ha traído –dijo Jasmine.

Mientras los demás se reían, pensó que más tarde le tendría que hablar a Tahia de Zacarías y decirle que sus últimos pensamientos antes de morir habían sido para ella–. ¿Cómo está mi padre?

Tahia sacudió la cabeza.

–No quiere comer ni beber. Le ocurre cada vez que llega el aniversario de lo de la bomba... Sabes lo que ocurrió, ¿verdad?

Jasmine asintió con la cabeza. La bomba que había matado a su hijo, a un camarero y a dos músicos. Y también a Omar. La única otra baja que se produjo fue el hijo no nacido de Atiya, el hijo no nacido de Ibrahim.

–Pero esta vez está peor –añadió Tahia, acompañando a Jasmine a los aposentos de Ibrahim–. Normalmente, se le pasa la depresión en pocos días. Pero esta vez le ha durado dos semanas. Creo que se quiere morir, Alá no lo permita.

Jasmine entró en el dormitorio y se sorprendió de que le resultara tan familiar... Como el jardín, el vestíbulo y todo lo demás, los aposentos de su padre estaban exactamente igual que cuando ella los visitaba en su infancia. Sin embargo, ahora le parecían menos espaciosos y ya no la atemorizaban. Los hombres que acompañaban al enfermo experimentaron un sobresalto al verla entrar. Sus tíos y primos conocidos y desconocidos la abrazaron uno a uno y después se retiraron y cerraron la puerta para que no se oyeran los murmullos del pasillo. Jasmine se quedó sola con el anciano de la cama.

Experimentó una sacudida al ver lo mucho que había envejecido Ibrahim. Ya no quedaba casi la menor huella del hombre apuesto y viril que ella recordaba. De hecho, parecía más viejo que su propia madre Amira.

Se sentó en el borde de la cama y tomó su mano. En el momento del contacto, sintió que sus recelos, dudas y enojos se esfumaban como por ensalmo. Lo que había ocurrido en el pasado entre ella y aquel anciano ya estaba olvidado. Tuvo que suceder porque estaba escrito. Pero el futuro también lo estaba y eso era lo que ambos tenían que afrontar juntos.

–¿Papá? –dijo en un suave susurro.

Los apergaminados párpados se entreabrieron.

Ibrahim miró hacia el techo un instante y después miró a Jasmine y abrió enormemente los ojos.

–*Bismillah*! ¿Estoy soñando? ¿O acaso estoy muerto? Alice, ¿eres tú?

–No, papá. No soy Alice, soy Jasmine, quiero decir, Yasmina.

–¿Yasmina? Oh... –Ibrahim tosió–. ¿Yasmina? Hija de mi corazón. ¿De veras eres tú? ¿Has vuelto a mí?

–Sí, papá. Y la familia me dice que no quieres comer y que te vas a poner enfermo.

–Soy un hombre maldito, Yasmina. Alá me ha abandonado.

–Con todo el debido respeto y honor, papá, eso es una estupidez. Mira a tu alrededor, esta casa tan preciosa y estos muebles tan bonitos y toda esta gente congregada delante de tu puerta. ¿Te parece que todas estas bendiciones son las propias de un hombre maldito?

–¡Empujé a Alice al suicidio y no me lo perdono!

–Mi madre padecía una enfermedad llamada depresión clínica. No sé si alguno de nosotros la hubiera podido ayudar.

–Ya no sirvo para nada, Yasmina.

–Si te quedas aquí en la cama compadeciéndote de tus penas, no vas a llegar a ninguna parte, papá. Está escrito que Alá ayuda a los que se ayudan. ¿Por qué se va a molestar Alá en preocuparse por un hombre que se queda en la cama y no quiere comer?

–Eso es una blasfemia y una falta de respeto –afirmó Ibrahim, esbozando una sonrisa con los ojos rebosantes de lágrimas–. Has vuelto, Yasmina –añadió acariciando el rostro de su hija con trémula mano–. ¿Eres médica ahora?

–Sí, papá, y muy buena, por cierto.

–Me alegro –dijo Ibrahim, apoyando la cabeza en la almohada

con expresión más tranquila–. Me he pasado toda la vida mirando hacia atrás, ¿comprendes? ¿Sabías que Sahra me encontró junto a mi automóvil, entre las cañas de azúcar, la mañana en que nació Camelia? Yo estaba vomitando porque había bebido demasiado champán. Por Alá –dijo sacudiendo la cabeza–, ¡y por una Rashid! Me ofreció agua y yo le regalé una bufanda blanca. Un año después, la noche en que tú naciste, me dio a su hijo. Era Zacarías –añadió, mirando a Jasmine.

–Lo sé, *Umma* me lo ha contado.

–Yasmina, ¿recuerdas al rey Faruk?

–Recuerdo a un hombre muy grueso que nos regalaba caramelos.

–Aquéllos eran unos tiempos muy inocentes, Yasmina. O... puede que no lo fueran. Yo entonces no era muy buen médico, ¿me comprendes? Pero más tarde lo fui. ¿Sabes cuándo ocurrió eso, cuándo empecé a cambiar? Cuando tú empezaste a ayudarme en mi consultorio. Quería que te sintieras orgullosa de mí. Quería enseñarte a hacer bien las cosas.

–Y me enseñaste a hacerlas.

–Mira, yo me había pasado la vida tratando de complacer a mi padre, y lo seguí haciendo incluso cuando él murió. Muy pronto me reuniré con él. No sé cómo me va a recibir.

–Como un padre recibe siempre a un hijo –dijo Jasmine–. Papá, tienes que reconciliarte con Alá.

–Tengo miedo, Yasmina. ¿Te desagrada oírle decir eso a tu padre? Tengo miedo de que Alá no me perdone.

Jasmine le acarició el blanco cabello y le miró con una sonrisa en los labios.

–Todo lo que hacemos está escrito hace tiempo. Lo que ocurrió estaba predestinado a ocurrir antes de que naciéramos. Consuélate con esta certeza, sabiendo que Alá es clemente y misericordioso. Pídele con humildad que te conceda la paz.

–¿Y crees que Él me perdonará, Yasmina? ¿Me perdonas tú?

–El perdón le corresponde a Alá –contestó Jasmine, pero en seguida añadió con dulzura–: Sí, papá, te perdono.

Se inclinó para abrazarle y hundió el rostro en su cuello mientras ambos lloraban juntos. Después se incorporó y, enjugándose las lágrimas de las mejillas, le dijo a su padre:

–Me encargaré de que comas.

Ibrahim se echó de nuevo a llorar, pero inmediatamente esbozó una sonrisa y empezó a ponerse nervioso.

–¡He malgastado mis años! He utilizado el tiempo como si fuera una mercancía sin valor. Mira lo que soy, ¡un insensato! ¿Dónde está Nefissa con mi sopa? ¿Dónde está esta condenada mujer?

En el momento en que Jasmine se levantaba, se abrió la puerta del dormitorio y entraron tres personas. La primera de ellas era Dahiba, la cual miró a Jasmine con una sonrisa y le dijo:

–Madre nos ha dicho que habías vuelto. Loado sea Alá.

La seguía Camelia con expresión un tanto desconcertada. Jasmine vio en su rostro un sentimiento de alegría mezclada con un cierto recelo y se sorprendió de lo poco que había cambiado su hermana. Camelia seguía siendo la alta, llamativa y seductora estrella cinematográfica de siempre.

Después se acercó una muchacha renqueando a causa del aparato ortopédico que llevaba en la pierna.

Jasmine tuvo que agarrarse a uno de los pilares de la cama. Zeinab, su hija.

–Hola, Zeinab –le dijo. Miró a Camelia y sus ojos se cruzaron con los de su hermana. Después esbozó una sonrisa y añadió, dirigiéndose a la muchacha–: Soy tu tía Yasmina.

–¡Loado sea Alá! –exclamó Dahiba mientras las lágrimas rodaban por sus mejillas–. ¡Volvemos a ser una familia! ¡Lo vamos a celebrar con una fiesta por todo lo alto!

Pero, antes, Jasmine tenía que hacer una cosa.

Le indicó al taxista una dirección y, minutos después, avanzó por un pasillo de uno de los edificios más viejos de El Cairo, leyendo las placas de las puertas hasta llegar a una muy modesta que decía FUNDACIÓN TREVERTON. La pequeña zona de recepción del interior estaba formada por un escritorio, unas sillas y varios pósters en las paredes de WHO, la UNICEF y la fundación Salvemos a los Niños del Mundo. Una joven egipcia muy bien vestida levantó los ojos con una sonrisa.

–¿En qué puedo servirla? –preguntó en inglés.

–Quisiera localizar a un antiguo miembro de la Fundación –contestó Jasmine–. Trabajamos juntos en el Alto Egipto y he pensado que, a lo mejor, ustedes podrían ayudarme.

–¿Me puede decir su nombre, por favor?

–El doctor Declan Connor.

–Ah, sí –dijo la joven–. Se encuentra en el Alto Egipto.

–¡En el Alto Egipto! ¿Quiere decir que el doctor Connor está aquí?

–Está en al-Tafla, señora.

Jasmine apenas pudo contener su emoción.

–¿No tendrían ustedes que enviar mañana, por casualidad, algún avión con suministros?

–No, señora, lo siento.

Jasmine empezó a pensar. Podía tomar un vuelo hasta Luxor, pero después tendría que seguir por carretera hasta al-Tafla. A veces, los vuelos eran tan poco de fiar como las carreteras. Tenía que ir a ver a Declan cuanto antes.

Le quedaba el tren nocturno.

Jasmine bajó por las conocidas callejuelas, pasó por delante del pozo junto al cual las mujeres estaban chismorreando y por delante del café de Walid y, de pronto, retrocedió cinco años y le pareció que acababa de llegar allí por primera vez.

Se detuvo ante la clínica donde los pacientes esperaban en la calle sentados en unos bancos, las mujeres a un lado y los hombres al otro. La puerta estaba abierta y Jasmine asomó la cabeza para mirar.

Connor estaba dentro sosteniendo un estetoscopio sobre el pecho de un niño sentado sobre la mesa bajo la vigilante mirada de su madre. Observó con cuánta dulzura trataba Declan al niño, tranquilizándolo y diciéndole que tuviera cuidado con lo que comía. Después, Declan le explicó a la madre que el niño estaba bien, que sólo había sido una leve intoxicación alimentaria y que debería vigilar lo que el niño se ponía en la boca. Mientras le miraba, Jasmine se sorprendió de que hubiera cambiado tan poco. Y le entraron ganas de reír. Su acento árabe seguía dejando mucho que desear.

–Bueno pues, ya está, ya te puedes ir –dijo Declan.

Al mirar hacia la puerta, se quedó petrificado.

–¡Jasmine!

–Hola, Declan. Estaba...

Declan la atrajo a sus brazos y le estampó un fuerte beso en la boca.

–¡Santo cielo, Jasmine! Me estaba preguntando cuándo volverías. Intenté localizarte.

–Te escribí a la Knight Pharmaceuticals...

–No fui a Escocia –le explicó Declan, mirándola con detenimiento y llenándose los ojos con su imagen–. Firmé un contrato por un año para trabajar en un barco hospital en Malaysia. Cuando regresé a Egipto, me dijeron que habías vuelto a Inglaterra a causa de la malaria. Fui a Londres y allí me comunicaron que la Fundación te había dejado en excedencia y que tú te habías ido a California. No recordaba el apellido de tu amiga... Rachel. Intenté localizarte a través de la Asociación Californiana de Medicina y de la Asociación Americana de Medicina. Incluso indagué en la facultad de Medicina. Al final, acudí a la casa de la calle de las Vírgenes del Paraíso donde tú me habías dicho que vivía tu familia. Me facilitaron la dirección de Itzak Misrahi en California, le escribí y él me contestó diciendo que te habías incorporado a la Organización Lathrop.

–¡Oh, no! –exclamó Jasmine–. Me fui al Perú con un grupo independiente de médicos para ayudar a las víctimas del cólera. La Organización Lathrop aportaba fondos, pero yo no pertenecía a ella. Declan, yo también intenté localizarte, incluso escribí...

–No importa –dijo Declan, volviéndola a besar mientras los *fellahin* miraban desde la puerta y *Um* Tewfik, Jalid y el viejo Walid sonreían y comentaban entre sí que ya era hora.

La boda se celebró en la casa de la calle de las Vírgenes del Paraíso. Todos los Rashid participaron en los tradicionales festejos consistentes en una complicada procesión *zeffa*, seguida de un festín a base de queso, ensaladas, cordero asado, *kebab* a la parrilla, humeante arroz con alubias, postres y café mientras unos cómicos, acróbatas y danzarines agasajaban a Jasmine y Declan, sentados en sendos tronos, él con esmoquin y ella con un vestido de novia de encaje color albaricoque. Estaba también presente el hijo de Declan, que, a sus veinticinco años, era el vivo retrato de su padre y acababa de terminar sus estudios en Oxford, por cuyo motivo entabló inmediatamente una animada conversación con Ibrahim, el cual había sido alumno de la misma universidad cincuenta años atrás.

Rachel Misrahi se trasladó desde California para asistir a la boda, acompañada de su padre Itzak. Tras haberle mostrado a su hija la casa de al lado, donde él había nacido y en la cual se encontraba instalada en aquellos momentos la embajada de un país africano, Itzak se pasó varias horas rememorando con Ibrahim la época de su infancia juntos mientras Rachel, boquiabierta de asombro, escuchaba por primera vez a su padre hablando en árabe.

Camelia y Dahiba bailaron a dúo una danza que formaba parte de su espectáculo años atrás mientras Yacob las contemplaba con orgullo en compañía de su hijo Najib, un guapo y regordete niño de once años. Su hijastra Zeinab, por el contrario, apenas podía concentrarse en la actuación de su madre por culpa de un primo suyo llamado Samir, un atractivo joven que últimamente le quitaba el sueño y que, en aquellos momentos, la estaba mirando con una sonrisa desde el otro extremo del salón.

Qettah estaba también allí para leer la suerte de la pareja. No era la misma Qettah que había conocido la familia en tiempos de Faruk ni la que Amira había visitado en el barrio de Zeinab, sino una nieta o tal vez una biznieta de la anciana astróloga, acompañada de una joven igualmente llamada Qettah.

Dos hombres presidieron la ceremonia desde unos marcos dorados: Alí Rashid Bajá, con fez y chilaba, rodeado de mujeres y de niños y mirando con expresión adusta por encima de unos soberbios mostachos; y el rey Faruk, joven, apuesto y solo.

Sentado bajo aquellos retratos, Ibrahim batió palmas y gritó «*Y'Allah!*» mientras su hermana y su hija interpretaban una vibrante danza *beledi*. Su esposa Atiya estaba nuevamente embarazada y le había devuelto una vez más la esperanza de que Alá le daría muy pronto un hijo varón. Mientras pensaba que era el hombre más afortunado del mundo, Ibrahim observó cómo se reía Zeinab y, viendo los hoyuelos de sus mejillas, evocó a Hassan al-Sabir, el hombre que la había engendrado y que antaño fuera su amigo y hermano.

Ibrahim evocó finalmente la noche en que desterró a Yasmina y todo su mundo se vino abajo y, ciego de dolor, se dirigió a la casa de Hassan. El homicidio no fue involuntario. Ibrahim se dirigió allí con la intención de destruir al hombre que había traicionado una amistad y atentado contra el honor del apellido Rashid.

Ibrahim recordó cómo Hassan, incluso cuando yacía moribundo en el suelo, se había burlado de él. Ocurrió en el momento en que, sacando una navaja y utilizando sus conocimientos médicos, él cercenó el arma de ataque que su desleal amigo había utilizado contra Yasmina.

Amira también batía palmas al compás del *beledi*, sintiéndose más joven y dichosa de lo que jamás se hubiera sentido en mucho tiempo. Su familia estaba nuevamente reunida y el hecho de ver de nuevo a Itzak Misrahi, a quien ella había ayudado a venir al mundo, era casi como si hubiera recuperado a Maryam.

Recordando un reciente sueño en el cual un ángel le había dicho que moriría muy pronto, Amira se preguntó: «¿Qué significa "pronto" para un ángel?». Porque ella aún tenía muchas cosas que hacer. La hija de Nala, por ejemplo, ya estaba en edad de merecer y el nieto de Abdel Rahman, un hombre muy importante con doce personas trabajando a sus órdenes, sería un partido ideal. La hija de Hosneya, viuda y con dos hijos, necesitaba a un hombre que cuidara de ella y el viudo Gamal, que ocupaba un destacado puesto en la embajada de la casa de al lado, sería un candidato excelente. ¿Y acaso el joven Samir no estaba mirando a Zeinab con sonrisa insinuante? Amira recordó haberle visto a menudo en la casa pretextando cualquier excusa y poniéndose colorado como un tomate cada vez que aparecía Zeinab. Mañana hablaré con su madre, pensó Amira. Y después los ayudaré a comprar un apartamento si el chico todavía no puede permitirse el lujo de costearlo por su cuenta.

Finalmente, Amira pensó en los recuperados recuerdos de su infancia, la estrella de su nacimiento y su verdadero linaje. Y entonces se hizo la promesa de que, cuando hubiera cumplido su tarea, se reuniría con su madre en el Paraíso. Pero, mientras la familia la siguiera necesitando, no podría emprender aquel viaje. Al año siguiente, o tal vez al otro, se iría.

Esta obra, publicada por
GRUPO EDITORIAL RANDOM
HOUSE MONDADORI,
se terminó de imprimir en los talleres
de Cayfosa-Quebecor, de Barcelona,
en febrero de 2002